INDIAN PRAIRIE PUBLIC LIBRARY
401 Plainfield Road
Darien, IL 60561

JUL 2 3 2020

D1286921

ЕЛЕНА ЧИЖОВА

Елена Чижова

КИТАИСТ

Роман

РЕДАКЦИЯ
ЕЛЕНЫ ШУБИНОЙ

Издательство
АСТ
Москва

УДК 821.161.1-31
ББК 84(2Рос=Рус)6-44
Ч-59

Художник *Владимир Мачинский*

Чижова, Елена Семеновна.

Ч-59   Китаист : роман / Елена Чижова. — Москва : Издательство АСТ : Редакция Елены Шубиной, 2017. — 604, [4] с. — (Проза Елены Чижовой).

ISBN 978-5-17-101065-2

Новый роман букеровского лауреата Елены Чижовой написан в жанре антиутопии, обращенной в прошлое: в Великую Отечественную войну немецкие войска дошли до Урала. Граница прошла по Уральскому хребту: на Востоке — СССР, на Западе — оккупированная немцами Россия. Перед читателем разворачивается альтернативная история государств — советского и профашистского — и история двух молодых людей, выросших по разные стороны Хребта, их дружба-вражда, вылившаяся в предательство.

УДК 821.161.1-31
ББК 84(2Рос=Рус)6-44

© Чижова Е.С., 2017
© ООО «Издательство АСТ», 2017

ISBN 978-5-17-101065-2

Оглавление

По вечерам он видит мужчину неопределенного возраста, скорее моложавого. С резко очерченным, осунувшимся от вечных забот лицом. Собранные, близко посаженные глаза. Его недруги скажут: серые. Сам он предпочитает: свинцовые — цвет, придающий вескости самым тихим и вежливым словам.

Его утреннее отражение: строгий серый галстук, крахмальная белая рубашка, дорогой темно-синий костюм. Напоследок, прежде чем выйти из дома, он придирчиво осматривает лацканы. Ищет следы желтизны.

Желтые ликуют снаружи.

Слов не разобрать. Да это и неважно. Были бы желтые. Слова найдутся.

Он помнит, как они кричали тогда, пять лет назад, слившись в безумной радости. Неоглядные толпы, подступающие к его ногам как море. Ему слышалось: Таласса! Таласса! — будто взывают не к нему, а к дочери греческого бога Эфира. Сестра Люба усмехалась: «Прямого».

Вспомнив сестру, он, по привычке последних лет, называет ее предательницей. Зачем она это сделала? Наглоталась химии. Наложила на себя руки, оставив его в одиночестве. Ладно бы любовь — чувство, не подконтрольное разуму. Но — «ухожу, отказываюсь быть заложницей коллективного безумия»? Ее предсмертную записку он уничтожил. Во всем, что касается документов, нельзя доверять чужим рукам.

Он думает: желтые неблагодарны. Кто знает, *что* они закричат завтра?

Впрочем, всерьез париться не стоит. Тайные страхи — это нормально. Главное, не поддаваться, держать под контролем.

Он и держит. Не позволяет себе думать про Иоганна, которого постигла судьба предателей. На войне как на войне.

Да, Иоганн погиб под колесами. Он морщится: *погиб* — плохое слово. Такие слова он произносит неохотно, будто отдает дань реальности, с которой порой приходится считаться. Даже ему, отдающему предпочтение другим словам: исчез, остался в прошлом. Прошлое — Россия, где остался не только Иоганн. Но и она, сестра его сестер. И старик, которого так и не удалось переспорить. Выражаясь военным языком, это — приемлемые потери. Как и эксцессы первых лет.

Он готов признать: да, эксцессы были. Что неизбежно, когда на кону стоит великое будущее.

Грандиозный, всеобъемлющий план. Всякие отщепенцы и предатели из синих (ну как тут не вспомнить про Иоганна!) называли его план чудовищным экспериментом. Невелики числом, но уж больно горласты — ну и где они, эти горлопаны, теперь?..

Нет, не они, кичившиеся своей дальновидностью. Это Вернер открыл ему глаза на жизнь. Жизнь *вообще*, а не только российскую. Учитывая его тогдашнюю наивность, это было трудной задачей. Иоганн, во всяком случае, не преуспел. Потому что давил и умничал — чего он терпеть не может.

Как бы то ни было, он не ошибся, поставив на Вернера, обогатившего его словарь дивным словом *симулякр*, похожим на гладкую косточку от крымской черешни. Хочешь — сплюнь, хочешь — катай во рту. Помнится, он спросил: «Ну как это, всеобъемлющее слово? А войну можно описать?» — «Войну-то в первую очередь», — Вернер причмокнул и скривился, будто глотнул пряного коктейля: опивки прошлого, приправленные гнилым настоящим. Питательная смесь для смертельно больной страны. Это в Европе принято говорить правду. У нас другие традиции. Наши врачи утешают: ну что вы, какие метастазы! Два раза в день, утром и вечером, — и не заметите, как всё пройдет.

Он думает: «Всё, да не всё».

Страна. Империя — единая и неделимая — стоит неколебимо. В вечных государственных границах, больше не зависящих ни от кульбитов истории, ни от козней внешних и внутренних врагов.

«Иоганн мечтал, а я сделал». Он смотрит на свое отражение: губы — тонкие, но жесткие. К старости они сморщатся, как губы Великого китайца.

Счастье, что желтые беспамятны. Год-другой, и всё окончательно успокоится. «Вот тогда, — в зеркале отражается его фирменная усмешка, — мы и займемся историей. Как и с чего начиналось. Будем вспоминать...»

Первая

I

За стеклом гуляла метель. Снежные хлопья, вырвавшись наконец на волю, казалось, летят поперек ветра, но, отброшенные назад чудовищной скоростью рвущегося вперед состава, теряют последние силы, засыпая землю по эту сторону Хребта. Похоже, их гибельный порыв пропадал втуне: толстые белые сугробы уже лежали непроходимым слоем по обочинам железнодорожной полосы.

Нещедрый мартовский взнос в общее снежное дело — слишком малая толика к впечатляющим достижениям русско-сибирской зимы. Так думал молодой человек лет двадцати пяти, сидящий в кресле № 38. Стараясь ничего не упустить, он неотрывно глядел в окно. Первые полчаса там плыли спальные районы, превращающие Москву в любой крупный город Советского Союза: хоть Новосибирск, хоть

Челябинск, хоть его родной Ленинград, по которому он, непривычный к дальним поездкам, уже успел соскучиться, но не настолько, чтобы и впрямь затосковать.

Торопясь поспеть за седыми от инея новостройками, пробежали дачные строения в белых пушистых малахаях. Их сменила тайга. Ели, сосны, лиственницы, пихты — высокие деревья, обложенные снежной ватой, стояли по ту сторону ограды, отделяющей режимную зону от девственного леса: на скорости, которую успел развить поезд, крупные ячеи сливались в сплошную сероватую полосу.

Присмотревшись повнимательнее, он понял, что преувеличил разгул метели: снег не столько падает с неба, сколько летит из-под колес. За сутки, пока на здешней линии нет движения, рельсы успевает занести. Разгоряченный металл, соприкасаясь с нетронутым снегом, превращает его в белое облако — оно-то и стелется по земле.

Электрическое табло над раздвижной дверью в тамбур вспыхнуло красными литерами:

СКОРОСТЬ — 190 КМ/ЧАС.

Дождавшись, пока надпись, коротко мигнув, сама себя переведет на нем-русский, он сосредоточился на цифре, которая так и просилась в задачник по арифметике, где, неустанно соперничая друг с другом, бегали поезда с разными, но все-таки сопоставимыми скоростями. В данном случае, учитывая гипотетически скромные возможности даже самого быстрого пассажирского, не говоря уж о черепашьих почтовых, которые ползли из пункта А в пункт Б долгими снежными полустанками, соперничество получалось мнимым.

«Мнимый... — слово-леденец таяло во рту. — Я. Здесь. В этом вагоне... — ища избавления от кисловато-тревожного привкуса, он провел пальцем по стеклу. Подлинный холод, пронзивший подушечку пальца, — единственное доказательство: — Не сон. *Всё* — наяву».

Ленивое местоимение, которым он, не найдя ничего лучшего, воспользовался, вобрало в себя и волнующий показатель скорости, и белый шлейф, сопровождающий поезд, и это герметичное стекло — надежную защиту от трескучего, царствующего снаружи мороза, и гордость за родную страну, достигшую, кто бы что ни говорил, впечатляющих успехов в народном хозяйстве, и ровные ряды кресел: «Если бы не столики, точь-в-точь как в самолете...» — неудачное сравнение с самолетом только упрочило тревогу. По радио не объявляют, но известно: сизокрылым железным птицам случается падать и биться, особенно здесь, над тайгой.

«Но я-то не в небе, а на родимой земле, — резонное соображение, тем более на самолете он ни разу не летал, снизило накал опасливых ожиданий. Понемногу отходя от понятной в его обстоятельствах робости, он огляделся, отметив ковровую дорожку цвета топленого молока, пущенную по всей длине вагона. «Надо же, чистая... — учитывая московскую привокзальную слякоть, которую месили пассажиры, это казалось чудом. — Платформу, что ли, подогревают?» — если предположить, что в основе первого межгосударственного проекта лежат самые прогрессивные технологии, не такая уж безумная мысль. Новшества могли коснуться чего угодно, а не только конструктивных особенностей подвижного состава. Ему вспомнилась толкучка у турникета: пассажиры прикладывают билеты, провожающие — специальные пропуска-квиточки, которые получают, отстояв очередь в отдельную кассу, — на других направлениях ничего подобного нет.

Красные буквы побежали, складываясь в новую электронную строку:

БЕРКУТ — ВАГОН № 6 — 02.03.1984.

На этот раз, покосившись на девушку, сидевшую в кресле напротив (похоже, его ровесница), он повел себя более благоразумно — подавил неосторожный вздох. Не хотелось выглядеть дикарем, которого изумляют плоды цивилизации. Тем более надпись на табло не содержала ничего особенного: название поезда, номер вагона, число, месяц, год, — всё как у него в билете. Билет и заграничный паспорт. Час назад, чувствуя замирание сердца, предъявил их проводнику. Теперь, прислушиваясь к колесам, отбивающим чечетку на рельсовых стыках, он напомнил себе: «Этот поезд — наше общее достижение. А не только российской стороны».

Сверхскоростную ветку, соединившую две столицы, ввели в эксплуатацию в 1981 году. Проект, который газетчики называли «Великим прорывом» —

собираясь в дорогу, он (на всякий случай, мало ли, придется отвечать на неудобные вопросы) сходил в Публичку, пролистал жухлые подшивки многолетней, с походом, давности, — стал возможен благодаря совместным усилиям правящих Партий, внешнеполитических ведомств, научно-исследовательских и опытно-конструкторских организаций, разработавших и внедривших в производство новое поколение головных и пассажирских вагонов, и, конечно, целой армии строительных рабочих, которым пришлось трудиться в четыре смены, чтобы — всего лишь за одну пятилетку — поднять насыпь, проложить рельсы, а главное — пробить многокилометровый туннель в толще Уральского хребта.

«Правда», «Известия», «Ленинградский рабочий» — все центральные и местные газеты подробно рассказывали о том, как на обеих конечных станциях перестроили и переоборудовали вокзалы, которые и раньше-то походили друг на друга. Но теперь — за исключением незначительных деталей, призванных подчеркнуть особую национальную идентичность каждой из стран-участниц, — их довели до полного единообразия. В передовых статьях то и дело мелькало горделивое словосочетание *вокзалы-близнецы*, поражавшее читателей своей новизной. Несколько месяцев, пока стороны не пришли к общему мнению, в специальных газетных разделах обсуждались повадки пернатых: коршунов, сапсанов, кречетов. (Шутники, упражнявшиеся в остроумии помимо средств массовой информации, предлагали составить нечто двуглавое.) В конечном счете международная комиссия выбрала самого крупного хищника. «Беркут» — этот представитель семейства ястребиных устроил обе стороны.

Единственное расхождение, по которому так и не удалось прийти к компромиссу, — ширина рельсовой колеи. Для себя Россия оставила прежнюю, европейскую. Это одностороннее решение — за которым советское руководство усмотрело следы былой враждебности, вызвало резкую отповедь. Наше внешнеполитическое ведомство, рупор ЦК КПСС, выпустило специальный меморандум, возложив всю ответственность за нарушение сроков пуска железнодорожной ветки на российский Рейхстаг. В ответном меморандуме «их Москва» заявила, что Россия «туточки ваще не при делах», дескать, российские инженеры предлагали недорогое, но весьма конструктивное решение, которое противоположная сторона отвергла без объяснения причин. Обмен жесткими нотами вызвал панические слухи: мол, проект повис на волоске. Или вовсе заморожен. Через год выяснилось, что это не соответствует действительности. За короткий срок наши инженеры, трудясь стахановскими темпами, создали собственную оригинальную конструкцию — спецприспособление, на жаргоне газетчиков *поддон*. С помощью которого кузов советского вагона легко и просто приподнять и переставить на российскую ходовую часть.

Выступая на торжествах, посвященных открытию прямого сообщения, официальные лица призывали к дальнейшему более тесному сотрудничеству, основанному на взаимном доверии, больше не поминая ни неприятный эпизод с «поддоном», ни —

если брать шире — долгий и трудный путь, который СССР и Россия прошли от Соглашения о перемирии, коим завершилась страшная кровопролитная война, до полноценного Мирного договора, подписанного 20 мая 1978 года, — в обеих сопредельных странах одинаково праздничный день.

Ввод в эксплуатацию сверхскоростной железной дороги, соединившей две столицы, стал своеобразным рубиконом, новой точкой отсчета. Начиная с этой даты (листая желтоватые подшивки, он невольно это отметил), исчезло, будто кануло в Лету, прежнее газетное словосочетание, привычное советскому уху: *временно оккупированная территория*. Уйдя из официальной, оно сохранилось в разговорной речи.

Поговаривали, будто на перегоне от Москвы до Хребта каждые десять километров стоят караульные вышки. Слухи, однако, оказались беспочвенны — теперь он убедился: никаких вышек. Только деревья — плыли за окном «Беркута», слегка покачиваясь на ветру.

Неправдоподобно огромная скорость, которую поезд развил на этом, прямом как стрела, участке дороги, смазывала картинку. И стволы, и вечнозеленая масса — всё сливалось в сплошную преграду: не прорваться никакому ветру. Впрочем, ветер и не пытался, довольствуясь одними вершинами, раскачивал из стороны в сторону. Вдруг, ни с того ни с сего, подумалось: «Захочет — прорвется. Ветер — опытный зэк...»

Взглянув на девушку, занимавшую кресло № 39, он поспешил отделаться от этой мысли, однако странная нелепая мысль не исчезала. Скорее упрочилась. Ему даже почудилось, будто деревья по обеим сторонам железной дороги выросли не сами собой. А кто-то, в здешних заповедных местах обладающий всей полнотой власти, вывел их из леса, расставил вдоль полотна, отдав приказ горестно покачивать головами, провожая уносящиеся на Запад поезда. Пожалуй, он бы не удивился, когда, упустив серебристый хвост мгновенно промелькнувшего состава, вечнозеленые деревья выстроились бы широкими лесополосами — по четыре ствола в затылок — и, подчиняясь яростному лаю сторожевых овчарок вкупе с отрывистыми окриками охраны, двинулись в глубь тайги.

Но одернул себя: «Овчарки, вооруженная охрана... Это там, за Хребтом». Хотя здесь это *тоже* было, но раньше, не на его памяти. Местные лагеря перевели на юго-восток, к китайской границе, в конце сороковых.

Кстати, о Китае. Когда мандарин отправляется в путешествие, жители его провинции тоже выходят на большую дорогу и, расположившись друг от друга на некотором расстоянии, ждут, когда их главный начальник проедет мимо, чтобы поприветствовать его особенным образом, пожелать счастливого пути... Он уже было погрузился в приятные тонкости древнекитайских обрядов, но его окликнули.

— Ты до конечной? — Девушка, сидевшая напротив (за все это время она не проронила ни слова, но он все равно различал в ней чужое, выдававшее россиянку. «Немецкая овчарка» — эта мысль явилась, едва он вошел в вагон, на всякий случай сверившись с билетом, пристроил на крюк шапку-ушанку и водрузил на багажную полку синий матерчатый чемодан), не назвала город — последнюю станцию на этой режимной ветке. Оценив ее нежданную деликатность, он кивнул и почувствовал себя увереннее. Даже пейзаж за окном переменился: теперь ему казалось, будто деревья радостно качают колючими кронами, торопясь пожелать ему доброго пути.

— Ты оттуда? — она махнула рукой против хода поезда.

Сказать по правде, ее назойливое *ты* коробило. Но когда к тебе обращаются, глупо сидеть сычом лишь на том шатком основании, что девушки, к которым привык сначала в школе, а потом в институте, и разговаривают, и выглядят иначе. «Не стоит оценивать захребетников по нашим меркам. На то и заграница, чтобы все другое...» — так он подумал, но вслух спросил:

— А что, заметно?

— Ага. — Узколицая девица, похожая на юркую щучку, кажется, отбросила не только уважительное местоимение, принятое меж случайных попутчиков, но и всяческие приличия: откинувшись в кресле, оглядела его с ног до головы.

Хочет — пускай смотрит. За свой внешний вид он был спокоен. Костюм, пальто, ботинки на меху, даже нижнее белье — трусы, футболки, теплые кальсоны (Геннадий Лукич называл их *егерскими*) — выдали накануне поездки. Вопросами гардероба занимались два младших офицера — один снимал мерки, другой записывал в блокнот. Вещи, аккуратно подобранные и сложенные в чемодан, передали по описи. Переодеться перед самым отъездом. Все старое оставить дома. Таков приказ. Первый в его жизни, под которым поставил свою подпись.

Мать перебирала новые вещи, читала нем-русские ярлычки. На всякий случай у него было готово объяснение: командированным полагаются талоны, спецсекция в ДЛТ на последнем этаже, вход строго по пропускам. Когда надел пальто, мать кивнула: «Теплое. На вырост». В плечах и правда обвисало. Вот тебе и импортное, по меркам. Видно, не всё импортное хорошее, бывает, и перехваливают — подумал про себя. А вслух, сухо и непокладисто: «Значит, будем расти».

На людях мать не плакала, только не сводила глаз. «Как на фронт провожает», — он чувствовал тяжелеющее сердце. Хотелось приободрить, утешить. *Нет уехавших, кто не вернулся бы обратно* — его любимая фраза из «Книги перемен»: толкование к гексаграмме «тай». Хорошо, что вовремя спохватился. У старшего поколения своя память. В их памяти всё наоборот. Уезжают, чтобы никогда не возвратиться.

В вагон мать не вошла. Стояла на платформе, то и дело поправляя волосы. Седоватые пряди норовили выбиться. Когда объявили отправление, он приник к стеклу. Мать уплывала, будто заранее стиралась — как старая фотография от времени. Ловя горестный абрис ее фигуры — из соображений экономии ленинградскую платформу плохо освещали, — он успел осознать: выбившиеся пряди — невинная хитрость. Под их прикрытием мать вытирает глаза...

Замечание, которое позволила себе эта девица, надо признать, слегка расстроило. Хотя какая, в сущности, разница, если в этой конференции он участвует в своем подлинном качестве — советского аспиранта. Геннадий Лукич всегда говорит: самая лучшая легенда — правда.

— И откуда такие выводы?

— Так. — Девица шевельнула пальцами. — Сидишь, как... дерево.

«Как деревянный», — он понял, что имеется в виду. Впрочем, ошибка, которую она допустила, доказывала очевидное: язык, на котором они, случайные попутчики, разговаривают, для нее не совсем родной. Да она и говорила с акцентом — как все, кто родился и вырос в России. Некоторые из наших, он усмехнулся, пытаются подражать.

— Не выдумывай, — решил не чиниться и тоже перейти на «ты». — Долгая дорога. Устал.

— Так ты чо, не с Москвы?

— Я из Ленинграда.

«Из всех русских предлогов "с" — самый опасный. Ляпнешь не к месту — считай засыпался».

— Ой, нимагу, — девица вдруг застонала. — Прям сдохну, как трещит...

— Где? — он прислушался, пытаясь уловить посторонние звуки.

— Башка. Со вчерашнего. Утром глаза продрала, всё, думаю, писец...

— Бухали? — он решил блеснуть знанием ее языка.

Приезжая в СССР, *эти* гуляют допоздна — Астория, «крыша» Европейской, — ведут себя разнузданно. Дружинники делают вид, что не замечают. А все потому, что захребетники платят валютой. Не слишком твердой. На курсах говорили: в Европе рус-марки считаются валютой второго сорта, вроде индийской рупии. Или египетского фунта.

— Да хрен там... — она вздохнула. — Арбайтали. В смысле, эта... работали. У ваших схема полетела. Делаю замеры, влажность ваще зашкаливает. У вас, грю, цех или чо?

— Так ты... инженер? — он уточнил уважительно. Иностранным специалистам платят огромные деньги, Люба говорила, не сравнить с нашими зарплатами.

— А ты думал — блядь, — девушка улыбнулась открыто и дружелюбно. — Ага, электронщик. А ты штудент?

К этому он давно привык. Люди, с которыми он знакомится, вечно приуменьшают его настоящий возраст. Но одно дело — какой-нибудь пожилой дядька, совсем другое — девица...

— Аспирант, филолог, — ответил с достоинством. И уточнил: — Китаист.

— Ну ни хера-а себе! — она пропела восхищенно. — Кроче, нищий. То-то пальтечко у тебя. Типа с покойного прадедушки. — Он не успел обидеться. — Да ты чо! — она махнула рукой. — Филологи и у нас не шибко. Это я — деловая колбаса.

Прислушиваясь к ее фразочкам, от которых крутило и коробило, он думал: «До чего же противный у захребетников язык. Не говорят, а лают...»

Его мысль перебили тихие голоса. Две девушки, одетые в синюю железнодорожную форму, катили металлический ящик на колесах. Тележка остановилась рядом с пожилой парой. Мужчина и женщина, одинаково седые и респектабельные. Сразу видно, иностранцы. Девушка-проводница наклонила над чашкой высокий темный сосуд. Пахнуло свежим кофе.

— Ну чо, кухуёчку тяпнем? — Его спутница оживилась. — А потом, эта, будем покурить. Надеюсь, ты не рёхнутый на своем здоровье?

— А тут разве можно? — он ответил вопросом на вопрос.

— На вашей стороне — ага. Это у нас ферботен. О народе заботятся. Козлы!

Он внутренне съежился: язык языком, но девушка ведет себя неосмотрительно. Разве можно говорить такие вещи незнакомому человеку? Окажись на его месте кто-нибудь другой... Во всяком случае, с другими намерениями...

Давая понять, что понимает ее юмор, он улыбнулся. А вдруг ляпнула и теперь жалеет? Улыбка должна успокоить, подбодрить.

Металлическая тележка остановилась возле их кресел. Девушка-проводница окинула их обоих коротким прицельным взглядом.

— Чай, кухуёк, галеты, кухен, вафли, — перечисляла скороговоркой, обращаясь исключительно к неосторожной девице. Словно его здесь нет.

— Кофе. Галеты. Одну пачку. Нет, две. Или — нет. Прошу прощения, вафли у вас свежие?

Судя по *кофе* и *прошу прощения*, девица говорила подчеркнуто на сов-русском. Но в устах захребетницы его родной язык звучал, как ему казалось, презрительно.

— Сегодня завезли. — Проводница, та, что с кофейником, откликнулась вежливо.

— А сливки? Надеюсь, натуральные? — девица следила за рукой, осторожно подносящей полную чашку к металлическому столику.

— Сожалею, но сливки — длительного хранения. *Ваши*, — проводница едва заметно улыбнулась: дескать, ее-то не проведешь. Никаким демонстративным сов-русским. — Восемьдесят восемь копеек.

— Что для вас? — вторая обращалась к нему.

— Кофе, пожалуйста. — И, поколебавшись, добавил: — Со сливками.

Следя за чашкой, завершающей опасный путь до его металлического края, подумал: «Обе филологини. На режимных объектах всегда двуязычный персонал».

— Тридцать две копейки.

Он потянулся было к карману, но шустрая девица опередила:

— Ой! У меня мелочи вашей до хрена. Всё одно не меняют. — Запустив руку в сумочку, как в тряпочную копилку, высыпала на стол. Отбирая нужную сумму, внимательно вглядывалась в каждую копейку.

Седовласый мужчина, от которого проводницы минуту назад отъехали, взмахнул рукой. Тележка двинулась в обратную сторону. Только сейчас он заметил два чемодана на багажной полке. Еще три, дорогие, кожаные, стояли в зазорах между кресел.

Подняв глаза от пачки вафель, которую внимательно рассматривала, девица поймала его взгляд:

— Наши. Обратно едут. К вам — жратву, шмотки. Кроче, кламоттен и всякое такое... Слышь, а тут чо?

— Вафли. — Неловко подцепив двумя пальцами металлический хвостик, он дергал, пытаясь распечатать сливки. Такие хитрые упаковки доводилось видеть только в кино.

— Да ты чо, мля, — девица откликнулась, растягивая гласные. — По-твоему, я читать не умею?!

Глянув мельком, он сообразил, о чем его спрашивают.

— «Азарт». Вафли так называются.

— На-зы-ваются? — она повторила осторожно, видно, все равно не поняла.

— Ну... — отвлекшись от хитрой коробочки, он подбирал синонимы, — восторг, воодушевление, воля к победе, страсть...

— Страсть? — Она разорвала обертку и вонзила острые щучьи зубки. Прожевала, промокнула губы бумажной салфеткой: — Не, не свежая.

Сладив наконец с неподатливым хвостиком, он вылил содержимое в чашку. Черный кофе окрасился в приятный молочный цвет.

— Хошь? — Девица протянула свою. Сливочная коробочка поблескивала соблазнительно.

— А ты? — не хотелось показаться невежливым.

— Не, я ост-пакеты не жру. Консерванты.

— Нет, спасибо. — Не то чтобы обиделся. Просто решил обойтись своей.

— Кухуёк ничо себе, натуральный, — она сделала глоток на пробу. — А то бывает, растворимый сыпют — ваще отрава.

Он удивился: в СССР растворимый кофе ценится выше натурального, особенно их, российский, каждая баночка — на вес золота.

— Забыл совсем! У меня бутерброды.

— С сыром? — девица откликнулась с радостной непосредственностью.

— С колбасой, докторской.

— Колбаса. Не-е, — детская радость погасла. — Ваша докторская — говно.

«Нет, — он подумал, — тут дело не только в языке». Воспитанная девушка, на каком бы языке она ни говорила, должна поблагодарить, сказать: спасибо, я не голодна. Или что-нибудь в этом роде.

— А правда ваши туалетенпапир в колбасу суют? — девица снова оживилась. — Или правильно: кладут? — она повертела рукой, будто вращая рукоятку мясорубки.

— Добавляют. — Он усмехнулся: «Мифы есть мифы. Тут уж ничего не попишешь». — Ну да. В фарш. Туалетная бумага — дефицит. Как думаешь, почему? Именно поэтому. Но правительство разработало неотложные меры. Принято постановление, я читал в «Правде», — говорил, стараясь не прыснуть раньше времени. — С будущего года планируют добавлять использованную. Прогрессивная технология, замкнутый цикл.

Надо признать, шутка получилась грубой. Но, самое удивительное, девица даже не улыбнулась. Сидела, хлопая синими ресницами. «Мало что невоспитанная. Похоже, еще и дура, — вывод, в его обычной жизни пресекающий дальнейшее общение. — Надо извиниться и пересесть».

— Ну, чо, — девица отставила чашку, — двинули?

«Какой с нее спрос? Кто их *там* учит? А тем более приличиям», — он кивнул.

Девица шагала по проходу, покачивая узкими мальчишескими бедрами, обтянутыми чем-то вроде плотного трикотажа. Стараясь не смотреть — хотя взгляд так и притягивало, — он оглядывал вагон. Кроме них и пожилой пары, которая возвращалась в Россию с пустыми чемоданами, насчитал пять человек: еще одна пара средних лет — эти сидели наискось по другую сторону прохода. И двое молодых с ребенком.

Мельком восхитившись послушной автоматикой — прозрачные дверные створки открылись легко и бесшумно, — и не заметил, как оказался в тамбуре.

— Проходите... — парень в синей железнодорожной форме отступил предупредительно. — Прошу, прошу.

— Не. Мы — тут. Курить. Кроче, покурим, — девица ответила вежливой, но холодноватой улыбкой, возводящей между ней и поездной обслугой стеклянную преграду: видеть можно, дотронуться нельзя.

— Айн момент, — представитель обслуги ничуть не обиделся. Коротко глянув в металлическую пепельницу, закрепленную на пластмассовой поперечине, достал из кармана прозрачный пакетик, вытряс в него окурок, распахнул узкую дверь, над которой светились буквы *WC* (аббревиатура немедленно погасла), смял мусорный мешочек и, ловко забросив в щель под железной раковиной, закрыл дверь.

«Занято — гаснет. Свободно — загорается. Надо запомнить», — он улыбнулся парню: открыто и благодарно, без всяких искусственных преград, унижающих человеческое достоинство. Но тот скользнул равнодушным взглядом, будто, выполняя служебные обязанности, никоим образом не имел его в виду.

Слегка пристукнув черно-белую пачку, девица выбила две сигареты:

— Хошь?

Он помедлил, но, вспомнив ее демарш с докторской колбасой, решительно отказался.

— Я — свои.

— Как это по-вашему... Хочешь — как хочешь.

Ему вдруг вспомнилась грубая частушка про серп и молот: хочешь жни, а хочешь куй. Какой-то идиот нацарапал в университетском туалете: «Думает, если печатными буквами — не вычислят. Захотят — вычислят. Хотя кому он нужен! Туалетный хам».

— Не выношу эту вашу вонь. — Девица ткнула пальцем в решетку вентиляции. — Туда кури.

— Знаешь... — он насупился: «Одно дело — докторская колбаса. И у нас многие не любят. Но *ваша вонь...*» — Если так, могу вообще...

— Ты чо! Обиделся? У нас тоже. До хренища своей вони!

— У вас — не знаю, — ответил ледяным тоном. — Но впредь прошу не обобщать.

— Обо... што? А! В смысле, не делать общих выводов. Не, классно ты ваще шпрехаешь! — она щелкнула зажигалкой.

— Обыкновенно, — он пожал плечами, оттаивая. — У нас все так говорят.

— Ага, прям! Особливо на заводе.

— Ну ты сравнила! — он старался выдыхать в вентиляцию, но струйки дыма не слушались, тянулись в сторону девицы. — На заводе... — хотел сказать: простые люди, но осекся. — Рабочие. А я как-никак филолог. Из интеллигентной семьи. А ты? Из какой... фамилии?

— Мама актриса драматического театра. Межу прочим, ведущая. Отец — главный инженер.

— Начальник? — внутри себя он расстроился и сник. Скажи она хотя бы «служащие», было бы легче. Но отец, сделавший *у них* карьеру... А тем более ведущая актриса. Ну точно немецкая овчарка.

— Начальник, — она кивнула. — Ага.

— Член Партии? — затянулся и закашлялся. Впрочем, какой из него курильщик, так, ради баловства.

— Ну. А твой не в Партайке? А чо так? Не приняли?

— Мой отец... — по привычке чуть не сказал: умер, но спохватился: «Да что я перед ней? Тоже мне, цаца!» — Мой отец погиб.

— Катастрофа? Унглюк? Ой, прости, я... — она сложила на груди руки.

Он почувствовал, как перехватывает дыхание: эта девица *ничего* не поняла. Смотрела так, будто в слове *погиб* нет ничего особенного.

Он потушил горький окурок. Хотелось сесть и уткнуться в пустое окно.

— А няня у меня, баба Дуня, из синих. — Не дождавшись его реакции, девица полезла в сумочку. — Забыла совсем. Кроче, сменять.

Глянув искоса, он заметил сверток.

Стеклянные двери бесшумно разошлись, пропуская парня в железнодорожной форме.

— Эй, обменник в восьмом? — она спросила деловито.

— В девятом, не доходя до ресторана, — работник поездной бригады достал салфетку и открыл дверь в клозет. Стоя к ним спиной, тщательно вытирал унитаз.

— Чо встал, двинули, — девица притопнула нетерпеливо.

Он знал, *что* надо ответить: «Сама иди. Меняй... на свои сребреники», — но, покосившись на коротко стриженый затылок, из которого медленно, но верно прорастали внимательные уши профессионала-аккуратиста, представил, как она начнет оправдываться, болтать что ни попадя...

И, представив, неохотно кивнул:

— Ладно. Пошли.

В вагоне № 7 пассажиров набралось побольше. Едва поспевая за девицей, мельком отметил еще одну пожилую пару — и тоже с кожаными чемоданами. За пожилыми расположилась группа молодых мужчин, человек пятнадцать-двадцать — на ходу не сосчитать. Багажная полка проседала под тяжестью их черных матерчатых сумок. Четверо, сидевшие за металлическом столиком, играли в карты, остальные дремали или пялились в окна.

Не устояв на тонких каблучках, девица ухватилась за боковину кресла:

— Спортсмены, кроче. Веткамф. Чо, не слыхал? Там, у вас.

«Ах, ну да, конечно...» Чемпионат сопредельных стран — еще одно новшество последних лет — транслировали по телевизору. Программа включала несколько зимних видов: лыжи, хоккей, прыжки с трамплина — он не особенно следил. Все равно рабочие дни начинались с обсуждения очков, баллов и медалей. К немалой радости его кафедральных коллег, захребетников удалось *наказать* почти по всем статьям. От этого слова у него ползли мурашки по коже. Но теперь, не давая воли своим истинным чувствам, даже пожалел проигравших: скорей всего, их ожидают неприятности. «Оргвыводы... то да се...»

За его спиной дружно засмеялись. «Молодцы. Держатся», — мысленно отдав должное мужеству российских спортсменов, вспомнил: пару лет назад, незадолго до пражской зимней Олимпиады, ходили разговоры, будто сборные СССР и России выступят единой командой. Немногочисленные сторонники этой безумной идеи предрекали полную победу русских над всем остальным человечеством — и в личном, и в командном зачете. Число энтузиастов ширилось. Спорткомитет был даже вынужден сделать соответствующее заявление. На первых порах это только подстегнуло слухи: «Сказали — нет, значит — да». Через год понемногу утихло. Сейчас *заединщики* муссируют новую дату — 1992-й. Самое удивительное, что в их рядах оказалась Люба, его сестра. Не родная, единоутробная. Только по матери. Когда заходила речь о сестрах, он неизменно подчеркивал факт половинчатого родства.

— А что им будет? — все-таки не удержался, спросил шепотом.

— Ну... — девица пожала плечами. — Бабосов не дадут.

Стеклянные створки разъехались, пропуская их в восьмой вагон. Судя по всему, здесь собралась женская команда. В отличие от мужчин, прилипших к креслам, девушкам-спортсменкам не сиделось. Ходили по вагону (раза два он останавливался — пропустить), болтали, сбившись в голосистые стайки. Он вспомнил: в каком-то виде, кажется, в лыжной гонке, россиянки отлично себя показали. А еще, вроде бы, в прыжках с трамплина. Тоже сумели обставить наших девчат. Впрочем, он не был в этом уверен. Трансляции шли в записи. Те виды, в которых советские спортсмены проигрывали, не включались в телевизионную сетку. Результаты этих соревнований дикторы упоминали мельком.

Двери восьмого вагона закрылись.

— А девушкам? Им заплатят?

— Ясно! — его спутница фыркнула, будто он задал глупый вопрос.

— Много?

— Ну там... как когда... — она наморщила лоб. — Бывает, квартиру. Ну или тачку.

— А они... сами награду выбирают?

— Ну ты ваще! Сами-то — черный пасс выберут. Не, — она тряхнула челкой. — Пасс тока капитанам. Слышь, а если капитан — деушка, как по-вашему: капитанша?

— Капитанша — жена капитана. Помнишь, у Пушкина? «Полно врать пустяки, сказала ему капитанша, ты видишь, молодой человек с дороги...»

— Пуш-кин? А, ну да, — она кивнула не очень уверенно. — Кроче, черный пасс — жесть!

Он пожал плечами, давая понять, что знает, о чем речь, но не хочет вступать в дискуссию. О сегрегации, этом уродливом явлении российской действительности, рассказывали еще в школе на политинформациях, но в самых общих чертах. Подробности он узнал из курса по российскому праву, который им читал подполковник Добробаба, сын известного генерала, Героя Советского Союза, чьим именем названа улица в Москве. Этой теме младший Добробаба посвятил целую лекцию.

В войну паспорта полагались исключительно арийцам: немцам и фольксдойчам. Всем остальным выдавали удостоверения, так называемые аусвайсы, сроком на один год. После подписания Соглашения о перемирии российское правительство провело демократическую реформу. Временные документы обменяли на постоянные, но, в отличие от черных, арийских, с синими и желтыми обложками. Одновременно был принят Закон о госгражданстве, по которому за владельцами черных паспортов (они же — госграждане) закрепили особый статус и связанные с ним исключительные права. Согласно этому закону, действующему и поныне, «черные» — как их стали называть в обиходе, — а также их потомки пользуются так называемой *неприкасаемостью*: они не могут быть привлечены к уголовной или административной ответственности, налагаемой в судебном порядке, задержаны, арестованы, подвергнуты обыску, допросу, а также личному досмотру. Неприкасаемость распространяется на их жилые и служебные помещения, багаж, имущество, транспортные средства, личную и служебную переписку. Неприкасаемые имеют право выезжать за границу, вести бизнес на специальных условиях, им полагается бесплатное медицинское обслуживание — операции, процедуры, анализы, вплоть до самых дорогостоящих. Комментируя этот параграф закона, полковник Добробаба указывал, что дело даже не в деньгах, владельцы черных паспортов — люди, мягко говоря, обеспеченные. Но в этих клиниках установлено европейское и американское оборудование, о котором другие больницы и мечтать не могут. Добробаба — умный мужик, позволял задавать *разные* вопросы. После лекции он хотел подойти, спросить: ну ладно бизнес или поездки за границу; но санатории, отдельное медицинское обслуживание, спецпайки, распределители — разве наше начальство не пользуется? Однако поостерегся. Еще неизвестно, как посмотрит, — все-таки выходец из генеральской семьи.

В 1974 году в дополнение к федеральному Закону о госгражданстве Рейхстаг, Верховный Совет России, принял подзаконный акт, согласно которому черные паспорта стали выдавать представителям низших сословий — за особые заслуги перед Отечеством, но точный список заслуг прописан не был. Каждый случай Государственная комиссия рассматривает отдельно.

«Выходит, и за спортивные достижения. Вообще-то, — мысленно он вернулся к мужской команде, члены которой не показали убедительных результатов, — если светит госгражданство... Я бы на их месте... Бился, как на войне. Вон нашим: особо ничего не светит, а все равно... Сражаются как тигры. — И почувствовал гордость за советских спортсменов, которых не купишь ни благами, ни привилегиями. — Потому что наши не продаются. И это нормально: сражаться за честь и достоинство страны».

В вагоне № 9 справа по ходу поезда был оборудован специальный отсек. В узком простенке светилось табло с какими-то цифрами. Девица отжала металлическую ручку и толкнула дверь от себя.

Внутри, за загородкой, напоминающей высокий прилавок, сидел парень — тоже в железнодорожной форме, но с голубыми лычками младшего лейтенанта внутренних войск.

— Второго попрошу остаться снаружи, — младший лейтенант поднял глаза. — Спецобслуживание. Осуществляется по одному.

Он смешался и уже было отступил, но девица дернула острым плечиком:

— Чо, ослеп? Я — одна, — пошарив в сумке, достала пухлый пакетик и выложила на прилавок. — Этот, — небрежный кивок в его сторону, — охрана.

«Я — охрана?.. Ни фига себе — шуточки!» Однако парень с лычками не моргнул глазом, будто так и надо:

— Охрана должна стоять в коридоре. Пусть выйдет и ожидает там.

— А я грю — тут, — она блеснула острыми зубками. — Или так, или хер тебе.

Ему показалось, парень занервничал. Заерзал в кресле. Снял трубку. «Ух ты, даже телефон в поезде», — восхитившись мельком, он вдруг почувствовал страх: ей-то, может, и плевать, а ему этот звонок не сулил ничего хорошего.

— Девятый. Спецотсек. Да. Да-да, — покивав невидимому собеседнику, парень положил трубку и уткнулся в какие-то бумажки. Следующие несколько минут, пока дверь не отворилась, так и не проронил ни слова.

— Ну. Что тут у тебя, Кукушкин, стряслось? — Проводник средних лет в железнодорожной форме, но тоже с голубым околышем и лычками, осведомился, впрочем, скорей ворчливо, по-домашнему.

Его подчиненный вскочил:

— Да вот, таищ майор. Двое, — развел руками растерянно. — Одного прошу выйти, по инструкции, как положено... А она... эта самая гражданочка, ну, в смысле, фройлен...

— Не в смысле, а *именно* фройлен. Не веришь? Могу доказать. Где тут у вас?..

— Да я... это, нет-нет, конечно, — лейтенант Кукушкин залопотал совершенно потерянно, но девица перебила, неожиданно перейдя на чистый немецкий. Монотонно и быстро: кажется, что-то о советских инструкциях, которым она не обязана следовать. А они, если им это не нравится, могут свернуть свои инструкции трубочкой и куда-то там засунуть. Всех слов он не разобрал, но понял главное: девица позволила себе демарш в адрес его страны.

Ответственное лицо, прибывшее по вызову, надуло щеки и опустило подбородок, будто в своих дальнейших действиях решило положиться на жесткий воротник. «Теперь уж точно выгонит обоих», — хотелось вытереть взмокшие ладони, но удержался, чтобы не выдать страха. И какой-то, что и вовсе непонятно, мучительной тоски.

Завершая презрительную речь, девица снова полезла в сумочку, откуда достала черный паспорт. Начальственное лицо приняло отрешенно-строгое выражение. Сопоставив фотографию с подлинником, голубой майор кивнул своему подчиненному:

— Обслужить, — и вышел так же быстро, как вошел.

— Да я-то чего, — парень за высоким прилавком заговорил смущенно и примирительно. — Надо мной тоже начальство. Разрешили, я — с превеликим удовольствием... У вас какая сумма?

— А хер ее знает. Буду сосчитать. Или не... — девица наморщила лоб. — Сосчитаю, — развернув свой пакетик, принялась мусолить купюры. Сбилась и начала сызнова. Снова сбилась. — Слышь, — обратилась по-свойски, — Сам, а?

Он думал, лейтенант откажется, дескать, не положено. Но тот достал из-под прилавка поднос и смёл на него купюры, будто вытер тряпкой свой металлический прилавок — ни дать ни взять официант.

Снаружи постучали. Металлическая дверь приоткрылась.

— Занято, — оправдывая неожиданное звание ее охранника, дернул дверь на себя.

Девица с лейтенантом тихо переговаривались. Лейтенант разводил руками и совал ей под нос калькулятор. Таких плоских он прежде никогда не встречал. Наконец, видимо сдаваясь, она махнула рукой.

Лейтенант нажал на кнопку — под прилавком звякнуло. Наружу выплыл железный ящичек.

Стоя у двери, он не мог видеть содержимого. Но догадался: рус-марки и рубли. Пачка, полученная в обмен, выглядела заметно тоньше рублевой. Девица пересчитала небрежно и сунула в карман.

Всю обратную дорогу он молчал, обдумывая опасное приключение. Для него оно могло ох как плохо закончиться. «Сняли бы с поезда. Не станешь же им объяснять...»

— А ты решительная, — сев в кресло, не удержался, хотя и понизил голос. — Знаешь, когда пришел старший офицер...

Девица рылась в сумке, выуживала какие-то бумажки, смяв, пихала в пластиковый мешочек:

— А-а... Этот, — надула щеки.

Вышло очень похоже.

— Признаться, я слегка опешил.

Девица прищурилась.

— Вас хайст?

— Ну... — он задумался, подбирая синоним из ее лексикона. Вдруг, будто срываясь вниз с ледяной горки, выпалил: — По-вашему: охуел.

— Так бы и грил, — она ответила недовольно. — А то выдумывашь, слова типа всякие.

— Ничего я не выдумываю. У нас...

— Да ладно те, — девица пожала плечами. — Баушке своей гони. Заслушалась на ваших заводах.

Ограда, на этом перегоне уже не сетчатая, а сплошная, собранная встык из листового металла, отделяла полотно железной дороги от вечнозеленых деревьев, по пояс увязших в снегу.

— Не заслушалась, а наслушалась, — он исправил ошибку, но в очередной раз сник, признавая ее правоту.

Сверхскоростной поезд — последнее достижение инженерной мысли — летел сквозь густое таежное марево, но в здешних дремучих местах все достижения казались эфемерными, длились ровно столько, сколько требуется составу, чтобы промелькнуть, не оставив никакого следа. Будто поезд и эти ели существуют в разных временах, отстоящих друг от друга на многие десятилетия.

«Ну да, решительная, ловкая, меняет деньги, путешествует, не лезет за словом в карман... — неприятная история не отпускала, вороша сознание. — Думает, она — современный человек. А сама живет в обществе, где действуют мракобесные законы...»

Небо — тугой мешок, набитый снежными тучами, — тяжело провисало, отбрасывая сплошную серую тень. Снова ему чудилось, будто деревья, согнанные к полотну железной дороги, стоят, вперившись в землю, покачивая головами в серых стеганых ушанках — он смотрел поверх голов, будто примерял на себя роль охранника, готового в случае чего дать предупредительный выстрел.

«Заслушалась... Если рассудить, это слово тоже подходит. Встречаются мастера», — в памяти всплыли замысловатые коленца, которые наворачивает однорукий дядя Паша — во дворе, по выходным, когда мужики забивают козла. Хотел ей признаться: ну да, у нас тоже такие есть, которые неприлично выражаются, но в нашей стране обсценная лексика — пережиток прошлого.

Девица сидела, откинувшись в кресле и закрыв глаза. Будто опустила оконные шторки. Пользуясь ее дремотным отсутствием, он смотрел, уже не таясь.

По лицу, подпорченному неумеренной косметикой, пробегали безмолвные обрывочные тени.

— Не выношу *этих*, — она ткнула пальцем в одно плечо, потом в другое, будто собралась перекреститься, но по дороге запуталась. — Ни наших, ни ваших.

— Ну, ты сравнила! — на этот раз даже не опешил. Обалдел.

«Единственное объяснение... — прежде чем спросить, он взвесил этическую правомерность подобного вопроса. — Да что такого-то! Для них — обычное дело...»

— А твои родители — кто? По национальности.

— Отец фольксдойч. — Девица и глазом не моргнула. — Из бывшей Польши.

«Ну вот, он подумал. — Теперь понятно».

— А мама русская. С Нижнего Новгорода. И чо?

Он не ответил, устыдившись своей категоричности: а вдруг ее мать комсомолка-подпольщица, мало ли, не успела уйти, перебраться в СССР. Вышла замуж за черного, чтобы спасти свою жизнь. Не рассказывает о своем прошлом. Боится. «Вот и вырастила дуру. Тем более их же с детства обрабатывают. Фашистская пропаганда — не сравнить с нашей».

Пожилая пара дремала. Молодые возились с ребенком, который ударился в капризы. На всякий случай придвинулся поближе.

— У каждого государства свои идеологические установки. Но совсем уж слепо — нельзя. Нам вот тоже твердят: интерсоциалистический строй — самый прогрессивный в мире. Тяжелая промышленность, да, с этим не поспоришь. Металлургия, оборонка. Добывающие отрасли — нефть, газ, полезные ископаемые. Но легкая и пищевая промышленность оставляют желать лучшего...

— Ну и чо? — она перебила, не дослушав. — Мы тоже импорт хаваем. И шмотки китайские.

— Ты бывала в Китае? — Он вспомнил груды дешевого тряпья, в которых рылся, выполняя поручения сестер. — А я, между прочим, дважды.

Думал, удивится. Две поездки в Китай в его возрасте — удача, тем более командировки. Сестра Вера откровенно завидовала: «И как это у тебя получается?» — в ее вопросе ему чудился намек: дескать, нормальные студенты не ездят, а ты вроде как особенный. «Я-то здесь при чем! Жюри. Отбирают лучшие работы», — отвечал, с каждым разом все тверже в это веря. Люба тоже завидовала, но Люба хитрая, не призна́ется, только усмехнется: «Курица не птица, Китай не заграница. Нос не задирай».

— Так это что, тоже китайское?

— Чо — это?

— На тебе. Свитер и... — хотел сказать: брюки, но отчего-то постеснялся. — Сапоги.

— Да ты чо! Чистая Европа, — девица отставила ногу, демонстрируя высокий сапог на молнии. — Меня-то хрен разведешь! Кроче, элементарно. Куда все смотрят? На лицевую. А главное — чо? Изнанка. Выворачиваешь, щупаешь: нашел косяк — всё, ауфидерзейн вашей баушке...

41

«Удивительно у нее устроено, — не особо вслушиваясь в дельные советы, он сверлил ее лоб упорным взглядом, точно надеялся проникнуть в черепную коробку. — То схватывает на лету, то не понимает самого элементарного...»

— А обманывают кого?

— Ну, ясно, желтых! — она дернула острым плечиком. — Дак они и сами рады. С их-то зарплатами...

Девица тараторила без умолку. Упустив нить ее бессмысленного повествования, он повторял строки, застрявшие в памяти: *Вагоны шли привычной линией, та-та-та-та-та и скрипели, молчали желтые и синие...* — будто на музыку, они накладывались на стук колес.

— Ей! Ты чо, мля, заснул?

Он вздрогнул:

— Извини... Я...

— Кроче, стою, ловлю такси. Глядь, маршрутка. Дай, думаю, попробую. Синие-то ездят. Залезаю, сажусь. Блокнот открыла. Расчеты типа проверить, через час презентация. Голову поднимаю: тыц-пердыц! — Лиговка. Прикинь, уже за Обводным...

— Так ты... из Петербурга? — он вдруг обрадовался, хотя, казалось бы, ему-то какая разница.

— Ну да. Чо мне ихняя Москва... А этот, желтый, еще и рожей крутит: надо предупреждать, вас типа много... Меня, грю, *не много*. Это вас, грю. Хыть жопой ешь.

В детстве, впервые услышав, подумал: китайцы. Желтая раса. А мы — белая. Потом, конечно, разобрался. В прежней Германии закон обязывал евреев нашивать на одежду желтые звезды. Евреев в России нет, а желтый цвет остался.

— Не-е, китайцы — молодцы. Весь мир обшивают. А вы чо не покупаете? Деньги копите?

— Копим? С чего это ты взяла?

— Ну... — девица пошевелила пальцами. — Если я зарабатываю, а потом не покупаю, значит — чо? Коплю.

— А ты копишь?

— Мне-то на хрена, — она надула губы обиженно. — У фатера бабла как грязи.

— А зачем работаешь?

— Я чо, дура што ли! Дома-то. Со скуки помереть.

Ему понравился ее ответ: «Правильно. Так и надо. Не сидеть у родителей на шее». Тем с большим воодушевлением продолжил:

— А тебе не приходило в голову, что мы вкладываем. Оборонная промышленность, разведка полезных ископаемых. Я уж не говорю про *космос*, — последнее слово он произнес с нажимом: может, хоть это ее проймет. Четырнадцать лет назад СССР первым в мире вывел на орбиту искусственный спутник Земли. Первый космонавт — тоже наш, советский. В этой области их Россия отстала безнадежно.

— Космос? — она сморщила носик. — Дак это ж не для людей.

— А для кого?! — он чувствовал, как закипает.

— Для государства, — девица глянула победительно, видимо, воображая, будто сумела загнать его в тупик.

Самое странное, он действительно растерялся: разве объяснишь то, незабываемое, десять лет назад. Март, а будто середина лета: советский человек в космосе! Мальчишки кричат: Ура! Космоснаш! Взрослые идут, смеются, космоснаш, обнимаются — незнакомые, прямо на улице. Вечером, когда сели ужинать, мама вдруг заплакала: «Я ведь... Раньше понимала, а теперь... сердцем чувствую. Всё, кончилась война». Даже он, пятнадцатилетний, ощутил вкус этой настоящей победы.

— Послушай-ка, — все-таки решил сделать еще одну попытку. — Если кто-то указывает на черное и говорит: белое...

— Белое и черное?

За стеклом на фоне синего неба (и не заметил, как распогодилось) плыли вечнозеленые деревья.

— Да какая разница! Ну пусть желтое и синее. Какой ты сделаешь вывод?

— Вывод? — если и задумалась, то на мгновение. — Этот человек — дальтонист.

— Дальтоник, — он поправил машинально, осознавая тщетность своих усилий, но в то же время отдавая должное щучьей ловкости, с какой девица увильнула от прямого ответа. — Вот ты говоришь: *наши* и *ваши*. Ставишь на одну доску.

— На... доску? — она переспросила, будто снова стала иностранкой, не знающей его родного языка.

Он усмехнулся, давая понять, что принимает условия игры:

— Сравниваешь, находишь общее.

— А ты? Не находишь, не ставишь на доску?

— Я — нет. Потому что, — отбросив словесные игры, он говорил серьезно. — Есть вещи, которые противоречат элементарной этике.

— Этике. Этике, — она повторила, словно заучивая новое слово. — Ты решил улучшить мое нравство?

Он отодвинулся, сколько позволила жесткая конструкция вагонного кресла. «О чем разговаривать с человеком, чей активный лексикон не включает понятия *нравственность*? — Миролюбие как рукой сняло. Сидел, бросая злые пронзительные взгляды, но даже этого казалось мало. — Всё, с меня хватит!» Решительно встал и снял с крючка пальто.

II

К ночи погода снова испортилась. Ветер, шатаясь за стеклами, выл с такой свирепой выразительностью, что казался огромным волком. Отрешенно и дисциплинированно сидя в кресле — теперь уже под № 44 (в китайской нумерологии четверка — благоприятная цифра, а две — вдвойне), — он попытался вернуть в родной контекст вырванную цитату: *Ну, барин, — закричал ямщик, — беда, буран!* — но и это не помогло.

Дикий зверь не отставал — серой тенью несся за поездом, то припадая к грешной земле, то разметывая в полете сильные мускулистые лапы. Катышки снега, впившиеся в шерсть, разлетались, прошивая ледяной шрапнелью нетронутые сугробы. Пространство, рассеченное поездом, мчалось назад с чудовищной скоростью, жадно втягивая в себя, точно заглатывая, то огромный кусок Западно-Сибирской равнины, то огни небольшого города, вспыхнувшего слева по курсу, то кружевные пролеты моста над безымянной рекой. Отбив положенную порцию морзянки в отзвук торопко стучащим колесам, железнодорожный мост мелькнул и исчез.

Молодые с ребенком раскладывали постели. Точнее, уже застилали. Он пожалел, что упустил самый важный момент: непостижимым образом их кресла превратились в широкие спальные полки. Должно быть, есть какая-нибудь тайная кнопка. Или рычаг... На всякий случай обшарил подлокотники, но, так ничего и не обнаружив, решил дождаться проводника.

Чертов проводник исчез, как сквозь землю провалился. Вдобавок ко всему ломило шею, точно не сидел в удобном мягком кресле, а натаскался чего-нибудь тяжелого.

За окном стояла тьма: непроглядная, как забытье человека, изработавшегося до смерти. Мать рассказывала, в первые годы после эвакуации совсем не видела снов: «Можешь себе представить, даже в блокаду видела, тогда нам снилась еда. Горы еды. Каша, картошка, блины со сметаной, огромные куски свинины, боже мой, как пахли... Казалось, протяни руку — бери и ешь... А проснешься, холод и чернота. Потолок, стены... Даже щеки черные. Но я не глядела в зеркало. Воображала, будто все наоборот. Сон — настоящая жизнь, а жизнь — это так, пройдет. Главное не просыпаться... Потом, когда тебя ждала, — мать покраснела — врач наказал: гулять побольше, а я — читала. Как с цепи сорвалась — глотаю книжку за книжкой, будто напоследок...» — «Почему напоследок? Боялась, что умрешь?» — «Нет, — мать улыбнулась. — После блокады, когда спаслись, мы в смерть не верили». — «Но здесь же тоже умирали». — «Умирали, да, — она говорила отрешенно, будто силилась что-то объяснить, даже не ему, сыну, себе. — А смерть все равно там, в Ленинграде...»

Ветер, воющий оголодавшим волком, вроде бы отстал. Черной сплошной стеной плыли деревья, зеркально отражая мутное пространство вагона, ровные ряды кресел, так и не обернувшихся спальными полками. И его бледное лицо — будто он там, снаружи, летит, держась вровень с поездом: но не такой, как в жизни, а размытый — точно на старых, чудом уцелевших фотографиях: широкие скулы, нос с едва заметной горбинкой, лоб, мать говорила, отцовский. Он провел пальцем по виску и вздрогнул, узнав отца.

Отец смотрел на него из темноты. Будто воспользовавшись разрывом во времени, секундным, длящимся ровно столько, сколько требуется поезду, чтобы промелькнуть мимо серого ряда советских заключенных, согнанных к полотну железной дороги. «Нет! Нет! Не хочу!..» Отвечая его беззвучному отчаянному крику, отцовская фотография, на мгновение прилипнув к стеклу, отшатнулась, словно ее отбросило порывом ветра...

— Вам помочь? — над ухом раздался тихий вежливый голос.

Он сглотнул закипающие слезы.

— Мне показалось, вы не знаете, каким образом здесь все устроено. Если вы позволите... — Старик, тот самый, с пустыми чемоданами, говорил на старомодном русском.

Он встал и вышел в проход.

Старик сунул руку за обивку кресла и пошевелил пальцами — жест, каким ослабляют гайку. Зайдя с тыльной стороны, дернул и толкнул. Спинки сложились, будто пали ниц, чтобы в следующее мгновение — точно коленопреклоненной почтительности мало — распластаться у самого пола. Он оглядел широкое ложе и в который раз за сегодняшний день восхитился находчивостью инженеров-конструкторов: «Ух!»

Прежде чем вернуться на свое место, его нежданный спаситель указал на серебристую щеколду. В узком длинном ящике обнаружилось одеяло, подушка и комплект постельного белья — белоснежного, благоухающего свежестью, будто сушили на морозце. Расправляя простыню, он пожалел, что забыл спросить про лампочку, но свет, горевший над стариковским изголовьем, уже погас.

Поворочался, устраиваясь на упругом ровном матрасе, никак не желавшем принять форму его тела — не то что привычный, домашний, в котором успел пролежать уютную ямку. Немного крутило желудок: «Солянка, слишком жирная», — теперь она стояла в горле, как-то нехорошо и горько отрыгиваясь. Он жалел потраченных пяти рублей: в университетской столовой можно купить четыре комплексных обеда. Если бы не остальные пассажиры, ни за что бы не соблазнился. Но не хотелось выглядеть белой вороной.

Закрыл глаза, однако сон не шел. Теперь у него не было сомнений: «Ее отец — фольксдойч. Значит, воевал. Но выжил. А мой...» — прислушался, словно надеясь что-то расслышать в ровном стуке колес, но поезд скользил бесшумно, будто оторвался от рельсов и, опровергая законы физики, летел, не чуя под собой земли.

Он отлично понимал: это невозможно, в физическом мире нарушаются только законы исторической справедливости. Например, закон войны. В одной из своих работ (забыл название) Ленин разделил войны на освободительные и захватнические. Цель последних — порабощение чужих народов и стран. Вождь мирового пролетариата утверждал: агрессор не может одержать победу. Но если так, значит война, которую развязали фашисты, должна была завершиться их полным и сокрушительным поражением.

В действительности всё закончилось иначе. Теперь, вглядываясь в темноту, он видел политическую карту, висевшую над его письменным столом. Черная прерывистая линия, идущая по Уралу, рассекала бывший СССР по вертикали, наглядно демонстрируя несправедливый итог Второй мировой войны. Эту карту он повесил еще во втором классе, когда однажды, слушая радио, замер: почему они говорят о победе, которую одержали советские войска? Ответ он получил через несколько лет, прочел в учебнике истории: СССР, первое в мире государство рабочих и крестьян, сражаясь в одиночку, без поддержки тех, кто на словах именовал себя союзниками, все-таки сумел остановить натиск захватчиков. Как в древности — Русь, принявшая на себя удар татаро-монгольской орды и тем самым спасшая Европу от многовекового ига, — так и мы остановили оголтелого фашистского зверя, на которого работала едва ли не вся Европа. Не говоря уж о миллионах пленных — дешевой рабской силе.

В младших классах он зачитывался романами по военной тематике. С их страниц прямо в его сердце проникала подлинная трагедия военной жизни: города и населенные пункты, которые советские войска — под напором превосходящего по мощи и живой силе противника — были вынуждены оставить, залиты реками крови. Вражеской. Немецкой. Но, главное, русской, своей. Из котлов, куда попадали сотни тысяч, выходили хорошо если десятки. А бывало, и единицы.

Как после битвы за Сталинград.

Последние уцелевшие бойцы, чудом прорвавшиеся сквозь кольцо оцепления, оставили город после двух лет тяжелейших уличных боев. Не повернется язык назвать их отход отступлением, если в качестве победного трофея врагу достались покрытые копотью развалины, черные пепелища, под которыми гасли последние языки пламени, да обгорелые тела защитников, еще несколько часов назад стоявших насмерть. Головные подразделения СС, вошедшие в город на плечах вермахта, пялились на трупы, скрученные жгутами агонии, — тех, кто, будучи ранен, не сдались в плен, покончив с собой. Страшная судьба постигла и мирных жителей — специальная команда СС, присланная для предотвращения угрозы весенней эпидемии, выбирала их из месива, оставшегося от некогда вырытых траншей. Часть из них заживо сгорели в балках, где люди прятались годами, но большинство не погибли, а умерли с голода. Последних собак и кошек, поджаренных на живом огне развалин, съели в страшном январе 1944-го, когда вокруг обреченного города окончательно замкнулось фашистское кольцо. Уцелевшие рассказывали о случаях каннибализма, когда живые ели погибших — своих. Но как проверишь? В книгах о таком не пишут.

Затяжные бои за Урал, в которых наши войска, прочно закрепившись, удерживали высоты, были столь же яростными. По железным дорогам, проложенным от восточных тыловых окраин силами советских заключенных, шли на запад тяжело груженные платформы, крытые брезентом: опытный глаз различил бы контуры тяжелых зенитных батарей. Туда, на передний край, отправлялось все, о чем давно забыли в тылу: мясные консервы, яичный порошок, рис, греча, макароны, китайский спирт — из него получались знаменитые наркомовские сто грамм.

К 1956 году, когда заслугами советских дипломатов было подписано Соглашение о перемирии, накал противостояния ослаб по одной-единственной причине: ни с той, ни с другой стороны почти не осталось мужчин призывного возраста. Оба противника понимали: дальше этими силами воевать нельзя. Надо ждать, пока родятся и подрастут новые поколения. И все-таки, учитывая долгие годы кровавого противостояния, переговоры оказались трудными. Посредником выступило руководство так называемых союзников.

Ни Великобритания, ни тем более США уже ничем не рисковали. «Антигитлеровская коалиция» —

Китаист

понятие, которое он, вслед за авторами школьных и университетских учебников, мстительно закавычивал, — открыла второй фронт только в сорок пятом. По версии американских и европейских ученых, это случилось 8 мая. В советской историографии принята другая дата. Этот день он не любил. Отрывая листок календаря, смотрел неприязненно, словно беспристрастная история пичкала его откровенной ложью: 9 мая 1945 года — ему всегда казалось, будто в этот день могло случиться нечто неизмеримо более важное и прекрасное.

Но приходилось мириться с фактом: войска «антигитлеровской коалиции», не встретив особого сопротивления со стороны ослабшего противника, прошли по Западной, а затем и по Восточной Европе. Военный поход союзников завершился на довоенной границе СССР. За этот рубеж США и Великобритания не заступили, объявив, что дальше начинается зона ответственности Советского Союза. Учебники утверждали, что эту ответственность его страна несла еще долгие десять военных лет. Однако о том, что «миру — мир» следующих поколений стоил половины территории, доставшейся фашистам, полагалось молчать.

Таким образом и определились границы Четвертого Рейха: от Украины до Урала, от Кольского полуострова до Большого Кавказа. (Впрочем, часть Кавказа отошла Турции, вступившей в войну после Сталинграда.) В 1970 году — по требованию ФРГ, решительно отмежевавшейся от прежнего преступного режима, который родился и окреп в ее колыбели (к этому времени Старая Германия уже восстановила разрушенное войной хозяйство и начала накапливать экономическую силу, чему немало способствовали щедрые займы, предоставленные Соединенными Штатами), — Новая Германия, замкнутая в пределах некогда европейской части Советского Союза, была переименована. Названа Россией.

В том же 1970 году СССР, успевший залечить самые глубокие военные раны, запустил первый искусственный спутник, которому радовались, но тогда еще не кричали *космоснаш* — будто слово еще не созрело, а только завязывалось, как зародыш, растущий из двух родительских клеток. Так совпало, что по биологии как раз в те дни проходили тему размножения: картинка из учебника, над которой хихикали его одноклассники. Молодая учительница краснела: «Остальное прочтете сами, параграф шестой». Он прочел, но так толком и не понял. Как не понимал до сих пор, каким образом где-то в глубине, в самой толще народа, в его лингвистической матке, созревают самые главные слова.

Мать рассказывала: в войну все было просто. Агрессоры: немцы, фашисты, фрицы. Им противостоят *наши*: русские, украинцы, белорусы, евреи, татары — до войны об этом никто не задумывался. Советские люди — единая интернациональная общность. Это потом слово *наши* применительно к населению, оставшемуся на оккупированных территориях, исчезло. Он спрашивал: «А когда? Сразу или постепенно?» Этого мать не знала. Но он не сдался, специально отправился в Публичку, в газетный зал. Там-то и выяснилось: газеты военного времени находятся в спецхране; чтобы получить, необходим специальный запрос-отношение, подтверждающий, что он пишет научную работу по данной теме. Библиотекарша объяснила: бумага оформляется по месту работы, надо, чтобы ее подписал непосредственный начальник, в его случае завкафедрой, и завизировал Первый отдел. Мелькнула мысль о Геннадии Лукиче, но решил не беспокоить шефа по пустякам.

Он сам прошел все круги согласований и все-таки получил на руки: желтоватые подшивки послевоенной «Правды», пахнущие пыльной историей. Но никаких *наших* там уже не было. Вместо них мелькало определение *нем-русские*, в котором слышался другой, подспудный смысл: русские, но немые, лишенные родного языка. Казалось бы, тоже двусложное существительное, будто рожденное естественным путем из мужской и женской клеток, но *космоснаш* — крепкий здоровый парень, готовый к труду и обороне, а этот — ублюдок, стыдобища, урод. Теперь нем-русскими называют все население России, включая *фашистов* (по теперешним временам тоже опасное слово, его не встретишь ни в газетах, ни тем более в официальных документах). Впрочем, в обиходе прижилось другое, уничижительное: *захребетники* — объединяющее всех, кто живет за Хребтом.

Текущая внешняя политика СССР строится на безоговорочном признании итогов войны. Официальные лица ведут себя так, будто окончательно смирились с геополитической катастрофой — распадом некогда единого советского мира на две независимых державы. Хотя в первые послевоенные годы внутри страны царили совсем иные настроения. Несмотря на победные реляции начальства, большинство населения относилось к новым границам как к исторической несправедливости: рано или поздно они должны быть, а значит будут, пересмотрены. Возможно, с помощью Лиги Наций. До войны этой всемирной организации — в той или иной степени успешно — удалось урегулировать множество политических конфликтов. Называли даже цифру: более сорока. Основным ее успехом считалось предотвращение нападения на Маньчжурию со стороны Японии: потенциальному агрессору пригрозили серьезными экономическими санкциями вплоть до полной изоляции. Однако санкции, наложенные на Новую Россию, к успеху не привели. Главным образом по вине США. Соединенные Штаты, цинично игнорируя решения международного сообщества, наладили взаимовыгодное сотрудничество с российской хунтой. Дошло до того, что, окончательно утратив связь с реальностью, Россия попыталась вступить в Лигу Наций, но СССР, еще с довоенных времен обладавший правом вето, эти попытки пресек.

Нет, память о пережитых страданиях не ушла. Советские люди не хотели войны — ни тогда, ни теперь, по прошествии десятилетий. В этом смысле миролюбивая политика Партии и правительства встречала всеобщее и полное одобрение. Особенно старшего поколения, погруженного в каждодневные заботы: отстоять очередь за мясом или, если вдруг завезли, за яблоками; сдать в прачечную белье — химчисток и прачечных до сих пор не хватало, к тому же вещи часто терялись, а если не проверишь, могли подменить еще крепкий пододеяльник на рваный; достать масляной краски для ремонта кухни — и не синей или зеленой, а приятного сливочно-кофейного цвета.

Сам он презирал бездуховную суету. Благоустройство жизни и быта — застрельщиком нового поветрия выступала интеллигенция, но оголтелое потребительство, эта чума капиталистического мира, постепенно распространялась на другие городские слои, а судя по многочисленным радиопередачам, посвященным растущей зажиточности колхозников, и на сельское население. Впрочем, он, ленинградский мальчик, имел довольно смутное представление о колхозной жизни, которую сестра Люба определяла как кошмар и убожество. Но Люба вечно преувеличивает. Пожимая плечами, он думал: «Ей-то откуда знать?»

Казалось, с утратой европейской части страны смирились. И все-таки он верил: если однажды по радио объявят, что советские войска перешли Уральский хребет с целью вернуть оккупированные фашистами территории, ни один голос не поднимется против. Разве что каких-нибудь отщепенцев, предателей, внутренних врагов, агентов российского влияния. Их он не то чтобы ненавидел — ненавидишь тех, кого знаешь, — скорее, презирал как исчезающе малое меньшинство, на которое глупо оглядываться. Хотя к самим захребетникам испытывал более сложные чувства: в глубине души жалел «желтых» и «синих», оказавшихся под оккупацией не по своей воле и вине.

Другое дело — черные. Раньше думал: если когда-нибудь доведется встретить, наверняка будут корчить из себя сверхчеловеков, колоть глаза своей несправедливой победой и пользоваться любым поводом, чтобы намекнуть на жирный кусок территории, который сумели у нас оттяпать. С этой мыслью и собирался в командировку в Россию. Однако разговор с попутчицей его удивил. Про войну она вообще не заговаривала, даже наоборот, делала вид, будто СССР и Россия в чем-то сравнялись. Еще один черный, с которым вступил в разговор, — добрый старик, вызвавшийся помочь с креслами.

«Выводы делать рано. Первые впечатления обманчивы... — Желудок снова заныл. К тому же ужасно хотелось пить. — Потому что жирная. Наверняка наши готовили... Напихали какой-нибудь дряни. Колбасы, небось, еще и несвежей». Приходилось признать: в этом отношении девица, заказавшая нем-русский суп с клецками, права. Ему и самому хотелось супа, солянку заказал в пику ей.

«Столько лет прошло, а общепит никак не наладят. Только и кивают на захребетников. Дескать, им-то еще хуже. Уж лучше временные трудности, чем жизнь под оккупантами. Конечно, лучше. И не возразишь...»

Хотя попадались и такие, которые вели разговорчики. Этого он терпеть не мог. Дай болтунам волю, все бы развалили: и металлургию, и нефтяную промышленность, и оборонку — лишь бы жить как захребетники.

Нынешняя Россия слабый враг. Конечно, их дело, пусть живут как хотят, тем более нам это только на руку. По силе и мощи российской армии не сравниться с советской. А все потому, что основное внимание их правительство уделяет внутренним войскам. Оно и понятно: какой бы мирной и стабильной ни казалась обстановка, всегда остается вероятность, что покоренное население в какой-то момент восстанет.

Он повернулся, сбрасывая жаркое одеяло.

Не он один. Большинство советских мальчишек, родившихся в послевоенное время, втайне мечтают о восстановлении былого величия, когда СССР занимал одну шестую часть суши. Но если вслушаться, можно расслышать и другое: каждый шестой на Земле — советский человек. Он представлял себе человечество, пять миллиардов, построенных в одну шеренгу: по единой команде каждый шестой делает шаг вперед...

Пусть не сейчас, когда-нибудь. К тому времени он успеет защитить диссертацию. Кандидатам наук полагается бронь. Но это ничего не значит, он сам пойдет в военкомат, запишется добровольцем.

Рывком спустил ноги. Повернул голову к окну.

В детстве мать отвечала: твой отец — добрый, честный, храбрый, жаль, не сохранилось фотографий, ты сам бы увидел, убедился. Он так и представлял: силача и великана, похожего на Дядю Степу, героя своей любимой книжки. Но однажды, кажется, в пятом классе, в какой-то старой сумочке: сунул руку, а там... Карточка, снимок. На обороте фамилия, имя, отчество. И дата: 1956. За год до его рождения: белобрысый, грустные глаза, и плечи какие-то щуплые, — ошибка, однофамилец, нет, не может быть. Мать всплеснула руками: о господи, вон же она, а я-то рылась, искала, знаешь, тогда мы надеялись, война кончается, у него бронь, думали, не призовут. При чем здесь бронь? Отец, которого он воображал, уходил на фронт добровольцем.

Смотрел, как мать разглаживает мятые уголки, будто стирает из его памяти. Потом действительно забыл.

Когда вступал в комсомол, выдали анкеты. Написал: *пал смертью храбрых* — в графе «отец». Как все, у кого погибли отцы. Например, отец его сестер. На другой день вызвали в комсомольскую комнату. Старшая вожатая выдвинула ящик, достала его анкету: «Ты не имеешь права. В твоем случае следует писать *погиб*, — зачеркнула, исправила своей рукой. — Возьми домой и перепиши».

Вечером он вышел на кухню — мать крошила лук. Нож постукивал о деревянную доску: тук-тук-тук. «*Погиб* — значит пропал без вести». Тук-тук-тук. «Но ты... мы получили похоронку. Ты сама говорила». Тук-тук, тук-тук-тук. «Вдовам полагается пенсия. Пошла оформлять, а они говорят: вам не положено». — «Но почему?!» — «Сказали, не исключено, что ваш муж попал в плен». И снова: тук-тук-тук — стучала ножом по дереву, будто боялась сглазить: а вдруг и вправду жив.

Пленными обменялись после Соглашения о перемирии. Казалось, он слышит ее мысли: если тогда не объявился, а вдруг все-таки выжил, остался в России? Неужели для нее — так лучше? Этого он не мог понять.

Просто смотрел. Тук-тук. Мать отдернула руку. На безымянном пальце выступила капля крови. Она слизнула языком. Никогда не разрешала слизывать, всегда говорила: промой и заклей. Мать подняла руки, почему-то не одну, а обе, будто тоже сдалась на милость проклятых победителей. По левому запястью бежала красная струйка.

Тук-тук-тук... Стучали колеса. Мать стояла перед глазами: седая, с поднятыми руками. Нет, теперь, по прошествии стольких лет, она уже не надеялась. Знала, что не выжил. Когда он закончил школу, сказала прямо: «Твоим сестрам повезло. На их отца пришла похоронка. Ты уже взрослый, должен понимать, — голос, тусклый, померкший, не оставляющий никакой надежды, — *погиб* — клеймо, останется на всю твою жизнь. Всюду, куда ни придешь, придется заполнять анкеты...» Мать говорила и говорила, словно давно хотела выговориться и теперь воспользовалась случаем. Красная струйка бежала и бежала. Он остановил поток ее слов: «Промой и заклей».

Будто очнулась. Смотрела огромными глазами — у страха глаза велики. Матери и отцы. Их поколение натерпелось страхов: война, эвакуация, тяжкое послевоенное время — годы чудовищных лишений. Его сверстникам такое и не снилось. Если и застало — краем, в самом раннем детстве: он помнит майские дни 1963-го, когда отменили карточки. Накануне ему исполнилось шесть лет. Еще через год начали сносить бараки. В шестьдесят пятом въехали в старую-новую квартиру. Мать доказывала, обивала пороги: одно дело — вдовья пенсия, с этим она давно смирилась. Другое — жилье. Тогда все пытались доказать. Единственный способ: предъявить документы на прежнюю жилплощадь, оставленную под врагом. Ордер либо бронь. А у них ни того, ни другого. Счастье, что сохранились довоенные жировки: улица Братьев Васильевых, бывшая Малая Посадская, дом 6, в первом дворе. Сам он жировок не видел. Но однажды слышал, как мать делилась с соседкой: «Только представьте! Собирались в спешке. Два пакета: в одном семейные фотографии, в другом — жировки. Я возьми да и перепутай».

До войны, в прежнем Ленинграде, семья занимала три комнаты, маленькие, смежно-изолированные: три поколения, большая семья. «Мы с мужем, — мать загибала два пальца, — его родители, — еще два, — потом родились девочки...» — переходила на другую руку. После войны на всех хватало одной руки: мать, сын, дочери-двойняшки.

По ту сторону Хребта его сестры были тройняшками: Вера, Любовь, Надежда. Год рождения 1941-й. Надю украли летом сорок четвертого, когда ехали в эвакуацию. На полустанке мать вышла за кипятком, а когда вернулась... Конечно, бегала, кричала. Будто бы видели какую-то женщину: чернявая такая, похожа на цыганку. Несла маленького ребенка, а вашей девочке сколько? Не-ет, у чернявой маленький совсем, грудной...

Люба сказала: «Немудрено. Блокадные дети — кожа да кости. В чем душа держится. Вот и приняли за грудного». Мать ужасно рассердилась, даже голос повысила: «Какие там грудные! Наоборот: будто маленькие старушки. Тогда так и говорили: ленинградские дети. Все на одно лицо. А вы, — обращалась к обеим выжившим сестрам, — как-то особенно, даже я не различала. Это я уж так — Надя... А может, Люба или Вера... Не знаю, — мать теребила передник, разглаживала на коленях, — надо было остаться... Искать. На том полустанке. А как представишь: одна, в чистом поле, с двумя детьми. Не ровен час, попали бы под немца...» Это тогда, он хорошо запомнил, Верка ляпнула: «Ну попали бы, и что? Всё лучше, чем так, впроголодь, в треклятом бараке...» — «Дура! Да как ты можешь!» — Люба в крик. Мать засуетилась: «Тише, тише... Ребенок, здесь ребенок...» — «И что?! — Верка обернулась яростно. — Пусть послушает, узнает, в какой он живет стране...»

Сестры вечно цапались, он привык, не обращал внимания. Потом все равно мирились. Мать говорила: «Мои девочки — не разлей вода. Даже куклы: у Любы — Вера, а у Веры — Люба». Однажды чуть не спросил: «А у Нади — Надя?»

«Ну? В какой?! — Люба вскочила, руки в боки. — Скажи, скажи!» — «В такой», — Вера вышла из комнаты, хлопнув дверью. Мать смотрела вслед. Он запомнил ее глаза. Потом взялась за сердце. Медленно, будто неохотно. Люба кинулась капать валерьянку. Верка плакала, просила прощения, клялась, что ничего *такого* не думает. Самое смешное, *антисоветчицей* стала Люба. Но позже, лет через пять. Нет, конечно, это слово он произносил не всерьез, просто поддразнивал. Антисоветчики — враги СССР, предатели. А Люба патриотка, только понимает патриотизм по-своему. У нее критический склад ума.

А у Веры — наоборот. Особенно когда вышла замуж за комсомольского работника. Теперь, когда сестры спорили, ему иногда казалось, будто Вера — Люба, а Люба — Вера. А Надя так и осталась Надей.

На другой день мать все-таки слегла. Врач сказал: «Ничего страшного, обыкновенный невроз. Надо себя щадить. И сына напугали. Сразу видно, впечатлительный парень».

Мать избегала длинных слов, а тем более медицинских терминов. Он тоже не любил слово «невроз». Впервые услышал в детстве, когда в поселок приехал врач. На осмотре мать пожаловалась: «Не знаю, что и делать, доктор. Вроде нормальный здоровый ребенок, а стоит понервничать — рвет». Врач сказал: «Ничего. С детьми это случается. Вырастет — все наладится. Валерьянки надо попить или пустырника. У вас же рядом лес». Мать, городской человек, кивала потерянно.

Доктор обратился к нему:

— Ты во что любишь играть?

— В собаку, — он прошептал едва слышно.

— У вас есть собака? — доктор изумился, даже обернулся к матери.

— Нет-нет, — она заторопилась. — Разве прокормишь. Это он так.

— Тебе кажется, будто у тебя есть собака?

— Нет-нет, — снова мать ответила за него. — Он сам, — она отчего-то смутилась. — Воображает себя собакой, — приложила пальцы к губам, будто испугалась, что сказала лишнее.

— И часто? — Ему показалось, доктор обиделся.

Подумал: тоже, небось, хочет, да у самого не получается. Хотел сказать правду, пусть еще сильнее завидует. Но мать схватила его за руку:

— Нет-нет, ну что вы... Раз или два было... Спасибо, большое вам спасибо, — потащила к двери, — заварим всё, что вы рекомендовали, попьем...

Спасибо. Но не завистливому доктору, а бабе Анисье. Сушила пахучие травки.

Он закрыл глаза и увидел: просевший угол их барака, седая старуха за занавеской, про нее болтали — ведьма, а все равно ходили лечиться. Она бормотала над каждым больным и слабым: *Мать сыра земля, поглоти черную ядовитую змееву кровь, уйми всякую гадину нечистую от приворота и лихого дела... Как здорова земля, так и твоя головушка была бы здорова... Выйду в чисто поле, поклонюсь на все четыре стороны, кости твои — каменные скалы, корни деревьев — жилы, вода — студеная кровь...*

Пациенты являлись к ней за полночь. Потом, через много лет, однажды услышал: Люба сказала маме: а помнишь, они поднимали занавеску, входили как в святая святых. Мама ответила: не выдумывай, они входили как тени. Другие взрослые, живущие в их бараке, наработавшись за день, спали мертвым сном. Он один не спал, слушал, складывал в долгий ящик ночного сознания: кости — отдельно, жилы — отдельно. Как-то раз спросил у матери: что такое студеная кровь? Этого мать не знала. Или знала, но не хотела говорить. Теперь уже никого не спросишь: та старуха давно умерла.

Но мать ее поминала: «Царствие небесное, земля ей пухом, совсем из ума выжила, перед смертью все просила, я для вас же старалась, без меня бы перемерли, сгинули, сымите грех с души, принесите за меня жертву, которую не жалко, хоть теленка, хоть поросенка... Откуда у нас телята? Смешно, — но мать не смеялась. — Хлеб — и тот по карточкам... Но я все равно ей благодарна».

Он не сразу понял, что означает это материнское *все равно*. Над ним бабка Анисья не причитала. Давала пить травки. Но всё без толку. До того случая в столовой, когда вырвало в последний раз — и как рукой сняло. Он запомнил длинный деревянный стол. За столом женщины. Единственный мужчина в засаленном ватнике, по одному пальцу на каждой руке. Вместо других — культяпки. Он старался не глядеть. Дядька сам: протянул руку за солью — будто ткнул в него корявым пальцем.

Ладно бы — в тарелку, а то прямо на стол. Сидел, съёжившись, смотрел, как женщины встают и, морщась, пересаживаются. Мать кинулась, принесла тряпку и тазик. Пока она мыла, он смотрел на культяпого мужика: это же не я, это он виноват.

— Его фашисты пытали? — все-таки спросил, но не в столовой. По дороге домой.

— Дяденька инвалид войны. Ему пальчики оторвало. Миной или снарядом. — Мать успокаивала, но он не верил.

Тогда, на кухне, когда мать резала лук, он тоже ей не поверил, и правильно сделал. Все сложилось как нельзя лучше: Восточный факультет Ленинградского университета, специализация: китайский язык. Распределение на кафедру, перспективная научная работа, к тому же связанная с зарубежными командировками. «Ну вот, а ты: анкета, анкета...» Мать кивала, словно признавая свою неправоту...

«Что ты будешь делать...» — живот крутило нещадно. Придерживаясь рукой за боковину полки, он выбрался в проход и взял курс на стеклянную дверь.

Вступив в пустой тамбур, отжал металлическую ручку — буквы *WC* потухли, — затворил за собою дверь. Расстегнул иностранную застежку-молнию, неподатливую — пальцы привыкли к советским пуговицам. Не приступая к делу, осмотрелся. Первое, что бросалось в глаза: чистота. Необыкновенная, вплоть до отсутствия брызг на раковине, на полу, на ободке унитаза. Будто до него туалетом никто не пользовался. «Ну, это-то чудо объясняется просто, — он вспомнил проводника-аккуратиста, ушки-на-макушке. — Вышколены... Работают добросовестно».

Совесть — лучший контролер! — всплыл послевоенный лозунг, висевший в торце барака. В СССР до сих пор в ходу. Плоды деятельности этого контролера он наблюдал нынешним утром в пассажирском поезде «Ленинград–Москва», когда мочился, стараясь не вдыхать миазмы, казалось, вытеснившие последний воздух.

Покряхтел, сидя на унитазе. Встал. Тщательно подтерся. Морщась, нащупал собачку молнии. «Чертова солянка... Вот уж прочистило так прочистило...» В поисках рычага спуска оглядел сливной бачок. Ничего похожего. На всякий случай даже поднял глаза: будто надеялся обнаружить навесной, с цепочкой, — как в родной коммуналке.

— Да где ж тут у них? — присев на корточки, шарил за унитазом, пробуя все, что попадалось под руку: какие-то трубки, краны, крепежи.

«И что теперь? — встал, приник к двери ухом. — Или оставить *так*?» На внутренней линии вышел бы, не задумываясь. Но здесь, где полным-полно захребетников...

Вдруг будто с шумом и шелестом развернулась политическая карта, на которой, упершись в эту землю обеими ногами, он стоял в абсолютном одиночестве, а там, за его спиной, необозримая ширь, населенная соотечественниками, гражданами Советского Союза. В замкнутом пространстве ватерклозета он — их единственный полномочный представитель. Осрамиться — значило: осрамить.

В тамбуре зашуршало. Он топтался, чуя подошвами изгибы карты, горящей под ногами, как родная земля.

Снаружи постучали.

«Делать нечего, надо сдаваться...» — он подавил нелепое желание поднять руки и отвернул собачку замка.

— Ферцайн зи... — Женщина держала на руках ребенка, будто предъявляя причину своего нетерпения.

— Я... Понимаете, дело в том... Я — в первый раз... — стараясь не дышать, будто тем самым задерживал и ее дыхание, свел пальцы в кулак, ухватывая воображаемый рычажок.

Она спустила ребенка с рук и протиснулась боком:

— Хир. — Ткнула пальцем круглую плашку. В стене, прямо над бачком. Хлынуло шумным водопадом, смывая весь его ужас и позор.

— Спасибо, — он почувствовал краску, обливающую шею и щеки.

— Махт нихтс, — ее глаза засмеялись. Давая ему дорогу, женщина отступила в тамбур. — Я, када впервой...

Он не дослушал. Ринулся прочь. Стеклянная дверь, не ожидавшая этакой прыти, едва успела избежать столкновения с его головой.

Досадное приключение осталось в прошлом, однако не исчезало, подступало досадливым вопросом: «Что сказал бы Геннадий Лукич, если бы узнал?»

Он замер, будто вытянул руки по швам — как всегда, когда думал о Геннадии Лукиче.

Изумление — первое чувство от их встречи: давно, еще на третьем курсе, теперь уже пять лет назад. Перед ним сидел человек, чья профессия, казалось бы, не предполагала глубокого погружения в гуманитарную культуру, но главное, что поразило, — речь. Будто не офицер внешней разведки, в обиходе — *грушник* (на вопрос: что делаете? — курсанты отвечали: груши околачиваем), а как минимум университетский профессор. Впрочем, далеко не каждый профессор обладает таким словарным запасом, а главное, умением находить точные, но в то же время глубокие и емкие формулировки. В отличие от идиотов-старцев с кафедры истории КПСС. Всё, что они ни изрекают, становится глупостью и пошлостью — любая здравая идея: патриотизм, уважение к собственной истории. И сам не заметишь, как изверишься. А тут еще сестры: вечно спорили о политике. Когда схватка особенно накалялась, спохватывались, выгоняли его из комнаты. Он слушал, таясь под дверью. Вера горячилась, защищала своего комсомольского работника. Школьником он с легкостью принимал ее аргументы. С годами картина мира усложнилась — пожалуй, уже со второго курса все чаще стоял на Любиной стороне.

Еще одно изумление, не менее, если не более сильное. Люба как-то обмолвилась: «У *этих*, которые вербуют, два излюбленных метода». Но Геннадий Лукич не пугал и не соблазнял. Наоборот. В продолжение долгой беседы не раз повторил: «Вы — человек талантливый, в науке справитесь и сами. Наша помощь не сыграет решающей роли». Он слушал, напряженно думая об отце. *Здесь* читали его анкету, а значит рано или поздно разговор свернет на эти рельсы. И тогда они загонят его в тупик.

«Я... Не знаю. Это так неожиданно...» Вдруг поймал себя на том, что уже не уверен в своем будущем ответе: да или нет?

«Понимаю, — его визави кивнул. — Больше того, разделяю ваши чувства. В сомнении воздержись — я тоже сторонник этого принципа».

Уважительный тон выбил почву из-под ног. Почти физически он почувствовал, как напряглись его внутренние весы: чаша отказа против чаши согласия. Стало страшно. Потому что представил, как выходит из темного здания, бредет по улице, садится в автобус, сворачивает к своему дому, поднимается по лестнице — и каждый его шаг становится гирькой-разновесом на одну или на другую чашу: чет или нечет? Инь или ян?..

Господи, только не это. Как затравленный заяц бросается на охотничью собаку, вдруг — совершенно сознательно, делая шаг в пропасть: «Мой отец не пал смертью храбрых. Он *погиб*». Выдавил из себя признание, которое, если все-таки верить матери, раз и навсегда избавляло от выбора. Неважно, в ту — или в эту сторону. Главное, решало *вместо него*.

По пути домой раздумывал, но так и не понял: *как* же это случилось? А ведь могло, могло повернуться иначе, если бы Геннадий Лукич выбрал другие слова — мертвые, захватанные чужими руками: мол, сын за отца не отвечает, ваш отец был советским человеком, он сражался за Родину, дав согласие, вы продолжите дело отца. И то, и другое, и третье — глупость и несусветная пошлость, достойная беседы с недоумком.

Но Геннадий Лукич ответил строго и сердечно: «Отец — святое. Ни при каких обстоятельствах не следует отрекаться. Отцы — наша трудная история...» Будто прочел его тайные мысли, казалось, невыразимые никакими словами. В этот миг он и загадал: если заведет про новые свершения и испытания, которые ожидают героический советский народ в недалеком будущем...

«История непредсказуема, — Геннадий Лукич, точно вспомнив о чем-то важном, сделал пометку в календаре. — Надеюсь, вы меня понимаете?»

«Ну да, — он промямлил, слыша свой лживый голос. — Надо верить в светлое будущее».

«Это само собой, — Геннадий Лукич поднял глаза, пронзительные, цвета мокрой стали. — Но в данном случае я говорю о прошлом: то, что казалось истиной, со временем может обратиться в свою противоположность».

«В смысле, диалектика?» — он сделал последнюю попытку вырваться из круга, очерченного умным и опытным противником.

«Единство и борьба противоположностей — частный случай. Я имею в виду *полную* трансформацию:

когда факт, казалось бы непреложный, становится ложью, а вера — правдой. Уверен, вы тоже об этом думали, нет?»

«Да, — он почувствовал закипающие слезы и испугался, что сейчас заплачет. — Мой отец *погиб*. Но я... не верю. Потому что это — *всего лишь* факт».

То, первое впечатление стушевалось года через два. Со временем понял: не столько гуманитарная культура (хотя по-своему шеф — человек образованный), сколько высокий профессионализм. Окончательно утвердился в этой мысли, став свидетелем одного разговора.

Парень, его ровесник или немного постарше, — ему показалось, тихий, вежливый, скромный. Но с ним Геннадий Лукич разговаривал иначе: сомнительные шутки, развязные дворовые интонации.

«Кто это?» — думал, шеф скривится презрительно: мол, ерунда, не стоит внимания, но Геннадий Лукич ответил: «Исключительно способный паренек. Из рабочей семьи. Учится на юрфаке. Советую запомнить — пойдет весьма далеко. Если, конечно...» — «Будет работать над собой», — он улыбнулся, повторив любимое выражение шефа. Думал, Геннадий Лукич тоже улыбнется, но тот будто не услышал: «Если история повернется в правильную сторону...»

Тогда он и сделал вывод, может быть, самый важный: с каждым человеком, попадающим в поле его зрения, Геннадий Лукич разговаривает не на своем, а на его языке. Люба — как раз в те годы сестра погрузилась в религиозные искания, тайком ходила в церковь — сказала бы: как апостол Павел.

Это имя он услышал впервые. «Ну темнота! — сестра фыркнула. — Из Евангелия. Пребывают все три — Вера, Надежда, Любовь, но Любовь из них больше. Понял?» Если честно — нет. Думал, зачем она об этом, ведь Надя умерла.

Вечером, вернувшись домой, попытался последовать совету шефа, но сколько ни напрягал память, тот невзрачный парень исчез. Напрочь, будто надел шапку-невидимку. Однажды показалось, встретил. Мельком. Их курс проходил практику. Его группе досталось НН: наружное наблюдение, на языке их Управления — *наружка*.

Но все лучше, чем халдеем: другая группа практиковалась в Доме дружбы — официантами, обслуживала банкеты с участием иностранных гостей.

Он-то полагал, что объект будет условный. Как в тире — не живой враг, а болван. Оказалось, художник-нонконформист встречается с иностранцами. Руководитель практики даже назвал фамилию. За два часа, пока длилось его дежурство в парадной (пост НН — на пятом этаже, объект наблюдения — на шестом), этот имярек так и не высунул носа.

Заступая на пост, он не рассчитал время, явился минут на пять раньше: парень-невидимка спускался по лестнице. Тусклая лампочка, плохой свет. Он прошел мимо. До сих пор не уверен, может, и другой оперативник, которого принял за *того*...

Всякий раз, проезжая площадь Льва Толстого (угловой дом, вторая парадная), вспоминал своего тогдашнего подопечного. Художника. Гадал, что с ним сталось? Если враги не завербовали — конечно, ничего. Сидит небось в своей мастерской.

А вдруг продался захребетникам? Об этом не хотелось думать. Судьба предателей известна.

Иногда ему казалось, будто Геннадий Лукич — его отец.

Нечто похожее — ну нет, конечно, слабее, — с ним было и раньше, когда встретил товарища Мо Цзы. Учитель в их интернате. Официальное название «Школа-интернат с преподаванием ряда предметов на китайском языке». Создание таких школ — идея Лаврентия Павловича Берии, который полагал: в будущем СССР должен создать единый военно-политический блок с Китаем, чтобы противостоять капиталистическому окружению.

В те времена, когда он шел в первый класс, портреты Берии — Великого полководца и дипломата, спасшего Отечество в годину испытаний, — висели на каждом шагу. Это он, Берия, провел тотальную мобилизацию, поставив под ружье возрастные группы, которые считались непригодными к регулярной армейской службе, — Люба шипела: погнал на убой стариков и детей; наладил производство самых современных видов вооружений — под руководством Сталина, умершего в 1946-м, этот вопрос так и не был решен.

После XXI Съезда КПСС, развенчавшего культ личности Л.П. Берия, славословия заметно поутихли. О военных достижениях Верховного Главнокомандующего стали говорить сдержаннее, не то чтобы вовсе их отрицая, но будто впервые задумавшись о цене, которую заплатила обескровленная страна. Тогда китайские интернаты перепрофилировали. Вместо них появились новые школы, сперва английские и французские, потом даже немецкие. Хотя в немецкие детей отдавали неохотно. Кто мог предположить, что через десять лет геополитические интересы СССР повернутся в сторону России?

Но его интернат осталя: по недосмотру РАЙОНО, а может, и по какой-то иной причине. Это сейчас туда не пробиться — устраивают исключительно по блату. А пятнадцать лет назад набирали по микрорайону. Как говорится, *с улицы* — впрочем, его однокашники действительно росли во дворах. Безотцовщина. Теперь принято говорить: дети из неполных семей. Окончательно он осознал это на выпускном, когда стоял на сцене, смотрел в зал. На скамьях сидели матери. Ни одного мужского лица.

Переезд из барака, трудная учеба. Иероглифы, иероглифы... Зубрили до тошноты. Бог с ними, с точными науками. Физика, математика — учителя входили в положение, не особенно спрашивали. Не хватало времени даже на историю и литературу. Нет, книги он, конечно, читал, но чем дальше, тем все больше урывками, от случая к случаю.

Товарищ Мо Цзы, маленький сморщенный человечек (на русский лад — Моисей Цзынович; Моська — по-школьному: не только за сходство с пекинесом, но и за дружбу с физкультурником. Белояр Рюрикович — бывший тяжеловес, гора мышц, человек-слон). Моисей Цзынович преподавал китайский в старших классах: жидкая бороденка, точно рвали, да недовырвали; кланялся как ванька-встанька; когда пугался, прикрывал рот ладошкой, будто опасаясь неосторожного слова — шустрого воробья. Вылетит — не поймаешь, как в тот раз, когда Васька Малышев спросил: «Моисей Цзынович, а вы бывали в Тибете?» — как раз накануне проходили по географии. Моська испугался, хотя, казалось бы, что здесь такого: подумаешь, Тибет...

Обретался в школьном общежитии — директриса выделила комнатку, маленькую, метров шесть. Моськины личные вещи помещались в картонном чемодане. Все остальное казенное: стол, кровать, тумбочка, два стула. Особо любопытствовавшие пользовались замочной скважиной. «Ну, чего он там?» — «Ничего. Читает». Через год выяснилось: читает, но не всегда. Иногда раскладывает карточки.

Долго отнекивался, тряс бороденкой, но потом все-таки объяснил. В мире противоборствуют два начала: темное (*инь яо*) и светлое (*ян яо*). Все изменения как в личной, так и в общественной жизни объясняются их противостоянием.

«Мозно предсказать любые, самые слозные, изменения, — раскладывая карточки, Моська бормотал на своем смешном русском, пришепетывая, но в то же время словно напевая. — Но это — лелигиозный идеализм. Плимитивная диалектика, отлазающая стремление класса рабовладельцев любыми средствами уделзать свое господство». Последние слова товарищ Мо Цзы произнес твердо, почти не пришепетывая, завершив предостережение цитатой из Энгельса: о притяжении и отталкивании противоположностей, которые в определенный момент обязательно сливаются, образуя новую сущность. Или что-то в этом роде — никто особенно не вникал. Девчонки теребили карточки:

«Моисей Цзынович, а вы на что гадаете? А правда исполнится? А нам — можно?»

Моська моргал испуганно. Как всегда, когда сразу много вопросов.

Девчонки гадали на счастье и несчастье. Радовались, когда выпадала гексаграмма «сянь» — три нижние линии символизируют молодого мужчину, три верхние — молодую женщину: все вместе это означает «встречу мужа с женой». Парни попробовали и бросили: слишком сложно и туманно. Он держался до последнего, но потом тоже забросил. Если бы не дипломный проект, позже, в университете, старые гадальные карточки так и валялись бы в столе.

Хотя не так уж и сложно, скорее витиевато — но у китайцев это в обычае. Моська терпеливо объяснял: мало знать значения отдельных слов. *Наступишь на иней, близок крепкий лед* — казалось бы, описание природы, а толкование совсем другое, оно написано на обороте, но Моисей Цзынович не поворачивал, помнил наизусть: *Едва придет беспокойство, как за ним нагрянет беда*. Кто-то, кажется Валька Скоков, спросил: «Ну и что тут такого? Взять русские пословицы: *Сколько волка ни корми...* — тоже не про волков». Моська закивал, будто соглашаясь. Потом-то убедились: по сравнению с русскими пословицами китайские — темный лес.

То, что в школьном просторечии называлось карточками, на самом деле *И-Цзин*, великая «Книга Перемен». Философские взгляды, изложенные в этой древней книге, можно определить как стихийную диалектику и ранний примитивный материализм. Когда выбрал тему диссертации, он подробно изучил все исторические обстоятельства.

— Представления о темном и светлом началах возникли и получили дальнейшее развитие при династиях Шан и Чжоу. Истоки этих представлений связаны с наблюдениями за природой: темные и светлые начала рассматриваются как свойства, внутренне присущие материальным предметам и вещам. В древности считалось, что их противостояние вызывает развитие и изменения. Лишь со временем эти рассуждения приобрели более широкий смысл, превратившись сперва в философские категории, а позже в инструмент управления государством. Тогда Чжоуский правитель Чэн-ван и учредил должности трех высших чиновников: *великий учитель, великий наставник и великий пестун* — их служебные обязанности заключались в рассуждениях. Вывод, который уже тогда был сделан: самый эффективный способ управления государством — гармонизация темного и светлого начал.

— Ишь ты! А я-то полагал, это мы, грешные, придумали. Оказывается, умные люди жили и до нас. — Геннадий Лукич очень заинтересовался его темой. — Ну-ну, продолжай.

— Чэн-ван был первым, кто приказал гадать по «Книге Перемен». В то время рабовладельческий строй переживал период упадка...

Шеф слушал внимательно, даже делал пометки у себя в блокноте:

— Рабовладельческий — понятно. И без китайцев знаем. Скажи-ка: а что они понимали под гармонизацией?

— Мой учитель, Моисей Цзынович, говорил: нет ничего темного, что не может стать светлым; нет ничего светлого, что рано или поздно не становится темным, — вдруг почувствовал неприятное томление в желудке. Будто сболтнул лишнего. «Да нет, — поспешил себя успокоить. — Вроде бы...»

Казалось, шеф не обратил внимания:

— Значит, все-таки слияние... — Геннадий Лукич произнес едва слышно, почти про себя. Потом засыпал вопросами: каким образом это происходит? При каких условиях? Можно ли ускорить процесс?

— Да я и сам не все понимаю, — он решил: лучше признаться честно. — Проблема в том, что приходится работать с подлинниками...

— Как? — Геннадий Лукич удивился. — Разве не существует переводов?

— Нет-нет, — он заторопился. — Конечно. И даже несколько, но очень уж неполные. Особенно комментарии: понимаете, у китайцев много разных школ. Одна противоречит другой... В общем, трудно. Хотя, я слышал... — он вдруг споткнулся.

— Ну-ну, смелее.

— До войны... Говорят, существовала одна рукопись. Но в тридцать седьмом...

— Фамилия? — шеф не дослушал про тридцать седьмой.

Пришлось объяснять, что не помнит, в каталоге Публички этот автор не значится.

По дороге домой вспоминал сморщенную ладошку, которой прикрывался Моська: неужели все-таки подвел старого учителя?.. Вечером — улучил момент, когда мать вышла из комнаты, — спросил: «Один человек сказал: нет ничего светлого, что рано или поздно не становится темным. Как думаешь, ему ничего не будет?» Люба пожала плечами: «Смотря какой человек. Ты, что ли?» Покачал головой. «А кто при этом присутствовал?» — умная сестра как всегда зрила в корень. «Да так, многие... — Дома про Геннадия Лукича не знали. Шеф предупредил, не надо болтать лишнего: враги человека — домашние его. Видимо, пошутил. — Вот ты, если бы услышала, как бы это поняла?» — «Не знаю, отстань!» — Сестра стояла у шифоньера, прикладывала к голове недовязанную шапочку. Свяжет и распустит, как Пенелопа, только непонятно, кого ждет. «Люб, ну мне правда надо». — «Как-как? Да как угодно. Например, докторская колбаса: раньше была вкусная, а теперь... Или, вон, — ткнула пальцем в зеркало. — Круги под глазами. И, заметь, темные». — «А раньше были светлые?» — подпустил шпильку. «Раньше вообще не было».

Слава богу, обошлось. Теперь, лежа в темноте, он думал: вернусь, надо навестить Моську. Не из-за той истории. Рассказать про диссертацию — пусть старик порадуется. А еще про Китай: мол, ездил, видел своими глазами. Наверняка тоскует по родине...

Самое удивительное, та рукопись нашлась. Уже через неделю.

— Прошу, можешь использовать, — Геннадий Лукич протянул картонную папку. — Признаться, я тоже пробежал. Шелухи много, но в остальном китайцы — молодцы. Надо же, слияние темного и светлого... Главное обосновать теоретически, а практика приложится. Как у Ленина, а?

Осторожно развязывая папку, подумал: у Ленина вроде бы наоборот, практика — критерий истины.

— Но тут же... — на титульном листе фамилия переводчика была замазана черной тушью. — В диссертации полагается делать ссылки. А здесь...

— Слушай-ка, — шеф спохватился, — а ведь я так и не пообедал. Догадываюсь, что и ты. — Снял телефонную трубку. — Алевтина Дмитриевна, голубушка, организуйте-ка чаю с бутербродами. На двоих... Нет-нет, это лишнее... Колбаска — замечательно... Любишь докторскую колбасу?

Он кивнул неуверенно.

— Теперь о главном. Наша сила в единстве: нефтяники, сталевары, железнодорожники, горняки, проходчики, долбившие мерзлый грунт, и те, кто работал на приисках, и ученые, и солдаты Советской армии... Чьи-то фамилии мы знаем, другие — их имена неизвестны, но все они сделали великое дело: удержали страну. Спасли от окончательного распада...

«От окончательного распада...» — за этими словами ему почудилась бездонная правда, которую затушевывали привычные победные реляции, навязшие на зубах.

Женщина в кружевном передничке и с белой наколкой в волосах внесла поднос, прикрытый бумажными салфетками:

— Снять, Геннадий Лукич?

— Спасибо, я сам. Кстати, как ваша дочь, выздоравливает?

Женщина заговорила про больницу, что-то про операцию и лекарства, шеф кивал сочувственно, спрашивал, не надо ли вмешаться. Он не слушал, почему-то вспоминал того старика: довоенный знакомый матери — изредка навещал ее по старой памяти. Давно, еще в детстве. Потом исчез.

С этим стариком мать вела особые разговоры. Однажды, когда речь зашла о пропавших фотографиях, тех самых, вместо которых вывезла оплаченные жировки, сказала: «Может, и к лучшему. Пришлось бы вырезать». Он понял, о чем она: альбом, семейный, соседки по бараку. Вместо лиц то и дело попадались пустые овалы. Тетя Рая никому не показывала, он сам залез под лежак. Потом, когда рисовал людей, некоторым вырезáл лица, думал: так надо. Но у соседки аккуратно, бритвой. Если по карточкам выдавали бритвы, мать меняла их на хлеб. Приходилось большими ножницами, портновскими, — сперва протыкал, вырезáл потом. Получались пустые шары. Мать спрашивала: а это у тебя кто, марсиане? Про марсиан читали лекцию в клубе: есть ли жизнь на Марсе?

Как все глуховатые люди, старик говорил слишком громко: о нормах выработки — они назывались *кубики* (он не удивлялся новым словам — с каждым годом их только прибывало: маргарин — раньше был только комбижир, кровать — раньше были нары, полотенце — раньше тряпка). О жирах, которых катастрофически не хватало, старик говорил с уважением. Как и о мерзлом грунте — в нем вымораживали вшей. Он слушал и запоминал: с вечера выкопать ямку, спрятать в нее рубаху, засыпать землей, но так, чтобы краешек торчал, например рукав. К утру все вши повылазят, обсыпят как белым инеем. «Тише, тише», — мать пугалась, подходила к двери, выглядывала в коридор. Голос старика становился глуше. Потом их надо давить, топтать обеими ногами. И снова о бригадирах и десятниках, выживавших на чужой крови. Мать опять за свое: «Тише, тише...» Притаившись в другой комнате, он слушал о темной стороне светлой советской жизни. Слушал и верил старику.

Однажды тот упомянул *гребенку* — он подумал: это о гнидах — потомстве недовымороженных вшей. Беловато-прозрачные бочонки, прилипшие к волосам, сестры вычесывали частыми железными гребенками. В детстве мать говорила: слава богу, ты у нас мальчик. Можно сбрить.

Оказалось, гниды ни при чем. Старик рассказывал о поезде. Еще довоенном. Их куда-то везли, долго, месяца два. Он думал: СССР, конечно, огромный, но все-таки не бескрайний. Шестьдесят дней — впору обогнуть земной шар. Некоторые пассажиры пытались убежать, прямо в пути, — чему он дивился восьмилетним разумом: не могли дождаться остановки? Старик сказал: дырки в полу. Пробивали, надеясь съежиться, перележать между рельсами. Для того и гребенка, которую крепили под днищем, — чтобы зубья разорвали их в клочья.

Когда подрос, он понял, что это был за поезд. И кто такие они — те странные пассажиры. Но в гребенку не слишком верилось. Думал, тюремный миф.

Казалось бы, Геннадий Лукич говорил о том же самом: о непомерных испытаниях, выпавших на долю советского народа, но — иначе, не различая темной и светлой стороны: будто во славу общей победы они уже слились в единое целое, как и предсказывали великие китайцы древности. Да, он верил старику, но Геннадию Лукичу — *тоже*. И дело не в словах. А в том, что в устах Геннадия Лукича эти безликие слова о спасении Державы обретали подлинную вескость, как если бы про шкаф говорил столяр, про жареную картошку — повар, а про мерзлый грунт — старый глухой зэк, вышедший на волю по амнистии после XXI съезда КПСС...

Женщина в белой кружевной наколке вышла из комнаты, аккуратно прикрыв за собой дверь.

— Дочь у нее в больнице, — Геннадий Лукич разливал чай. — Тебе как, покрепче?.. Есть люди, которые полагают, что победа, одержанная такой ценой, вовсе не победа. И я их не осуждаю. Скорей мне их жаль. У этих людей своя, маленькая правда. Сам я предпочитаю жить с большой. Как ты говорил: учитель, наставник и пестун? — Пододвинул тарелку с бутербродами. — Моисей Цзынович — твой учитель. Неизвестный автор — наставник. А я, будем считать, пестун. Выходит, мы все делаем общее дело. Так что работай на совесть, не подведи...

Без этой папки он ни за что бы не защитился. Спасибо неизвестному наставнику. Кстати, колбаса оказалась очень вкусной. Не сравнить с той, что покупала мать.

Мысли о Геннадии Лукиче вернули пошатнувшуюся уверенность. Он чувствовал, что наконец засыпает. Перед глазами морщилось что-то большое и белое: как в детстве, когда мать набрасывала на шкаф старую простыню. Поэтому он совсем не удивился, когда у нижнего края выступил кадр из его любимого диафильма:

Вдруг белая простыня приподнялась, из-под нее вышла черная курица: — Алеша, Алеша, побудь со мною! — кто-то, невидимый в темноте, читал низким мужским голосом. Подумал: «Мама, где же мама?» — и в тот же миг узнал голос Геннадия Лукича.

Он попытался разлепить тяжелые веки, понимая: наяву *так* не бывает. «Значит, все-таки сплю? — проверяя себя, поднял и вытянул руку: — Или... нет?» — но виделась не одна, а две руки, причем обе правые: одна висела в воздухе, другая, зыбкая, точно очерченная пунктиром, осталась на одеяле.

«Виноват, любезная Чернушка, впредь не буду! Пожалуйста, поведи меня сегодня туда; ты увидишь, я буду послушен...» — теперь он читал сам, своим собственным еще детским, неокрепшим голосом.

Странность заключалась в том, что он чувствовал себя маленьким мальчиком, но *одновременно* знал: он уже вырос, стал взрослым человеком, который помнит себя мальчиком, слушающим сказку.

Возьми это конопляное семечко, — сказал первый министр, в которого успела превратиться курица. — Пока оно будет у тебя, ты всегда будешь знать свой урок, какой бы тебе ни задали, с тем, однако, условием, чтобы никому и ни под каким видом ты не сказывал ни единого слова о том, что видел...

Когда мама дочитывала до этого места, он всегда надеялся: *на этот раз* сказочный Алеша выполнит свое обещание. Но так никогда не случилось. И все-таки ему было до смерти жалко и Алешу, которого высекли за то, что сказал неправду, и Чернушку, закованную цепью, — она пришла попрощаться, сказала, теперь ее народу придется переселиться далеко.

Поутру у Алеши открылась горячка, но через шесть недель он выздоровел и впредь старался быть послушным, добрым и прилежным мальчиком, все его снова полюбили, и он сделался примером для своих товарищей. Ты понял меня, Алеша? — Геннадий Лукич спросил строгим голосом.

— Да-да, я понял, — он ответил и крепко заснул.

III

— Ферцайн зи битте, прошу прощения... — некто невидимый толкал, тряс его за плечо.

— Да-да, я уже... спасибо... — он открыл глаза, оглядываясь ошарашенно, не узнавая ни этого вагона, ни себя, который — с чего бы это? — здесь оказался.

— Граница. Попрошу занять свое место. Согласно купленному билету. И кресла попрошу. — Вдруг проводник сломался в пояснице и, что-то подняв с пола (он не успел рассмотреть, кажется, бумажка или фантик), распрямился, бросив на него такой острый и пронзительный взгляд, что стало ясно: *наш* человек, сотрудник — если что, придет на помощь.

Торопливо натягивая брюки, он волновался: «Очередь... Закроют. Не успею...»

Но торопился зря. Туалет был свободен, все он прекрасно успел — и умыться, и почистить зубы, — даже справился с креслами, самостоятельно, без помощи любезного старика. Проходя мимо, тот вежливо поздоровался, попутно глянув в окно доброжелательным взглядом, будто объединил в едином утреннем приветствии его, незнакомого советского парня, и картину приграничной советской природы, напоследок мелькавшую за окном.

Погода и впрямь налаживалась. Серое небо еще осыпа́лось снежным крошевом, но ветер больше не выл. Впрочем, в этом районе, сквозь который — быстро и бесшумно, как иголка, пронизывающая податливую вату, — мчался сверхскоростной поезд, зима и должна быть мягче, в чем он и убедился: вдоль полотна железной дороги лежал ноздреватый снег. Сугробы, подпирающие металлические листы ограждения, поводили носами, с наслаждением вдыхая влажный воздух, — первый признак теперь уже недалекой весны. То здесь, то там бескрайняя лесная равнина проклевывалась нефтяными вышками — пускала буйные ростки.

Садясь на свое законное место, буркнул: «Здрасьте». Похоже, девица приняла его возвращение как должное, кивнув в ответ.

На задней обложке журнала, который она полистывала, расположился мужик лет тридцати. Сидел, закинув ногу на ногу, в одной руке кофейная чашка, в другой — свернутая в трубку газета. «Вырядился. Ботиночки начистил. Такие-то ей и нравятся. Бездуховные. И зачем ему, спрашивается, газета? Мух бить?» Ему явился образ дяди Васи, соседа по коммуналке (мятые трусы, линялая майка-алкоголичка, газета-мухобойка в руке — для этого и выписывает), вытеснив собой нахального мужика.

— Пасс готовь, — девица заглянула в проход. — Ваши погранцы.

Он ощутил смутное беспокойство: как всегда, когда ждешь одно (как на последней перед китайской границей станции: пассажиров просят выйти из вагона и проследовать в длинный приземистый барак. Солдаты, вооруженные автоматами, прочесывают состав от головы до хвоста — ищут перебежчиков. И только потом проверяют пассажиров), — а выходит совсем иначе.

По проходу — все-таки он выглянул — шли трое в пограничной форме.

Опасаясь привлечь к себе излишнее внимание, вытянулся в кресле. Девица как ни в чем не бывало полистывала журнал. «Плохо. Сижу как деревянный, — постарался расслабить плечевые мускулы, даже положил ногу на ногу, будто принял непринужденную позу журнального мужика. — Это же *наши*. Даже если снимут с поезда — попрошу позвонить, связаться», — хотя прекрасно помнил: Геннадий Лукич это запретил. Ни звонков, ни контактов... Ему показалось, он слышит голос шефа:

Будь внимателен, не теряйся, в экстренных случаях не впадай в панику, держи себя в руках, прислушивайся к внутреннему голосу, в нашем деле интуиция — первый помощник...

Голоса приближались, точнее — один:

— Первый, первый... Шестой заканчиваем... Понял, Михал Дмитрич. Как только, так сразу... Есть.

Расслышав слабое потрескивание, он догадался: переговорное устройство.

— Добрый день. Попрошу документы. Пограничный контроль. — Офицеры в зеленых погонах остановились подле их кресел.

Девица скорчила вежливую гримаску. Завладев ее паспортом, старший открыл его на первой странице и поднес нечто, напоминающее огородную тяпку, — стальная поперечина с тремя зубьями, насаженная на черенок. Потрескивание, которое он принял за помехи, переросло в громкий треск. Зубья скользили по бумаге. На внешнем ребре вспыхивал красный огонек, будто отстукивал морзянку: точка-точка, тире-тире-тире...

— Счастливого пути, — пограничник вернул документ и обратился к нему. — Вас, товарищ, попрошу.

Внутри все дрожало — билось тонкой жилкой под ключицей.

Он следил, как электронные зубья похрустывают его паспортными данными, тщательно пережевывая каждую букву и цифру.

Произнеся заветные слова, отпускающие его душу с миром, офицеры двинулись навстречу другой погруппе, ожидавшей их в тамбуре. Стеклянные двери открылись и закрылись.

— Ух ты! На китайской такого нету.

— И чо особенного, — девица пожала плечами. — Нормальная электроник.

Пограничники о чем-то беседовали, видимо, подводили итоги проверки. Их старший — плотный, с красноватым загривком, лезущим из-под ободка фуражки, как тесто из квашни, — приложил к уху электронную тяпку, кивнул и потянулся к кнопке, мигающей над красной ручкой стоп-крана.

Первая

Он уловил негромкий скрежет под полом, точно вагон, вообразив себя самолетом, выпустил шасси. «Партизаны... Взрывчатка...» — ухватился за подлокотники и замер, глядя в окно. Будто ждал, что поезд и впрямь взлетит, но, в отличие от самолета, не наберет высоту, а завалится набок, подминая под себя эту снежную белизну, куроча рельсы со шпалами...

Но ничего такого не случилось. Уже хотел отвернуться, но в этот самый миг вниз, по белому склону железнодорожной насыпи, метнулось что-то похожее на мешок с красными прорехами. И в следующее мгновение исчезло.

— Ты... видела? — он потер виски.

— Што? — девица улыбалась кому-то поверх его головы.

— Мешок. Красное... — косил глазами на белое безмолвие: снег, покрывающий насыпь, мертвел нетронутой белизной. — Там. Кто-то. Надо остановить, дернуть стоп-кран...

— На такой скорости? Фьють! — девица присвистнула. — Ты чо, русиш партизан?

— Но там... Вон же он, на стенке.

Девица привстала:

— Кроче, нет там ни хрена! — и плюхнулась на место.

— Как — нет?! — он смотрел, пока не расплылось в глазах. Красная ручка исчезла. Похоже, он действительно ошибся, попал впросак. Оглянулся беспомощно, как во сне, когда за тобой погоня, надо бежать, но отказывают ноги.

По вагону, избегая глаз пассажиров, деловито прошел седоватый железнодорожник и, бросив пару фраз пограничникам, скрылся в вагоне № 5.

— Куда это он?

— Куда-куда! По инструкции. Доложит. Машинист сообщит куда следует. Дрезину пригонят, соберут ошметки, — она говорила насмешливо.

«Ошметки... Да как она может! Не мешок с тряпками. Это же человек».

Дергать, конечно, поздно, но все равно. Он обязан убедиться: это не обман зрения. Стоп-кран есть. Доказать вульгарной девице: конструкция сверхскоростного поезда предусматривает экстренное торможение. Может, захребетникам и плевать, но наши инженеры — должны были настоять. «Вот сейчас встану и докажу!» — в полной уверенности, что сумеет опровергнуть ее циничные слова, он оперся о металлический столик...

— «Уважаемые пассажиры! Говорит командир поезда. Наш поезд приближается к государственной границе Союза Советских Социалистических Республик. В целях обеспечения порядка и вашей личной безопасности просим оставаться на своих местах до полной остановки. Благодарю за внимание».

Перейдя на нем-русский, механический голос повторил сообщение и смолк.

— Чо, облом? — девица стрельнула глазками. — Я тоже. Пописать не успела. Ой! — закрылась ладошкой. — У вас грят: сходить в туалет.

— У нас не говорят. — Хоть так, но поставить ее на место.

— Не говоря-ят? — бесстыжие глазки округлились. — А как?

— Никак, — он ответил сухо. — Извиняются и выходят. По крайней мере, девушки.

— А женщины? — девица моргнула удивленно.

— Ну... — он помедлил. — Схожу вымою руки или... в дамскую комнату.

— Типа, фрау и фройлен? А я думала, у вас нету. Если фройлен — извиниться и выйти... Ваще жесть!

«Любой нормальный человек, когда на его глазах кто-нибудь гибнет... Ужаснется, переживет эмоциональное потрясение... А этой — хоть бы что!» — он насупился, уткнувшись в окно.

Граница Советского Союза — важное сообщение, пришедшее из динамиков, будто задвинуло створку между ним и страшной кровавой картиной, мелькнувшей всего на одно мгновение, но теперь уходящей на обочину памяти: не мешок с красными прорехами — слабые контуры мешка. Впрочем, здесь, на подступах к государственной границе, все выглядело иначе. Даже природа стала строгой и ответственной. Сугробы — не просто снег, укрывающий землю, а пограничная контрольная полоса, на которой отпечатываются чужие преступные следы. В первую очередь злоумышленников. Но, как выяснилось, и тех, кто решается перебежать железнодорожные пути по недомыслию — недооценив чудовищную скорость летящего им наперерез состава.

Он смотрел на белые хлопья: падая с неба, они засыпали останки человека, превращая их в безымянный могильный холмик — один из сотен тысяч тех, оставшихся под снегом: героев, отдавших свои жизни по эту сторону Хребта. Рядом с их великим военным подвигом, исполненным трагического смысла, случайная гибель под колесами становилась не то чтобы неважной. Любая смерть — трагедия. Но все познается в сравнении. «Сам виноват. Нечего за ограждение лезть».

И вдруг спохватился: *«Тут же линия Молотова...»* Символ героической борьбы советского народа против немецко-фашистских захватчиков: система оборонительных укреплений, грандиозная по своему размаху, которую он множество раз видел на фотографиях, но теперь припал к окну, надеясь различить не только контуры пулеметных ДОТов, надолбы — деревянные, бетонные, металлические, высокие столбы сплошных проволочных заграждений, заглубленные позиции для орудий, но и муравьиные ячейки окопов, траншей и противотанковых рвов различных профилей — всё, что впечаталось в память еще со школьных лет.

Когда нас в бой пошлет товарищ Ленин... И первый маршал в бой нас поведет! — смотрел растревоженными глазами на театр военных действий, где еще четверть века назад гремели кровопролитные сражения. Теперь лежала безмолвная земля. Он думал: «Неправда, этот бой не кончен, всё еще длится».

Советские деревья, провожающие поезд, теряли последние силы, тщетно пытаясь закрепиться на возвышенности, за которой — в пелене снега и тумана — уже угадывались величественные контуры Хребта. Против наших выступали фашисты: мобильные отряды кустов, входящие в мотострелковые и горнострелковые соединения, рвались вперед, клонясь под ударами ветра, нашего преданного сателлита, способного отразить любую атаку противника без ущерба для себя....

— Заснул? Подъезжаем, — девица потянулась за курткой, висящей на металлическом крючке.

«Куда это она? Нас же уже проверили». За окном плыли приземистые строения, похожие на бревенчатые бараки. На всякий случай оглянулся на других пассажиров. Никто и не думал вставать.

— Идешь? — девица натягивала куртку. — Или тут? Задницу бушь греть.

— А... разве можно?

— А чо низя-то? Все равно ждать. Пока это... как его? Кроче, на нашу колею.

— А вдруг кто-нибудь... — он смотрел, как она возится с неподатливой молнией.

— Сбежит? Ага, размечтался, — совместила концы и дернула. — Вон. Ваши топтуны.

Вдоль платформы, очищенной от снега, цепью, на расстоянии полутора метров друг от друга, стояли солдаты с автоматами — в тулупах и валенках. Тесемки ушанок стянуты под подбородками. Щеки разрумянил мороз.

Девица шла впереди, не оглядываясь. На ходу попадая в рукава, он заторопился следом, стараясь не думать о неприятном. «Если что, скажу: в туалет... — одернул толстые рукава, понимая: *это* не сработает. Когда идут в туалет, не надевают пальто. Выйдя в тамбур, скосил глаза на красный рычажок: кран, но не "стоп", а самый обыкновенный, перекрывающий трубу отопления. — Значит, все-таки не предусмотрено...»

Проводник возился с металлической лесенкой.

— От графика отстаем. Перешьемся, сразу тронемся. Попрошу не отдаляться, — проводник забормотал деловито, будто цепь солдат, опоясывающих платформу, не говорила сама за себя.

Девица уже спустилась. Пересчитав ступеньки ребристыми подошвами, он тоже сошел. Вдыхая морозный воздух, обозревал величественную картину. Ближний перекат. Горный кряж, подернутый снегом, распадался широкими уступами. Впереди, метрах в ста от головного вагона, чернела голая каменная порода, будто длинная узкая возвышенность (он вспомнил: увал), на которую взобрался поезд, завела их в тупик.

— Туннель, — девица стояла рядом, постукивая щиколоткой о щиколотку. — Клево, а?

— Там? — он мотнул подбородком, косясь на замерших солдат. «Здоровые парни. На китайской границе — хлипкие».

За солдатскими спинами гигантскими буквами, выложенными по высокой снежной насыпи, чернело:

СЛАВА КПСС!

— Да не туда, — девица хихикнула, — туда гляди. На подступах к тоннелю, где, собственно, и шла перешивка вагонов, плясали разноцветные огоньки: красные, желтые, зеленые — будто гномы, исконные жители этого края, посылали короткие сообщения поездной обслуге. Металлический столб, индевеющий на краю платформы, что-то семафорил в ответ.

— Видал? — девица дернула его за рукав, разворачивая в другую сторону.

Вдали, у подножья кряжа, серело что-то огромное, контурами напоминающее человеческую фигуру.

— Что это?

— С дуба рухнул? — девица скроила удивленную мину. — Ваш Солдат.

Он вздрогнул.

«...ос-споди... Как же я сразу?..»

Сорокаметровая статуя, вырубленная из камня, — Советский Солдат, охраняющий западные рубежи. Сколько раз видел это лицо. На фотографиях, картинах, плакатах: тяжкие бессонные веки, широко поставленные ноздри, подбородок с глубокой ложбиной посередине. Неколебимые складки долгополой шинели надежно укутывают голенища. Руки, сведенные на груди, держат обоюдоострый меч.

— А там, — девица махнула рукой в направлении Хребта. — Наш. Со шмайсером. Так што учти, если што, тра-та-та-та-та-та, — изображая автоматную очередь, свела кулаки.

— Это мы еще посмотрим, — он отрезал грубо и зло.

— Поду-умашь, — девица надула губы. — Да кому вы ваще нужны!..

— Мы-то всем нужны, — думал, она поймет намек: СССР — надежда всего прогрессивного человечества. В отличие от их России.

— Слышь, а чо он, этот ваш, не с калашниковым? Типа как эти, — ткнула пальцем в ближайшего, стоящего в оцеплении. На этого парня он тоже обратил внимание: высокие скулы, широко поставленные

95

ноздри, тяжелый подбородок с ложбинкой — будто живой солдат, призванный на срочную службу, доводился родственником своему каменному прообразу.

Солдат, в которого ткнули пальцем, насупился. Дуло автомата качнулось, точно стрелка огромного компаса, и замерло, остановившись на бесцеремонной девице. Чувствуя холодок между лопатками, он поспешил отвести взгляд.

— В войнушку играешь? Слышь, паря, ты, эта, девок своих пугай. Гляди, пожалуюсь твоему официру, бует те войнушка...

«С ума сошла... Провоцирует, лезет на рожон... А вдруг у них приказ... Если что, и меня... зацепит... — мысли скакали, как обезумевшие зайцы. — Прыгнуть, упасть плашмя», — но стоял, будто примерз к земле.

— Сошлют тя. Ага, — чертова девица не унималась. — В стройбат. Или как там у вас? На стройки коммунизма.

Дуло автомата дрогнуло. Он зажмурился, принимая неизбежное. «Раз, два, три, четыре...» — ползли томительные секунды. Только на восьмой рискнул поднять глаза. Солдат стоял в той же угрожающей позе, но в его лице что-то нарушилось. Скулы, еще минуту назад казавшиеся высокими, обиженно заострились, в уголках губ ежилась растерянность. Парень шмыгнул носом, но поздно — к ложбинке, рассекающей красный от холода подбородок, ползла зеленоватая сопля. В глазах, моргающих недоуменно, отразилась яростная борьба: слизать или лучше — варежкой?..

— Попрошу побыстрее! Отправляемся, отправляемся...

Он и не заметил, что поезд уже подали. Только по другую сторону платформы, откуда начиналась чужая нем-русская колея. Солдаты, стоящие в оцеплении, расступились.

— Эй, герой! Сопли подотри. — Крутанувшись на тонком каблучке, девица направилась к вагону.

Солдат поднял руку и мазнул варежкой по лицу, будто выполнил ее распоряжение, и теперь смотрел на варежку: в мозгу, прихваченном морозцем, снова боролись две антагонистических идеи — вытереть о тулуп или бог с ней, отмерзнет сама?..

Проводник, стоящий на первой ступеньке лесенки, делал призывные знаки. Дерзкая девица выглядывала из-за его плеча. Ему показалось, проводник усмехается, мол, что с нее взять, захребетница.

Он взялся за металлический поручень: «Все-таки надо ей сказать, предупредить. На этот раз обошлось, но раз на раз не приходится. Мало ли, на кого нарвется...»

Девица, раскрасневшаяся на морозе, поднесла пальцы к губам, чмокнула и махнула рукой. Воздушный поцелуй — нет, он не мог ошибиться! — посланный поверженному противнику, долетел и, обратившись в смущенную улыбку, запорхал по мальчишескому лицу, стирая последние следы родства с гигантской каменной статуей, неколебимо глядящей на запад — выше дальних отрогов Хребта.

Пока он шел к своему креслу, состав успел тронуться. Солдаты, стоящие в оцеплении, медленно уплывали назад. Вслед за ними поплыл огромный лозунг над крышей крайнего барака:

НАРОД И ПАРТИЯ ЕДИНЫ!

На его фоне солдатские фигурки казались маленькими и все на одно лицо — обыкновенное, человеческое, окончательно утратившее сходство с великим прообразом, сжимающим обоюдоострый меч. Чувствуя невнятное разочарование, похожее на уколы совести, он вытянул шею, пытаясь хотя бы напоследок поймать глазами подлинные черты гигантской статуи. Отчаянная попытка удалась: складки шинели, ниспадающей к кирзовым сапожищам... руки, сведенные на груди надежным каменным захватом... тяжкие веки, широко поставленные ноздри, точнее, одна, из которой — он не успел отвернуться, — стремясь к ложбине, прорезающей массивный гранитный подбородок, выплывала гигантская сопля...

Кромешная темнота, в которую, въезжая в тоннель, погрузился поезд, совпала с тьмой, залившей его совесть. Он съежился и зажмурил глаза.

Электрический свет, загоревшийся неожиданно, высветил ряды кресел, металлический столик, в мгновение ока потемневшее стекло, за которым едва различались контуры тоннеля. Успев набрать приличную скорость, поезд мчался, на бегу размазывая по стенам редкие огоньки: желтые, синие, зеленые — еще какое-то время они виделись пунктирными линиями. Потом слились.

— Ну всё! Ща жратву повезут. Бабосы готовы.

Порывшись в нагрудном кармане, он достал аккуратно сложенную пятерку: «Больше никаких солянок. Возьму суп с клецками». После ночного конфуза решил не рисковать.

— Не, рубли не принимают, — неугомонная девица рылась в сумочке.

— Как не принимают?.. Тут же наша территория.

— Территория ваша. А деньги наши, — девица хмыкнула. — Ист аус халява. Ауфидерзейн, эсэсэр.

Он погладил лацкан пиджака — ладонь ощутила твердость бумажника, в складках которого скрывалась тощая стопочка рус-марок. Геннадий Лукич предупредил: это — на первое время, остальное получишь по прибытии. Но не объяснил: где и как?

— Чо, с бабосиками плохо? — девица моргала крашеными глазами.

— Не выдумывай, — ответил как положено. И вспомнил клетчатый листочек из тетради: список заказов, составленный Любой, лежал в другом кармане пиджака.

— А то гляди... Могу и подкинуть.

Небрежное сочувствие, которое она себе позволила, подстегнуло гордость. Он встал и потянулся к багажной полке. Крякнув, снял чемодан. Достал объемистый сверток (помимо бутербродов с колбасой мать приготовила куриную ногу, пару яиц вкрутую и соль в тряпичном узелке).

Пихнув багаж на прежнее место, поерошил волосы. В детстве так делала мать: «Терпеть не могу, когда ты такой прилизанный, как мокрый кролик». Сестра Вера хихикала: «Ага. Теперь лучше: как сухой хорек». — «Ну ма-а, ну скажи ей...» — он утыкался в застиранный фартук. «Вера, как же тебе не стыдно, большая девочка». — «Ладно, — Верка соглашалась. — Пусть не хорек. Водяная крыса». — «Не слушай ее, ты у меня самый красивый, вырастешь, все девушки будут твои, только выбирай...» — мать утешала, гладила по голове. Бросая на Верку колючие взгляды, он сжимал кулаки...

— Бр-р! Гадость. Терпеть ненавижу!

Он вздрогнул: будто его подслушали.

— Ну эти... туннели, — девица смотрела в окно.

— А мне нравится, — он решил заступиться за строителей, проложивших дорогу сквозь Уральские горы. — Как в метро. Только никаких станций...

— Ты чо, в метро што ли ездишь? — девица смотрела с опасливым изумлением.

— Да, — он удивился, — а что такого-то?

— Там жа желтые.

— Это у вас, — он ответил, чувствуя законную гордость, да что там! — историческое превосходство. — А у нас, если хочешь знать... — собираясь преподать ей хороший урок социального равенства (уж чего-чего, а этого у советских людей не отнимешь, даже Веркин комсомолец, и тот, когда машина в починке, ездит на метро), вдохнул, расправляя грудь.

Секундная пауза, которой девица не преминула воспользоваться:

— Да ладна, не гони. У вас тоже есть. На заводе. Думашь, я не видела?

Он не успел понять, что именно она видела и кого за кого приняла.

К ним подъехала тележка.

— Курица, рыба, мясо?

Первая

Давешние проводницы — блондинка и брюнетка, обе приятные. «Но блондинка все-таки лучше...»

— Рыбу, — девица повела носом, достала кошелек, неторопливо расстегнула молнию. — Хотя... Рыба чья?

— Рыба... — проводница-блондинка помедлила, словно не находясь с ответом. — Рыба — наша.

— Курочку возьмите, — проводница-брюнетка пришла на помощь напарнице.

— Ты бы чо выбрал?

— Не знаю... — он задумался. — Скорее, мясо.

— Мясо, — девица тряхнула челкой. — Ага. И кофе.

Брюнетка отсчитывала сдачу.

— Курица, рыба, мясо? — блондинка обращалась к нему.

— Спасибо. У меня... — он покраснел и покосился на объемистый сверток.

— Может быть, кофе?

Мотнул головой, краснея все гуще.

Девица поглядывала насмешливо. Тушуясь под ее взглядом, он переменил решение:

— Кофе — да, пожалуй.

— Сахар, сливки?

— Нет-нет, — заторопился. — *Просто* черный.

— С вас четыре рус-марки.

«Это же...» — немеющей рукой он полез в карман пиджака, пытаясь перевести в рубли.

Небрежно отсчитав сдачу — пять серебристых монеток, каждая из которых, по мнению его сестер, тянула на полноценные колготки, прочные, не то что наши, не успеешь натянуть — стрелка, потом возись, поднимай; или две банки растворимого кофе *в гранулах*, — проводницы отбыли в следующий вагон.

Он сидел, понуря голову, чувствуя себя растратчиком семейного бюджета.

Впредь будь осторожней, Алеша. А главное, внимательней.

«Да уж буду», — дав обещание своему внутреннему голосу, он потянулся к свертку. Развернул верхнюю газету, потом кальку, заляпанную жирными пятнами.

— Терпеть не могу мороженую. Ваши вечно морозят, — девица хрустела прозрачным пластиком. — Мясо ищо ладно. А рыба...

— Какая гадость эта ваша заливная рыба, — он улыбнулся, ожидая ответной улыбки.

— Заливная? — сладив с верхней коробочкой, девица достала еще одну — белую, обернутую фольгой.

— Ну... — ему показалось, недослышала. — Ипполит, Третья улица Строителей...

Ни малейшего отклика. Словно и понятия не имеет о фильме, собирающем у телевизионных экранов миллионы его соотечественников. «Да знает она все! Наверняка придуривается», — но решил подыграть.

— Ты еще спроси, что такое... — выбрал *самое* нелепое, что только можно себе представить, — салат оливье.

— Оливье... Францёзише кюхе? — она *вспоминала*, морща лоб.

С тех пор, как судьба свела их в одном вагоне, он устал удивляться. Но теперь, прислушавшись к себе, понял, точнее, ощутил, всю глубину пропасти, зияющей между ним и его случайной попутчицей, живущей *совсем* в другой стране. Машинально облупив крутое яйцо, взялся за узелок с солью. «Ну да, в *дру-*

гой. Тоже мне, открытие...» — тряпичный узелок никак не развязывался. Дома вцепился бы зубами. Но здесь, в поезде, неловко.

— Проблем? — девица протянула руку.

Он пожал плечами:

— Ну, попробуй.

— Да чо тут! — подцепила узел длинным синим ногтем (едва успел подумать в рифму: лак-вурдалак): — Вуаля!

— Ловкость рук и никакого мошенства, — похвалил великодушно. — Всё. Уговорила. С сегодняшнего дня начинаю отращивать. Как у китайских мандаринов. — Растопырил пальцы, в глубине души надеясь, что она переспросит. И он возьмет наконец реванш — поразит ее воображение красочным и подробным рассказом. Мысленно пробежал глазами работу, которую писал на третьем курсе. Даже иероглиф вспомнил: 官.

— Знаешь, кто такой — мандарин?

— Манда... рин? — она повторила кисло и сморщилась. — Ты чо, спятил? Тут же... люди!

— И что? — он оглянулся. — Пусть послушают, в конце концов, долгая история мандаринов...

— Да тихо ты!

Он вынужден был замолчать. Недоумевая: «Какая муха ее укусила? — развернул пергаментную бумагу — обертку из-под маргарина, в которую мать упаковала курицу. — Что я такого-то сказал?..»

Между тем его спутница тоже сорвала фольгу. Не приступая к трапезе, внимательно изучала содержимое коробочки:

— Ты чо, правда мясо любишь?

Решив никак не реагировать, он облупил и круто посолил второе яйцо. Жевал молча и сосредоточенно, чувствуя, как ходят скулы. «Пусть помучается. Если не умеет себя вести...»

— А я курицу, — девица отставила нетронутую коробку.

— Вот бы и выбрала, — все-таки не выдержал, ответил сухо.

— Это ты выбрал! — она говорила громко, на весь вагон. Эти, с ребенком, вряд ли. Но пожилые наверняка услышали.

Он обтер губы и дал волю раздражению:

— Как мне — так тихо. А тебе, значит, можно!

Проводник, проходящий мимо, покосился в их сторону.

— Слышь, — девица не унималась, — а давай махнемся. Тебе — мясо, а мне курицу.

Проводив глазами синюю железнодорожную форму, он подвинул к ней куриную ногу:

— Пожалуйста, угощайся. Прости, что не предложил раньше...

— Ушел? — она спросила шепотом.

— Кто?

— Ну, этот, — девица мотнула подбородком.

Синяя форма маячила за стеклянной дверью. Не понимая, к чему она клонит, он кивнул.

— Ладно, не злись, — она заговорила нормальным голосом. — Мандарин, натурал — лично мне фиолетово. У меня и друзья из *этих*. А чо, клёвые парни. Тока болтать-то чево? Потом ходи, объясняй, на рожи ихние любуйся, — она передернула плечами. — Бр-р-р!

«Натурал? Ах, вот оно что...» — ему стоило больших усилий, чтобы не рассмеяться.

Оторвав замасленный газетный угол, осведомился строго:

— Ручка есть? — Лучший метод домашней конспирации. Так считают его сестры. Вечно перебрасываются записками. Однажды, пришлось к слову, поинтересовался мнением профессионала. «Да, записки — самое эффективное. Все остальное — вчерашний день, — Геннадий Лукич подумал и уточнил, — с технической точки зрения». Получив авторитетное подтверждение, он почувствовал гордость за сестер: никогда не верили — ни в снятую телефонную трубку, ни тем более в открытый водопроводный кран.

Думал, его попутчица удивится, но она кивнула понятливо и полезла в сумочку.

«Китайский мандарин — просто чиновник».

Он полагал, прочтет и рассмеется. Ничуть не бывало. Порвала на мелкие кусочки:

— Ага, классная отмазка. Думаешь, в гестапо идиоты?

— Но послушай, — он попытался вернуть ее в пространство разума. — Если бы что-нибудь политическое. На худой конец книга... И курица стынет...

— Да на хер мне твоя курица! — девица буркнула и уставилась в окно.

На этот раз он разозлился не на шутку. Решительно взялся за куриную ногу. Не обращая внимания на приличия, обглодал до костей, запил остывшим кофе и, свернув в газету остатки трапезы —

«Завоняется, лучше сразу выбросить», — направился в тамбур.

«Ну и где у них тут?.. — в поисках мусорного ящика обежал глазами серые стены и, помянув недобрым словом конструкторов, использующих любую возможность, лишь бы обескуражить нормального человека, решил дождаться проводника.

За стеклом, потеющим снаружи, плыли толстые — с его руку — шланги, напоминающие стебли лиан. Хитросплетения бесчисленных проводов то сходились, то снова разбегались, покрывая стены тоннеля замысловатым узором, пока не зарябило в глазах.

Прокладывая тоннель, проходчики вынули тысячи кубометров грунта. «Каждый из которых, — он сосредоточился на главном, — оплачен кровью отцов».

Собираясь в дорогу, думал об этом неотступно, пытался представить, *что* он почувствует, когда окажется в этом подземном царстве: запоздалую боль, горечь потери, светлую грусть? «Ну вот. Я здесь. А там, наверху... наверху...» — пришпоривал снулые чувства — казалось бы, здесь, в земле, где лежат отцы и деды, они должны стократ обостриться...

— Желаете воспользоваться? Ватерклозет свободен.

Сбившись с натужных мыслей, он обернулся на голос.

— Я... нет... Мусор, — кивнул на газетный сверток.

— Желаете выбросить? — проводник нажал на кнопку. Из щели, открывшейся в стене, пахнуло ветром и холодом. Замерев на мгновение, словно раздумывая, сверток канул вниз. Под днищем что-то заскрежетало. И в то же мгновение скрежет смолк.

Трагическая история с якобы погибшим человеком получила рациональное объяснение: наверняка старший пограничник, нажавший на кнопку, выбросил какой-то мусор. Мешок с красными прорехами — плод его разгулявшегося воображения. Поэтому девица и насмешничала, болтала про дрезину, собирающую человеческие ошметки.

Прежде чем вернуться на свое законное место, он благодарно кивнул проводнику.

Вырвавшись из тоннеля, состав сбрасывал скорость. Промелькнула высокая постройка, похожая на водонапорную башню. За ней пробежало что-то одноэтажное: не то сарай, не то будка путевого обходчика. «Ну все. *Их* граница. Сейчас...» Ладони взмокли, стали липкими. Хотел достать носовой платок, но, покосившись на попутчицу, передумал. Украдкой вытер руки о штаны.

За окном уже плыла платформа, обрамленная низкими строениями, напоминающими бараки, — но не бревенчатые, а цементные. Самый высокий выделялся огромным лозунгом:

ФОЛЬК И ПАРТАЙ ЕДИНЫ!

Словно делал шаг вперед. Вдоль бараков тянулась цепочка солдат с автоматами. «Совсем как наши, — но одернул себя: *ничего* общего. — Во-первых, тулупы. У наших — белые...» Платформа, дрогнув напоследок, замерла.

Он смотрел с любопытством, отмечая отдельные детали, еще не сложившиеся в цельную картинку: окна, забранные решетками, глухая серая дверь. Два солдата, несущие караул, — черные тулупы, ушанки, в руках короткие автоматы, — расступились, давая дорогу.

Из приземистого строения, похожего на здание провинциального вокзала, выходили люди в форме: гнутые фуражки с кокардами, черные кожаные пальто, повязки на рукавах. Чужие пограничники, будто сбежавшие из учебника по военной истории, шли по платформе мимо его окна.

Девица полистывала журнал. Сам он сидел как на иголках, не смея ни обернуться, ни тем более выглянуть в проход.

Знакомый треск раздался минут через двадцать.

«Эти, с ребенком... Ага, теперь пожилые...»

— Коффер. Дер блауе. Ваш?

Пожилой голос ответил неразборчиво. Он подумал, попросят открыть, но вспомнил: черных не досматривают.

Впрочем, за свой багаж он тоже мог не волноваться. Досматривали сегодня утром. Пришлось отстоять очередь в специальный павильон. Руки в белых перчатках рылись, перебирая рубашки, трусы, майки. Все новое, ненадеванное. Но *все равно* чувствовал себя неловко, будто стоит перед ними голый. «Так. А это — что?» — «Научная работа, моя...» — «Петр Василич!» — женщина в форме кого-то окликнула, видимо, старшего по смене. Глянув в лицо начальника, рябоватое, будто осыпанное оспинами, он пожалел, что прихватил с собой карточки, пошел на поводу у многолетней привычки. «Дело в том, — старался говорить спокойно, — что я — китаист. Это "И-цзин". Книга, специальная... — хотел перевести на сов-русский, но как назло выскочило из памяти. В самый неподходящий момент. Рябоватый таможенник внимательно читал верхнюю карточку. — Понимаете, — он начал снова, надеясь, что русское название вот-вот вернется. — Гексаграммы. Символ, число, толкование. Все дело в сочетании линий. Если надо, я могу объяснить...»

«Тамара Михална, пропустите», — таможенник сделал знак рукой.

Трепеща от радости: «Обошлось, обошлось...» — он подхватил распяленный чемодан и оттащил в сторону. Сидя на корточках, возился с коварными молниями. Старший таможенник выговаривал своей подчиненной: «Дивлюсь вам, Тамарочка. И чему вас только учат! И-цзин — Книга Перемен... (Изумившись: надо же, знает! — он навострил уши.) Китайская классика. Образованный человек обязан иметь представление...» — «Вам-то хорошо, Петр Васильч! У вас университет за плечами...»

Выходя на платформу, он гордился своей страной. Даже на таможне у нас работают образованные люди, выпускники университетов. «А тетка — провинциалка. И говорит с дальневосточным акцентом. Эти, с востока, пробивные: понаехали...»

За спиной щелкнуло.

«Ну вот, — сердце упало и разбилось. — Теперь мы».

— Попрошу документы. — На него смотрело надменное лицо. В иных обстоятельствах сказал бы: породистое.

Листая странички его паспорта, офицер едва заметно морщился, будто не верил ни единому слову.

Электронное устройство, висевшее на запястье, бормотало, подзуживая.

— Имя, отчество, фамилия? — породистый пограничник говорил с сильным нем-русским акцентом.

— Руско. Алексей Иванович Руско.

Электронная тяпка хмыкнула.

— Год и место рождения?

— Тысяча девятьсот пятьдесят седьмой. Город Ленинград.

Повисла долгая пауза, в продолжение которой электронная тяпка жевала его паспортные данные. Наконец выплюнула, недовольно урча.

— Цель въезда в Россию?

— Научный и культурный обмен.

Ждал, что прикажут открыть чемодан, но офицер возвратил ему паспорт:

— Счастливого пути, — сопроводив пожелание коротким взмахом: рука переломилась в локте, вялая кисть откинулась назад, точно собралась прихлопнуть назойливую муху, но в последний момент передумала.

Этот жест, запрещенный на всей территории Советского Союза, он видел только в кино.

Проверив документ его попутчицы, офицер упустил еще одну муху и направился в следующий вагон.

Осколки сердца склеились. «Да что я, в самом деле! — стало стыдно за себя. За страх, с которым не сумел сладить. Хотя знал, был уверен — заграничный паспорт подлинный, выдавали в ОВИРе на общих основаниях. — Именно что на общих...» Кто их разберет, этих овировских теток, вполне могли перепутать, тиснуть не ту печать или запамятовать ка-кую-нибудь важную закорючку. Лучше, если паспорт готовят «документальщики» — специальная служба, отвечающая за изготовление документов прикры-тия. Работают на совесть, не допускают осечек...

«Главное — дело сделано. Я — за рубежом», — с чув-ством выполненного задания поглядел в окно.

— Ну и где ваш солдат? — за пережитыми тревол-нениями совсем забыл о размолвке. Тем более, если разобраться, в дурацкой истории с мандарином де-вица испугалась не за себя — эта мысль окончатель-но растопила ледок.

— Там, — она ткнула пальцем куда-то в сторону.

Он выгнул шею, надеясь высмотреть гигантскую фигуру со шмайсером — символ сопредельной дер-жавы. Но видел только деревья. Сосны, растущие у подножия, стояли сомкнутым строем — в полный рост. Те, что успели забраться повыше, гнулись под ударами ветра. Ветер, в этих местах главный союзник Советской армии, лупил по врагам пря-мой наводкой: вечнозеленых фашистов, рискую-щих штурмовать господствующие высоты, отбра-сывало назад взрывной волной. «Ага, — подумал мстительно. — Так вам! Так!»

— Не, — девица покачала головой. — Отсюда не видать.

— Жаль. А я-то надеялся, — он придал голосу отте-нок иронии. — Взглянуть хотя бы одним глазком.

— Чо одним-то? — она откликнулась в своем ре-пертуаре.

На этот раз он решил не потворствовать ее не-знанию сов-русских народных выражений.

— Как — чего? Двумя страшно. Сама говорила: если что, тра-та-та-та-та-та... — хотел улыбнуться, но отвлекся на пограничников.

Они шли по платформе плотной спаянной группой. Человек шесть. Теперь, когда в паспорте стояла въездная отметка, их черная форма больше не казалась зловещей. Даже наоборот... Будто снимают кино.

Мать одноклассника работала на «Ленфильме». Она и организовала экскурсию.

«В фашистском логове. Дубль семнадцать», — хлопушка щелкнула плотоядно.

По узкому длинному коридору шел фашистский офицер: левая рука висела неподвижно, правой он давал короткие отмашки...

«Да наш это, наш. Разведчик, — мать одноклассника жарко шептала их учительнице: — К празднику, к Дню победы. И премьера назначена. Не знаю, как и успеют...»

«Снято, все свободны», — женщина-режиссер, сидящая на возвышении (сперва он и не заметил), махнула рукой. Воспользовавшись дарованной свободой, советский разведчик вышел из павильона и присоединился к фашистским офицерам.

Он замер, начисто позабыв, что может отстать от своих. Ждал, когда тот пойдет обратно. Чтобы снова увидеть эти короткие взмахи: правой! правой! — от которых загоралась кровь. Смотрел, не в силах оторвать глаз, чувствуя жаркий кровоток, будто его правая рука силилась перенять энергичную отмашку фашиста, маскирующую сердце героя-патриота. Горячее, как у Геннадия Лукича. Среди курсантов ходили упорные слухи, будто после войны их шеф служил советским резидентом. В глубине души он верил. Даже представлял своего пестуна в эсэсовской черной форме: вот он идет по коридору гестапо, слегка прихрамывая (хромота осталась с войны), делая короткие отмашки — правой! правой! — как этот неизвестный, но запавший в память актер, так и не шагнувший на экраны родной страны. Видимо, создатели не успели к сроку. Или фильм почему-то запретили...

Солдаты, несущие караул у серой двери, вытянулись во фрунт. Прежде чем войти в здание вокзала, фашистские пограничники расступились.

И тут он увидел парня. Светловолосый, почти его возраста. Парень обернулся, словно что-то почувствовал.

«Наш или захребетник?..»

Этого он не понял. Споткнувшись, будто его толкнули в спину, парень исчез в дверях.

Высокий офицер задержался, что-то объясняя караульному. Прежде чем поезд тронулся, он успел разглядеть эмблему на рукаве: «Череп. Мертвая голова. Да это же... СС», — и окончательно осознал, где он оказался: в фашистском логове — как тот неизвестный герой, чью походку он запомнил на всю жизнь.

Платформа дрогнула и поплыла.

Уплывало все: приземистое здание, похожее на вокзал, череп, сияющий белозубой улыбкой, солдаты со шмайсерами — точно слепые, вперившие глаза в пустое пространство, синяя будка, занесенная снегом...

Остался только взгляд: темный, подернутый... — «Чем? Страхом, злостью, отчаянием?» — он смотрел на белые сугробы, упорно пытаясь подобрать нужное слово. Будто сценарий фильма, в котором не безвестный актер, и даже не Геннадий Лукич, а сам он играет главную роль советского разведчика, с этой минуты зависит только от него.

IV

В снежной дымке растворялись последние контуры Хребта.

«Не забывай: не дома. Ты у них, в России».

Тайга, с советской стороны границы сбитая в сплошную вечнозеленую массу, заметно поредела, уступая жизненное пространство зоне смешанных лесов. Над голыми лиственными деревьями торчали острые верхушки елей. Их перемежали сосновые кроны, раскидистые, как шалаши.

В детстве они играли «в партизан».

Как и полагается на партизанской войне, остро стояла проблема с оружием. Ружья, вырезанные из деревяшек, — на весь отряд их было два: по числу живых отцов. У остальных палки. Эти двое и стали главными. Пашка и Серега. Командир и комиссар. Однажды Пашка сказал: *с той стороны* полно автоматов и винтовок. В земле остались. Бери и копай. У матери был день рождения, вечером пришли гости — две женщины из соседнего барака. И что его дернуло? Вдруг, ни с того ни с сего, ляпнул: «Жалко, мы не там, за Хребтом». Мать несла миску с вареной картошкой — охнула, хорошо, тетя Галя не растерялась, полезла под стол, вторая соседка за ней: «Ничего, ничего, к счастью», — ползали, собирали картошку в мундирах: пыль сдул и ешь.

Мать схватила за руку, потащила за занавеску: «Сиди и молчи. А то прибью». Потом, когда соседки ушли, просила прощения, мол, нельзя, и себя и нас погубишь, ладно — все свои, а если б чужие...

Вместо взрывчатки использовали кусочки коры — складывали один на другой, перевязывали обрывком шпагата. Когда игра заканчивалась, прятали обратно в схорон. С чем, с чем, а с корой перебоев не было. Кругом лес, ходи да подбирай. Главная проблема — шпагат. Пашка, командир отряда, ругался на чем свет стоит: «Вот сволочи! Обещали по ленд-лизу. Ну, — картинно разводил руками, — и где их поставки?» Как-то раз явился довольный. Вытащил из-за пазухи, подмигнул: прижучил, мол, союзничков. По нынешним временам — ерунда, метра два, но тогда казалось — невиданное богатство. Скорей всего, выпросил у отца. Отец — бригадир. Безногий. Женщины из его бригады смеялись: зачем ему ноги! Бригадиру главное голова.

Однажды — насмотревшись военных фильмов, по воскресениям крутили в клубе, — приволок брусок хозяйственного мыла: у матери были свои схороны. Сгрудились, щупали по очереди. Серега-комиссар ковырнул пальцем: ух ты, зыкинская взрывчатка! Ну ты — молоток, представим к ордену. Идею с орденом Пашка не поддержал. С Серегой они вечно были в контрах: всё, что предлагал один, другой принимал в штыки. Но в тот раз Серега все-таки настоял. Вылазку назначили на завтра. По справедливости его тоже включили в боевую группу: незаметно подобраться к насыпи, сделать подкоп, заложить взрывчатку под рельсу. Когда покажется поезд, подпалить шнур и — назад, в лес.

Мать хватилась месяца через два, когда развезло дороги. Плакала: без мыла нельзя, завшивеем. Раньше никогда не плакала, по крайней мере, при нем. Сперва молчал, но потом не выдержал. Признался. Мать вскочила с табуретки: пошли! Ходили вдоль грунтовки, ковыряли палкой. Конечно, ничего не нашли. Но орден — кусочек коры с дырочкой — он носил еще долго. Днем вешал на грудь, привязывал к пуговице, ночью прятал под подушку: к весне высокая правительственная награда рассыпалась в прах...

За окном бежали голые пустоши, будто деревья, выполнив боевое задание, спешным порядком отошли на безопасное расстояние от насыпи. Хотя старые железнодорожные ветки проложены севернее, — он вспоминал названия населенных пунктов, связанных с партизанским движением. Пермь, Соликамск, Березняки. Последние взрывы рельсовой войны прогремели в начале пятидесятых. Но все равно невольно прислушивался, будто время неведомым образом могло откатиться назад на три десятилетия — рвануть со страшной силой, изгибая жесткие сочленения поезда в чудовищном эпилептическом припадке...

Однако поезд, набравший расчетную скорость, скользил ровно и бесшумно — как на воздушной подушке.

Первая

Сколько ни вслушивался, так ничего и не расслышал: даже стука колёс.

«Паразиты-захребетники! Что-что, а дороги делать умеют...» Всего в нескольких километрах от этой, прямой как стрела, осталась старая довоенная железка. Транссиб. Когда проект сверхскоростного сообщения существовал только на бумаге, советские инженеры предлагали её отремонтировать, приспособить под новые нужды, но нем-русские специалисты доказали с цифрами в руках: переделывать дороже. За последние годы Транссибирская магистраль окончательно пришла в упадок, рассыпалась. «Жаль, что наши согласились», — здесь, в поезде, как-то особенно остро чувствовалась эта утрата: Великий Сибирский путь — символ некогда единой и неделимой Российской империи. А после революции — единой советской страны...

Его попутчица, кажется, спала.

Скорей всего, и он задремал. Потому что не заметил, когда исчезли деревья. Теперь по обеим сторонам дороги тянулась вязкая равнина — её очерчивали линии лесополос. После XXI съезда их свели на корню. Считалось, что этот способ борьбы с буранами придумал лично товарищ Берия. Но лет через десять посадили заново, уже в безличном качестве бесспорного достижения интерсоциализма.

За сплошной сеткой заграждения изредка мелькали населённые пункты, застроенные рядами одноэтажных бараков. «Прямо как наши», — подумал с нежностью, погружаясь памятью в детские годы, где остались такие же серые односкатные крыши. Узкие окна, едва пропускающие свет. Брёвна, не спасающие от ветра. Зимой щели приходилось забивать: паклей, старыми тряпками, клочками ваты — выдергивали из сгнивших от сырости одеял. Окно над его нарами мать закладывала подушкой. Он привык спать на голом матрасе, не знал, что бывает иначе. Сотни тысяч эвакуированных. Для местных непонятное слово. Местные говорили: выковыренных.

Мать рассказывала: «Привезли, высадили на снег. Мужчин не хватало. Но, знаешь, мы и не разбирали: мужчина, женщина... Работали на равных», — этим обстоятельством она как-то особенно гордилась. Сперва расчищали участки: рубили, корчевали, сжигали пни. Первые бревна пошли на бараки. Это потом их свозили к рекам. Самая почетная профессия — сплавщик. С началом Великих строек — каменотес. В новые времена мальчишки играли «в строительство». Детские игры отражают взрослую жизнь. На вопрос: ну, что вы сегодня делали? — дети тех лет отвечали: строили Москву и Ленинград.

В его памяти этих строительных игр не осталось. Только те, прежние: «в наших и фашистов», в которых мальчишки менялись местами, как судьбой. Наши оставались бессмертными. Умирали фашисты. И головастики. Было время, теперь стыдно вспоминать, жарил их на костре, в консервной банке, будто для кошки, на самом деле — хотел узнать, как это, когда умирают не понарошку, а взаправду. Смотрел, как головастики подгорают с боков, но все равно скачут, прыгают. Однажды ночью пришла соседка тетя Маша, мать ее утешала, а тетя Маша все равно плакала: «Не могу, не могу больше... Жить... в этом аду».

В детстве он думал: ад — такое специальное место, где трудно, но можно жить.

После переезда в квартиру мать старалась забыть. Если и вспоминала, изредка, от случая к случаю: «Первые годы транспорта не было. На работу ходили колонной. Будто заключенные. Тяжело. Особенно осенью и весной: грязь, месиво. Идешь, а оно липнет. Ноги как гири». Скажет и замолчит — будто надеется, что сын, не заставший самых тяжких лет, сумеет их вообразить. Последнее время заговаривала все чаще, но, он заметил, с какими-то новыми интонациями: «Грязь, месиво, а люди идут и улыбаются: ничего, все будет хорошо, самое страшное кончилось — главное, не бомбят»...

Его попутчица проснулась. Сидела, равнодушно поглядывая в окно. «Уж ей-то точно не пришлось. В хоромах небось выросла...»

— А здесь еще живут?

— Не-а, — она мотнула головой. — Таперича нет.

— Знаешь, — вдруг захотелось рассказать, поделиться. — Мы ведь тоже жили в бараках. Хорошо. Особенно летом. Палисадники, цветы...

Сестры рассказывали, самую красивую клумбу разбили у Дома культуры, под портретом Сталина. Этого предателя и агента вражеских разведок он уже не застал.

— Цветы? В лагере? — девица переспросила недоверчиво.

— Почему в лагере? — он не сразу понял.

— Так тут жа эти, желтые... — За окном пронесся очередной барачный поселок. — Пока паспорта не получили.

— Нет, у нас не лагеря. Поселки эвакуированных.

Девица пожала плечами:

— Один хрен.

— Ну как это! В лагерях охрана, вышки, собаки. Эвакуированные — свободные люди, куда хотят, туда и едут...

Вдруг вспомнил Зою, девочку из соседнего барака, дружила с его сестрами. Однажды приехало начальство. Зоя болела, лежала с завязанным горлом. Один, в серой каракулевой шапке, спросил: «А ты чья такая?» — «Мамина. Мы беженцы». Проверяющий покачал головой: «Это плохое слово. Надо говорить: эвакуированные». — «Нет, — девочка сказала. — Эвакуированные — это ленинградцы, они ехали на поезде. А мы бежали. Из Москвы». Проверяющий пожевал губами: «И кто так говорит?» — «Мама», — она ответила и закашлялась.

Эту историю он узнал от Любы. На следующий день подъехала черная машина. Больше их никто не видел — ни Зою, ни ее мать. «Мало ли куда их! — Вера встряла немедленно: — Забрали на другой участок». — «Ну да, — Люба усмехнулась. — На другой. За колючей проволокой». Мать поддержала Веру: «Ты, Люба, преувеличиваешь. Десятилетних не сажали». — «Ах, простите! — Люба вонзила спицы в клубок, яростно, будто пронзила змею. — Зою, *конечно же*, в детдом». Потом, когда сестры ушли, мать вдруг сказала: «Знаешь, мне кажется, я помню: грузовик, крытый. А на борту: "Мясо". До войны не обратила бы внимания, но тут... Откуда у нас мясо? Конечно, я жалею ту девочку, но *все-таки* она спаслась. А моя Надя...»

Первая

Теперь, глядя из окна поезда, летящего на Запад, он не просто услышал — *понял*. Будто увидел своими глазами, пережил ту, всенародную, боль. Тысячи и тысячи, бесконечная вереница: с детьми и баулами — где пешком, где, если повезет, на телегах, — своим отчаянием затопившие все эти необозримые просторы, бредут на Восток, держась еще не разбомбленных дорог. Товарные поезда увозили в тыл станки и оборудование, полотна из Третьяковки и Эрмитажа, тысячи тонн архивных документов и фотографий: по этим фотографиям и картам, спасенным из фашистского пекла, построили Ленинград и Москву. Заново, на новом месте. Среди бывшей тайги. Дом за домом. Улицу за улицей. На Великих стройках плечом к плечу работали и вольняшки, и пленные, не говоря о целой армии заключенных. Результаты превзошли ожидания: мать говорила — точь-в-точь как до войны. В детстве он думал: как в сказке про Аладдина. Всесильный джин, раб волшебной лампы. Схватит огромный город и перенесет на другое место.

На самом деле никакой не Аладдин. О чем свидетельствовала политическая карта. Наши Москва и Ленинград — справа от Уральского хребта. «Ну и что, что новые. Все равно они подлинные, настоящие». Так он думал, ревниво переводя взгляд на другую, европейскую сторону, где — будто в насмешку над великими советскими городами — красными точками были обозначены *их* Санкт-Петербург и *их* Москва.

В сороковых об этом противостоянии не помышляли. Толпы беженцев штурмовали поезда. Слабосильная толпа — если мерить силы каждым отдельным человеком — становилась необоримой преградой для товарняков, заваленных шкафами и кроватями, тюками с одеждой, коврами и ящиками с посудой, чьими-то личными автомобилями — всем, что вперемежку с мертвыми телами: и штатских, и солдат охраны — оставалось лежать на обочинах вдоль железнодорожного полотна. Люба говорила: «Это еще счастье, что охранникам не выдавали пулеметов. Из винтовок много не настреляешь».

А еще Люба говорила: «Потом поездов не было. Кто не успел, селились в чистом поле. Там, где их застала зима...» От этих слов веяло могильным холодом, будто все, бредущие замерзшей степью, — свободно, без охраны — шли вперед с единственной целью: выбрать для себя подходящее место, чтобы лечь в снег, как в холодную землю.

— А эти... — он замялся, подбирая правильное слово. — Люди. Куда они подевались?

— Желтые? Чо им сделается. Разъехались.

Он порадовался за воскресших людей. «Скорей всего, в шестидесятых. Как мы».

— А можа и не желтые...

— А кто?

— Ну... — девица протянула неуверенно. — Пленные.

Он почувствовал, как перехватило горло.

— А они... тоже уехали?

— Я почем знаю! Меня же ищо не было...

Он перевел дыхание:

— Есть же книги. Тебе что, не интересно? Это же ваша история.

— Чо моя-то! — девица возмутилась. — Я чо, в плену сидела!

Встала и ушла.

Он устыдился своего напора. Мать говорила: люди не воро́ны, в одно перо не уродятся. Глупо мерить всех по себе. Это ему повезло, вырос среди книг. Мать работала в библиотеке. С пятьдесят четвертого, когда ее списали со стройки. С отмороженными пальцами много не наработаешь. Дали инвалидность. Слава богу, третьей — рабочей — группы. Тогда-то и вспомнила свою довоенную профессию: библиотекарь.

Там, в библиотеке, она и познакомилась с его будущим отцом. «Пришел записываться. Вот уж не думала не гадала. Девки вокруг — молодые, незамужние. А тут — тридцать пять, хромая, с двумя детьми... Невеста с палочкой — смешно, да?» На его памяти мать уже не хромала. Однажды спросил: «А чем ты вылечилась?» — «Ничем, — пожала плечами. — Просто расходила».

Сперва детские, с картинками: и не заметил, как научился читать. Потом — всё, что попадалось под руку, но особенно любил «Красную серию» — приложение к «Пионерской правде». Брал из школьной библиотеки. Каждая библиотека получала их по разнарядке. Книжечки в мягких сероватых обложках (в те годы не хватало красителей) рассказывали про пионеров-героев. Эти мальчики и девочки воевали наравне со взрослыми: ходили на разведку в глубокий тыл противника, считали вражеские танки и артиллерийские орудия, запоминали расположение дотов и дзотов, поджигали дома, в которых фашисты останавливались на постой, осуществляли оперативную связь с партизанами, подрывали вражеские поезда. Но главное — стойко держались на допросах. Даже на виселице (пионеров-героев не расстреливают — это он запомнил твердо) вели себя храбро, не боялись смерти, будто готовились к ней заранее: «Прощайте, товарищи! Победа будет за нами! Уничтожим зверя в его логове! Смерть немецко-фашистским захватчикам! За Родину, за Берию!» Представляя себя на их месте, он боялся, что не выдержит пыток. Или потом, на виселице, растеряется, не сумеет бросить в лицо мучителям гордые правильные слова.

Когда переехали из барака, мать устроилась в Публичную библиотеку имени Салтыкова-Щедрина. К тому времени центр Ленинграда уже построили. Он поправил себя: «Не построили, а *восстановили*: и Публичку, и Елисеевский магазин, и Театр драмы имени Пушкина». Мать радовалась: ездить недалеко. И зарплата побольше. Единственное, о чем жалела, — прежний коллектив: «Ни ругани, ни, боже упаси, сплетен. Если что, всегда сменой поменяются. И праздники вместе отмечали. Да что удивляться — все эвакуированные...»

Для нее — синоним благородства. Когда сын приводил домой нового приятеля, всегда улучала момент: «А этот мальчик из какой семьи?» Если из эвакуированных, принимала безоговорочно, обязательно звала к столу. Мать и вправду верила: ленинградцы друг другу родня, не в переносном, а в самом прямом смысле. По особой ленинградской крови, в которой осталась память о голоде, бомбежках, обстрелах.

Приятелей было много, но по-настоящему он дружил с Тимуром: тоже ленинградец, только из партийной семьи. Когда перешли в восьмой класс, отца направили на дипломатическую работу в Россию. Тимку он жалел. Столько лет зубрили иероглифы, теперь наверняка забудет. Даже посоветовал: «Учебник с собой возьми, повторяй». Честно говоря, не надеялся на встречу. Те, кто уезжали в Россию, исчезали бесследно. Но года через два, как раз перед выпускными, довелось. Тимур сам нашел его, дождался у школы. «Ну как твой китайский?» — первое, что он спросил. «Китайский? — Тимка пожал плечами: — Да кому он нужен! Прикинь, ломаться всю жизнь — и чо?» Он не нашелся с ответом. Пугали и странные словечки — время от времени вновь обретенный друг переходил на нем-русский, будто специально, чтобы его подразнить.

«Ну как там у них вообще?» Из разговора он уже понял: в России Тимкина семья вращалась в каких-то высоких сферах, сам Тимур ходил в хорошую школу для черных. «Да как тебе сказать... Мы, в СССР, типа в двадцатом веке. А они в двадцать первом». — «А Китай где?» — «Китай? — Тимка махнул рукой презрительно: — Средневековье. Ваще дичь!»

За Китай он обиделся. Как-никак — великая цивилизация. Нет, не поссорились. Просто раздружились.

В Публичной библиотеке прежние вольности закончились. Пропускная система — от звонка до звонка. Случалось, мать задерживалась допоздна: то санация книг — неудивительно, столько лет пролежали в ящиках, — то ревизия фондов. Потом рассказывала: «Присылали списки. Длинные. Пока найдешь, пока оформишь изъятие. Хотя нам-то грех жаловаться. Раньше, при Берии, чуть не каждый месяц. При Молотове реже... Сортирую, а в голове одно: как ты там? Девчонки выросли, дома не удержишь. Хоть увольняйся. Ну, думаю, уволюсь, а жить-то на что? Если бы не интернат...» В тот год он перешел на шестидневку.

Пашка, командир партизанского отряда, Серега-комиссар — прежняя компания осталась в барачном прошлом. Однажды, уже учился в университете, вдруг ни с того ни с сего решил: надо съездить. Благо недалеко. Автобусом часа полтора. Приехал, а там никаких бараков. Блочные пятиэтажки, новый район. Женщины с колясками, бабка на скамейке.

«Ищешь кого?» Ответил, объяснил. «Батюшки! Сынок Машин. Помню тебя, помню, такусенький был. А я — Раиса Петровна. Не узнаешь?»

Материна ровесница, а посмотришь — старуха старухой. «Чего глядишь? Состарилась?» — «Да нет, что вы! Вы еще...» Замолчал, не зная, что сказать. Старуха достала папиросу, чиркнула спичкой. Он смотрел, как она курит, то и дело обирая с губ табачные крошки. «Не состарилась, милок. Изработалась. Укатали сивку. Была сивка, стала кляча... — спохватилась. — Мать-то как?» — «Хорошо. Работает в библиотеке». — «Да-а... Это тебе не стройка. А ведь я ее вспоминала. Думала: повезло! Еще когда-а инвалидность дали... — Закашлялась, поплевала на дымную папиросу. Вдруг вспомнил: у нее была дочь, дружила с его сестрами. «Галя-то?.. Да всё ничего: закончила ПТУ, на заводе трудится, мастером. Одно время училась на заочном. Бросила, не потянула. Трудно. Двое детей». — «Так это же хорошо, — он решил подбодрить. — И квартира у вас отдельная». — «Теперь нет. Этот, муженек ее, комнату отсудил, прописали на свою голову, сам-то пришлый, из Владивостока».

Потом, когда уходил, вдруг окликнула: «Постой, — поманила пальцем, — поди-ка сюда... Немцы, они ведь как рассчитывали: по-ихнему будет. А оказалось — по-нашему. В тайге, на пустом месте. А все равно построили. Значит, не зря корячились. Отстояли Ленинград».

Вернувшись домой, рассказал матери: конечно, не всё. Незачем попусту расстраивать. «Помнишь Пашку с Серегой? Ну, командир и комиссар. Ты представляешь, сидят. За хулиганство». Думал, скажет: счастье, что ты не пошел по кривой дорожке. Но мать сказала: «Какое счастье, что бараки снесли»...

«Эх, чайку бы сейчас, сладенького, — он потянулся, выпрямляя затекшие ноги. Мимоходом, уже как заправский путешественник, глянув в окно. — Вот тебе и дорога в тысячу *ли*...»

Мимо плыли блочные пятиэтажки, похожие на те, в которых жили Раиса Петровна с дочерью. На проводах, перекинутых от корпуса к корпусу, покачивались редкие лампочки. Островки желтоватого света размывала тьма.

Девица не возвращалась. Видно, встретила кого-нибудь из *своих*.

«Поня-ятно, — он протянул обиженно. — Сколько волка ни корми...»

Мелькнули горбатые контуры виадука на гигантских опорах. «Ух ты!» — он понял, что имел в виду Тимур. Сотни автомобилей вползали на широченный мост. Съезжая по другую сторону, сплошной поток растекался на два рукава: красно-желтые огоньки на черном бархатном фоне выписывали огромный сияющий крендель, являя глазу даже не двадцать первый век, а какой-то и вовсе неведомый, марсианский.

В динамиках над головой зашуршало.

— «Уважаемые дамы и господа! Говорит командир поезда. Мы прибываем в столицу России — город Москва. Международная компания "Беркут — сверхскоростные магистрали" и поездная бригада благодарит за ваш выбор и выражает надежду, что в следующий раз...»

Он решил приготовиться заблаговременно. Подергал молнию на чемодане. Убедившись, что застегнуто надежно, надел пальто и вышел в тамбур.

Девица наконец появилась. Нацепила курточку. Встав на цыпочки, потянулась за чемоданом. Он следил сквозь стеклянную дверь. «Вертихвостка. Пустышка. Про таких говорят — ни с чем пирожок».

Качнувшись напоследок, поезд замер. Оставалось дождаться проводника.

На платформе, прямо напротив, стоял долговязый парень с букетом, упакованным в целлофан. Долговязый крутил головой, кого-то высматривая, и, видимо, высмотрел: воздев букет, как зажженный факел; кинулся в сторону.

«Странно, а где же все?..» Только теперь заметил: пассажиры толпятся в другом тамбуре. Испугавшись, что не успеет, он подхватился с места. Но торопился зря. Пожилая пара еще возилась с чемоданами.

Старик, его вчерашний благодетель, выставил на платформу последнее багажное место и махнул рукой, подзывая носильщика. Человек с лицом азиата — в переднике и с желтой металлической бляхой — налег грудью на телегу. Он ждал привычного: Па-аберегись! — но азиат топтался неловко, объезжая группу молодых людей, которые не потрудились расступиться.

Перехватив чемоданную ручку, он хотел их обойти. И тут увидел букет — тот самый, в прозрачном целлофане. Алые розы поникли, точно факел прогорел. Вероломная девица всплескивала руками — не иначе, делилась впечатлениями от долгой поездки. Пожав плечами, он двинулся к зданию вокзала, таща за собой громыхающий по платформе чемодан.

— Эй ты! — кричали кому-то вдогонку.

Он шел, не оглядываясь.

— Това-арищ Руско!

«Меня?!»

— Чо, банан в ухе? Зову, зову...

«Откуда она узнала мою фамилию? Ах, да! Это же я сам, когда предъявлял паспорт», — вспомнил, краем глаза провожая тележку, заставленную чемоданами. За тележкой шла пожилая пара. В профиль они напоминали камею.

Похоже, носильщик понял его взгляд по-своему. Затормозив на мгновение, показал глазами: чемодан — телега? Он не успел ответить: старик поднял палку с набалдашником и ткнул носильщика в спину. Азиат втянул голову в плечи.

Он чувствовал, как тает его благодарность к старику, растекается грязной лужей по зашарканной платформе.

— Тот человек... Ну, ты ищо грил — мешок...

— Что-что? — он недослышал, скорее прочел по ее губам, одновременно уловив явственный запах спиртного. И взгляд — неверный, плывущий.

Долговязый приблизился и остановился в двух шагах.

— Тебя встречают? — она заговорила громче. — Можем подвезти. У нас ауто.

— Спасибо, — ответил вежливо, но твердо. — Я на метро.

— С ко-офером? — девица протянула удивленно.

— А что, с чемоданами не пускают?

— Ева, ты идешь? — ее кавалер, видно, не выдержал.

Она кивнула, не оборачиваясь.

— Ну... Было приятно познакомиться. — Махнула шуршащим букетом. — Можа свидимся когда...

Пройдя сквозь строй таксистов, предлагающих свои услуги, и каких-то сомнительных личностей с табличками «Комнаты, квартиры — посуточно», он вошел в здание *вокзала-близнеца*. Авторы газетных статей не слишком преувеличивали: те же ряды пластмассовых кресел, книжные киоски, лотки с сувенирами. «Если бы не реклама...» — приглядывался, привыкая к навязчивой пестроте.

На постаменте в центре зала белела огромная сахарная голова. То есть, конечно, мраморная.

Первая

«У нас — Ленин, а у них?..» И замер, будто не поверил своим глазам. Косая челка, усики над верхней губой. Пассажиры, сновавшие туда-сюда, не обращали *никакого* внимания...

— Чо стал? Шевелись!

Пихнули чувствительно, можно сказать, больно.

— Простите, я...

— От желтые, ничо-то им не деется. Чисто тараканы. Понаедут, мля, и стоят... — женщина в длинной распахнутой шубе (о такой мечтают его сестры) обдала его яростным взглядом, будто плеснула кипятком.

«Сумасшедшая, просто психичка какая-то... — Он спохватился: — Надо было ответить. Поставить на место, сказать... — вытянул шею, высматривая хамоватую дамочку, но та уже исчезла в толпе.

Глупость, но неприятный осадок остался. И не заметил, как вышел на площадь. По другую сторону проезжей части, запруженной машинами, высилась остроконечная башенка в псевдовосточном стиле: вчера утром он попрощался с ее сестрой-близнецом. Повернул голову, ожидая увидеть высотку (кажется, «Ленинградская» — москвичи знают, для жителей других городов просто молотовская, одна из восьми). Но на месте высотки, визитной карточки советской столицы, здесь, в *их* Москве, высилось массивное здание с круглым куполом — нечто вроде древнеримского Пантеона. Только больше и величественнее.

Он вспомнил: «*Volkshalle*... — Зал народа. Главный храм нового государственного культа России, пришедшего на смену традиционному христианству. —

Действительно, впечатляет...» Сотни ламп, вмонтированных в различные элементы здания, пронзали небесную тьму.

На курсах им показывали документальный фильм: торжественная служба, посвященная Дню весеннего равноденствия, главному российскому празднику. На амвоне государственные деятели и служители культа. Строгие черные костюмы и золотые облачения — плечом к плечу. Расходясь от подножия широким амфитеатром, замерли десятки тысяч прихожан. Стилизованные факелы, напоминающие свечи, освещают лица тех, кто допущен в храм. Голос за кадром: «Единая российская нация приветствует своих духовных вождей...»

Когда зажегся свет, Геннадий Лукич спросил: «Ну и как вам?» Все молчали. Шеф ответил сам: «По сути, конечно, мракобесие, с нашей точки зрения — фарс. Но обратите внимание, как действует на нестойкие души. Не в пример, — шеф обвел курсантов внимательным взглядом, будто заглянул каждому в душу. — Не в пример нашим транспарантам, портретам вождей и разной прочей... А?» Все обмерли: если шутка, то — странная, пугающая...

Помедлив, Геннадий Лукич продолжил: «Наша идеология устала. На что уж металл прочен, но и он устает. В свое время с этой проблемой столкнулись и наши заклятые соседи, — казалось, шеф беседует сам с собой. — Чтобы оживить народ, требуется серьезная встряска...»

После лекций он всегда выходил окрыленным. Томясь на университетских семинарах, искренне жалел своих коллег-аспирантов, которым не довелось встретить такого блистательно смелого педагога. «Если нам — так, как же преподают настоящим *кадровым* сотрудникам?»

Их курс, который курировал Геннадий Лукич, считался любительским. Физик, работающий в научном институте, химик-лаборант, музейный работник, служащий интуристовской гостиницы, слесарь-наладчик с «Электросилы». Ну и он, филолог-китаист. Гуманитариев его сокурсники не жаловали, между собой называли *балаболками*.

Вглядываясь в контуры *Volkshalle*, он наконец понял, что шеф имел в виду: рядом с этой сияющей громадой даже он, человек, исповедующий подлинные идеалы («Ну да, подлинные», — повторил, будто прислушался к себе), чувствует себя ничтожным. Меньше муравья.

«Зачем я здесь? — Остро, до боли под ребрами, захотелось вернуться обратно. — К *нашим*». Великое, всеобъемлющее слово, как Земля, но не эта, летящая в безвоздушном пространстве голого технического прогресса, а надежная и прочная — которая стоит на трех советских китах: равенства, братства, счастья.

Так он подумал и сам себе удивился: «Эко меня!»

Наставляя его в дорогу, Геннадий Лукич предупреждал: впервые оказавшись в России, наши люди, подчас даже самые стойкие, теряют почву под ногами. Ненадолго. Потом, как правило, справляются. Но есть и такие, у кого *сносит крышу*. Он догадался: нем-русское выражение шеф употребил намеренно, чтобы лишний раз подчеркнуть: обыкновенный сумасшедший не виноват, заболеть может каждый.

Но те, у кого сносит крышу, просят политического убежища. Обращаются к российским властям.

Оглядев сияющую громаду, он отвернулся равнодушно, будто повторил ответ, который дал Геннадию Лукичу: «За меня можете не беспокоиться».

Вдоль серых стен подземного перехода, на корточках, притулившись друг к другу, сидели десятки людей: сутулые спины, черные куртки — по большей части азиаты, но взгляд выхватывал и славян. Азиат-носильщик будил жгучую жалость, эти — тревогу и страх. Казалось, от их сплоченной общности исходит густая волна: смертельной усталости и в то же время потаенной враждебности — тяжелой, будто запах давно не мытого человеческого тела. Этот запах его преследовал, пока он не скрылся за стеклянной перегородкой, загораживающей вход в метро.

Три станции по красной ветке. Пересадка. И еще одна по фиолетовой. Доехав до нужной станции, он поднялся наверх. Стараясь не отвлекаться на неоновые буквы: «Совсем электричество не экономят... — свернул в темный переулок. — Телефонная будка. На схеме справа...»

Думал, спросят документы, но парень, живущий в соседней, торцевой квартире, вышел на площадку и протянул ему ключи.

— Я до завтра, утром уеду, — хотелось наладить простой человеческий контакт.

— Да мне-то... Хыть до нового года... — парень поддернул обвислые треники. — Запрешь, в почтовый ящик сунь.

— А Красная площадь где?

134

— Чо-чо?

— Кремль...

— А... — парень поковырял в носу. — По Тверской дуй. Пока не упрешься.

Он потоптался в прихожей: все-таки без пяти минут одиннадцать. «Но когда еще доведется? — пристроил чемодан под вешалку. — Была не была!»

Неодобрительно оглядев соседскую дверь: «Разгильдяй. Живет себе не тужит. Бдительность потерял», — спустился по лестнице, радуясь, что избавился наконец от чемодана: хоть и на колесиках, а все равно утомительно. Следуя знакомым маршрутом, вышел на широкую улицу, которую парень назвал Тверской.

Вопреки ожиданиям: а говорили, в *их* Москве гулянка до ночи! — попадались редкие прохожие. Зато машин! — автомобили шли сплошным потоком. Если не считать «ниссанов» (отметил два «патрола» и одного «санни»), большинство неизвестных ему марок. «Фольксвагены», автомобили их отечественного автопрома, тоже попадались, но в явном меньшинстве. Сколько ни вглядывался, углядел всего одну «трешку» — горбатенькую, последней модели, предмет мечтаний зятя-комсомольца. Верин муж до сих пор ездит на «козульке» (официальное название «краснояр» — автомобильный завод, купленный у корейцев, построили под Красноярском) — тупоносой, будто топором вырубали. И запчастей — днем с огнем.

На подступах к площади ветер заметно окреп. Стало холодно и пустынно — ни людей, ни машин. Он поднял воротник и прибавил шагу, больше не глядя по сторонам. Ступени подземного перехода посверкивали наледью. Держась за поручень, с грехом пополам спустился под землю, ноги так и норовили разъехаться. И, перебежав одним духом, вышел с другой стороны.

Стало совсем страшно. «Ничего, я быстро. Туда и обратно», — ежась и дыша на пальцы, нырнул под арку между двумя башенками. Отсюда открывался вид на ступенчатое здание, где маячила фигура в тулупе — полицай, охраняющий *их* Мавзолей. «Да мне-то что... Их страна. Что хотят, то и охраняют», — но уговоры не помогали. Мысль о том, что в какой-нибудь сотне метров от него лежит преступник всех времен и народов, чьи руки обагрены кровью миллионов, рождала дрожь.

Он стоял, не поднимая глаз от брусчатки, будто дышал могильным холодом: одно дело — труп чужого вождя, совсем другое — то, что ему предстоит.

Это он видел множество раз — в кино, на слайдах, на фотографиях, но теперь точно мертвой хваткой сковали сердце. «Сейчас, сейчас...» — медлил, набираясь храбрости.

Собравшись с духом, поднял голову.

Сердце стукнуло и остановилось.

Вместо привычных красных звезд — родных и негасимых — на вершинах *их* кремлевских башен тусклым инфернальным светом горели черные свастики.

Вторая

I

Время притупляет и самые острые впечатления.

Следующие две недели, прошедшие с того незапамятного утра, когда, бросив связку ключей в почтовый ящик, проделал обратный путь от конспиративной квартиры до площади трех вокзалов, чтобы сесть в поезд «Москва–Санкт-Петербург» — самый обыкновенный с технической точки зрения, он не раз и не два предпринимал мысленные попытки порыться в ворохе воспоминаний, стараясь выбрать самые важные, но ошеломляющие открытия ложились слой за слоем, будто укутывали память пухлой снежной ватой.

Как бы то ни было, он понемногу свыкался с тем, что черные свастики попадаются сплошь и рядом, не говоря уж о бесноватом психе с косой челкой и невротически ровными усиками над верхней губой (то нарисованном, то напечатанном, то изваянном в бронзе, камне или мраморе), и уже почти не удивлялся, когда, проезжая в автобусе мимо, ну, скажем, Финляндского вокзала, видел постамент, окруженный заиндевелой решеточкой, на котором высилось скульптурное изображение короткоусого деятеля, чьим именем, собственно, и была названа площадь. То же самое и станции метро. Если в первые две недели своего пребывания в этом историческом призраке своего родного города он еще вздрагивал, услышав механический голос: «Осторожно, двери закрываются. Следующая станция проспект Гиммлера», со временем эти слова зазвучали нейтрально, не слишком отличаясь от самых обычных объявлений вроде: «Будьте взаимно вежливы. Уступайте места беременным женщинам и пассажирам с детьми».

Голос, читающий объявления в нашем ленинградском метро, вслед за детьми упоминает инвалидов. Здесь, в России, от них давным-давно избавились, отправив в спецприюты. Кажется, куда-то на север. (О том, что детей с врожденными неизлечимыми заболеваниями убивают немедленно после их рождения, он знал давно. Этому вопиющему обыкновению захребетной жизни советское телевидение посвятило целый цикл передач под общим названием: «Пиррова победа. Страшные последствия оккупации». В доказательство того, что за последние десятилетия российское население превратилось в диких зверей, приводились итоги всероссийского референдума, когда, отвечая на вопрос: должно ли общество проявить подлинную гуманность или пусть жизнь несчастных родителей этих мелких и никому не нужных уродцев превратится в ад, — большинство респондентов выбрало первый вариант.)

Какое-то время он еще переводил мысленно: «Площадь Рудольфа Гесса — ага, Владимирская; Вагнеровская — ну да, у нас Пушкинская», — но потом и это исчезло, тем более названия некоторых станций совпадали: Невский проспект, Гостиный двор (по-здешнему писалось как слышалось: Гостинный) или Технологический институт.

И все-таки одним из главных испытаний оказался нем-русский язык.

На курсах его изучению уделялось самое пристальное внимание, но одно дело — семинарские занятия, совсем другое — языковая среда.

Довольно скоро выяснилось, что простые петербуржцы, те, к кому он время от времени обращался — спросить, например, дорогу, — понимают его с трудом. Напрашивался неутешительный вывод: нем-русский, которому учили на курсах, во многом устарел. Что, впрочем, неудивительно: Александр Егорович Панченко, носитель языка, преподававший в их группе, покинул Россию лет двадцать назад.

Демонстрируя курсантам потрепанную книжечку, по нынешним временам раритет, Александр Егорович приводил характерные примеры:

«Карается смертью: 1) приближение к железнодорожным путям; 2) употребление телефона»;

«Мне нужно 10 телег с лошадьми и возчиками, чтобы увезти продукты. Если возчики ослушаются нас, то они будут расстреляны»;

«У нас есть ордер реквизировать все имеющиеся у вас запасы продовольствия. Если жители вашей деревни спрятали продовольствие, то вся деревня будет оштрафована на 10 000 рублей».

Именно на двух последних примерах Александр Егорович (до войны, в прежнем Ленинграде, он преподавал историю Средневековья, сохранив склонность и вкус к пространным экскурсам в прошлое) прослеживал поэтапный переход русской письменной конструкции «Если..., то...» в нем-русский разговорный: «*Если* ты, отморозок херов, не вернешь бабки, *то* я поставлю тебя на счетчик».

— Обратите внимание на эту неловкую, я бы сказал, ходульную фразу. Нынешние захребетники выражаются живее и короче. Вопрос: «Что вы на это возразите?» — на их язык переводится: «Ага, и чо?» Согласен, — Александр Егорович кивнул. — В сравнении с нашим нем-русский узок и примитивен. Но это не означает, что сами россияне тупицы и идиоты. В известном смысле, они хитрее нас. Живя под властью оккупантов, население испытывает постоянный стресс, который становится образом и нормой жизни. Среднестатистический житель России вынужден приспосабливаться, отсюда ежеминутная готовность к подлости и лжи... — но дальше эту мысль не развил. Закончил коротко и сухо: — Советую это учитывать, а по возможности использовать.

Нем-русский как язык межэтнического общения начал формироваться в первой половине пятидесятых, когда Новая Россия окончательно отмежевалась от Старого Рейха. Тогда же новый государственный аппарат сменил временные органы управления, которые регулировали повседневную жизнь на оккупированных территориях в годы войны.

Руководящие посты в новом государстве заняли немцы, принимавшие участие в военных операциях. Однако не высший командный состав — большинство уже успели выйти на заслуженную пенсию либо убыли по другой, естественной причине. На их место пришли так называемые «молодые волки» — офицеры среднего звена. Вступая в должность, только немногие из них сносно говорили по-русски, оставаясь в узких границах разговорника, где содержался набор коротких и емких фраз, призванных на первых порах облегчить контакты победителей с покоренным населением.

К службе в органах местного самоуправления привлекались фольксдойчи (из тех, кого советские органы власти не успели выслать). Как правило, эти обрусевшие немцы знали два языка. Но таких работников явно не хватало. Тем более в суматохе первых месяцев многих из них расстреляли, приняв за обычных советских интеллигентов.

— Прошу прощения, — курсант Семен Неструйко поднял руку. — А как же хваленый немецкий орднунг?

Александр Егорович задумался:

— На самом деле тот еще бардак. Не меньше, чем... — но, не закончив, потянулся к тряпке, будто намереваясь что-то стереть с доски. — Рассуждая сугубо теоретически, для решения этой задачи весьма пригодились бы евреи. Особенно старшее поколение, выросшее в черте оседлости, — они-то еще помнили идиш, близкий к разговорному немецкому.

Однако последние еврейские поселения, расположенные в западных предгорьях северного Урала (где контингент — в отличие от мест компактного проживания тех славян и азиатов, кого оккупанты сочли ненадежным элементом — содержался за колючей проволокой), исчезли с лица земли уже в 1953 году. В конце концов власти приняли соломоново решение: привлечь к госслужбе некоторую часть славян — русских, украинцев и белорусов — из числа тех, кто хорошо зарекомендовал себя в годы войны. Бывших полицаев и их подручных, так называемых *хиви,* назначали на мелкие должности вроде начальников подотделов префектур или управ.

Совместная работа предполагает тесное общение. Собственно, отсюда и возник нем-русский язык. В последующие годы, когда за дело взялись лингвисты, этот процесс был описан детально, с подлинной немецкой дотошностью: с одной стороны, инфильтрация в базовый русский целого ряда простейших немецких слов и выражений, с другой — обратная инфильтрация, когда немцы усваивали русскую разговорную лексику — в первую очередь ненормативную.

Старшее поколение — в особенности так называемая «русская интеллигенция», — пыталось эти новшества саботировать, но после ряда специальных акций, когда едва ли не всех горожан выслали в сельскую местность, число саботажников резко сократилось. Освобожденные городские квартиры заселили уроженцами деревень. Учитывая, что их свозили из самых разных областей бывшей европейской части Советского Союза (Новгородская, Псковская, Рязанская, Ставропольский край — Александр Егорович перечислил навскидку), не приходится удивляться, что нем-русский язык впитал в себя и различные местные говоры, со временем потерявшие естественную живость и красоту.

Дети переселенцев, горожане в первом поколении, приняли новый язык безоговорочно. Однако подлинными энтузиастами, как это ни странно, стали немцы. В их национал-патриотическом сознании популярный лозунг тех лет: *Neue Heimat — neue Sprache!** — преломился особым образом: диалектически развил довоенную теорию «нового жизненного пространства», в рамках которой арийским гражданам Третьего Рейха была обещана новая собственность: дома, квартиры и земельные участки на завоеванных восточных территориях. А значит, и новый язык.

Что касается обсценной лексики, этой неотъемлемой составляющей современного нем-русского, Александр Егорович напомнил: в ушах иностранцев русский мат звучит иначе, не проникая в те слои подсознания, где, точно в копилке народной мудрости, собрано самое сокровенное, в каком-то смысле составляющее «душу народа».

— Существует и другая теория, — Александр Егорович тонко усмехнулся. — Некоторые ученые полагают, будто первые российские чиновники охотно прибегали к ненормативным выражениям по той именно причине, что послевоенная русская жизнь,

* Новая Родина — новый язык! (*нем.*)

в сравнении с привычной в их некогда родной Старой Германии, казалась им подлинным, хотя и страшноватым, карнавалом, — и объясняя этот подход, сослался на труды великого советского ученого М.М.Бахтина, реабилитированного в период «молотовской оттепели».

Впрочем, сам Александр Егорович придерживался третьего мнения, коим охотно поделился с курсантами: русский мат сам по себе штука экспрессивная и по-своему привлекательная. Так что не стоит мудрствовать лукаво. Скорей всего, чиновники искренне и простодушно щеголяли друг перед другом, а также перед подчиненными, умением завернуть «русское коленце» или употребить «лихое словцо».

Особую роль в популяризации и становлении нового государственного языка сыграло российское телевидение: с конца 1950-х годов по Первому каналу — тогда он обслуживал исключительно оккупантов — шел моментально ставший популярным сериал: «Говорим по-нем-русски», в котором в комплиментарной для немцев форме воспроизводилась история завоевания новых территорий с упором на освобождение народов, исстрадавшихся под пятой большевиков. Руководство Второго и Третьего каналов (целевая аудитория: «синие» и «желтые» соответственно) облизывалось на рейтинги конкурентов, но уже со следующего сезона, получив одобрение высших государственных инстанций, активно «вписалось в тему». По времени это совпало с идеологической кампанией «по созданию у населения хорошего настроения». (Тут Александр Егорович сослался на Инструкцию министерства культуры и пропаганды от 17 июля 1954 г., а также установочную статью начальника Отдела печати и массовых коммуникаций: *Дитрих О.* Наша радость и сила // Фёлькишер беобахтер. 24.07.1959.)

Ученые-лингвисты, работавшие в 1960-х, еще пытались обратить внимание на вопиющие ошибки — как в разговорном языке, так и в письменном. Но в те времена у властей были другие приоритеты: борьба с разрухой и восстановление национал-социалистической экономики. Свою роль сыграло и то, что сами немцы, за редким исключением, этих ошибок просто не замечали. Их русские подчиненные (упоминая эту категорию нем-русского населения, Александр Егорович упорно избегал слова коллаборационисты и даже *пособники* — что заметили многие курсанты) не решались поправлять своих новых хозяев, справедливо полагая, что лучше уж самим как-нибудь приспособиться, нежели рисковать своим достатком, общественным положением. А на первых порах — и жизнью.

Со временем новые нормы были включены в авторитетные словари. Специалисты указывали, что некоторые изменения произошли и в немецком языке, в частности, появились неологизмы, неизвестные немцам, живущим в прежней Германии.

— Кстати говоря, — Александр Егорович поднял указательный палец, как всегда, когда обращал внимание аудитории на что-то, с его точки зрения, исключительно важное, — россияне не считают «немецких» немцев своими соотечественниками. После войны их стали называть населением Старого Рейха.

Кто-то из курсантов, кажется Вася Спицин, поднял руку:

— Товарищ майор, разрешите обратиться. Подполковник Добробаба говорит: там, у них, всё по нациям. «Синие» — славяне, «желтые» — тюрки. А у вас вроде как по профессиям?

Вопрос, который у всех вертелся на языке. Александр Егорович охотно объяснил. В первые годы оккупации на тяжелых и неквалифицированных работах действительно использовали славян. В рамках арийской теории именно они, а не тюрки и горские народы, считались «недочеловеками». Однако позже возобладали практические соображения: выяснилось, что большевики, лучше знающие свое население, были по-своему правы. Именно славяне выказали бо́льшую лояльность новой власти, в особенности население тех промышленных районов, вроде бывшего Донбасса («Отметьте для себя. Захребетники говорят и пишут: Домбас»), где уже к началу 1960-х окончательно истребили партизан.

Объяснение было принято в штыки: что значит — истребили? Партизаны не клопы! Настораживало и то, что, в отличие от других преподавателей, Александр Егорович не давал идеологической оценки зверствам фашистских захватчиков. Даже о расстрелах евреев, а также коммунистов, комиссаров и тех, кто наотрез отказался от сотрудничества, упоминал как-то походя и мельком. Общее мнение выразил все тот же Спицин: «Клевещет, тварь фашистская!». Он же и предложил сообщить куратору группы: «Пусть разберутся, что он вообще за фрукт».

Настороженное недоумение рассеялось, когда через неделю, на очередной лекции (думали — всё, но нет, явился по расписанию), Александр Егорович объяснил: «Я понимаю ваши чувства. Но для эффективной работы на чужой территории мало знать язык. Тем из вас, кто паче чаяния будет заброшен в Россию, необходимо перенять образ мыслей противника, научиться думать как оккупанты...»

Перенять. Иными словами, притерпеться к обыденности того, что с самого детства считаешь формой Абсолютного Зла. Теперь, оказавшись в России, он частенько вспоминал эти слова.

Первые позитивные сдвиги почувствовал уже через неделю, когда, вспомнив бюст Гитлера на Московском вокзале и черные кремлевские свастики, вдруг осознал, что они больше не кажутся чем-то пугающе-зловещим. Теперь он почти понимал захребетников, которые пробегают мимо, не обращая внимания на эти приметы некогда живой истории: для местных они давным-давно омертвели, окончательно слившись с внешней средой. «Мы ведь тоже не обращаем внимания. Ну, положим, Ленин. Стоит и стоит...»

Постепенно он начал привыкать и к языку, почти убедив себя в том, что нет ничего страшного в заимствованиях (в конце концов, мы тоже заимствуем у китайцев). И общая тенденция к опрощению орфографии и синтаксиса: «заец» и «ицо» — не космическая катастрофа. Отказались же в свое время от еров. Что касается простонародных выражений, его родной сов-русский также отдает им известную дань. Равно как и обсценной лексике — не ею ли пестрят древнерусские берестяные грамоты?

Хуже другое. Глубоко укоренившийся навык нацистского мышления, который он встречал на каждом шагу. В самых обыденных ситуациях.

Его изумила небрежность, с какой мужчина-прохожий, у которого он спросил дорогу, махнул рукой в сторону Обводного канала: «Там, за жидовским гетто, на тройке типа езжай», — с той же естественной и привычной легкостью, с какой ленинградцы упоминают свои Пять углов.

Или, например, «бойцовский» — слово, для него самого связанное исключительно с петухами. Но здесь, в России, оно считалось синонимом смелости, например, «бойцовский поступок» — будто смелость россиян обязана петушиться, наскакивать на противника, лезть на рожон. Еще одну характерную деталь он обнаружил на последних страницах местных газет, где помещались частные некрологи. Каждый усопший из черных, вне зависимости от его биографии, именовался «проверенным борцом». Синим покойникам полагался эпитет «старый пехотинец». Словно в российских научно-исследовательских институтах, в университетах и на заводах, где эти люди подвизались при жизни, шла не обычная каждодневная работа, а жестокая битва за диссертации, отчеты, новые конструктивные решения и прочий смертельный урожай. Лишь желтых эта словесная эквилибристика никак не касалась — вечным сном они засыпали на-(идеологический)-тощак.

Впрочем, следы нацистской велеречивости встречались не только в смерти, но и в обычной жизни, как она была представлена в местных газетах: не результат, а *конечная победа*; не достижение, а *геройское свершение*; не цель, а *высота* или *плацдарм*, который надо взять. Попадались и более прикровенные выражения, чьи национал-исторические корни обнажались далеко не сразу: знамя — *полыхающий стяг*; случай — *историческое событие*; решение — *воистину историческое решение*; не субботник, а *труд народного единения*; не летопись, а *сага*; не суп, а *похлебка*; не черные, а *выходцы из народа*.

Особняком в этом перечне стояло понятие *подлинный*, довольно далеко выходящее за рамки своего прямого значения. В здешнем языке оно часто совпадало со словом *наш*. «Подлинный энтузиазм», «подлинная традиция», «подлинный смысл» — эти многочисленные примеры давали толковые словари.

Еще одно важное наблюдение, которое он сделал, анализируя лексические пережитки военных и первых послевоенных лет: в эту область нем-русской идиоматики так и не проник немецкий. Особая торжественность достигалась средствами нормативного русского языка.

Именно рассуждениями о связи языка с его носителем, нем-русским народом, он, когда дошли наконец руки (недели полторы после приезда в Россию) и открыл свой путевой дневник, куда время от времени заносил самые разные впечатления, еще не догадываясь, какие из них станут крупицами бесценного опыта, продолжением ленинского учения в новых, изменившихся, условиях.

А спустя двадцать лет, случайно наткнувшись на старую тетрадку (надо ж так совпасть, что именно на этот день была назначена его встреча с Юльгизой Сабировной Алабышевой, новым министром культуры, заступившей на пост как раз накануне. Мелькнула мысль: не показать ли тетрадку ей? Но решил: не стоит. Личные воспоминания — лишнее, да и ни к чему), он подивился своей тогдашней наивности, которая — что само по себе удивительно и достойно уважения — не помешала ему выйти победителем из той схватки. Покорить плацдарм, расточив врагов.

Нем-русский, сов-русский, немецкий — в приглашениях на конференцию «Историческая правда как регулятор современных общественных отношений и эффективный политический ресурс», для участия в которой он, говоря формально, и был откомандирован в Россию, значились три рабочих языка. Организатором конференции выступил Санкт-Петербургский государственный университет им. Г.Ф.К.Гюнтера.

Пленарное заседание, на котором он, естественно, присутствовал, открылось докладом проректора СПбГУ по учебной части, который рассказал о жизни и деятельности этого прославленного антрополога и евгениста (между прочим, преподававшего в высших академических школах Вены, Берлина, Фрайбурга и, наконец, уже на склоне жизни, Санкт-Петербурга), чьим основополагающим трудом, в свое время снискавшим ему заслуженную славу, явилась «Краткая расология немецкого народа», изданная в 1929 году. Перу академика Гюнтера принадлежали и другие книги, статьи и эссе, в которых развивались постулаты расовой теории. В те времена расовая теория считалась незыблемой.

Казалось бы, ученый, признанный всем научным сообществом, имел полное право почить на лаврах, однако не кто иной, как Ганс Фридрих Карл Гюнтер, человек высокой культуры и выходец из семьи потомственных музыкантов, сумел еще в последние военные годы сформулировать новые евгенические принципы, легшие в основу умиротворяющей политики послевоенного Рейха. Именно основываясь на принципах Гюнтера, мы, как особо подчеркнул докладчик, отказались от такого уродливого явления, как *Ahnenpass*...

Он вспомнил: «Паспорт предков» — в свое время этот позорный документ имелся у каждого, кто шел во власть. Во времена Третьего рейха это условие соблюдалось неукоснительно. Один-единственный предок сомнительного происхождения ставил крест на дальнейшей карьере соискателя.

— Среди нас, — докладчик, свободно говорящий по-русски, обвел глазами собравшихся и поправил золотые очки, — присутствуют иностранные гости, Не каждому из них во всех деталях знакома биография нашего главного и почетнейшего универсанта. Но это поправимо. Для изучения жизни и деятельности академика Гюнтера в нашем университете создан музей. Вкратце основные этапы его биографии изложены и на памятной доске, установленной в вестибюле по правую руку от входа. Я же, ограниченный регламентом, остановлюсь лишь на самом главном, на том, что снискало великому ученому нетленную посмертную славу. Речь идет о трех лозунгах, в конечном счете выковавших нашу победу. Даже недоброжелателям Новой России, если таковые среди нас имеются, — проректор улыбнулся, обозначив, что он шутит. — Даже им пришлось бы признать. Стремительный и радикальный поворот, ставший следствием принятия этих лозунгов, потребовал решимости и нестандартного мышления, которые в полной мере продемонстрировало наше прежнее руководство в те теперь уже далекие годы, когда определялись дальнейшие судьбы нашей великой страны. Первый из этих лозунгов: «Кровь вермахта льется за всех!» — обеспечил геополитическое единство Европы.

Докладчик глотнул воды и продолжил:

— Франции, Италии, Испании, Венгрии и другим западно- и восточноевропейским странам, включая Польшу, Чехию, Словакию, а также Западную Украину, была гарантирована послевоенная самостоятельность, вследствие чего даже самые малые европейские страны в решающий момент, когда на исторических весах лежали победа или поражение Рейха, приняли участие в судьбоносной Уральской битве, выставив контингенты своих войск. Прибавьте к этому Русскую национальную армию, укомплектованную как пленными, так и жителями оккупированных территорий, недовольными предвоенной политикой Советов, и вы поймете размах общеевропейского движения против «коммунистических варваров». Во всяком случае, на союзников СССР это произвело сильное впечатление. Как следствие США и Великобритания отложили открытие второго фронта на неопределенное время — решение, позволившее командованию Рейха окончательно перехватить стратегическую инициативу.

Для наших советских гостей оговорюсь особо: «коммунистические варвары» — в наши дни это грубое выражение употребляется исключительно в кавычках. Для нас, ныне живущих, это — не более чем дань истории, в которой, я цитирую сов-русскую пословицу, дорога ложка к обеду. Война — дело взаиможестокое. Вспомните: «Убей немца!» — знаменитый советский лозунг тех лет.

Откликом на эти слова стал сдержанный смех, каким в академических кругах всего мира встречают удачную шутку.

Сидя в заднем ряду среди студентов и аспирантов, он не столько вслушивался в доклад — собственно, какое ему дело до здешних трактовок истории, — сколько ловил впечатления. Вопреки его ожиданиям, выступающий не приводил цитат из Гитлера, ни разу не упомянув даже фундаментальный «Майн Кампф». Впечатлял и уровень владения языком: приходилось признать, что сов-русский докладчика близок к совершенству. Если бы не едва заметный акцент, напоминающий прибалтийский, — однажды, в Китае, ему довелось беседовать с одним литовцем, — он легко принял бы проректора Санкт-петербургского университета за носителя своего родного языка.

— Коль скоро высокочтимое собрание столь ко мне снисходительно, — элегантный докладчик пригладил короткие усики, — позволю себе еще одну цитацию из нашего великого Николая Гоголя: *я тебя породил, я тебя и убью*. Так или почти так рассуждал академик Гюнтер, личность воистину бойцовского склада, когда, пересмотрев им самим сформулированные законы евгеники, выдвинул второй радикальный лозунг: «Еврей, проливший кровь за рейх, — наш духовный брат!»...

В первых рядах, где сидели почетные гости конференции, поднялся сдержанный ропот. Ректор, возглавляющий президиум, поднес к губам микрофон:

— Напоминаю высокому собранию. При всем кажущемся радикализме, этот лозунг отвечает нашим исконным традициям. В трудной, противоречивой истории нашей страны — в самом широком понимании этого слова — были годы, когда евреи, ветераны Первой мировой войны, не подвергались преследованиям. А если такое и случалось — разве что по ошибке. Но как говорят наши советские коллеги, не ошибается тот, кто ни хера не делает, — представитель администрации сбился на родной нем-русский, но это, видно, и сработало: ропот стих.

Докладчик благодарно кивнул и продолжил:

— Не вина академика Гюнтера, стойкого и проверенного борца за дело мира, что послевоенные власти допустили отдельные перегибы на местах. За которые нам не устают пенять наши западные партнеры. Дескать, ныне живущим россиянам должно быть стыдно за своих дедов и отцов. Хотя, вот сейчас я выражусь осторожно, это — дискуссионный вопрос. Победителей, как известно, не судят... Но речь не о нас. А о том, что, по мнению некоторых иностранных ученых, лозунг академика Гюнтера несколько запоздал. Наше нынешнее руководство это частично признало. Как бы то ни было, третий не менее радикальный лозунг, выдвинутый тем же

Гюнтером: «Ариец — тот, кто строит Новую Россию!» — был решительно поддержан тогдашним руководством страны. Это воистину историческое решение заложило прочные и справедливые основы послевоенного сотрудничества наций в рамках тотально обновленного национал-социализма...

— Прошу прощения! — прерывая докладчика, из первого ряда поднялся худощавый человек в твидовом пиджаке, говоривший с явственным британским акцентом. — Два коротких замечания.

Докладчик сделал шаг назад и плавно повел рукой: дескать, прошу.

Британец обернулся в зал, будто, формально обратившись к президиуму, имел в виду аудиторию целиком:

— Упоминая о евреях, вы употребили слово *запоздалый*. Лично мне это порезало слух. Я не намерен сказать, что о тотальном уничтожении этого несчастного народа всякий раз следует говорить подробно, но нейтральная формулировка все-таки неуместна. Это — во-первых... И во-вторых. Я удивлен, что вопрос пришел в голову мне, а не советским коллегам, возможно, это доказывает, что истина не знает государственной границы. Что имеет в виду уважаемый докладчик, когда говорит о прочности и справедливости российской социальной основы? Не это ли шокирующее разделение на так называемых «черных», «синих» и «желтых»?

Сделав легкий парламентский поклон, британец сел.

— Спасибо за вопрос, коллега, — проректор по учебной работе тоже поклонился, насколько ему позволила высокая кафедра. — Глупо и бессмысленно отрицать очевидное. Судьба евреев трагична — но этот грех лежит на совести наших прежних властей. Напомню: эту прискорбную и, не побоюсь этого слова, позорную практику VIII Съезд НСРРП осудил безоговорочно...

Торжествующий раскат рыкнувшей двойной согласной побудил к обратной процедуре: «*Arbeiterpartei* — рабочая партия. Ну да, конечно!» — расчленив привычную партийную аббревиатуру НСДАП на отдельные составляющие, он сообразил, куда подевалась немецкая *D*.

— И все-таки попрошу вас взглянуть на те давние события исторически: уничтожение целых слоев собственного населения — в прежние времена такого рода эксцессы были свойственны далеко не одним только нам. Но и нашему бывшему противнику. Дворяне, зажиточное крестьянство, священнослужители — если сравнить количество невинных жертв, кто — СССР или Новая Россия — окажется впереди? Боюсь, по этому вопросу любая бабушка выскажется надвое. Впрочем, — проректор согнал с губ мимолетную улыбку, — вернемся в наши дни. То, что вы назвали шокирующим разделением, действительно существует. Скажу еще более определенно: оно есть. Но в современном мире это скорее техническая мера, позволяющая эффективно регулировать число рабочих мест, объемы жилищного строительства, планировать совокупные показатели пищевой и легкой промышленности. Не секрет, что различные страты общества придерживаются собственных, характерных для них привычек. Осо-

бенно в таком традиционном обществе, как российское. Для наглядности приведу конкретный пример.
Те, кого принято называть «желтыми», всегда пред-
почтут компактное проживание вдали от центра города, где, согласитесь, куда благополучнее эколо-
гия, нежели та, от которой традиционно страдаем
мы, привыкшие селиться в центральных районах:
Адмиралтейском, Гудериановском, Василеостров-
ском и Петроградском, что подтверждают объек-
тивные замеры примесей в воздухе, включая
пресловутый CO_2, онкогенный фактор высокого
риска. Теперь касательно неравенства...

Он поморщился: нем-русское новообразование
касательно ударило его слух фальшивой нотой.

— Боюсь, даже в Великобритании люди рождаются разными. Кого-то, как, например, вас, глубоко-
уважаемый профессор Пейн, матушка-природа наде-
лила ярчайшим талантом. Но можно ли сказать то
же самое о сантехнике, которого приглашает ваша
супруга, когда у вас в кухне течет водопроводный
кран? Или о продавце углового магазина *"Seven-
eleven"* — выходце из Пакистана или Индии? Увы! —
проректор придал своему лицу скорбное выражение. — Будем откровенны. В этом вопросе полит-
корректность и новомодный «мультикультурализм»
европейского сообщества подобны политике страу-
са. Скажу еще определеннее: исключительно опасной, чреватой необратимыми последствиями. Но
раз уж об этом зашла речь, — скорбное лицо оживи-
лось, — позвольте предложить вам короткий эксперимент. Полагаю, он расставит все точки над «ё»
в этом непростом вопросе. Прошу внимания сту-

дентов и аспирантов! Поднимите руки те, чьи родители, согласно государственной классификации, относятся к так называемым «черным»?

В задних рядах, где он сидел, поднялся лес рук.

— Прошу опустить. Теперь — к «синим».

Он оглянулся украдкой: довольно много. И среди них парень, сидящий рядом с ним. На этого парня он обратил внимание, когда тот, опоздав к началу заседания, стоял в проходе, высматривая свободное место.

— А теперь, пожалуйста, «желтые».

На этот раз поднялась всего одна рука.

— Спасибо, Юльгиза. — И обращаясь к первым рядам: — Прошу любить и жаловать: Юльгиза Алабышева, наша гордость, спецстипендиат «Металлопрома» — нашей ведущей рейхскорпорации. Надеюсь, уважаемый профессор Пейн, вы поняли мою мысль. В любой социально-политической системе было, есть и будет неравенство. Именно естественное разделение людей обеспечивает технический прогресс. С этой точки зрения нам одинаково нужны и важны как ученые с мировыми именами, так и простые уборщики безо всяких имен. И об этом следует говорить прямо, ничего не затушевывая. Открытость и правда: такова давняя традиция национал-социализма, заложенная нашим великим Фюрером...

«Ну вот, — он усмехнулся, — пошло-поехало».

— В отличие от своих советских коллег, наши вожди никогда и ничего не скрывали. Даже в самые жестокие годы население России пользовалось привилегией открытой и честной политики: вспомните наши законы о евреях. Впрочем, — докладчик сбавил тон, словно сошел с гранитного пьедестала, — вернемся в наши дни. Задача социально-ответственного государства заключается в том, чтобы не допустить полной, а потому неоправданной сегрегации: этот этап своего поступательного развития наша великая страна уже прошла. Сегодня мы даем справедливую возможность талантливым выходцам из условных низов нашего общества преодолеть границы, очерченные самим фактом их рождения. В этом смысле Новая Россия идет по старому европейскому пути.

Раздались бурные аплодисменты. Даже профессор Пейн сдвинул ладони.

«Выходит, врали наши», — он вспомнил телепередачи, в которых утверждалось: к высшему образованию желтым путь заказан.

В перерыве, наскучив всей этой болтовней, он покинул зал и спустился в вестибюль. Памятная доска, на которую ссылался проректор, оказалась не у самого входа (в Ленинградском университете здесь высится бюст Жданова), а немного в стороне. Справа от нее, в нише, висела картина с длинным и не слишком удобочитаемым названием — ему пришлось нагнуться, чтобы разобрать: «Профессор Ганс Ф.К.Гюнтер произносит вступительную лекцию на тему "Причины расового упадка немецкого народа после Великого переселения". 15 ноября, 1930 г.». Собравшихся почтила своим присутствием все та же косая челка и неотделимые от нее бесноватые усы.

— Видал, суки! Врут как срут.

— Кто? — он обернулся автоматически, как кукла на железном шарнирчике.

— Ты историк? — Парень из синих, тот самый, сидевший рядом с ним, ткнул пальцем в центрального персонажа. — Тридцатый год. Ну? Откуда взяться-то — этому, обдолбанному.

— Ты... о Ги...тлере? — он переспросил неуверенно.

— О баушке твоей, — парень скривил гримаску, напомнив ему девицу из поезда. Та тоже сказала: баушке своей гони.

— Тогда скорей уж о дедушке, — он решил отшутиться.

— Не. У этого — ваще, — парень рубанул в воздухе ладонью, будто что-то отсек. — По самое не могу. А ты? В общагу намылился? — и, не дождавшись ответа, кивнул. — Геен вир!

Оказавшись на Университетской набережной, он залюбовался ровным рядом дворцов, образующих небесную линию. Она прерывалась Александровским садом. Мать рассказывала: «Памятник привезли ночью. Только представь, вечером — сад. Деревья, цветы, решетки. А утром иду — стоит». Он отчаянно завидовал тем, кто видел это своими глазами: с вечера голый постамент, Гром-камень, а утром — Он. Император. Куда опустишь ты копыта? *Сюда*, на эту землю, отвоеванную у непроходимой тайги, — наш ответ заклятым врагам. Жаль, что в последние годы о Великих стройках почти не упоминают, разве что мельком, будто наши Нева и Москва-река *никогда* не носили прежних, сибирских названий: Обь и Омь.

— Иоганн, — парень протянул руку. — Для друзей Ганс.

— Алексей, — на всякий случай он представился полным именем, но руку пожал.

— Ну, двинули?

— Честно говоря, я... Погуляю немного. Хочется поглядеть... и вообще...

Стесняясь высказаться прямо, подумал: «Сравнить».

— Лады, — Ганс натянул вязаную шапку поглубже на уши. — Что знаю — покажу.

Гостеприимство едва знакомого парня граничило с навязчивостью. Все-таки он счел нужным поблагодарить. А заодно воспользовался случаем:

— Там памятник такой... — Накануне вечером, оставив чемодан в общежитии, успел обойти окрестности университета: Двенадцать коллегий, Кунсткамера, Институт Отта, БАН — библиотека Академии наук.

— На плаце? — Ганс уточнил деловито.

— Ну да... Похожа на императрицу. А вокруг дети...

— Магда Геббельс, символ женственности и материнства. Памятник открыт в 1981 году в присутствии многочисленных детей и внуков. К восьмидесятилетию со дня рождения и тридцатилетию со смерти, — Ганс отрапортовал как по писаному.

— Экскурсоводом подрабатываешь? — он постарался скрыть усмешку.

— Ага, на кораблях, — приняв его вопрос за похвалу, Ганс расцвел. — По-немецки я вопщем-то свободно. Но немецкого мало. Конкуренц. Программу сов-русскую готовлю. В позатом году на курсы записался.

А препад наш. Ошибки, грит, у меня. Проскальзыва-ют. — Было заметно, что Ганс гордится трудным сов-русским словом, которое удалось ввернуть, да еще и к месту. — Вопщем, если как, поправляй.

Теперь он понял. Навязав свою компанию, парень воспользовался случаем, чтобы поговорить с носителем языка. «Как я в Китае. С Ду Жонгом, — когда познакомился, тоже просил поправлять».

— «Если как» — нельзя, — он приступил к своим новым обязанностям. — Надо говорить: если *что*.

Ганс кивнул и достал из портфеля потрепанный блокнотик.

— Ты... слово ищо такое... када про экскурсовода. Пад...

— Подрабатывать?

— Во-во. — Ганс записал печатными буквами. Он успел заглянуть.

— А сов-русский ты где учил, в школе?

— Не, — Ганс мотнул головой. — Баушка моя. Классно шпрехала. Потом умерла.

За разговором успели дойти до ближайшей остановки и сесть в автобус. Теперь он сворачивал на Дворцовый мост.

— А родители, — все-таки он не удержался, — на каком языке разговаривали?

— Родители? — Ганс задумался, будто не сразу нашел перевод слова. — Дак они, эта... — заглянул в блокнот. — Пад-раба-тывали. Время-то какое было! Трудное. Как и ни у вас.

«Как и ни у нас...» — он вспомнил это выражение, трогательное в своей простонародности: так говорила баба Анисья.

— Подрабатывать — это когда по вечерам, иногда, от случая к случаю. А тогда вкалывали, пахали, мантулили.

— Ман-ту-лили?! Это чо — от *"Mann"*?

За автобусным окном проплывало здание Рейхс-эрмитажа: не музей, а забава для интуристов, западных, не знающих советской истории. Фальшивки, сплошные копии, он думал мстительно. Великие подлинники — Рембрандта, Ван-Эйка, Эль Греко — успели эвакуировать за Урал.

— До войны стахановец был. Фамилия Мантулин...

— Стахановец? Ух ты! Жесть!

Выйдя на Дворцовой площади, они углубились в аллею Александровского сада. Ганс разлился соловьем.

По-сов-русски он и вправду говорил бегло, спотыкаясь разве что на согласовании причастных и деепричастных оборотов. Так это и с нашими случается сплошь и рядом.

— А верблюд где? — он оглянулся и замер, не веря своим глазам.

— Густав Нахтигаль, великий немецкий путешественник. Предпринял ряд экспедиций в Центральную Африку.

— Да что мне ваш Нахтигаль! Пржевальского куда дели?

— Какой Паржеваский? Не было никакова Паржеваскова! — Ганс не то занервничал, не то разозлился. — Я и в детстве сюда ходил, с баушкой...

«Да ну его! — Он решил не спорить. — Главное, у нас есть!»

К вечеру, когда добрались наконец до общежития, успели осмотреть Исаакиевскую площадь, правда, в сам собор зайти не удалось: оказалось, все перекрыто (Ганс объяснил: готовятся к Весеннему равноденствию. «В этом году ранёнько чо-то начали»); свернули по Мойке, обошли окрестности Театральной площади: вдоль Крюкова канала до Никольского собора, где никаких особых приготовлений не наблюдалось, если не считать желтых, усердно сгребавших остатки черного от автомобильной копоти снега.

— А это что? — он заметил картинки на обратной стороне лопат: не то приклеенные, не то нарисованные.

— Дак портреты. Для шествий в единодушную поддержку. Поработал и — раз! Лопату на-пле-чо!

— А летом? На веники привязывают?

— Не, на грабли, — Ганс захохотал, видимо, довольный своей шуткой. — Прикинь. В траве не заметишь, а тебе — хрясь! — и фюрером в морду!

— Или наоборот, — он усмехнулся, — твоей башкой — да по фюреру!

Думал, Ганс оценит его юмор, но тот пробурчал:

— Чо моей-то? Я чо, желтый?

Миновав белую с голубым колокольню, свернули на набережную канала Грибоедова. Он шел, разглядывая фасады: ухоженные, тщательно отреставрированные. Ни тебе окурков на тротуарах, ни переполненных урн. У чугунных ворот, замыкающих дворовые арки, дежурили дворники в длинных белых передниках с желтыми бляхами на груди. В большинстве азиаты. Что отвечало ленинградской традиции. Мать рассказывала: до войны дворниками служили татары.

— Красиво, чисто, — он не мог не признать.

— Дак черные тут живут, вот и вылизывают им, — Ганс ответил громко. Он испугался, но дворник (кстати говоря, славянин), проводив их внимательным взглядом, взялся за метлу.

Больше никуда не сворачивая (ноги и так гудели нещадно), дошли до Невского. На остановке он стал прощаться:

— Ты на меня... столько времени потратил. А тебе куда, в метро?

— Да ну нахрен. С утра в вестибюле дежурить. Прикинь, к восьми... Не зевай, наш, — Ганс заработал локтями, пробиваясь сквозь толпу.

В автобусе, подпертый со всех сторон чужими телами, он перевел дух.

— Вон! — Ганс мотнул подбородком. — Против Гостинного. Вопщем книжный. С универа еду, заглядываю. Кажный день почти.

— А дома у тебя? Хорошая библиотека? — он предоставил возможность похвалиться, чтобы в ответ похвастаться своей. Целый стеллаж, в основном, конечно, по специальности. На средней полке стоял алюминиевый цилиндрик с затершейся наклейкой: «Черная курица». Вспомнив свой любимый с детства диафильм (единственный, который сохранился, остальные исчезли при переезде на квартиру), он почувствовал теплоту в груди.

— Не, не то штобы, — Ганс застеснялся. — Книги — дорого. А тут — выбирай чо хошь и читай.

— Где, в магазине? — он переспросил, предполагая: либо Ганс неточно выразился, либо он недопонял.

— Ну да. А у вас чо, нет?

Дворцовая площадь, подсвеченная желтовато, выступила из вечернего сумрака раскатанным манускриптом крыльев Главного штаба. (Он отвернулся, будто закатав манускрипт обратно.) Мелькнул Александрийский столп и исчез. Впереди, справа, уже завился силуэт Петропавловской крепости — тонким электрическим контуром, желтой линией кардиограммы с явственной вспышкой посередине, где сердце урожденного ленинградца всегда дает перебой. «*Их* крепость» — оказалось, что в этой нарочитой и подлой одинаковости таится новый источник боли, рвущей пополам его душу, выросшую в тех же самых декорациях, но на иных, далеких берегах. Вдруг почудилось, будто он проваливается в прошлое — когда-то наше, но теперь оккупированное фашистами. Словно само время, в нормальной жизни скользящее по гладким рельсам (прошлое–настоящее–будущее), вдруг стало вражеским поездом, который советские партизаны пустили под откос.

— А ты када, завтра?

Он обернулся, преодолевая сопротивление чужих, укутанных по-зимнему тел: «Завтра? Что — завтра?» — даже это привычное слово звучало ненадежно, чтобы не сказать издевательски: что означает это *завтра*, наступившее вчера?..

— Ну, эта... докладец твой?

Ему показалось, Ганс спрашивает с неподдельным дружеским интересом.

— Утром. Придешь? — спросил с разгону, в коротком приступе сегодняшней дружбы, которая уже на другой день (если время все-таки выровняется, вернется на прежние рельсы) рассыплется. Наверняка.

В общежитии — он-то ожидал застать обычный студенческий бедлам — было тихо и на удивление безлюдно. Поднимаясь по лестнице, надеялся, что Ганс оставит его наконец в покое: хотелось прилечь и вытянуть ноги. Но Ганс сказал, что хочет его познакомить. Кое с кем.

В комнате, куда они вошли, сидел полноватый парень — на заправленной кровати, в углу.

Ганс повел себя странно, бормотнул:

— Алексей. Эбнер. — И отошел к окну.

Прикусив неудобопроизносимое имя, будто попробовав его на сов-русский зуб или вкус, он решил подстраховаться. Протянул руку:

— Алексей.

— Эбнер, — парень пожал, не удосужившись привстать.

— Хорошо у вас тут, уютно...

— Ага. Гемютлих типа... — хозяин комнаты бесцеремонно оглядел его с ног до головы.

— Он, эта. Из Союза, — Ганс счел необходимым объяснить.

— Вижу, не слепой, — Эбнер ответил и отвернулся. — Прикинь, с деканата приходили.

— Кто? — Ганс спросил лениво.

— Ну кто, эта, Юльгиза. Научили их на свою голову. Стоит такая. Ты заявлен на древней истории. Вынь ей да положь. Ща. Выну, — парень сделал грубый откровенный жест.

— Так и сказал?

— Я чо, идиот? Пишу, грю. Тему вот тока подзабыл. А она: «Госвласть в Древнем Китае».

— Какая династия? — он спросил, сам не понимая: зачем.

— Чево-о? — Эбнер сощурился. Было заметно, что Ганс тоже удивлен.

— Ну... Государственная власть... В разные века — по-разному, — теперь он говорил с напором, будто вставая на защиту этой желтой девушки, которую парень походя оскорбил. — Одно дело — Шан-Инь, государственное образование, возникшее в конце семнадцатого века до нашей эры в среднем течении реки Хуанхе. Совсем другое — государство Чжоу с его первоначальной удельной раздробленностью. Я уж не говорю про империю Цинь или Хань...

— Слышь-ка! — Эбнер перебил мрачно. — А ты ваще кто?

— Я? — он вдруг почувствовал веселую злость. — Китаист.

— Дак ты чо, узкоплёношный? Вроде не заметно.

— Да русский он, русский. Специалист по истории древнего Китая, — Ганс объяснил, будто перевел с их дурацкого на нормальный язык.

— Ну... — он замялся. — В общем-то, история не моя специальность. Но когда занимаешься языком...

— Во! — Эбнер ткнул в Ганса указательным пальцем. — А ты гришь: Бога нет!

— Да я-то чо, я ничо, — Ганс надул губы.

Но Эбнер его не слушал, обращался к гостю:

— Тут такое дело. Эти, с деканата... Короче, — махнул рукой. — Ты скока берешь? Страниц пять или... шесть. К завтрему.

— Беру? — он оглянулся на Ганса.

— Стошка. Гейт дас? — выгнувшись всем телом, Эбнер пошарил в заднем кармане и достал черный кожаный бумажник.

— Да я... даже не знаю... — он мотнул головой, еще не окончательно взяв в толк.

— Айнферштанден. Двести, — Эбнер вынул две хрустких бумажки. — С фатером проблем не хоцца.

— Фатер у него — ого!

— Да я бы... — он хотел сказать, что может и так, без денег, по-дружески, но пестрые бумажки с портретом кого-то солидного и усатого сами собой притягивали взгляд. «Маме, сестрам... Люба куртку просила, мерзнет...» — Циньская империя пойдет? У меня реферат, неплохой, в восьмом классе...

— В восьмом? — Эбнер покрутил головой.

— Ты не думай, — он вдруг испугался, что парень откажется, скажет: тут тебе не школа, — если надо, я еще добавлю.

— У вас там чо, все такие умные?

— Многие, — Ганс ответил за него. Ему показалось, с особенным значением, словно продолжая какой-то давний спор.

— Альзо кирдык! Нам. Типа скоро, — Эбнер откликнулся весело. — Ну ничо. На крайняк вашими мозгами воспользуемся.

Дверь приоткрылась. В щель сунулась прилизанная голова:

— Идешь?

Эбнер отмахнулся недовольно.

— Мы чо решили-то, — голова с любопытством уставилась на гостя. — Поближе сёдня. В «Лебедь и крест».

— Да хоть в жопу, — Эбнер буркнул, не оборачиваясь. — Вали, вали. Догоню.

Он порылся в портфеле и вынул ручку-вставочку.

— Так ты чо, — Эбнер ткнул пальцем в печатную машинку. — Каннстнихт?

Он замялся:

— Вообще-то, конечно, доводилось...

— Кайн проблем. — Ганс вскочил. — Я помогу.

Эбнер сбросил кроссовки, надел пиджак и куртку. Похлопал себя по карманам джинсов (американских — это он отметил), и был таков. Осталась только лужица от ботинок.

— Куда это они? — он прошелся по комнате, собираясь с мыслями.

— В ресторан. Жрать, — Ганс сел за машинку и заправил чистый лист.

Закончили через два часа. Управились бы и раньше, но его добровольный помощник все время вмешивался: то требовал упростить предложение, то подсократить, то заменить какое-нибудь слово или вовсе выбросить.

— Слышь, ты эта... Про легиста не надо, привяжутся, — Ганс поднял голову. — Помер ить. Теперь-то какая разница: хыть легист, хыть натурал...

«Совсем они тут сдурели!» — он хотел объяснить: легист — это всего лишь законник, например Ли Сы, ставший главным советником Цинь Хуана, основоположника новой династии, но Ганс не дослушал:

— И эта... имен поменьше. Цынь, хринь! Клиент запутается.

Он вспомнил лицо Эбнера и кивнул.

Вытянув из-под каретки последний лист — седьмой, в шесть не уложились, Ганс сладко потянулся:

— Не-е... За такое дело, — вдруг вскочил и заходил по комнате. — Вопщем так. Заряжаем триста. Мне полташка. А чо? Я клиентуру подгоню. Конференция скока? Неделя. — Сунулся в ящик, достал калькулятор. — Часа полтора на рыло... Умножаем...

Электронная цифра, мигающая в оконце, вызвала оторопь: «Любина куртка... А если?.. Нет, Верке комсомолец ее купит... Маме... Туфли или, — даже сглотнул, — сапоги...»

— Ты... Не знаешь, сколько стоит, например... шуба?

— Чево-о? — Ганс сощурился.

— Я... — он отчего-то заторопился. — Понимаешь, сестре. Холодно у нас, мерзнет...

— Сморя какая, — Ганс пожал плечами. — Ладно, не ссы. Если што, на сейл метнемся. Тока эта, машинку надо взять.

— А он... Эбнер, — выговорил осторожно. — Разрешит?

— Ему-то! На крайняк в ресторан позовем. Пожрать.

— Нужна ему твоя еда!

— Да ты чо! Черные, када на халяву...

— Не понимаю, — он встал и подошел к окну, за которым одно за другим загорались желтые окна. — Какого черта ты с ним дружишь? Слыхал, как он — про Юльгизу? Думаешь, про тебя иначе?

Думал, начнет оправдываться. Но Ганс поник.

— Хорошо вам там рассуждать. За учебу не плоти- те. И, это... рас-пре-деле-ние. Чо, скажешь, нет?

Он думал: «Закатали бы тебя года на три. На Ку- рилы. Любуйся на пустые сопки».

— А тут крутись. Родаки у меня — лохи. А у Эбнера...

— Да слышал я! Папаша.

— Да чо ты там слышал! — Ганс задвинул стул, буд- то расчищая для себя жизненное пространство. — Зам главного эржеде.

— Кого-кого?

— Железная дорога. — Судя по тону, Ганс ожидал от него совсем другой реакции.

— Ну, зам. И что тут такого?

— Клуб у него. Футбольный.

— Клуб? Зачем?

— Футбол любит, — Ганс объяснил, но он все рав- но не понял. — Сам отсюда, из Питера. Деньжища- ми ворочает! — Ганс выдохнул восхищенно и рас- кинул руки, точно заключая в объятия денежную кучу, которой ворочает Эбнеровский отец.

— Выходит, технарь. А сын историк? — он пожал плечами. — Выбрал бы что-нибудь по профилю. Ин- женером или...

— Инжене-ером! — Ганс передразнил и, отчего-то помрачнев, добавил без всякой связи: — Самое пер- спективное направление — Восток.

— Так он восточные языки знает?

— С тобой говорить... — Ганс плюхнулся на кро- вать. — Тебя возьмет, переводчиком, а, пойдешь?

— Делать мне больше нечего!

— Слушай, так ты... — Ганс спохватился. — Не жрамши.

— Не надо мне никакого ужина, — взял портфель и направился к двери. — А ты... тут, что ли? — кивнул на пустую койку.

— А чо, Эбнер не против. Квартира у него, — Ганс покачался на матрасе. — В городе. С этим, с евонным... — пнул кулаком подушку.

Он шел по коридору, чувствуя за спиной свою справедливую страну. «Конечно, у нас... всякие проблемы. Но за учебу и правда не платим. А распределение? Отработал три года — и свободен».

Сосед, к которому его подселили, спал. «Хороший парень, из нашей Москвы, — вчера вечером успели познакомиться. — Хороший-то хороший... А вдруг в чемодан полезет? И пусть, там же ничего *такого*». Только теперь он оценил прозорливость шефа, который не снабдил его никакими спецсредствами. В глубине души он рассчитывал хотя бы на шифроблокнот: мало ли, передать срочное сообщение. Для оперативника главное — связь.

Стараясь действовать бесшумно, разделся и лег. Но сон не шел. Маялся, вспоминая то Юльгизу, то Ганса. То этого, Эбнера: узкий лоб, тяжелые надбровные дуги, губной бугор — перебирал характерные приметы, придающие вульгарному парню разительное сходство с человекообразной обезьяной. Собственно, так и представлял себе среднестатистического черного. «Да к тому же и дурак. Элементарный доклад, и тот написать не может...»

Эбнер наконец скрылся. Но тревога осталась. Терзала, прикидываясь мыслью о заработке, который свалился на него нежданно-негаданно: не дай бог, узнают.

«Да что такого-то! Эти, — он вспомнил зятя-комсомольца, — всегда привозят. Люстры, костюмы, одеяла... Верке обязательно туфли, косметику всякую, сапоги...» От Вериных щедрот перепадало и Любе, но так, по мелочи. Принимала, а куда денешься, но он-то видел — с каким опрокинутым лицом. За глаза обзывала буржуями. Когда Вера, небрежно косясь в сторону, хвасталась будущей шубой (комсомолец твердо обещал, если провернет одно выгодное дельце), Люба переводила разговор на что-нибудь «более интересное»: новый фильм, Вера «конечно же, не удосужилась», или книгу, которую как раз сейчас читают «все нормальные люди».

Вообразил эту упоительную картину: вот он возвращается, распахивает чемодан, Люба подходит, смотрит, а там...

«Геннадий Лукич хороший, он поймет, — сел и спустил ноги. — Мама, Люба, я же для них...» Наплывало горячей волной.

Он ткнулся лбом в согнутые колени. «Главное — *сам*. Заработаю. И тогда...»

Московский парень вскинулся со сна, но снова затих.

«И тогда... — сердце раскачивалось в груди, как язык тяжелого, еще немого колокола: бух! — ударом под ребра, и снова: бух! бух! — а вслед — подголоском, маленьким зазвонным колокольчиком: блям! блям! блям! — не то плача, не то смеясь, не то переняв образ мыслей проклятых захребетников, для которых главное — деньги. — Стану свободным. Независимым от Геннадия Лукича...»

II

Утром, на свежую голову, ночные терзания показались сонным мороком. «Да какой бунт! Так. Утопия», — стоя под душем, он посмеивался сам над собой, но потом, когда надевал чистую рубашку, чувствовал нытье под ребрами: будто спал не на матрасе, а на чем-то жестком — вроде деревянных нар. А все Ганс со своими дурацкими идеями: чуть не ввел в грех.

В маленьком зале, отведенном под восточную секцию, не было ни единого слушателя — кроме техника, который возился с микрофоном: «Проверка. Проверка. Айн-цвай. Айн-цвай-драй». Даже ведущий, по-местному модератор — и тот явился минут за пять до начала и уселся за длинный, точно президиум, стол.

Скромно дожидаясь в первом ряду, он в который раз перечитывал табличку: *Bertolt Lange. Professor*, — но тот, кого она представляла, был коротеньким и крепким, точь-в-точь классический немецкий булочник: фартук подвязал, и готово — открывай свой васисдас.

«А говорил, перспективное направление. У нас бы...» — на восточных конференциях его любимая восьмая аудитория набивалась под завязку.

Выждав положенные четверть часа академической вежливости (за это время добавились еще двое: парень в круглых очочках, на которого модератор не обратил внимания, и вчерашняя Юльгиза — ее профессор демонстративно поприветствовал, даже слегка привстал), Ланге объявил утреннее заседание открытым и, представив аудитории первого докладчика — Алексей Руско, Ленинградский государственный университет, СССР, — огласил тему:

Социально-политическая идея «Объединение для замены разъединения» на примере книги «Сюшень» (самосовершенствование).

Он вышел за кафедру и разложил листки:

— Мо-цзы, годы жизни около 475–395 до нашей эры, родился в царстве Лу в начале периода Чжаньго. С исторической точки зрения, этот период можно рассматривать как время крупных социальных перемен, когда общество переходило от рабовладельческого к феодальному строю...

Дверь осторожно приоткрылась. В аудиторию один за другим входили новые слушатели, в общей сложности шестеро. Последним, седьмым, — Ганс: подмигнул и выставил растопыренную ладошку. Жест, который он истолковал: прости и продолжай.

— Начиная с периода «Вёсны и осени», — кроша мелом, вывел на доске:

春秋時代

В Китае эта традиция ленинградской школы — когда узловые понятия, в переводе теряющие некоторые неявные коннотации, принято дублировать на языке подлинника — также по возможности соблюдалась: «великий перелом», «гражданская война», «стахановское движение» — эти устойчивые выражения китайские слависты и историки (в большинстве своем закончившие советские вузы) выводили значками кириллицы — ломкими, будто составленными из разрозненных элементов, — только не тушью и кисточкой, а мелом.

Он потер ладони, смахивая остатки белого крошева.

— Увы, каллиграф из меня не слишком, — повторил слова своего профессора (в ленинградской аудитории они неизменно вызывали оживление), — но присутствующие повели себя странно: смотрели так, будто на их глазах он совершил нечто невиданное. Особенно Ганс. Этот вообще скроил обалделую рожу, да еще и палец большой выставил.

Реакция аудитории сбивала с толку. С чувством невнятной безотчетной тревоги он доложил о железных сельскохозяйственных орудиях, о быках — как раз тогда их начали активно использовать в качестве тягловой силы, что способствовало дальнейшему развитию производства, но одновременно вызвало массовое бегство рабов.

— По всей территории страны вспыхивали политические восстания. Центральная власть ослабла. Не приходится удивляться, что чжоуская родовая знать свергла Ю-вана, тогдашнего верховного правителя. Удивляет другое: в заговор были вовлечены жуны-степняки. Казалось бы, где они, а где верховный правитель? Историки объясняют этот факт родовыми связями, говоря современным языком, семейственностью. Таким образом, центр государственной власти переместился из долины реки Вэйхэ в долину реки Лохэ. Иными словами: с Запада на Восток...

С каждым словом в аудитории устанавливалась все более напряженная тишина. Профессор Ланге повернулся к нему всем корпусом и вытянул шею: уже не булочник. Скорее, вагнеровский охотник.

Глядя на воображаемое перышко, торчащее из тирольской шляпы, он догадался: «Ах, вон оно что! За политический намек приняли», — и заметил: Юльгиза, сидящая во втором ряду, тянется к портфелю. Осторожно щелкнули металлические замки.

— Нестабильность, царившая в Поднебесной, во многом и определила социально-политические взгляды великого Мо-цзы. Мало-помалу учитель Мо понял: чтобы покончить с народными бедствиями, необходимо перейти к практике «всеобщей взаимной выгоды» и, как следствие, «взаимной любви». Значение этой прогрессивной для своей эпохи теории трудно переоценить. В самое короткое время она приобрела множество активных сторонников, нанеся сокрушительный удар по старым родовым институтам...

То вскидывая глаза, то снова съеживаясь, Юльгиза торопливо записывала за ним в блокноте.

«Пиши, пиши...» — про себя он только усмехался, дивясь такому рвению. Лично ему оно ничем не грозило. Геннадий Лукич прочел и одобрил доклад. Больше того, попросил раскрыть тему политического объединения некогда разрозненных территорий как можно шире и подробнее. Сколько позволит регламент.

Профессор Ланге сидел, уткнувшись глазами в стол:

— Вопросы? — предложил, но как-то неохотно, будто намекая, что дополнительные вопросы — лишнее. — Да, Юльгиза.

— Я внимательно слышала докладчика. Теория всеобщей взаимной любви. Унмёглих. Советская утопия. Под видом прошлого протаскивает сомнительные теории, которым мы обязаны дать решительный отпор, — Юльгиза захлопнула блокнот и уставилась на модератора внимательно-неподвижным взглядом.

«Жаба», — мелькнуло вдруг у него в голове.

— Вы, фройлен Алабышева... — в голосе модератора чувствовалась неловкость. — Мне кажется, преувеличиваете. Конечно, в истории многое повторяется. Но это не значит, что нам следует отвергать очевидные фактен, — точно велосипедист, чье колесо вильнуло, ненароком съехав на обочину, профессор выровнялся, перейдя на чистый сов-русский язык: — Лишь на том основании, что у кого-то могут возникнуть аналогии с современностью. — К этому моменту Ланге отнюдь не походил на оперного охотника. Вполне себе настоящий, который целит в глупую лесную птицу, куропатку или дрофу. — Боюсь, для историка выборочная память не добродетель. А тяжкий порок...

В аудитории чувствовалась напряженность. Он уловил интонацию, которой немец-*professor* брезгливо обозначил границу между собственным мнением и суждениями недалекой студентки — нет, Ланге не сказал «желтой», но каким-то загадочным образом именно это слово проступило из-под аккуратно подобранных слов.

Юльгиза стушевалась и села на место, стрельнув коротким прицельным взглядом. Но почему-то не в Ланге, а в него. «Ну вот. Нажил себе врага».

Враждебную обстановку разрядил смех очкарика: вспыхнув на высокой визгливой ноте, раскатился по полу мелким бисерным хихиканьем. Возвращаясь на свое место, он смотрел под ноги с преувеличенным вниманием, точно боялся наступить на бусинки, но все равно наступал — смешки лопались то здесь то там, как воздушные пузырьки. Даже модератор как-то подозрительно покусывал нижнюю губу.

Доклад смешливого очкарика разочаровал его с самых первых слов: средний школьный реферат. Последним выступил один из спутников Ганса. «Нацвопрос и нацполитика современного Китая», Патрик Мюллер, истфак, III курс. Вопреки заявленной теме, молол какую-то чушь про климат: дескать, когда в Харбине тридцать градусов мороза, в субтропиках, на океанских пляжах можно загорать. Сообщил, что слово «тайфун» пришло в европейские языки из китайского, буквально «большой ветер». Дальше он не слушал. Будто выключил звук.

Дискуссия, вызванная его докладом, оставила по себе плохое чувство, словно он — помимо своей воли — принял участие в сомнительной, а выражаясь прямо, неблаговидной затее. Эти черные смеялись над желтой.

Докладчик по нацвопросу наконец замолк.

Объявив перерыв, модератор покосился в его сторону. Ему захотелось подойти и объясниться: быть может, студентка в чем-то и права. Но Ганс делал энергичные призывные знаки.

— Что?

Однако приятель уже скрылся за дверью. Помедлив, он последовал за ним.

— Штунденплан сообщу. Кто за кем и все такое прочее... — Ганс заметил его и поднял руки, точно сдаваясь на милость победителя. — Ну что тут скажешь... Умыл так умыл!

Черные — шестеро, явившиеся на доклад, — поглядывали на него с уважением.

«Надо им сказать. Все отменяется. Я передумал... — однако решимость, еще минуту назад упругая, как первомайский шарик, шипела, сдуваясь на глазах: — Поздно. Да и неловко. Люди собрались, понадеялись на меня, приш-шли...»

Все-таки сделал последнюю попытку:

— Ганс, можно тебя...

— Айн момент! — Ганс закивал, но снова обернулся к своим: — Курсовик, сами понимаете, дороже, — объяснил солидно и с достоинством, будто часть лавров советского докладчика ненароком досталась и ему.

«Молодец. Толково, — он не мог не отдать должного властным распорядительным ноткам. — Я бы на его месте мекал и бекал...»

И замер, услышав перестук каблучков.

— Талоны. Питание и транспорт. Вы не получали... Завтрак — теперь немного поздно. А на обед — милости просим, пожалуйста...

Теперь, когда Юльгиза, словно сдав ответственный пост, говорила о питании, его родной сов-русский звучал в ее устах не ударами идеологических плетей, а нежной беспомощной невнятицей. Дивясь ее улыбке, восточным глазам с матовой поволокой: уголки слегка приподымались — точно крылья экзотической птицы, лапки еще касаются земли, но вот-вот взлетит, — он поспешил отвести взгляд.

— Да-да. Талоны, — но бесстыжие глаза успели поймать ее талию, не тонкую, а именно узкую, по-восточному незаметно переходящую в мальчиковые бедра: абрис, от которого внутри всё дрожало и крепла тягостная неловкость.

Ганс, стоящий в нескольких шагах, смотрел неприязненно.

«И сюда лезет, ему-то что за дело!» Решился — может быть, именно в пику Гансу:

— Вы... Пожалуйста, не подумайте, чтобы я хотел вас обидеть... — заглядывая в темень миндалевидных глаз, искал в них ответного отклика: — Наука есть наука, приходится отстаивать свои убеждения...

Сквозь влажную поволоку проступило полнейшее недоумение:

— Убеж...дения? — Ресницы опали, точно птица сложила крылья. — Не понимать. Нихтс ферштейн.

— Вы сказали, сомнительная теория, советская...

— Я? Не помню, — но, вопреки отрицанию, снова мелькнула нежная, будто пропитанная теплеющей влагой улыбка, которую уже не хотелось ловить...

— Чо ей? — Ганс смотрел вслед уходящей Юльгизе.

— Талончики забыли выдать. Вот, принесли, — он ответил намеренно коротко и во множественном числе, давая понять: мое дело, тебя не касается.

Но Ганс то ли не уловил его настроения. То ли сделал вид.

— Везде успевает. Пропеллер в заднице. Ты, эта, — Ганс вдруг насупился. — Вопщем, сучка она!

— Эй! Того... поаккуратней на поворотах, — он начал угрожающе, чувствуя как напряженные пальцы сжимаются в кулаки.

— Запал, што ли? — Ганс противно осклабился. — Ну, и чо буёт? Тренделей наваляешь?

— Может, и наваляю... — но взглянув на парня, прилизанного, похожего на местного аспиранта — тот как раз проходил мимо, сбавил тон. — Или пошлю вас всех куда подальше с вашими рефератами.

— Всё, — Ганс поднял руки. — Ферштанден. Не дурак.

— То-то, — он кивнул угрюмо, все еще под властью нехороших злых чувств.

Из гардероба пахнуло резким запахом, какой-то бытовой химией — будто тараканов травили.

— Зря ты. Типа заступаешься, — Ганс застегивал куртку. — Я ить так, в социальном смысле. Девки ихние с пятнадцати лет размножаются. Достали! Скоро всё заполонят.

— И вы размножайтесь, вам-то кто мешает? — он буркнул сухо.

— А жилье? Желтым похрен — набьются в одной комнате. Бабка, дед, киндеров штук пять... Вот ты бы смог?

Мать, сестры — вчетвером, в коммуналке, в двух малюсеньких комнатах. Года два, пока Вериному мужу не предоставили квартиру в новом комсомольском доме, и вовсе впятером. Но решил: не стоит.

Вслух, конечно, не скажет, но про себя подумает: точь-в-точь как желтые.

— В университете учится, в люди как-никак выбилась.

— В люди! Ну ты сказал! — Ганс, отчего-то придя в восторг, крутил головой.

Эбнера в общежитии не было, но оказалось, Ганс договорился еще вчера. Машинка тяжелая, еле дотащили. Как раз вовремя — явился первый клиент. Реферат, страничек на шесть. Тема — на его усмотрение. Ганс требовал задаток. Он не вмешивался, пусть делает как знает. Клиент расплатился и ушел.

Побродил по комнате, собираясь с мыслями. Ганс противно хрустел суставами, будто пытал сам себя, выламывал пальцы.

— Ладно, поехали. Правовая система Древнего Китая. — «Для реферата возьму коротко, в общем. Если закажут курсовую, можно будет развить...» — Слушай, а за курсовую сколько заплатят?

И замер, услышав ответ.

— Не ссы, прокатит! Нам с тобой тока развернуться...

— Когда? — он пресек беспочвенные мечтания. — Я ведь скоро обратно — как говорится, ту-ту...

Вдобавок к талантам организатора Ганс отлично печатал. Без него ни за что бы не справился.

На третий день все-таки предложил:

— Пятьдесят рус-марок — несправедливо. Давай пополам.

Но Ганс решительно отказался, отверг его щедрое предложение:

— Ты что думашь, мы все тут — акулы чистогана?

«Хорошо ответил, *по-нашему*». Даже отчасти позавидовал, конечно, с профессиональной точки зрения: в отличие от него, абсолютно не понимающего фашистской психологии, Ганс, хотя бы в отдельных вопросах, умеет проникнуться образом мыслей советских людей.

Впрочем, именно в отдельных. Многое и настораживало. Например, эта странная манера: при малейшей возможности Ганс, за язык его, что ли, тянут, норовил отвлечься от древности, перекинуть мостик в недавнее прошлое, во времена минувшей войны, будто в его душе текла река, великая и полноводная, но другая: «Если я — Хуанхэ, он — Янцзы».

— Я документы видел. Ваши. Ставка верховного командования планировала сдачу города. Прикидывали, что вывозить. Боеприпасы, оборудование, станки... Дли-инные такие списки.

— Правильно, а ты чего хотел, чтобы вашим досталось?

Про *ваших* он подпустил специально — раз Ганс их защищает.

Но Ганс не слушал, смотрел куда-то вдаль:

— Картины, скульптуры...

— Ну да, — он чувствовал гордость за страну, даже в смертный час не бросившую на произвол судьбы великую культуру, свою и чужую, эрмитажные шедевры, дело рук сияющих на весь мир старых мастеров. — Это немцы — варвары, грабили наши музеи. Скажешь, неправда?

— Грабили, — Ганс вынужден был признать. — Тока про людей, про леиньградцев — ни слова. Бросали на произвол судьбы.

— Ну, ты мне будешь рассказывать! — он фыркнул зло. — У нас блокадники — через одного. Мать говорила, эшелон за эшелоном. Уже в сорок третьем эвакуированные заводы вышли на довоенный уровень.

— При чем тут сорок третий? — Ганс сощурился. — План сдачи датирован сорок первым. Месяц не помню. Вроде, ноябрь.

— Не было этого. Не мог ты ничего видеть. Все документы эвакуировали.

— Хотели, да не успели. Еще и побросали по дороге, — чертов Ганс стоял на своем.

— Там же охрана. Вооруженная. Мне сестра говорила...

— Сестра! В архивах поройся.

— Да что мне ваши архивы! — Крикнул. И вспомнил беженцев, штурмовавших поезда.

Обочины, заваленные тюками и баулами, ящиками с посудой, чужими разобранными кроватями, рваными мешками. «Люба говорила, рассказывала... Или не Люба? — будто не с чужих слов, а сам, своими глазами: сквозь прорехи — как пух из подушек, вспоротых вражескими пулями, — вылетают треклятые документы, всякие, не только те, на которые ссылается Ганс. — Не верю я ему! Ни за что не поверю!» — но они, белые бланки пустых незаполненных похоронок, которые никто и никогда не получит, засыпали обочины...

«Нет, — он думал. — Сдаваться нельзя...»

Снова доказывал, отстаивал свою правду, но Ганс, будто чуя его слабину, давил с удвоенным напором, пользуясь заведомым преимуществом своей специальности историка двадцатого века, по-здешнему новиста:

— Из Москвы драпали? Драпали. Я и число запомнил. 16 октября. Метро закрыто, милиционеры попрятались, мародеры с мешками шарятся, продуктовые лавки грабят. А радио молчит. Люди к вокзалам. Женщины, дети, старики. А поездов нет. Тока эмки с начальниками. Семьи свои похватали, чемоданы, тюки и — дёру! Мужики, кто поумней, Сталина проклинают.

— Ну уж проклинают! — он наконец вклинился. — Скажи еще — вслух.

— Этого не скажу, не знаю. Можа и про себя... А мусорки! Красными книжками набиты.

— Красные? Партбилеты, что ли?

— Да Ленин, Ленин. Собрания сочинений. Я фотографии видел, в спецхране. И вообще, всё давным-давно описано. Не веришь? Почитай! — Как разоблаченный шпион, которому нет нужды наводить тень на плетень, Ганс больше не допускал грамматических ошибок. Это и сбивало с толку: правильная сов-русская речь. Временами ему казалось, будто они — соотечественники: не тут, в чужом Петербурге, а там, в его родном Ленинграде.

— Кем описано? Фашистами?! — Он отметал, опровергал, бился до последнего, стараясь задавить в себе гадостного червячка: «Сталин — предатель. Значит, могло, могло...» — с тем большей решимостью, точно спасая свою маршальскую честь, бросал в атаку свежие контраргументы: суждения и убеждения, свои и чужие, рассказы родных, страницы школьных учебников, — подчиняясь прямому приказу они вставали и шли, готовые сложить головы на ратном поле отчаянного спора. Безропотно, как пушечное мясо.

Но и противник стоял насмерть:

— А кавалерийские атаки? На пулеметы, развернутым строем. Тоже, скажешь, не было? Всех положили. За пять минут. И людей, и лошадей.

— Да какие, к черту, лошади! У нас лучшие в мире танки. — Опровергая Гансовы нелепые выдумки, он перечислял, как помнил, все виды вооружений, по которым СССР превосходил гитлеровскую Германию в канун войны.

— Такие. Обыкновенные. Две дивизии 16-й армии. Под Москвой. В ноябре сорок первого, а?

— Ерунда! У Рокоссовского в мемуарах — ни единым словом! И заметь, про бегство из Москвы — тоже!

— Значит, врет твой Рокоссовский.

— Ах, врет! А немцы твои?!

— Не знаю, — Ганс наконец дал слабину. — Слышь, а классно мы с тобой рубимся! Вот што значит — русские. Немцы бы хрен бодались...

«Русские? Это что же, *гражданская война*? — занимая оборону на очередном участке фронта, он вслушивался в эти слова, пришедшие из такого далекого прошлого, откуда привычное разделение на "наших и фашистов" виделось чем-то эфемерным. Но все равно: в коротких перерывах, шагая по комнате, он старался ступать бесшумно и осторожно — точно опытный командир разведроты, получивший задание захватить и приволочь вражеского *языка*, — и косился на Гансов белобрысый затылок. — Сволочь. Пользуется, что историк. Профессионал».

На китайском поле он разбил бы противника одной левой. «Ничего! — подбадривал себя. — Еще посмотрим, кто кого...» — зная, что в любом случае ведет справедливую войну. А Ганс — захватническую. Самое удивительное, что эта глубокая ленинская мысль находила подтверждение: случалось, заняв очередной плацдарм, Ганс неожиданно отступал, ставя под сомнение свои аргументы, будто отводил еще свежие, не измотанные ближними боестолкновениями войска. Словно в этой войне и вправду чувствовал себя наемником, идущим в бой за чужие интересы.

— Всё у тебя так: вопщем, — он передразнил. — Мало ли что у вас там, в архивах! Чер-те чего понаписали, а ты и рад глотать. Не глотать надо. А знать. Наверняка.

— Дак а я что делаю? Рою. Найду — скажу.

— Мне?

— Почему тебе? Всем.

«А вдруг и вправду, — кольнуло нехорошим предчувствием. — Найдет. Докопается. Докажет, что не слухи... И что тогда? — но успокоил себя: — Да что он там нароет! Тем более заранее ясно: в фашистских архивах одно сплошное враньё».

По вечерам ходили в столовую — за углом, рядом с общежитием, оказалось, здесь тоже принимают талоны, — но всякий раз возвращались обратно, точно не могли расстаться — не то друзья не разлей вода, не то заклятые враги, связанные общим прошлым. Прочными нитями, которые натягивались до предела. Натянуть-то можно, разорвать нельзя.

Сидели за полночь, пили крепкий чай.

— Как думаешь, куда он пропал? — Сосед-москвич, Олег Малышев, с которым делил комнату в первую ночь, больше не появлялся. Занятый работой и яростными спорами, он спохватился только на третий день. — Может, в полицию заявить?

Но Ганс отнесся легкомысленно:

— Родичей небось нашел.

В это объяснение как-то не верилось: найти-то мог, но — он представил себя на месте соседа, — чтобы переехать?..

За чаепитием беседовали мирно. После рабочего дня на споры не хватало сил. Иногда Ганс задавал странные вопросы. Однажды спросил: а коммунальная квартира — это как? Он удивился: у вас что, нет коммуналок? Ну, как... Общий туалет. По утрам очередь, не дождешься. В кухне — плита. Одна конфорка на семью. Ругань по любому поводу. Показания счетчика, свет в местах общего пользования: одни требуют по числу съемщиков, другие — рассчитывать с семьи. Отвечал в общем старательно, как мог описывал бытовые подробности, но всё — с материнских слов. Лично его эти дрязги не касались: у него своя, интересная жизнь. Будто тоже чувствовал себя наемником. В этом коммунальном бою.

— Вопщем, жить можно, — Ганс сделал правильный вывод.

В последнее время соседи и вправду присмирели. Мать говорила: «Спасибо Вериному мужу!» Зять-комсомолец вышел пару раз на кухню, что-то шепнул одному-другому...

— Слушай! — он вдруг сообразил. — Чего тебе одолжаться? Кровать-то свободна.

— Не, я... эта... к Эбнеру. — Ему показалось, Ганс изменился в лице. Вскочил и ушел.

Вообще-то, и к лучшему. Ночами он думал про Юльгизу. Каждый день, встречая ее в университете, внутренне обмирал: наяву она носила белую блузку и строгую черную юбку. И блузка, и юбка ей замечательно шли, подчеркивая абрис бедра, упоительно нежную линию — ночью, между сном и явью, приходил в смятение, которое тут же и вполне разрешалось, жаль, что слишком быстро. Потом, будто этого мало, представлял себе: «Жениться, увезти ее в СССР, спасти...» — чувствуя себя рыцарем, защитником сирых и убогих, нашим советским Дон Кихотом. От ночи к ночи эта благородная мысль крепла, обрастая свидетельствами зыбкой, полуживой реальности: вот он знакомит ее с мамой, мама улыбается, Люба накрывает на стол, Вера бежит в кухню за пирогом...

Все-таки однажды не выдержал, спросил:

— А ваши девушки выходят за иностранцев?

Ганс задумался:

— Бывает, — ответил мрачно. — Черные. За немцев.

— А... — он хотел спросить: желтые? — но побоялся выдать себя: «Начнет расспрашивать...»

Ганс рассматривал карточки: вчера, когда гадал перед сном, пытаясь привести в порядок дневные мысли (выпала *наложница, которую берут ради ее потомства*), забыл убрать подальше. В тумбочку или в чемодан.

Пришлось объяснить, коротко, в общих чертах. Упомянул, конечно, и Моську: в интернате преподавал китаец, он и научил.

— Китаец? Настоящий?

— Нет. Игрушечный. — Он вспомнил фарфоровую фигурку: у Веры на комоде. Сувенир из Китая. Толкнешь — кивает, кивает. Не то здоровается, не то соглашается со всеми, подтверждает любое слово: да-да-да... — Товарищ Мо-цзы. Вообще-то он родом с Тибета. Эмигрировал в СССР.

— А мне погадаешь? — Ганс вскочил и сдвинул в сторону машинку.

— Ты же не веришь в мистику, — вроде бы подначил, на самом деле обрадовался возможности показать себя в истинном свете: не все же спорить или диктовать дурацкие рефераты, которые надоели до тошноты. Тщательно перетасовав карточки, разложил на столе.

Ганс медлил. То протягивал, то отдергивал руку — как на экзамене, когда надеешься вытянуть счастливый билет. Не иначе и вправду поверил: решается судьба.

Выпала редкая гексаграмма. № 50. Ключевые слова: *устойчивость позиций, жертвенник, священное место*.

— Кирха, што ли?

— Не обязательно. Зависит от того, во что человек верит. Вот ты например?

Ганс задумался:

— В историю. В справедливость. А ты?

Он хотел отшутиться: в мир во всем мире. Но, заглянув в Гансовы горестные глаза, молча протянул карточку — оборотной стороной. Пусть, если хочет, читает про себя.

Но Ганс читал вслух:

— Вы движетесь в правильном направлении, главный ваш труд совершается внутри... придется принести в жертву нечто старое... А почему в жертву? — спросил тревожно.

Он пожал плечами:

— «Книга Перемен» ничего не навязывает, просто предлагает задуматься о будущем. Или о прошлом.

— Как думашь, этот ваш препад...

— Моисей Цзынович.

— Моисей? — Ганс глянул как-то странно.

— Ну, мы его так называли.

— А... — Ганс отвел глаза. — Жалел, што уехал из Китая?

— Думаю, нет, хотя... В школе я как-то... А теперь, когда вспоминаю... Сидел у себя в каморке, читал, раскладывал карточки. Один. Ни родных, ни друзей.

Точно сквозняком из плохо закрытой форточки, на него повеяло Моськиным одиночеством и тихим страхом, прижимающим ладошку к сморщенным по-китайски губам (русские морщатся иначе) при слове Тибет. Источника этого страха он не умел разгадать, но чувствовал: он где-то там, в истории. История — река, полная неприглядных тайн. Никогда не знаешь заранее, где тот порог или омут, откуда всплывет нечто неопознанное, изъеденное мягкими рыбьими губами...

Хотел поделиться этой мыслью, но Ганс уже перепрыгнул на другую тему:

— А «Беркут» — хороший поезд?

Делясь впечатлениями от поездки, вдруг осознал, как же это было давно. Если вообще было... «Конечно, было. И будет».

Ганс ловил подробности. Глаза то загорались живым интересом, то гасли, словно мертвея. В согласии с каждой эмоцией напрягались и расслаблялись лицевые мускулы, меняя общее выражение: не лицо, а *книга перемен*. Мама сказала бы, у твоего Ганса живое воображение, таким мальчикам трудно жить на свете.

— У нас тоже бывают конференции. Пришли свой доклад. Ну да, на университетский адрес, — предложил, веря и не веря своим словам: судя по тому, каких взглядов придерживается Ганс, вряд ли его доклад выберут. — Или нет, лучше на мой, я передам...

«Сперва просмотрю. Мало ли, что он там понапишет... Если понадобится, исправлю...»

Потом, когда Ганс ушел, он все пытался понять: зачем? Безумие — лезть с такими предложениями. Будто не случайный приятель, вот-вот распрощаемся, а неразумный брат, которого он встретил вдали от дома и теперь обязан наставить на верный путь.

Третья

I

На третью ночь он снова увидел сон. Опять перед глазами морщилось. То самое, большое и белое: простыня, наброшенная на дверцу шкафа, но не домашнего, а из кабинета Геннадия Лукича. Сам он будто бы сидел в кресле, но не сбоку, как обычно, когда являлся по вызову, а прямо напротив Ф.Э.Дзержинского, лучшего друга беспризорников. Он чувствовал на себе его неподкупный взгляд.

Впредь, Алеша, ты должен быть предельно внимательным, — портрет Феликса Эдмундовича говорил бархатно-низким голосом, точно диктор в ленинградском метро. — *Задача чекиста — не помогать стратегическому противнику, а раскрывать и предотвращать его коварные замыслы.*

— Я стараюсь, мне кажется, у меня получается, только чекист — это вы. А я разведчик, борюсь с внешними врагами, которые угрожают, наступают с разных сторон.

А какая разница? — Феликс Эдмундович удивился. — *Одно дело делаем, Алеша.*

— Ну как же — одно! Разведка — продолжение войны в мирное время, — он возразил горячо, хотя в глубине души знал: товарищ Дзержинский прав. Не зря кабинет Геннадия Лукича находится не где-нибудь, а в Большом доме. Хотел повиниться, признать свою ошибку, но портрет уплыл куда-то в сторону. Вместо него явилось лицо шефа, сидящего за огромным письменным столом.

Какой же ты путаник, Алеша, — Геннадий Лукич сделал пометку в своем ежедневнике, видно, боялся потерять важную мысль. — *Ну ничего. Все равно я в тебя верю. Рано или поздно ты станешь хорошим разведчиком...*

Он хотел уточнить: почему поздно? — но вспомнил паренька-невидимку, про которого было сказано: пойдет далеко.

— Как тот парень? — спросил с надеждой.

Этого я тебе не обещаю, но стараться все равно надо.

— Я и стараюсь. Вот, разоблачил. Ганса с Эбнером. Это они специально подстроили, чтобы использовать мои знания. А ничего, что я им помог?

Геннадий Лукич не ответил, только рассмеялся. Смех падал изо рта мелкими шариками, они отскакивали со стуком: тук-тук-тук — будто тысячи черных куриц склевывают невидимые конопляные семечки.

— А почему они черные? Это нехорошо. Пусть лучше синие или... желтые, — хотел рассказать про Юльгизу, поделиться своими личными планами. Как с отцом. Но тут будто открылся длинный коридор, по которому, никак не сливаясь с черными стенами, шел Геннадий Лукич, но на этот раз не ему навстречу, как тот неизвестный киноактер в эсэсовской форме, а обратно, назад, в сводящую душу бесконечность, где нет ни будущего, ни прошлого — давая короткую отмашку: правой! правой! — в то время как левая тянется вдоль тела, становясь все длиннее и длиннее, чтобы коснуться пальцами родной советской земли...

Сон — небывалое сочетание бывалых впечатлений. Утром, когда умывался и чистил зубы, вспоминал то, что пришло во сне. Оно мнилось лицевой стороной каких-то изнаночных событий: будто не шеф, а это он сам идет по длинному коридору. Черному, как туннель, уводящий в глухую бесконечность, откуда уже не вырвешься на свет...

Все-таки немного опоздал. Модератор, тот самый проректор с пленарного заседания, успел представить аудитории первого докладчика.

Высокий мужчина в строгом темно-синем костюме взошел на кафедру, покачал луковку микрофона, прилаживая к своему росту: «Хёрен меня, хёрен?» — и, получив подтверждение из последних рядов, разложил отпечатанные на машинке листки.

В отличие от его, восточной, аудитория российско-советской секции была забита до отказа. Кое-кто из молодых — парни и девушки в американских джинсах — сидели на полу. Себе он не мог такого позволить. Осторожно, стараясь не привлекать лишнего внимания, прошел по стеночке и встал в нишу. Пристроил на подоконник папку с материалами конференции, которую ему, равно как и всем остальным участникам, выдали вчера.

Сегодняшний докладчик выступал на нем-русском. То грубые, то простонародные выражения, не говоря об ошибках, сбивали с толку. Но дело не в языке. Уже из вводной части стало понятно: налицо чудовищная подмена. *Гады, твари, подонки, несущие смерть Европе,* — это развернутое определение, вопреки исторической очевидности, выступающий относил не к фашистам, а к нашим. Большевикам. Глядя в чужие затылки, он ждал, что кто-нибудь из гостей встанет и опровергнет зарвавшегося захребетника (тот же, например, Пейн — англичанин, задававший острые вопросы на пленарном заседании), — но аудитория слушала, словно не замечая: профессор Санкт-петербургского университета несет откровенный бред: *Мы маленечко врезали, ну, совки и драпанули, сверкая пятками... Наши восточные партнеры привыкли делать из нас идиотов, ага, прямо! в зеркало поглядите...*

Он нашел глазами профессора Пейна. «Сидит, язык проглотил. А еще англичанин называется...» Мотнул головой, сбрасывая сеть оголтелой фашистской пропаганды, но ложь, невидимая и прочная как паутина, казалось, липла к лицу.

Он приготовился дать ответный выстрел: «Ложь! Наглая геббельсовская пропаганда», — но не успел.

Замер, не веря своим ушам: грянули аплодисменты. Причем не данью университетской вежливости, а искренние, выражающие неподдельное одобрение. «Верят, неужто они верят?...» — будь у него автомат Калашникова, так бы и шарахнул по тупым оболваненным затылкам — веером, от живота, как учили на военной кафедре... чтобы они... они... Тела, еще мгновение назад хлопавшие в ладоши, крутило жгутами агонии, проклятые захребетники сползали на пол, давя друг друга, заливаясь алой кровью...

Но в этот самый момент — точно радуга, взошедшая над миром, или спасительный мост над пропастью бессильной ярости, в которую он едва не сверзился, — в его помраченном злобой сознании раздался голос Геннадия Лукича:

Да что такое! Возьми себя в руки! А еще разведчик называется! — как на занятиях по прослушке в лингафонном кабинете, будто шеф наблюдал за происходящим из советского далека.

Его злоба, как вода в сухой песок, ушла. Он оглядел аудиторию, чувствуя, как на стеклянную гладь мгновенно охолонувшей души выпадает конденсат спокойствия.

Модератор объявил следующего участника заседания:

— Профессор Роберт Пейн, университет города Оксфорда, — прочел по отпечатанной программке. — Тема доклада: «Германия и Россия: зеркала со-бытия́».

Зажимая подмышкой кожаную папочку, англичанин поднялся на кафедру. Клетчатый пиджак с заплатами на локтях — «Империалист, а небогатый, видно. До дыр донашивает» — висел на тощем туловище, как на вешалке.

— Фридрих Ницше однажды обмолвился: «Я променял бы все счастье Запада на русский лад быть печальным», — будто иллюстрируя несбывшуюся мечту немецкого философа, профессор Пейн улыбнулся грустно. — Но теперь я хочу говорить об исторической памяти. Точнее, о взаимном притяжении. Немцев манила пропасть русского «хаоса», который они постигали, читая Федора Достоевского. На этот метафизический вызов Германия ответила в конце девятнадцатого века: трактат Ницше «Так говорил Заратустра» стал настольной книгой русской интеллигенции...

Слушая вводную часть доклада, он все еще надеялся, что англичанин наберется мужества и возразит по существу, но тот гнул свое.

«Ишь, виляет. Уважающий себя историк обязан высказаться открыто и определенно». Снаружи, на продолжении подоконника, на котором лежала его новая папка, пристроились два голубя — толстые, с раздутыми зобами. Их жирное курлыканье он слышал сквозь двойное стекло.

— Но и позже, в середине двадцатых, Германия устами Томаса Манна артикулирует свое тайное, сладостное, необоримое влечение к России...

«Мало ему Ницше, Мана какого-то приплел. И что, спрашивается, за Ман, небось тоже фашист», — он думал, косясь на голубей. Тот, что покрупнее, запрокинул голову, другой, вытягиваясь и даже привставая на цыпочки, курлыкал и тыкался, пытаясь проникнуть ему в клюв, надо полагать, искал съестного, — хотя кто их знает, как там устроено у птиц?

— ...Русская женщина Клавдия Шоша, мучительная любовь Ганса, обыкновенного немецкого мальчика, грохает застекленной дверью, входя в общую европейскую столовую. И тем самым попирает уважительные и уютные законы европейской цивилизованности. Однако Ганс готов ей это простить — за широковатые восточные скулы и, — профессор шевельнул пальцами, будто открывая раскосые кавычки, — чуть-чуть «киргизские» глаза....

«И ничего не киргизские», — он почувствовал красноватый жар, словно за щеками набухала горячая каша.

Перед началом заседания встретил ее в коридоре — Юльгиза прошла мимо, цокая острыми каблучками. Все, что он себе позволил, — взгляд, мгновенный, точно вспышка фотоаппарата, — но и этого довольно, чтобы в памяти запечатлелась новая карточка взамен вчерашней, чуть-чуть выцветшей, на которой вновь отпечатались нежный разлет бровей, широковатые, даже в профиль, скулы. И мальчишеский абрис бедра...

Жирное воркование перешло в сладострастный клекот. Он отвернулся брезгливо и рассерженно, точно все они — и докладчик, и отвратительно клекочущие голуби, — действуя сообща, в сговоре друг с другом, вторглись в его личное пространство, отчего фотокарточка померкла, стала черно-белой, похожей на довоенные, в спешке перепутанные с оплаченными жировками.

«Вот именно. Обыкновенный немецкий мальчик, — он нашел глазами Ганса, настоящего, сидевшего в четвертом ряду, а не того, влюбленного в русскую красавицу. — И никакой он не интеллигент», — ему вдруг показалось, что профессор Пейн, сам того не ведая, разрешил его тягостные сомнения. Не в широком историческом контексте, а именно в этом отдельно взятом пункте, над которыми он мучился подспудно, пока сражался с Гансом.

— Человечество идет путями истории, — британский акцент профессора Пейна стал почти неразличимым. — Двадцатый век, мало кого пощадивший, прокатился и по Германии, и по России. Политическая карта мира коренным образом изменилась. Однако традиция взаимного притяжения никуда не исчезла. В послевоенном времени ее продолжают Россия и СССР...

— Позвольте, позвольте! — в третьем ряду взметнулась худая рука.

— Ахтунг! — модератор навел острие карандаша, но сутулый человек уже встал.

— То, о чем говорит уважаемый профессор, — не историческая память, а романтический миф. Мы, немецкие интеллектуалы, живущие в Старой Германии, не понаслышке знакомые с ужасами реального гитлеризма, решительно выступаем против. Рано или поздно романтизация истории заканчивается идеологическими бреднями. Следующий шаг — концентрацион лагеря. Радуясь за всех, кому не довелось испробовать их на своей шкуре, — сутулый нарушитель порядка втянул голову в плечи и зябко поежился, будто о чем-то вспомнил, — я сошлюсь на открытое письмо, подписанное доброй сотней немецких писателей, ученых, журналистов. Мы, его подписанты, отрекаемся от Гете, Шиллера и Рильке, с чьими именами связаны великие взлеты немецкого духа, за которыми неизбежно, я подчеркиваю, не-из-беж-но, следуют столь же великие падения...

Он невольно взглянул на Ганса. Тот сидел, повернув голову к окну. Он заметил горестный излом бровей, будто Ганс, слушая доводы нового немецкого интеллектуала, выражал — не то чтобы несогласие, скорей, недоумение.

— Отсутствие меры, — голос немецкого интеллектуала зазвучал глуше, — есть проклятие нашего духовного развития. История неопровержимо доказала: фаустовским прозрениям наследуют зверства политического режима. Именно поэтому мы решительно выступаем за бюргерскую цивилизацию. Против старой священной культуры, — гражданин обновленной Германии окончательно съёжился и сел.

— Уму непостижимо, с какой легкостью они признаются в своем полном духовном вырождении! — женщина, судя по ее мертвенно-правильному выговору, местный преподаватель сов-русского, обращалась к своей соседке, но говорила довольно громко, будто в расчете на все окрестные уши.

— Фриц пархатый! — ее соседка откликнулась немедленно. — Загинает — не разогнешь.

— Рилька ему не нравится. — Перейдя на родной нем-русский, преподаватель закипела праведным возмущением. — Рилька — наше всё! Мы на ём стояли и будем стоять! И неча тут!

— Согласен, Марья Власьевна, неча, што правда то правда, — охотно поддержал ее мужской баритон.

Меж тем нарушитель спокойствия сел на место. Члены советской делегации (он заметил их сразу, едва вошел в аудиторию: три дубовых пиджака в первом ряду) перешептывались.

— Мне жаль, что сумрачный германский гений, во всяком случае, в вашей стране, — профессор Пейн неловко поклонился, — сдал свои исконные исторические позиции, не сумев преодолеть трагедии двадцатого века. Но, говоря о зеркалах, я прежде всего имел в виду простых людей. Немцев, волею судеб осевших в России. Русских, оказавшихся за Уралом. Их свидетельства и судьбы — отдельная тема и история, точнее, сотни тысяч историй, и каждая — живая правда. Не будем о них забывать, — англичанин закончил и собрал листки.

Он успел удивиться: «Это что ж такое получается? Ганс — мое зеркало, а я — его? — и заметил: Ганс манит пальцем. — Куда?» — просемафорил молча, одними глазами, но Ганс, пошарив по боковине, раскрыл откидное сиденье и отвернулся. Под аплодисменты аудитории, провожающей англичанина, — на сей раз вежливые, чтобы не сказать холодноватые, — он двинулся по проходу, сел — о чем тут же и пожалел: в нише он чувствовал себя в безопасности. Теперь будто вышел на просцениум — никого ни спереди, ни сзади, один на семи ветрах. К тому же побаливала голова.

— Твой доклад скоро? — спросил, надеясь, что удастся смыться пораньше.

— Завтра. Перенесли.

Хотел спросить: а почему? — но их перебил модератор:

— В нашей программе произошли некоторые изменения. Заявленный ранее профессор Рабинович до наших, — короткая усмешка, — палестин не добрался. Увы, помешали личные дела. Однако, — проректор выдержал паузу, — к нашему общему удовольствию, профессор Нагой...

«Нагой? Неужто?...» — в его памяти нарисовались густые черные брови, точь-в-точь как у прежнего Генсека, почившего в своем коммунистическом бозе пять лет назад.

— Лаврентий Ерусланович, прошу.

Имя-отчество рассеяло последние сомнения: на кафедру поднимался его университетский преподаватель — историк КПСС. Еще не старый, лет сорока, хотя и с блестящими, вечно потеющими залысинами, — среди студентов слыл мракобесом и отъявленным карьеристом. Выходит, прислали вместо неведомого Рабиновича, у которого, он усмехнулся, *как назло*, обнаружились срочные *личные* дела. Сестра Люба сказала бы: не дела, а «Дело».

В отличие от дубоватых членов советских делегаций, этот был одет щеголем, да и держался от них особняком.

«Молодец, привел себя к правильному образу».

Густые брови, которые профессор носил в правление прежнего Генсека, теперь исчезли, словно их сбрили в одночасье, когда на этот высочайший пост заступил нынешний, чье лицо отличалось сугубой безволосостью старого, но хорошо сохранившегося идеологического скопца, хоть и изъеденного смертельной болезнью, не выпускавшей своего подопечного за ворота главной советской клиники. Ходили настойчивые слухи, будто от его имени правят молодые референты. Сверхскоростная железная дорогая — их любимое детище.

«Уж этот врежет! Всем. И захребетникам, и англичанам. Вот сейчас и начнет...» — предчувствуя грядущую муку, знакомую еще со студенчества, он закрыл глаза. Боль сменила тактику боевых действий. Окончательно оккупировав затылок, готовилась вести огонь короткими тупыми вспышками: стратегический противник, враждебное капиталистическое окружение, происки идеологии империализма...

Ты же сам этого хотел. Думал: пусть хоть кто-нибудь им врежет, — в голове затенькало колокольчиком.

«Ну не этот же идиот! Прислали бы нормального, умного...»

Хи-хи-хи, — внутренний голосок рассыпался ехидным хихиканьем. — *Видали! Умного ему подавай!*

— Вас? Ты чо-то сказал?

— Я? Нет-нет, — он отодвинулся от Ганса. — Тебе послышалось.

Ехидный голосок еще потенькивал на краю сознания. «Да заткнешься ты! — он попытался окоротить своего вышедшего из-под контроля двойника. Тот обиженно затаился. — Тоже мне, наружка. Внутренняя».

Профессор Нагой пригладил залысины, будто стер застарелый пот:

— Призна́юсь откровенно. Во многом я согласен с предыдущим оратором. Уважаемый профессор Пейн, в присущей ему лирической манере, высказал весьма глубокую мысль: при всех расхождениях, свойственных СССР и России, между нашими странами куда больше общего, чем полагают всякие чужаки. К примеру, американцы. Или, как я привык

выражаться, — советский профессор обернулся
к модератору, — наши «стратегические друзья». (Ер-
ническая интонация нарисовала жирные кавычки.)
Бытует мнение — с моей точки зрения, весьма неглубокое и незрелое, — будто союзников создает исключительно безоблачное прошлое. Если можно
так выразиться, земной рай. Между тем история
сплошь и рядом доказывает обратное. Взять тех же
американцев. Уж какими были врагами с Японией.
А сейчас? То-то и оно. Из чего мы можем сделать вывод: в определенных исторических обстоятельствах именно общая трагедия, как говорится, земной ад, становится той неразрывной скрепой или
каменной платформой, на которой мы, ныне живущие, можем, а значит — обязаны, построить общее
будущее, — будто лишний раз убеждаясь в том, что
залысины всего лишь вспотели, но еще не покры-
лись неуместными по новым временам густыми за-
рослями, Лаврентий Еруслановович снова пригладил
виски.

Он слушал, почти физически чувствуя отвраще-
ние: *сплошь и рядом, весьма неглубокое и незрелое, нераз-
рывная скрепа* — этими же самыми выражениями
(еще совсем недавно, в его университетскую пору)
профессор обильно оснащал свои лекции, доказы-
вая прямо противоположное: «Бытует мнение —
с моей точки зрения, весьма незрелое, будто общая
трагедия, пережитая в прошлом, способна объеди-
нить страны и народы. Однако это далеко не так».

«В Ленинграде говорит одно, в Петербурге —
прямо противоположное. Да, идеологическая борьба, но надо же как-то похитрее», — снова он пожа-

лел, что покинул тихую уютную нишу: уж лучше глазеть на голубей.

— ...Не стоит сбрасывать со счетов и этнический состав. Большинство живущих по обе стороны Хребта — русские: факт, который опасно недооценивать и невозможно отрицать...

В голове, потрескивавшей от боли, Нагому, распинавшемуся за петербургской кафедрой, оппонировал голос другого Нагого — его ленинградского двойника: *Наши, как я привык выражаться, стратегические враги в Америке и Западной Европе любят спекулировать на этническом факторе: дескать, большинство живущих в нынешней России — русские. Но мы-то с вами знаем, кто в действительности русский, а кто нем-русский...*

«Знаем — русский... знаем — нем-русский... — в голове уже не тенькало, а гудело. Он дернул за мочку уха, потом еще раз, сильнее — но никакая сила не спасала, точно язык этого стопудового колокола можно вырвать только вместе с головой.

Хотел спросить Ганса: нет ли какой-нибудь таблетки, но его прервал иностранец, сидящий рядом с профессором Пейном, задав неурочный, с места, вопрос:

— Не кажется ли уважаемому докладчику, что внешняя политика, в той мере, в какой она опирается на этнический фактор, чревата опасными последствиями, которые мы уже наблюдали в истории, в частности, немецкой? О чем любезно напомнил нам представитель Германии, точнее, движения «новых немцев».

Аудитория загудела как улей, потревоженный враждебной рукой.

— Ахтунг! Ахтунг, битте! — снова модератору пришлось стукнуть ладошкой по столу.

— Упомянув этнический фактор, — профессор Нагой пригладил залысины в третий раз — опасливым жестом пловца, сигающего в водоем с оголодавшими рептилиями, — я имел в виду исключительно здоровый национализм.

— Прошу меня простить, но разве это не противоречит советской идеологии? — бойкий иностранец, говоривший с сильным акцентом — не то чешским, не то польским, опять перебил.

— Смею заверить уважаемого профессора Бонч-Бруевича, — профессор Нагой выступил из-за кафедры. — Нет, нет и еще раз нет! Напротив, соответствует нашей давней традиции. — Тройное отрицание, сопровождаемое церемониальным поклоном, производило странное впечатление, словно традиция, о которой упомянул советский профессор, родилась где-нибудь на Дальнем Востоке. Ему даже показалось, будто у докладчика на мгновение сузились глаза. — Уже из ранних работ товарища Сталина, в качестве примера приведу статью 1917 года «О Советах рабочих и солдатских депутатов», явствует: Иосиф Виссарьоныч чурался недалекого ленинского интернационализма, держась куда более консервативных позиций. И как в последнее время выяснилось, не только в национальном вопросе. Об этом свидетельствуют его современники...

— Возможно, вы приведете их фамилии. — Он узнал бархатный акцент Пейна.

— К сожалению, — Нагой сладко улыбнулся, — информация закрытая. Содержится в *личных* архивах тех, чьи потомки до сих пор живы. Надеюсь, вам, природному британцу, этот аргумент не покажется легковесным: *HABEAS CORPUS*, личное пространство...

Он вспомнил рукопись, добытую из закрытых архивов, — Геннадий Лукич разрешил ссылаться, не делая сносок, словно знал, что китаевед, чье имя неизвестно, но научный подвиг бессмертен, сгинул, не оставив потомства. Профессор Пейн, однако, кивнул, принимая бесспорный юридический аргумент.

— Но зато! — каким-то непостижимым образом Нагой, еще секунду назад стоявший в шаге от первой линии нем-русской обороны, снова оказался за кафедрой, на захваченном (уже полчаса как), плацдарме. — В настоящее время, и об этом я уполномочен заявить официально, Советский Союз открывает архивы, позволяющие по-иному взглянуть на исторические обстоятельства, связанные с жизнью и деятельностью Иосифа Сталина...

— Чо, готовы признать, што Сталин сам собирался начать захватническую войну, а Гитлер его опередил? — из заднего ряда прозвучал насмешливый молодой голос.

Лаврентий Ерусланович, однако, не растерялся:

— До последнего, архипоследнего, наипоследнейшего мирного дня Иосиф Виссарионыч придерживался нашей миролюбивой внешней политики. О нападении на кого бы то ни было не могло идти и речи! — поставил на место провокатора, не переводя дух.

— Эх, белофиннов бы к нам сюда... Представителей ихней военщины. Предательски обстрелявших вашу миролюбивую артиллерию в районе поселка

Майнила, — насмешливый голос сделал еще одну попытку. Но, не найдя поддержки в аудитории, смолк.

— С вашего разрешения, я продолжу, — Нагой глотнул воды и вытер рот. — В настоящее время открылись новые обстоятельства, связанные со смертью товарища Сталина, которого фальсификаторы истории огульно — повторяю, огульно — объявили предателем. Но мы, подлинные сов-русские патриоты, всегда знали: это — грязный навет!

— Реабилитация! Ползучая реабилитация! В застенках НКВД уничтожены миллионы! — кричали из третьего ряда, где сидел «новый немец» со товарищи.

— Профессор Нойман, — на сей раз модератор не сплоховал, наоборот, изловчился, поймав возмутителя спокойствия на карандаш. — Видит Бог, мы уважаем ваши научные заслуги, но откуда миллионы? В сов-русском есть прекрасная пословица: ради красного словца не пожалеет и отца.

— Сталин не отец. Кровавый палач!

— Наберитесь терпения. В свое время вам будет предоставлено слово для ответной реплики.

Почуяв поддержку, Нагой приосанился и расправил плечи:

— Скажу больше. До сего дня считалось, будто Иосиф Виссарионович умер от апоплексического удара, однако последние пять лет в среде передовых советских ученых крепла уверенность: Иосиф Сталин не умер...

Жив, жив? — внутренний голосок чирикнул и смолк — как птица, на которую набросили черную тряпку.

Как оказалось, в немое изумление впал не он один. Модератор возд́ел карандаш, орудие академического принуждения, да так и остался: вполоборота к докладчику с приоткрытым ртом.

— В действительности, теперь это вполне и бесповоротно доказано, его уничтожила группа заговорщиков из числа высокопоставленных военных.

В аудитории установилась плотная тишина. Советский профессор рассказывал о событиях 20 февраля 1946 года. В подземный бункер Верховного главнокомандующего вошла группа высших офицеров — заговорщиков, как выяснилось позже. Докладчик огласил их списком. Он запомнил Тухачевского, Якира и, кажется, Эйдельмана или Эйдемана — последнюю фамилию докладчик зажевал.

Ганс торопливо записывал в тетрадь. На мгновение отвлекшись от оглашаемых фактов, он скосил глаза: замыкающим в Гансовом списке стоял Ийдельман. «Еврейская фамилия. Пишется иначе. Потом скажу, поправлю...»

— Первоначально планировалось, что совещание начнется в 12:30, но Сталина что-то задержало. В зале заседаний он появился в 13:00. Заговорщикам удалось пронести портфель с двумя пакетами взрывчатки и тремя химическими детонаторами. Для тех, кто не слишком разбирается в химии, поясню: чтобы бомба этого типа взорвалась, требуется разбить стеклянную ампулу — кислота разъедает проволоку, высвобождая боек. Детонатор срабатывает через десять минут. Плюс-минус две секунды. Взрыв раздался в 13:20. Из чего следует, что ампулу перекусили плоскогубцами приблизительно в 13:10.

Пятеро, среди них товарищ Сталин, погибли на месте. Семеро, включая тяжело раненного Уборевича, выжили. Спустя неделю все они были расстреляны.

«12:30, 13:00, 13:10, — в голове щелкали цифры, точно кто-то вертел ручку арифмометра. — Не кто-то, — он понял, кто, придумал эту нелепую историю. — *Наши*. Дезинформаторы. Ребята из отдела "Д"».

— Ферцайн зи, — самоварным золотом блеснула оправа: модератор снял очки. — Вы сказали — все. Но... неделя? Не слишком ли ничтожный срок, чтобы провести полноценное расследование. Кто-то из этих... м-м-м... людей мог ничего не знать.

Надбровные дуги Нагого поползли вверх:

— Что значит — не знать! Вина доказана поименно. О чем неопровержимо свидетельствует вещественное доказательство, приобщенное к делу. Прошу, — профессор вынул из папки белый лист и протянул модератору. Тот раскрыл очечник, достал черную бархотку — прежде чем водрузить обратно на нос, тщательно протер очки.

Аудитория затаила дыхание.

— Так-так... Ну что ж... Это меняет дело, — модератор вышел из-за стола и передал лист крайнему в первом ряду.

«Что там? Признания? Чьи? Или тоже дезинформация?» — он терялся в догадках.

Белый лист плыл как носилки, которые передают из рук в руки: на них лежал человек — мумия, закутанная в белые простыни. «Уборевич... Тяжело раненный, расстреляны...» — он закрыл глаза, лишь бы не видеть, как носилки подносят к стене. Ставят вертикально. Безгласная мумия, будто ей рот заклеили, извивалась под пеленами в тщетной попытке вырваться на свободу. *Пли!* — полыхнула отрывистая команда. Белый мешок с красными прорехами пронзила длинная судорога. Спеленатый дернулся и уронил голову на грудь...

Тут его толкнули в бок. Страшный мешок исчез, словно засветили пленку. Ганс протянул лист. Он глянул с опаской, но в тот же миг от сердца отлегло: никакие не носилки — что он такое выдумал! — на фотографии были представлены *плоскогубцы*. Стальные, с красными ручками.

— Дак чо, пытали их, што ли? — Ганс закрыл тетрадь.

— Не говори глупости! — он возразил вполголоса, так, чтобы не слышали соседи. — Сказали тебе — ампулу перекусывали! — и уловил слабый запах кислоты, разъедающей провода.

— Мало ли што сказали! — Ганс нахмурился.

— Внимательно изучив плоскогубцы, найденные на месте преступления, следствие обнаружило отпечатки пальцев всех без исключения участников. Кроме, естественно, товарища Сталина...

По аудитории, как дуновение ветра, пронесся легкий шум.

— Штилле! Штилле битте! Прошу тишины! — модератор стучал по столу пустым очешником.

— Дак чо? Хором што ли перекусывали? — голос из заднего ряда спросил насмешливо.

— Отнюдь, — Нагой растянул губы в вежливой улыбке. — Однако мне понятен ваш вопрос. Мы, советские историки, им тоже задались.

— Ну? И чо решили?

Модератор покачал головой укоризненно.

— Следствие пришло к выводу, что незадолго до преступления каждый из участников приложил руку к плоскогубцам...

— А на хера?

— Эй ты! — модератор привстал с места. — Сам заткнешься или нахрен вывести?

— Благодарю, — докладчик склонил голову к плечу. — Возможно, мы имеем дело с возрождением нашей давней традиции, когда офицеры, давая клятву верности, возлагали руки на эфес шпаги.

— Типа, французские мушкетеры? — другой, не менее звонкий, голос уточнил.

— В определенном смысле — да. Если учесть, что эту давнюю традицию французы переняли у русских в ходе войны 1812 года.

Он прислушивался, ожидая энергичных возражений. Но, к его удивлению, аудитория молчала. «Надо ж как повернули! Ничего не скажешь, профессионально работают», — он восхитился дальновидностью дезинформаторов, ребят из отдела «Д».

— А какова степень личного участия Лаврентия Берии? — вопрос поступил из первого ряда. Судя по акценту, его задал профессор Бонч-Бруевич, тот самый въедливый поляк.

— В настоящее время я пишу монографию, основанную на чисто архивных материалах, — Нагой говорил веско и негромко, как подобает истинному триумфатору. — И уже теперь вправе утверждать: самая прямая. Больше того, я склоняюсь к мнению, что именно Берия, чья деятельность заслуженно осуждена XXI съездом КПСС, стоял во главе заговора.

— Замечательно! Осталось доказать, что именно Берия, а не Сталин подписал договор тридцать восьмого года, — неугомонный поляк не сдавался.

— Начнем с того, что упомянутый вами договор — фальшивка, — профессор Нагой улыбнулся терпеливо: как учитель, отвечающий на вопрос нерадивого ученика.

— Не вижу смысл убить Сталина, если не менять дальнейшая политика! — худенький польский профессор сжал кулак, будто взялся за эфес невидимой шпаги.

— Это если судить с либеральной точки зрения, — Нагой усмехнулся уголком рта. — Но в том-то и дело, что советская душа рассуждает иначе: патриотизм не поддается рационализации. Не об этом ли так вдохновенно и образно говорил наш коллега профессор Пейн?

Все посмотрели на англичанина, который озирался растерянно, даже привстал с места, будто намереваясь что-то сказать.

— Какой договор? — пользуясь повисшей паузой, он склонился к Гансу.

— Договор? А... Вопщем, энкаведе с гестапо.

«Как... с гестапо?» — либо ослышался, либо Ганс, увлеченный острой дискуссией, ляпнул что-то не то.

Профессор между тем продолжил:

— Приведу еще одно... нет, не доказательство. Как известно, история не имеет сослагательного наклонения...

Тут он заметил: Нагой смотрит прямо на него. В студенческие годы это не предвещало ничего хорошего. Пристальный взгляд предназначался тем, кто слушает невнимательно. Профессор не делал замечаний — просто наводил взгляд. Будто, готовясь устроить ослушнику аутодафе, пригвождал к позорному столбу. Борясь с желанием встать и как-то оправдаться: «Простите, Лаврентий Ерусланович, я слушаю, слушаю», — он всеми силами вжался в откидное кресло.

— Скорее, частное соображение: представьте, что дело происходило не у нас, а в Ставке фюрера. Не Сталин, а Гитлер пал жертвой покушения. Изменилась бы в этом случае национальная политика прежней Германии и, как следствие, новой России?

— Думаю, нет, — профессор Бонч-Бруевич заговорил серьезно. — По действующему на тот момент закону преемником Гитлера стал бы Геринг. Все остальные — Гиммлер, Геббельс и прочие — остались бы у власти. Учитывая, что их сознание сформировала нацистская идеология, большинство русских и, конечно, польских интеллигентов, оставшихся на оккупированной территории, так и так погибли бы в лагерях. Как в свое время гибла оппозиционная немецкая интеллигенция — так называемые национал-предатели.

— А вы, — докладчик обернулся к модератору, — вы что скажете, уважаемый профессор Шварц?

— Лично я не стал бы смешивать эти две проблемы. Гибель интеллигенции — социальный эксцесс. Такого рода неприятности случались и в Советском Союзе, иными словами, они возможны и в рамках интернациональной идеологии. Возвращаясь к национальной политике, в частности к еврейскому вопросу... Тут уж я... — Шварц развел руками, точно предоставил евреев их собственной судьбе.

— А позвольте-ка вам напомнить, — глаза Нагого блеснули. — В своем блестящем пленарном докладе вы упомянули послевоенный лозунг: «Еврей, проливший кровь за рейх — наш духовный брат!» Его выдвинул тот же самый человек, который всей своей долгой научной практикой доказывал нечто прямо противоположное. Не это ли наивернейшее доказательство: партийная идеология — не догма.

«Не догма. — Он смотрел на докладчика, чувствуя, как слабеют руки. — Геннадий Лукич тоже говорил. Значит... Что-то изменилось. Или вот-вот изменится...»

Люба — сколько раз его сестра повторяла: я верю, что доживу до благотворных перемен. А Вера в ответ, насмешливо: «Надеешься, что советская власть — того? Не надейся. Мой говорит (это простецкое «мой», которым она обозначала мужа-комсомольца, его особенно бесило) — это говно навечно. На внуков хватит — хлебать большими ложками». Мама вздыхала: «Не ссорьтесь, девочки. Бог с ними, с переменами. Лишь бы не было войны...»

По спине побежали токи — будто его, со всеми надеждами и сомнениями, подключили к источнику электропитания. То, что вестником выступил не кто-нибудь, а именно Нагой, означало: непонятные, но, безусловно, благотворные перемены одобрены сверху. От себя, без одобрения начальства, этот фат не сказал бы и «здрасьте».

— Время, но не то, к которому мы привыкли: часы, минуты, секунды. Великое время истории, —

голос докладчика креп, точно беркут, расправляющий затекшие крылья, — когда народ сосредотачивается, сводит малые силы каждого отдельного человека в великий всепобеждающий кулак, чтобы в одну решающую минуту развернуть поезд истории в другую сторону...

Тут у него засвербило в переносице. Он потер, но эта энергичная мера не помогла — наружу, из самых глубин лобных пазух рвался неудержимый чих. Торопясь упредить и обезвредить, он полез в карман за платком и, зажав крылья носа — слава богу, вовремя! — пустил короткий бессильный залп, будто пальнул холостым.

Похоже, профессор Шварц согласился с доводами своего советского коллеги. Его золотые очки поблескивали довольно:

— Позвольте от вашего имени поблагодарить профессора Нагого за его, не побоюсь этого слова, сенсационный доклад. Полагаю, он будет иметь далеко идущие последствия. Как для СССР, так и для России, — профессор Шварц свел ладони в первом, почти неслышном хлопке. Аудитория откликнулась рваными аплодисментами — то в одном углу, то в другом, но уже через мгновение они перешли в сплошную овацию.

Дождавшись, пока фонтан энтузиазма иссякнет, модератор закрыл утреннее заседание:

— Перерыв, короче. Пора жрать.

Грубая нем-русская фраза несколько сбила впечатление, словно бросила тень на будущие перемены к лучшему. Он смотрел, как советская делегация, поднявшись одновременно, по-солдатски, двинулась к выходу. Наши держались спаянной группой. «Не ленинградцы, скорей всего, москвичи. В Москве всё узнают раньше...»

— Простите... Ферцайн зи! Извини, типа... — умножая извинения на всех заявленных на конференции языках, он пробирался поближе: послушать, о чем они меж собой говорят.

— Кофе плеснут, ага, с печенькой — и на том данке шён, — высокий седоватый человек обращался к другому дубоватому пиджаку.

— Не хавать приехали! — тот, помоложе и светловолосый, пропустил старшего коллегу вперед, вежливо придержав дверь. — Вечером в кабак. Там и оттянемся.

— Нагой — а? Шикарно им вставил! Меня и то проштырило... — третий походил на доцента провинциального вуза.

Оценив их непринужденно-беглый нем-русский, он понял свою ошибку: «Не наши. Местные», — и в тот же миг услышал знакомый стук каблучков.

— Прошу дорогих ленинградских гостей последовать за мной. В соседнем зале вам будет предложено кофе, а также чай, пироги с капустой и с мясом...

«Все-таки ленинградцы! Здорово шпрехают!» — свободное владение нем-русским, которое, не скрываясь, демонстрировали его соотечественники, показалось еще одним весомым камешком в копилку грядущих благотворных перемен.

Пристроившись в хвост советской делегации, он дошел до кофейного зала. И тут только спохватился: «Вот голова садовая!» — Папка с материалами конференции осталась на подоконнике: материалы-то — бог с ними, ужасно жалко папку, в СССР таких не делают. Надо забрать.

В пустой аудитории разговаривали: два голоса — тихие, мужские — доносились из дальнего угла.

— В префектуру? Без лимона? Забудь.

— Паскудин говорит, косаря хватит.

— Ну ты, мля, сравнил! Где ты, а где он! Его контора передвигает.

— Ваша?

— Ваша, наша... Хер теперь разберешь. Вместе работают. Кого захотят, нагнут палюбому...

«Надо же, и половины слов не понимаю, вот тебе и языковые курсы!» — сделав шаг в направлении ниши, он распознал голоса.

— Телек ваш послушал, — профессор Нагой понизил голос. — Как бы всё не ляпнулось...

— А ты слушай больше! — профессор Шварц усмехнулся. — Кругом враги и прочая хренотень. У вас, што ли, не так?

— Ваши покруче, нашим и не снилось.

— Не снилось — приснится. На, короче. Держи, — профессор Шварц зашуршал бумажками.

— А Лемман — тоже из этих? — Нагой спросил деловито.

— Не. Они — федералы. А Лемман саратовский. Закопают и дерьмо вынесут...

«Закопают — куда? Чье дерьмо? — вдруг, ни с того ни с сего, побежало под рубашкой — вниз, по спине, каплей липкого пота. Явилась безумная мысль: — Бежать...» Он замер — с ногой, оторванной от пола, изо всех сил напрягая спину, лишь бы не пошатнуться.

Обретя едва не потерянное равновесие, выскользнул за дверь, чуть не столкнувшись с Гансом.

— Ищу тебя, ищу! А ты вона где. Шевелись, пироги сожрут.

— Пироги?.. — он прислушивался напряженными позвонками. Казалось, страшные голоса приближаются — вот они уже близко: «Черт с ней, с папкой! Пропади она пропадом...»

Как Ганс и опасался, успели к шапочному разбору: остались корки от пирогов да пустые хлебные ломтики.

— Вдарим по кухуёчку, и айда! Арбайтать, арбайтать, — Ганс разъял два бумажных стаканчика и потянулся к высокому темному сосуду с носиком и пластмассовой ручкой.

«Термос. У нас тоже есть. Китайские, с георгинами». — Он машинально сжевал парочку пресных печеньиц. — Нет, все-таки жалко...»

— Я... это, — сделал вид, что только сейчас вспомнил, — папку забыл в аудитории...

— Дак зайди, — Ганс слил в стаканчик остатки кофе.

— Неловко. Начали уже...

— Да чо такова-то? — Ганс смахнул с губы сухую крошку от печенья. — Ладно, — предложил великодушно. — Схожу.

Сквозь неплотно затворенные створки доносился мерный голос модератора следующей за ними панели. Дожидаясь, когда Ганс выйдет, он стоял, приникнув ухом к щели: «Да что он там! Застрял».

Дверь наконец открылась.

— Сказал же тебе, на подоконнике.

— Занавеска длинная, не видать с-под нее.

— Слушай, — он щелкнул металлическими застежками — оказалось, забыл закрыть, — а федералы, это у вас кто?

— Знамо кто. Власти. Московские.

— А кого они... нагибают?

— Кого хотят, того и нагибают, — Ганс фыркнул и продолжил безо всякой связи. — Рабинович ваш не приехал. Жаль.

— Ты знаком с профессором Рабиновичем? — спускаясь по лестнице, он поглядывал на портреты ученых мужей, развешанных по пролетам.

— Не, — Ганс понизил голос. — А чо, правда, што ли, еврей?

— Ну да, — он подтвердил и почувствовал неловкость.

— А как он... ну, типа, выглядит?

По деснам пробежал злой холодок:

— Ну, во-первых, рога. У евреев они ветвистые...

Ганс стоял, по-дурацки хлопая белесыми ресницами. «Хлопай, хлопай». Решил поддать жарку:

— Растут быстро, приходится подрезать. В пятых и двадцатых числах каждого месяца. После аванса и, соответственно, зарплаты. Во-вторых, копыта — их, понятно, подпиливают. Остальное — по мелочи: шерсть на пятках... — вдруг сник, теряя кураж. — Смотрю на тебя... Вроде нормальный человек, а несешь... — махнул рукой и решительно двинулся вниз, в гардероб.

— Да ты, да я... — Ганс бежал следом.

— Кстати, — он снял пальто с вешалки. — Ты уверен, что этот ваш Шварц — немец?

— А... хто? — Ганс тянулся за своей курткой.

— Дед Пихто. Ты хоть знаешь, как евреям фамилии давали? Точнее, продавали. Богатым. А бедным, кто не мог купить, присваивали. Бесплатно. Зависело от настроения комиссии или, не знаю, от погоды: Вольф, Грин, Шварц... Так что бабушка надвое сказала. Может, немец, а может, и...

Он не успел закончить. Схватив за рукав, Ганс поволок его к выходу, оглядываясь по сторонам.

— С ума, что ли... пусти! — он сопротивлялся, пытаясь вырваться, но не тут-то было: лишь вытолкав его на улицу, Ганс разжал захват. — Знаешь, ты все-таки полегче... — он супился и тер рукав. — Не понимаю, что я такого-то сказал?

— Поймешь, — Ганс тоже насупился. — Када загремишь под статью. И я за тобой.

— Чего-о?

Из дверей здания Двенадцати коллегий выпорхнула девица в стеганой куртке и пестрой вязаной шапочке. И побежала к остановке.

— Семерка, наш. Успеем!

— Стой! Уедет сперва. Вдруг слышала, — Ганс мотнул подбородком. — Семидесятая, часть первая. Оскорбление национальных чувств.

— Ах, первая! — он усмехнулся. — А вторая?

— С луны, што ли? Религиозных.

— А третья? — спросил просто так, какое ему дело до статей их Уголовного кодекса.

— Половых, — Ганс ответил неохотно. — Типа, если додиком обзовут.

«Семидесятая... — боясь ошибиться, он вспоминал лекцию по Советскому праву — на третьем курсе сдал на "отлично". — Одна из форм подрывной деятельности... распространение любым способом антисоветских идей и взглядов в целях подрыва или ослабления Советской власти...» — это неприятное совпадение, у нас тоже семидесятая, настроило на серьезный, чтобы не сказать мрачный, лад.

— Думаешь, можем влипнуть?

— Доперло! Ладно, не ссы, пробьемся, — Ганс почесал оттопыренное ухо и, будто возражая сам себе, добавил, ему показалось, не без гордости: — Межу прочим, до трех лет.

— Моя сестра... — «Нет, Любу сюда не впутывать...» — В общем, я где-то слышал. Если вызовут, ну, сам понимаешь. Главное, молчать. Знать, мол, не знаю. А лучше сговориться, чтобы вместе: какой такой Шварц?! Никакого Шварца! Обсуждали Рабиновича. Ты сказал: странная фамилия...

— А ты: ничего странного — обыкновенная еврейская... А я: типа, не знаешь, как евреям давали фамилии?

— А я: знаю.

— А я... а ты... — Ганс первым запутался в показаниях. Он бы продержался дольше.

Водитель «семерки» (усики точь-в-точь фюрерские, оригинал покачивался на веревочке, как голова висельника, которую отделили от туловища и, прилепив к картонке, вздернули за ветровым стеклом) — дождался, пока они добегут.

«Талончики... Ах, да, они же в папке». Пальцы перебирали блокнот, карандаш, бумажные листики доклада... что-то жесткое, с острыми уголками...

— Не ищи. На, — Ганс оторвал от своей пачки.

Он оглянулся: компостер висел у задней двери. Другой — у Ганса под боком. «Сам, что ли, пробить не мог?»

Автобус остановился у метро и теперь пустел на глазах. Пользуясь тем, что большинство пассажиров сошли, он вернулся к вопросу, который хотел, но так и не успел задать.

— А что за договор? Ну, тот. Ты сказал, НКВД с гестапо.

— Дак обыкновенный. Сотрудничество во имя установления нового мирового порядка. Борьба с общими врагами. Совместные разведывательные мероприятия.

Как ни возмущала сама постановка вопроса: «Совместные? С ними, с фашистами?!» — все-таки осторожно уточнил:

— А общие враги — кто?

— Ну хто... — Ганс почесал в затылке, — еврейство международное, типа форма дегенерации человечества. Подлежит уничтожению во имя оздоровления белой расы. Чо, не слыхал?

Теперь, осознав всю гнусную подноготную и подоплеку, он успокоился: «Фальшивка. Не было такого договора. И быть не могло». Свинство, которым побрезговали бы не только ребята из отдела «Д», интеллектуалы из интеллектуалов, но и самый тупоголовый армейский генерал.

В автобус хлынул новый поток пассажиров.

— Доклад-то мой. Я ить про блокаду сперва хотел. А потом докумéнт один нашел, — Ганс, слава богу шепотом, забубнил о каком-то советском докумéнте, который обнаружил в местном архиве.

Но он больше не слушал. Смотрел в окно.

Наверстывая утреннее время, работали допоздна. Часов в девять сообразили: столовка уже закрыта. Ганс побежал в кухню за чайником, но вернулся с бутылкой водки:

— У Эбнера спёр. Он водяру не потребляет.

— А что, вино? — проверяя нумерацию, он просматривал отпечатанные странички: текст выглядел диковато. В глаза лезли нем-русские выражения, которые Ганс время от времени ввинчивал, заметая следы. Попытался вообразить, что сказал бы его *научник*, представь он курсовую работу в эдаком паскудном виде...

— На людя́х — шнапс, — Ганс свернул золотой куполок крышечки. — Патриот, мля!

Он, было, отказался, тем более — взяли без спроса, но Ганс настоял:

— Не пьем. Лечимся. Ну чо, прозит? Вздрогнули! — залихватски опрокинул рюмку, театрально морщась и шипя, выпустил водочные пары, занюхав рукавом.

Сам он пригубил и отставил.

— Какой-то ты... типа, не русский, — Ганс посмотрел неодобрительно.

— Зато ты у нас... — он согнул руку в локте, передразнивая.

— Дак традиция. В СССР все так делают.

— Тради-иция! Среди алкашей.

— Но я... эта... читал, — Ганс заметно расстроился, выпил еще одну рюмку — на сей раз по-человечески.

Он даже пожалел:

— Я тоже у вас путаюсь, — признался, пытаясь загладить неловкость. — Другая страна, другая культура. В конце концов, ты — иностранец...

— Сам ты иностранец! — Ганс надул губы. — Тебе-то хорошо! Живешь в нормальной стране, все равны, всё — по справедливости.

— Ну, переезжай к нам, эмигрируй, — он слишком устал, чтобы возражать по существу, вносить уточнения в картинку советского мира, которую Ганс нарисовал.

— А чо, возьму и перееду. Если, конешно... — Ганс хихикнул, — выпустят, — выпил третью рюмку и наконец встал. — В архивах ваших порыться... А ты... эта... случайно, не думаш остаться?

Он думал: «Вот слабак. С трех рюмок развезло».

— А чо, у нас ить тоже есть свои плюсы... Жратва, шмотки. Ваши многие завидуют...

— Знаешь, — он демонстративно завернул пробку. — Ты уж как-то определись. Хорошо — живи здесь. Плохо — к нам перебирайся, а то болтаешь...

— Вот тут ты прав! — Ганс подтвердил с важностью, подпитанной алкогольными парами, и, прихватив бутылку, направился к двери. — Чо болтать-то, дело надо делать... Вот возьму и... эта... рвану...

«Слава богу. А то слушай пьяные бредни, — он растянулся на кровати. После трудового дня тянуло выйти на воздух. — Десять часов, еще не поздно. Ганс говорил, транспорт у них до полпервого... — одолев ленивую усталость, все-таки надел пальто и, замкнув дверь на ключ, двинулся вниз. Вахтерша, дежурящая в каморке у входа: пуховый платок, пегие слежалые букольки, очки на кончике картофельного носа, — пошевеливала стальными спицами. «А Люба вяжет железными», — отметил с какой-то мирной грустью и вышел на крыльцо.

Третья

К ночи похолодало. Урожденного ленинградца холодом не напугаешь. Но здесь, в Петербурге, дышалось тяжелей. «Потому что у нас сухо. Климат континентальный. А у них влажность. Залив поблизости», — шел к остановке, приглядываясь к горящим окнам. Пытался вообразить другую жизнь — чужую: жратва, шмотки, ваши многие завидуют, — будто проверял, прорастает ли конопляное семечко, брошенное Гансом?..

Счастье, что снабдили зимними ботинками, иначе бы продрог. Дожидаясь автобуса, он прохаживался взад-вперед, исподтишка поглядывая на девиц: две студентки или старшеклассницы, на вид симпатичные: «Особенно та, светленькая», — стояли поодаль под фонарем, о чем-то болтали шепотом, то и дело косясь в его сторону: наверняка проходились на его счет.

Минут через десять подъехал пустой автобус. Он вошел через заднюю дверь. Пробив талончики, девицы уселись на места для пассажиров с детьми. «Мои там, в папке... — Возвращаться не хотелось. — Может, зайцем? В Ленинграде за это штраф, а здесь?.. Поймают, поволокут в полицию. Ладно, была не была». Зажав в кулаке несколько нем-русских монеток, направился к девицам.

— Простите... я...

Девицы обернулись как по команде.

«Черт! Как же по-ихнему: талончик?»

— Вы не могли бы... Продать. Айн.

Ни малейшей реакции, смотрели молча, ему показалось, испуганно.

Он раскрыл ладонь с мелочью: жест, понятный без слов.

— Ты, чмо желтое! Ва-аще што ли? Ща водителю крикну, на раз полицая свиснет!

Он задохнулся, будто по лицу хлестнули грязной тряпкой.

Светленькая, которую он счел особенно симпатичной, обернулась к подруге:

— Не, ну ты видала? Совсем оборзели. Грила те. Давай тачку. А ты: бус, бус!

— Я не желтый! Я — из Советского Союза!

— Сово-ок? — светленькая протянула недоверчиво. — То-то прикид как у мово дедушки. Типа, прощай молодость. У вас чо, все так ходят?

— У нас, — он отчеканил, — когда просят продать талончик, во-первых, не хамят.

— Так те чо, — в глазах темненькой затеплилось зыбкое понимание. — Тикит штоль? Так бы и грил.

— Данке, — он протянул мелочь на ладони, но его благодетельница отмахнулась:

— Вы, совки, нищие. Чо с вас...

— Кто тебе сказал?! — он парировал возмущенно.

— Да все. И по телику. А чо, неправда? — светленькая поддержала подругу.

— А у нас говорят: вы, захребетники, паразиты и сволочи.

— Дак верно говорят, — темненькая усмехнулась.

— Ой! — ее подруга вскочила. Автобус подъезжал к садику на углу 1-й Линии и набережной Невы. Темненькая тоже встала:

— А сам-то куда?

— Да так... По Дворцовой прошвырнусь.

— На, — она протянула пробитые талончики.

— Зачем? У меня же свой...

— Чо, дурак? — темненькая девушка улыбнулась. — Тот не пробивай. Обратно-то ехать. И эта... мой те добрый совет, кауфни чо-нить, куртку што ли какую. А то ить влипнешь. Ладно мы. А мало ли, нацики. Отоварят — будьте нате...

Передняя дверь зашипела, закрываясь. Девица шагнула к водительской кабине:

— Глаза разуй, чмо! Не вишь, люди шпрехают! — шарахнула кулаком в водительское стекло. В зеркале заднего вида отразилось растерянное восточное лицо. Дверь снова зашипела. Царевна, обернувшаяся лягушкой, сошла и исчезла во тьме.

«У нас еще может перемениться. Вот умрет нынешний генсек... А у них — нет, — как и собирался, вышел на Дворцовой, хотел пересечь площадь — к арке Главного штаба, но, перейдя на другую сторону, передумал. Свернул в сквер. Сел на скамейку — Перевертыши, насмешка над ленинградцами. — На противоположной скамейке, за мраморным островом еще не очнувшегося от зимней спячки фонтана, расположились три мужика. — На троих соображают, точь-в-точь как наши...»

Он услышал негромкий щелчок: будто языком за щекой. «Пиво? Баночное...» — в это не слишком верилось, но местные алкаши, — вон же они, под фонарем, ему отлично видно, — выуживают пивные банки из белого пластикового мешка. Вспомнилось: сырая утренняя очередь, смурные мужики с бидончиками, алюминиевые бока измяты, как их послефронтовая жизнь.

«Захребетникам не понять, — он стряхивает с души остатки унылого оцепенения и, бросив взгляд на мужиков, — пусть себе пьют свое баночное пиво! Или шнапс... Нас на это не купишь», — сворачивает направо, обходя угол Зимнего дворца. Каждым шагом посрамляя темное лживое пространство, которым попытался соблазнить его Ганс.

Мимо створок чугунных ворот, прославленных на весь мир великим фильмом Эйзенштейна, мимо черных атлантов: «Говорите, негры — низшая раса! Хрен вам! Сами вы низшие», — шагает по брусчатке к Марсову полю, куда они с Юльгизой отправятся в день бракосочетания, как все ленинградские молодожены, откроют «Советское шампанское», возложат букет к обелиску павшим героям, который восстановили лет через пять после его рождения: «Никто не забыт, ничто не забыто!» — зажгли Вечный огонь: в память тех, кто пал смертью храбрых. Или погиб, как его отец. Раньше он боялся об этом думать. А теперь — не боится. «Во-первых, могло контузить или, мало ли, ушел к партизанам...»

По этой улице, носящей гордое имя Степана Халтурина, их водили в Государственный Эрмитаж: нарядные фасады, в свои десять лет он любовался — новые, с иголочки, через два года посыпалась лепнина. Люба говорила: материалы дерьмо. А где было взять хорошие, настоящие — тогда, после войны?

А в этой парадной (он чувствует себя эрудитом-экскурсоводом, посмотрите направо, перед вами дом с высокими полукруглыми окнами, — знатоком, но уже не общих, а единоличных тайн) целовался с Наташей, своей первой девушкой, с которой расстались глупо и нелепо. Знаешь, мне дедушка рассказывал, в восемнадцатом веке тут было поселение иностранцев, Немецкая слобода. Отсюда и старое название: Большая Немецкая. Наташины родители пропали без вести, она говорила, совсем их не помнит. Ее вырастил дед-академик — не то математик, не то химик. Однажды пригласила к себе. Таких квартир он никогда не видел. Мало что отдельная и личный телефон в кабинете, так еще и мебель, старинная, картины в золоченых рамах — и как ухитрились вывезти? Для эвакуированных существовала строгая норма, тридцать килограммов, счастье, если удавалось швейную машинку забрать с собой.

«До революции, — он держал Наташину руку, — эта улица называлась Миллионная, а еще раньше Греческая, Троицкая, Дворянская, Луговая. В учебнике написано». — «Где-где?» — она глянула насмешливо. «Твой дедушка ошибается». — «Мой дедушка никогда не ошибается. Если хочешь знать, мой дедушка все помнит, — смотрела как на врага. — А ты... читай свои учебники. Ха-ха, истории. Дурак!» — вырвала руку и ушла. Так и не понял почему. Грел руки о жаркую батарею, думал, вернется. Через час позвонил из автомата. Старческий голос, надменный: «Наталия спит, просила не беспокоить». Потом нарочно проверил, пролистал справочники — не было никакой Немецкой. Ни улицы, ни слободы.

Поравнявшись с Мраморным дворцом, он бросает взгляд на табличку. *Большая Немецкая.* Идет к переходу, еще не сбиваясь с шага, но уже чувствуя непомерную тяжесть в ногах — будто месит вязкое пространство чужой старческой памяти, которая тащит его туда, где на месте Вечного огня высится портик, подпертый двойными колоннами, широкая лестница на обе стороны, белая мраморная лошадь... От этой жуткой белизны темнеет в глазах и кружится голова. Не иначе надменный старик, который не верит советским учебникам, взбалтывает его память, подымает со дна осевшую взвесь.

Здание великолепно подсвечено, но его не обманешь: белизна — хитрый вражеский маневр, спецоперация под прикрытием света. На самом деле — не свет. Темное лживое пространство. Оно расходится кругами, захватывая решающие высоты: Инженерный замок, Мухинское училище... Там они и затаились: барон Штиглиц и император Павел Первый — фольксдойчи, переметнувшиеся в стан врага.

Тьма ползет по улице Пестеля (странная фамилия, небось, тоже немец), устремляясь к Литейному проспекту. Этому их учили на курсах: не почта, не телеграф... В наши дни революционные завоевания ничего не решают. Цель современной спецоперации — захват Главного Здания. Когда фашисты входили в советский город, то, что было НКВД (еще не остывшие конторские столы, еще не проветренные от авральной работы подвалы), превращалось в Гестапо.

Его пронзает страшная мысль: *а вдруг все-таки* взаимопомощь и совместная деятельность во имя установления нового мирового порядка? *А вдруг все-таки* совместные мероприятия?!

Какую-то долю секунды он еще колеблется, но потом отвечает твердо, как на политзанятиях. Договор, на который сослался Ганс, — ничтожное вранье. Никаких *вдруг*, а тем более *все-таки*. Ничего общего и совместного.

«Пусть только сунутся. Уж мы им покажем!» Мы — парни из «Омеги». Отряд специального назначения. Это закрытая информация, но на курсах им демонстрировали фильм: «Будни бойцов советского спецназа». Здоровые, накачанные, был грех, даже позавидовал.

Товарищ генерал-полковник, поползновение фашистов полностью ликвидировано. Среди нашей живой и здоровой силы потерь никак нет. Служу Советскому Союзу! — Его победная реляция.

Не хочется выпячивать свои заслуги. Геннадий Лукич всегда говорил: оперативника украшает скромность. «Но без меня парни бы не справились», — что недалеко от истины: ведь это он их вообразил.

Он поворачивает назад. Идет спокойно и уверенно.

Мимо фигур атлантов — мрамор-то черный, но лица вполне себе русские, мимо створок чугунных ворот — возвращается, чувствуя за спиной бойцов советского спецназа: заняли решающую высоту, затаились на крыше Эрмитажа — снайперы, спустившиеся точно ангелы с неба. Держат под прицелом Дворцовую площадь.

Дождавшись «семерки», ловко пробивает талон, плюхается на переднее сиденье, словно бросая вызов девицам, которые посмели обозвать его *желтым*. Пусть бы теперь попробовали... Автобус то и дело дергает. Он выглядывает в проход, будто ловит в прицел азиатскую рожу: «Чмо желтое! Совсем водить не умеют...» — так бы и жахнул по стеклу!

Вахтерша больше не вяжет, копошится в своей каморке. Он поднимается на свой этаж, отпирает дверь, вешает пальто. И *все-таки* во рту остался неприятный осадок — был момент, когда он струсил, отступил.

Хочется сладкого чаю. Хотя бы пару глотков, как в детстве, когда мать давала лекарство (горькое, как этот привкус невольного предательства, о котором никто не узнает) — и сладкий чай на запивку. Но Ганс так и не принес чайник. Он снимает ботинки, уже зная, чем искупить свою тайную вину: прямо сейчас, не откладывая, записать подозрительный разговор Нагого со Шварцем. Шарит в папке в поисках блокнота, натыкаясь на острые уголки. Белый, заклеенный... Странно, вчера никакого конверта не было. Он вертит в руке, будто поворачивает гадальную карточку: ни адреса, ни имени получателя... Внутри лист бумаги и рус-марки. Пересчитывает: четыреста пятьдесят. Неделю назад он был бы счастлив, но теперь сопит разочарованно: «Конспиратор!» Не то что шубу — куртку, и ту небось не купишь. С Гансом надо разобраться, потребовать всё, что ему причитается. Все, что Ганс обещал.

«И когда успел? Ну да, когда выносил папку». Он разворачивает лист. Надпись простым карандашом, всего несколько слов:

История не знает сослагательного наклонения.

«Но это... не его почерк...»
Сегодня на конференции Ганс записывал злоумышленников, которых уличили с помощью плоскогуб-

цев, — он еще подумал: «Как курица лапой. Не учат их, что ли?.. А нас-то как мучили: нажим — волосная, нажим — волосная...» — вспомнил голос Марьи Дмитриевны, своей первой учительницы. У сестер тоже красивый почерк, но некоторые буквы они пишут иначе. Люба говорила: школьные нормативы меняют каждые десять лет.

Он всматривается: *т* с горизонтальной черточкой сверху, *р* — внизу завиток. Так учили довоенных школьников, например его мать и...

Подносит поближе к свету. Буквы тают — словно их и не было.

«Тайнопись...» — он слышит свое сердце. Сердце подсказывает: Ганс ни при чем. Эти слова — привет с Родины. Геннадий Лукич выполнил обещание, прислал командировочные. В войну агентурные сообщения писали спецчернилами: предварительно выдержать бумагу над паром, потом, чтобы высохло, сунуть под пресс. Трудоемкий способ. В наше время используют сухие компоненты, но и в этом случае строки сами собой не исчезают. После проявки полагается сжечь.

«Выходит, другой способ, принципиально новый», — придирчивым глазом он осматривает белый лист, на котором и следа не осталось.

— На-ам не-ет прегра-ад ни в море, ни на су-уше, — тихонечко, чтобы никто не услышал, но от всего сердца, исполненного гордостью за свою великую страну.

Разбирая постель ко сну, он пеняет себе: «А Павла Первого зря обидел. Никакой не фольксдойч — наш русский император... — в отличие от фашистов-

захребетников, он — советский человек, велико-
душный и справедливый, не имеет права обвинять
голословно, тем самым уподобляясь врагу. — И с водителем нехорошо получилось, обозвал *желтым*, —
за это ему особенно стыдно. — Бацилла, что ли, какая-то, вирус...» — чуть не заразился от местных.
Снова горчит во рту: но уже не вкус предательства,
а лекарство, антидот, который он проглотил вместе
с письмом (бывает, что разведчик вынужден съесть
послание из центра, — но в данном случае этого не
надо: не глотать же пустой лист) — и в тот же миг
выздоровел. Он ложится, подпихивает одеяло, как
привык дома.

Нет, он понимает: здесь не Ленинград. Но когда
Геннадий Лукич рядом, даже чужбина становится
Родиной...

Забыл погасить свет. Лень вставать, да делать нечего. Прошлепав босиком к выключателю, он идет
обратно, ощупывая тьму, — ловит мысль, которая
уворачивается, не дается в руки: но если не Ганс,
как оно оказалось в портфеле? Значит, подложили.
«Кто?»

Надо зайти с другой стороны: понять — когда?
Ганс поманил его пальцем, он оставил папку на подоконнике, потом сидел, не оборачиваясь. Казалось бы, момент подходящий. Но ведь *мог* обернуться. Для агента, получившего это задание, неоправданный риск. Значит, — он реконструирует ход
событий, — этот *кто-то* дожидался, пока все вый-
дут». Но вышли не все. В аудитории остались Нагой
и Шварц. Пока они разговаривали, в коридоре никого не было, это он помнит точно — Ганс явился,

когда он, прислонившись к двери, стоял ни жив ни мертв.

«Потом я услышал голоса, они приближались, я... (сбежал — неприятное слово). — Заторопился... Потом мы с Гансом пили кофе. А в это время...» — он жмурится, представляя себе фигуру тайного агента: является невесть откуда, прокрадывается в пустую аудиторию, подкладывает конверт...

Реконструкция, которую он мысленно предпринял, заходит в тупик.

Он спускает ноги с кровати, сидит в темноте, шевеля пальцами, будто мысль, не дающуюся в руки, можно поймать голыми ногами. В истории с обещанными ему командировочными тоже какая-то загадка: разве не проще было выдать всю сумму сразу? Вместе с новой одеждой. А *все-таки* шеф выбрал другой, трудный путь. Почему?

Он чувствует: ключ к разгадке где-то здесь, рядом.

Встает, зажигает настольную лампу: никаких следов не осталось, но это не проблема, историки то и дело жонглируют этой фразой. Он берется за карандаш: *История не имеет...*

Сегодня, на конференции, эти слова произнес профессор Нагой. Обычно под этим подразумевают прошлое: дескать, как сложилось — так сложилось.

Перечитывает, уже понимая: в исчезнувшем послании было иначе. *Не знает.* Но ведь это разные вещи. И в прошлом, и в будущем *не имеет* — жесткое, категорическое утверждение: никаких благотворных изменений.

Не знает — изменения возможны, просто истории о них еще не известно, история пока что не догадывается...

Его ликующая мысль устремляется вперед. Шварц и Нагой. Шварц — захребетник, значит, исключается. «Так-так-так... Во-первых, прислали неожиданно, вместо Рабиновича, во-вторых, произнося именно эту фразу, Нагой смотрел мне в глаза, — он проверяет ход своих мыслей, будто дергает за нити, — все нити сходятся на одном человеке.

Остальное совсем просто: отправляя его в дорогу, шеф еще не знал имени, возможно, готовил Рабиновича, но в последний момент что-то не сложилось. Исчезнувшая фраза — не что иное, как пароль. Профессор Нагой — свой, ему можно доверять. Завтра он специально пройдет мимо, глянет со значением: дескать, сообщение получено, жду дальнейших указаний.

Засыпая, он гордится собой.

II

Еще вчера он считал Лаврентия Еруслановича карьеристом и двурушником, но — в свете вновь открывшихся обстоятельств — неприятные (Люба сказала бы — позорные) качества обернулись подлинным профессионализмом.

Перед началом заседания специально прошелся по длинному коридору, заглядывал в аудитории. Ганс увязался следом. «Ходит, ходит... И чего ходит? — На всякий случай приготовился: — Если спросит — ищу ленинградца, коллегу, вроде, должен был приехать». Через полчаса убедился окончательно: Нагого на факультете нет. Отсутствие старшего товарища, на которого можно опереться (только теперь осознал, до чего ж ему было одиноко), бередило сердце. Даже каблучки Юльгизы не возымели прежнего воздействия.

Кивнул Гансу:

— Иди, я сейчас. — Хотелось собраться с мыслями, обдумать следующий шаг.

Открыл дверь и замер на пороге: к нему спиной — лицом к писсуару стоял тот, кого он уже отчаялся разыскать. Боясь поверить шальной удаче (в судьбе разведчика редко, но подчас бывает), мельком оглядел закрытые кабинки: в зазорах между полом и дверцами не торчало ничьих лишних ног.

Профессор, занятый малым делом, не оборачивался. Он расстегнул молнию — по счастью, на этот раз не заело — и пристроился за соседним писсуаром. Для конспирации следовало выжать из себя хотя бы струйку. Но как назло — ни капли, ни-че-го. Шумная профессорская струя грозила иссякнуть в любую секунду. «Уйдет, и что потом?!» — решил: была не была, иду ва-банк.

— Здравствуйте, Лаврентий Ерусланович!

Нагой окинул его туманящимся взором и кивнул рассеянно: не то не узнав своего бывшего студента и нынешнего коллегу, не то являя очередной пример профессионального самообладания.

Не найдя ничего лучшего, он промямлил:

— У вас... вчера... очень интересный доклад...

— А, так вы слышали! — Нагой стряхнул последние капли. Туманность рассеялась. Голубые глаза сверкали живейшим интересом.

— Слышал. И *все понял*, — он ответил коротко и со значением.

— Не правда ли, сенсационный материал? — профессор шагнул к раковине. — Здесь оценили. Даже такой зубр, как Шварц!

— Еще бы не оценить! — он перевел дух облегченно: его собственное малое дело наконец пошло. «К чему это он — про Шварца? — краем глаза следя за тоненькой струйкой, не сравнить с профессорской, сообразил: намекает на *тот* разговор, дескать, все не так просто. Выходит, заметил его вчерашнее вторжение. Но не стал окликать — что подтверждало его главную догадку.

Завернув кран, Лаврентий Ерусланович пригладил залысины. Он ждал — сейчас ему передадут устное сообщение, разъяснят наконец задание.

— Простите... у вас... — деликатно указал пальцем. Сквозь расстегнутую ширинку профессора синели сатиновые трусы.

— Ох! — Нагой спохватился.

Он тоже искал, нащупывал собачку молнии: «Да где ж она...» Но тут скрипнуло за спиной.

Ганс, явившийся невесть откуда, схватил его за рукав и молча, как тогда из гардероба, выволок в коридор:

— Чо, с дуба рухнул! А если бы... не я?

— Что — не ты?! — он прошипел злобно и свирепо: это ж надо! — явился не запылился, в самый ответственный момент.

— То! За-кро-ют. Ты эта... — Ганс ткнул пальцем, морщась, как от кислого.

Только теперь, застегивая молнию (от испуга собачка нашлась мгновенно), он наконец сообразил:

— С ума, что ли, сошел?... Мы *просто* разговаривали!

Дверь снова скрипнула. Профессор вышел из туалета и, не обращая на них внимания, двинулся по своим делам.

— В абвере бушь гнать. Ихним барбосам.

Абвер — военная разведка захребетников. «Догадался. Но как?!»

— Тьфу! — Ганс плюнул: не то со злости, не то вслед уходящему профессору. — По-вашему, в ментовке. Доказывать, што не додик.

Чувствуя несказанное облегчение — все-таки не абвер, — он покрутил пальцем у виска.

В отличие от вчерашнего заседания, в аудитории было полно свободных мест. Ганс устремился к кафедре. Осмотревшись, он пристроился поближе к советской делегации. Как оказалось, прямо за спиной у Нагого. Профессор, однако, не оборачивался, делал вид, будто слушает доклад.

Ганс рассказывал о какой-то Локотьской не то республике, не то волости: докладчик называл ее то так то сяк. В общем, некое автономное чуть ли не государство, якобы существовавшее на территории восьми районов Орловской, Курской и Брянской областей с июля 1942 года. Своими размерами оно превышало Бельгию, при этом не входя в Рейх. Локотьская волость (подобно какой-нибудь Венгрии или Хорватии) имела свой собственный флаг: российский триколор с Георгием Победоносцем — и находилась с Рейхом в союзнических отношениях. При этом вся полнота власти, во всяком случае, так утверждал Ганс, принадлежала не немецким комендатурам, а органам самоуправления. На всей территории действовал отряд Народной милиции, организованный местным президентом, якобы законно избранным. На всякий случай — хотя и не верил ни единому слову — запомнил фамилию: некто Воскобойник. Предатель, каких поискать. Все это, по словам Ганса, означало становление русского освободительного движения — газета «Голос народа», печатный орган Локотьского окружного управления, посвятила этой теме несколько номеров.

«Русского? Освободительного?» — он повторил, морщась, словно проглотил пенку с кипяченого молока.

В продолжение клеветнического демарша модератор (вчерашний поляк, Бонч-Бруевич), будто подтверждая каждое слово докладчика, едва заметно кивал.

Седовласый руководитель советской делегации что-то шептал на ухо соседу. Провинциальный доцент хихикал.

«Нагой молчит, чтобы себя не выдать. Но эти! Обязаны встать, дать отпор, поставить Ганса на место... Освободительное движение — партизаны. К тому же не русские, а советские...»

Тут он заметил: Лаврентий Ерусланович что-то пишет. «Донесение? Но разве можно — так, в открытую... — не одолев соблазна, заглянул. На листе чернели столбики шестизначных чисел. — Шифровка...

Блокнот. Одноразовый». Откинулся в кресле и расставил локти пошире, прикрывая коллегу по борьбе с фашизмом от вражеских глаз.

Ганс наконец заткнулся. Руководитель советской делегации поднял руку и, не дожидаясь позволения модератора, встал:

— Хотелось бы знать, на основании каких источников сделаны эти сомнительные выводы? Насколько *нам* известно, — он оглядел своих советских товарищей, — все архивы Локотьской республики, к нашему общему глубокому сожалению, сгорели в огне войны. Короче говоря, тю-тю.

Он заерзал, не понимая, куда тот клонит: «Архивы?.. Какие могут быть архивы, если самой республики *не было*?!»

Самое удивительное, Ганса обрадовал вопрос:

— Так считалось. До последнего времени. Но произошла ошибка. Материалы, включая свидетельские показания выживших, попали в блокадный фонд. Я наткнулся случайно, когда занимался блокадной темой. — Ганс перечислял какие-то буквы и цифры, как будто тоже составлял шифровку, вот только непонятно — кому.

«Странно у них тут устроено. Студенты в архивах роются... документы разыскивают, — он думал тревожно. — Вот сволочь! Морду ему набью!»

Набей, набей, — внутренняя наружка не замедлила. — *Обидится, да с денежками-то с твоими — тю-тю!*

«Когда речь идет о чести страны... — он вдохнул поглубже, понимая: этот, затаившийся внутри, прав. Честь честью, а заработка жалко. — Уж если профессора с доцентами не возникают...»

Сойдя с кафедры, Ганс уселся в первый ряд — к своим. Еще два доклада — в программке значились три, но один, слава богу, исключили — он выслушал невнимательно. Ждал кофейного перерыва, чтобы предпринять вторую попытку. «Если этот, *новист*, снова не помешает...»

Последнего докладчика проводили жидкими хлопками. Он двинулся к выходу, не упуская из виду Нагого, который вел седовласого члена советской делегации под локоток. Рядом с дубовым костюмом двубортный профессорский пиджачок гляделся особенно элегантно. «И ведь не подумаешь, — он хи-хикнул, — что под брюками семейные трусы».

По лицу руководителя делегации блуждала неверная улыбка: загоралась и снова гасла, будто ее то включали, то выключали изнутри. Удалось подслушать всего одну, да и то нем-русскую фразу: «Короче, до послезавтрева», — и ответ седовласого: «Да я-то чо. Не маленький. Сам гляди».

Сердце упало: «Всё. Завтра его не будет... — с тем большей решимостью пристроился им в хвост. Счастливо избежав оклика Ганса — этот певец коллаборационизма замешкался в аудитории, беседуя с пожилым преподавателем. — Не иначе, научник его. Такая же, небось, сволочь», — он влился в общий поток.

Участники конференции толпились вокруг столов. К печенью и пирогам, от которых вчера остались одни пустые корки, устроители добавили бутерброды с красной рыбой и твердокопченой колбасой.

Он потянулся за бутербродом: и не припомнить, когда в последний раз пробовал эдакие деликатесы, хотя, если разобраться, красную рыбу ловят в наших советских реках. Вера говорила, в нынешнем году рекордные показатели. Люба злилась: ага, рекордные, но почему-то только для вас. «Я же сто раз предлагала, — Вера обращалась к маме, — но она, — кивала на Любу, — ни в какую!» Люба срывалась, орала злым, придушенным шепотом: сами жрите свои пайки! Вот когда народ будет питаться твердой колбасой и красной рыбой...

Проглотил и даже не распробовал. Только раздразнил нутро. «Возьму еще один, что тут такого, — стараясь побороть робость, нашел оправдание, — а с колбасой не стану, — тут-то и обратил внимание: профессор Нагой хрустит печеньем, причем с удовольствием. Отдернул протянутую было руку. Стало неловко за свою позорную несдержанность: — А я-то, я... Деликатесами соблазнился».

— Классно вы ему врезали, будет знать, гаденыш! — провинциальный доцент обращался к седовласому.

— На что только не идут, лишь бы опорочить нас, русских, — третий член делегации, похожий на престарелого мальчугана, внимательно жевал колбасу.

— Да чо с них возьмешь, с фашистов! — седовласый облизнул губы и потянулся к общей тарелке. Ловкое движение пальцев, и на месте бутерброда оказался пустой хлебный кусок.

«Что это он?.. Да как же так можно...»

— Но статеечку тиснуть надо. Как говорится, дружба дружбой, а правда — врозь... — рука седовласого снова тянулась к тарелке. Еще одно ловкое движение не оставило сомнений: руководитель советской делегации ест одну голую колбасу.

— В «Историческом вестнике» напечатаю, — провинциальный доцент налил себе кофе, — как говорится, наш отпор клеветникам.

— А возьмут? — мальчуган-перестарок спросил озабоченно. — У меня прошлый раз завернули...

— Значит, где-то не дотянули. У меня всегда берут, — провинциальный доцент парировал с достоинством и обтер лоснящийся колбасным жиром рот.

Присмотревшись, он понял: эти двое действуют столь же умело.

Объев что можно с ближайших тарелок, советская делегация передвинулась на несколько шагов влево — туда, где еще оставались нетронутые бутерброды.

Стыд, вставший поперек его горла, грозил перейти в приступ дурноты. Он отпрянул от стола и наткнулся на Ганса.

— Ну чо, не опоздал я? Ага... Колбаски ща натрескаемся, — и устремился к столу. Он отступил в сторону, одновременно прикрыв собою прожорливых как саранча соотечественников. Но, похоже, зря. Не обращая внимания на тех, кто позорит звание советского человека, Ганс ухватил пару бутербродов и, в мгновение ока заглотив колбасу с хлебом, потянулся к рыбе.

Как назло ему снова захотелось рыбки — прямо в желудке защекотало. Чертов Ганс дожевывал третий бутерброд.

Оглядевшись, он пришел в полное смятение: «Наши хоть потихоньку, стесняются... А захребетники — даже не скрывают...» На тарелках, на белой бумажной скатерти — всюду валялись пустые хлебные ломтики и корки от недоеденных пирогов. Воистину, дойче швайне! Больше не хотелось ни колбасы, ни рыбы. Только на воздух — прочь от разоренных, разнузданных столов.

Но сдержал себя ради дела, о котором, за колбасными переживаниями, совсем запамятовал. «Где ж он?! — профессор, еще минуту назад мирно жевавший сухое печенье, исчез. — Упустил, снова упустил...»

Понуря повинную голову, поплелся вниз в гардероб. Местные профессора, развешанные по лестничным пролетам, провожали его равнодушными глазами. «Вам-то хорошо! Виси себе да виси, — даже позавидовал. — А тут ходи, думай, страдай... Нагой тоже хорош! Будто мне одному надо. Интересно, как он будет отчитываться? Я-то молчать не стану. Геннадий Лукич спросит, так и скажу...» — уговоры не утешали: как смотреть в глаза шефу, не выполнив задания?

Ватное пальто показалось ужасно тяжелым, давило на плечи. Перспектива вырисовывалась самая плачевная: если исключить завтрашний день, когда профессора, как выяснилось, не будет, на все про все остается понедельник...

— Деньги когда отдашь? — спросил сурово.

— Как тока так сразу. Два доклада ищо. И курсовик.

— Предлагаю поработать сегодня ночью, — он решил взять дело в свои руки.

— Чо ночью-то, горит, што ли?.. А дрыхать когда? — Ганс забурчал недовольно.

— Организуем соцсоревнование, возьмем повышенные обязательства, — пошутил, на его взгляд, не слишком удачно, однако деловой партнер неожиданно расцвел:

— Как Стаханов?

Хотел сказать: ты что, дурак? Но кивнул.

Ганса не поймешь: то несет про Локотьскую республику или, как ее, волость, чуть ли не восхваляет предателей. То приходит в восторг от идиотских советских лозунгов. «И что у него в голове?»

Вдруг будто в его собственной голове прояснилось: «Там, в закрытой кабинке, все-таки был кто-то чужой. Я-то не заметил, а Лаврентий Ерусланович знал. Значит, — он сделал вывод, — сам меня найдет».

— Учти, мне во вторник уезжать.

Ганс ступил на поребрик: шел на цыпочках, растопырив руки, — ни дать ни взять канатоходец под куполом цирка, да еще и без страховки.

— Але-оп! — спрыгнул и раскланялся дурашливо.

«Клоун».

— По поребрику и дурак может. Ты вон, — мотнул головой, — там пройдись, — еще и подначил, — у нас девчонки, и те не трусят.

Почему-то был уверен, побоится. Девчонки девчонками, а рискованно. Но не успел и глазом моргнуть: Ганс перебежал дорогу, одним прыжком взлетел на высокую гранитную облицовку.

Загородившись ладонью, хотя никакого солнца не было, он следил за тощей долговязой фигурой — беззащитной на фоне медленно-серых волн. Ганс покачнулся, но удержал равновесие. Добрался до поворота к спуску. И наконец спрыгнул. От сердца отлегло.

Перебежав обратно, Ганс ткнул пальцем в кромку тротуара.

— Как ты это назвал?

— Поребрик.

— У нас грят: бордюр.

— А у нас — поребрик, — он повторил упрямо.

— Жесть, да? Поребрик — и капец. Считай, спалился.

— Где? — он не понял, но отчего-то испугался.

— Не где, а как. Типа, советский шпиён.

Видимо, он изменился в лице, потому что Ганс хихикнул:

— На крайняк обменяют. На нашего, — похлопал по плечу. — А чо, из тебя бы получился. Такой, как это по-вашему... неприметный.

— Ты-то меня приметил, — он уже успел прийти в себя.

— Ага, — Ганс подтвердил. — Заинтересовался. Как историк.

— Что-что?

— Дак я же сразу просек: типичный представитель советского народа.

— Болтаешь... язык без костей! — он не нашел ничего лучшего, чем можно ответить. Но Ганс пришел в полный восторг:

— Яу! Без костей! — высунул язык, почти дотянувшись до кончика носа. — А так слабо?

— Я что — собака? — вышло грубо. На месте Ганса точно бы обиделся. Но захребетники друг с другом не церемонятся, привыкли по-хамски. — Заметил, колбасу одну ели, без хлеба? — на всякий случай не сказал кто. А вдруг не заметил?

— Дак свобода, — Ганс пожал плечами. — Как хотят, так и жрут.

Он вспомнил членов советской делегации: «Раньше бы не посмели. А теперь...» — уже третий по счету камушек — в копилку грядущих перемен.

Целой ночи не понадобилось. То ли от пережитых треволнений, то ли уж очень торопился получить денежки, всю оговоренную сумму, но диктовал особенно быстро, припоминая все новые и новые факты, которые шли косяком, как рыба на нерест, — Ганс едва поспевал. Без десяти четыре — зачем-то отметил время — его помощник отвалился от машинки: «Ишь, клоп. Насосался моих знаний», — влепив напоследок картинную точку — что твой пианист.

— Про Эбнера не забыл? — Ганс вывернул лист из каретки и помахал, точно остужая разгоряченные буквы. — Сам раскладывай, руки крутит, — потряс расслабленными кистями. — В кабак, грю.

— А это дорого? — он спросил осторожно.

Эбнер — черный, куда попало не пригласишь.

— В забегаловку не пойдет... — Ганс будто расслышал. — Вопщем, в триста уложимся. Или... в четыреста пийсят.

— Так много? — даже не понял, что его больше поразило: непомерность объявленной суммы или ее совпадение с содержимым заветного конверта, пришедшего с Родины.

— Жаба душит? — Ганс фыркнул.

«Что поделать, — он вздохнул про себя. — Надо так надо». После долгого трудного дня хотелось остаться одному — в тишине, без посторонних. Но Ганс медлил, все не уходил:

— Можа, эта, судьбу узнаем?

«Все равно не отстанет».

Перетасовал и разложил на столе:

— Давай, тяни.

На этот раз выпала гексаграмма № 2 «Кунь». Исполнение. Ключевые слова: жизнь, множественность, стойкость.

Ганс беззвучно шевелил губами, читая оборотную сторону.

— Тут чо-то про поездку. Для путешествий не самое благоприятное время.

Было заметно, что расстроился.

«Вот и хорошо, теперь уйдет, наконец-то отстанет», — а вместе с ним и этот долгий день, бесконечный, как товарняк, загнанный упорным стахановским трудом в черный тупик ночи. Но Ганс слонялся по комнате, бросая испытующие взгляды, словно напрашивался на разговор, от которого, чуяло его сердце, не отвертеться.

— Ну что, до завтра?.. — вообразив себя машинистом, все-таки попытался загасить огни.

Глаза Ганса то вспыхивали, то гасли, отчаянно семафоря. «Хочет обсудить свой доклад».

— Не понимаю, зачем про эту волость? Ладно бы немцы, но ты...

— Дак это ж правда. Архивы, — семафор больше не мигал: горел ровным упорным светом.

«Дружба дружбой, а правда — врозь», — он вспомнил слова седовласого.

— Да пойми ты наконец. Может, и правда. Но маленькая. А жить надо с большой. — Слова Геннадия

Лукича, но сейчас — его собственные, идущие из глубины сердца. — Разве тебе не ясно, — он говорил тихо и твердо, — немцам выгодно нас опорочить, но ты же русский...

— Опо-рочить? Но... почему?! Эти люди... и Воскобойник, и все другие, они сражались за свободу...

— Да какая разница!

— Ты... серьезно?

— Абсолютно, — как отрезал. — Пусть бы лучше за несвободу: главное — на чьей стороне.

Ганс сидел против горящей лампы, словно не имел права отвернуться. Застыв у оконного проема, он смотрел в беззащитный затылок, точно примериваясь, но все не мог сосредоточиться, сбиваясь на оттопыренные уши, красноватые, просвеченные до хрящей.

Вдруг Ганс обернулся и протянул ему тетрадочный лист, замызганный, сложенный пополам:

— На, прочти.

Нет, он еще не понял, скорее почувствовал: что-то страшное, вот сейчас, когда развернет, и... «Господи, нет-нет, не надо» — узнает правду об отце. Которую Ганс нарыл-таки в своих фашистских архивах...

В августе 1943 года, когда в результате кровопролитных боев Брянск на два месяца перешел в руки красных, Четвертый полк РОНА попал в окружение...

«В сорок третьем. — Точно ангел всплеснул шумными крыльями: на него сошло несказанное облегчение. — Отца еще не призвали».

Большинство бойцов погибло. Многие, предугадывая свою будущую участь, застрелились. Но самые дальновидные из нас ушли в лес. Кроме этих, спаслись и те, кому удалось выдать себя за красных партизан: Мохнаткин, Лихайчук, Свирский — троих я помню точно. Командир нашего полка майор Райтенбах достался красным живой. Он был ранен и сперва без сознания. Красные привязали его стальным тросом к танку Т-34 и таскали по улицам, пока не превратили в грязный кусок окровавленного мяса...

«Что? Зачем?» — снова заскрежетало, но теперь уже не под днищем, а глубже — под рельсами, в са́мой земле, под искусственным терриконом насыпи, и сразу, точно коротким промельком, — мешок с красными прорехами: из вагона-ресторана, где разделывают что-то мясное. На перегоне Москва–Москва.

Прыгая через три ступеньки выцветших косых линеек, он ссыпался вниз, чтобы прочесть размытое временем или откуда ни возьмись подступившей к глазам соленой влагой: *Рядовой четвертого полка РОНА Корнилов Матвей.*

Лист, заполненный довоенными буквами: *т* с горизонтальной черточкой сверху, *р* — внизу завиток, смотрел на него как предатель; этот, Матвей Корнилов, а ведь ходил в советскую школу, слушал наше радио, сдавал нормы ГТО, может, даже прыгал с парашютом — мать говорила, до войны все прыгали, — ну не все, большинство, представь себе, и девушки, — в чем и расписался собственноручно.

Влага, вскипев праведным гневом, испарилась. Осталась только соль, выпала на дно мозга толстым слоем.

Сбоку, где признательные листы обычно подшивают, зияли две прорехи от дырокола, рваные, как ноздри разбойника: не *ха-ха*, а учебник по средневековой истории.

Он поднял просоленные в дубовой бочке (куда там огурцам!) глаза:

— Из «Дела» вырвал?

— Типа, — Ганс кивнул легкомысленно и потянулся к листку, еще горячему, даже руку жгло.

— Зачем? — спросил, уже предугадывая ответ. Чтобы, прикрывшись правдой, поставить на одну доску: советских бойцов, привязавших к тросу фашиста Райтенбаха, и кровавые полчища нацистских нелюдей.

— Ну как — зачем? Эти. Мохнаткин, Лихайчук, Свирский, — Ганс перечислил поименно, будто заплечных дел мастер, самолично вырвавший клещами не только всю их подноготную, но и саму память Корнилова Матвея, выдавшего тех, кто пытался выдать себя за красных партизан. — Живут, арбайтают... Типа простые советские люди... И не догадываются, что попали в историю, — Ганс пристукнул кулаком по столу.

«В историю». Застарелые частицы пыли, смирно лежавшие на столешнице, поднялись над лампой и выстроились, дрожа в расстрельном луче.

— Ну хочешь, я возьму. Передам, — с ударением на «я»: в сложившейся ситуации единственный полномочный представитель, но не безликих «всех», а компетентного органа, будто указанного в графе «адресат».

Но отправитель, словно его спугнули, вдруг спохватился. Забрал и спрятал от справедливого советского правосудия преступно уворованный лист.

Он еще спал, когда Ганс примчался с гонораром. Конверт в руке казался тяжеленьким, но партнер поступил невежливо: не предложил пересчитать. «Считай не считай — как поймешь, если он меня облапошил», — конечно, не ложка дегтя, отравляющая бочку радости. Но полновесная черная капля.

Днем мотались по городу — на этот раз он увязался сам: во-первых, полюбоваться напоследок: «Кто знает, когда еще доведется». Однако был и расчет: а вдруг наткнемся на магазин шуб.

Пару раз Ганс звонил из автомата, похоже, с кем-то консультировался. Он ждал снаружи.

— Вопщем, так. Столик надо заказывать.

— По телефону?

— Не. Лучше подъехать.

На углу Невского и Садовой они сели в автобус, идущий в сторону Невы. Сквер у Инженерного замка украшал навязший в зубах идол: правая рука — блудливой жменью в подбрюшьи, левая — ладонью наружу. На фотографиях фюрер нем-русской нации был тощ и тщедушен, но местные скульпторы на материалы не скупились. «Ишь, грудь ему сваяли! Как у бойцовского петуха».

За искусственным каналом маячили голые купы деревьев. Снег в Летнем саду издали мнился голубым.

Он смотрел на бывшую Берлинскую рейхсканцелярию (точнее, ее уменьшенную копию, которую захребетники возвели посреди Марсова поля: подъезд с двойными колоннами и мраморной лошадью, повернутой к Неве), будто проверял свое ночное впечатление: при дневном свете здание не выглядело зловещим. Какие-то люди, человек пять или шесть, стоя на ступеньках, размахивали цветными флажками: каждый-охотник-желает-знать-где-сидит-фазан. И сами чем-то напоминающие птиц, но скорее павлинов. «Как на карнавал расфуфырились!»

К кромке Марсова поля прижимались крытые грузовики. Черным горохом с задних бортов ссыпались здоровые лбы-полицаи — и двинулись, растягиваясь сплошным широким ремнем с явным намерением что-то опоясать, а по возможности и на все дырки затянуть.

Последнее, что он увидел, отъезжая от светофора: тряпка радужной раскраски, которую фазаны взметнули над головами.

— Это кто?

— Хто-хто. Додзики, — парень, сидящий сзади, процедил сквозь зубы, отчего-то с белорусским акцентом. Точь-в-точь как баба Зося, их соседка по бараку. Обращаясь к его сестрам, говорила: дзяучынки. — За свободу ихнюю демонстрируют, — парень сплюнул.

— А эти, в черном?

— Пятерка. Винтить будут, — но, видно опознав в нем заезжего иностранца, снизошел до расшифровки: — Пятая айнзацкоманда. — И, молодцевато пнув шипящую заднюю дверь, сошел.

— Им что, три года впаяют? — он спросил, отчего-то представив не тюрьму, а овраг: бездыханные тела, накрытые этой самой радужной тряпкой.

— Им-то? Не, вряд ли. Десять суток общественных работ, — Ганс смотрел парню вслед.

Он подумал: «Ну и ну... Захребетники-то, оказывается, трусы. Было бы чего бояться. Помахал мет-
лой десять дней — и свободен».

Автобус уже въезжал в его родной район.

— А мечеть где? — он смотрел в небо, пустое без
голубых минаретов.

— Взорвали, — Ганс пожал плечами. — А то желтые
тут шарились, не пройти не проехать. Особливо по
пятницам, — и указал пальцем: — Нам туда.

«Тоже мне, Иван Сусанин нашелся!» Если разобраться, здесь хозяин он. Шел, вглядываясь в лица
прохожих, будто надеясь встретить соседей по дому,
по этим родным местам, знакомым до последнего
сарая, — в школьном детстве спрыгивали на спор;
кирпичная баня — раз в неделю всей семьей ходили
мыться; угловой сквер, где играли с мальчишками
в лапту.

— Сворачивай, срежем. — За чугунной решеткой,
перекрывавшей подворотню, начинался проход-
ной двор.

— Закрыто, — Ганс прошел мимо ворот.

— А они как же?.. — он подергал замкнутую калитку.

— Как-как. Ключом.

Будто подтверждая эти слова, к калитке подошла
женщина с усталым и каким-то пыльным лицом,
отомкнула, вошла во двор и тщательно заперлась.
Впрочем, унылая тетка с хозяйственной сумкой
скорее исключение. Прохожие, попадавшиеся навстречу, выглядели на удивление бодро — если сравнить с их советскими антиподами, живущими в этих

же самых домах, но за тысячи километров. В глубине бывшей тайги.

Местные шагали энергично и уверенно, да и одеты они лучше, во всяком случае синие, — за несколько дней, проведенных в Петербурге, он научился различать. Как сами они — евреев, которые не успели или не захотели эвакуироваться, различали с первых дней оккупации, когда в город вошли немецкие войска. Уже через два месяца (об этом он и раньше думал с болью: «Как же так? До войны ленинградцы были интернационалистами, все национальные предрассудки остались в дореволюционном прошлом») усердием дворников, работников ЖЭКов и их добровольных помощников Ленинград был объявлен *judenfrei*...*

«Ох...» — он поднял глаза и остолбенел: это же самое слово чернело островерхими готическими буквами — вывеской над дверью, к которой подошли.

Даже дернул Ганса за рукав, будто ущипнул: а вдруг не наяву, а во сне?

Но Ганс, криво усмехнувшись, махнул рукой. Дескать, не дрейфь, заходи.

Он зашел, осторожно оглядываясь, будто и впрямь ожидая найти зримые подтверждения черной нацистской скорописи: стоптанную обувь, детские эмалированные горшочки, слежалые пряди женских волос, фанерные чемоданы, подписанные именами, которые давным-давно стали пеплом

---

* *Judenfrei* (*нем.*) — свободный (очищенный) от евреев. Выражение, возникшее в нацистской Германии. — *Здесь и далее примеч. авт.*

и прахом, очки, которым больше не сидеть на носу. Воображение рисовало ограду под током. Над колючей проволокой высились косые столбы — будто головы, склонившиеся перед неизбежной рациональностью насильственной смерти...

Но вместо криков капо, сгоняющих на аппельплац живые скелеты, внутри играла тихая музыка и стоял приятный полумрак. Столики покрывали плюшевые скатерти в мелких кисточках по окоему. Впереди, за барной стойкой, торчал белокурый парень — натирал рюмки и фужеры отрешенно, но с такой бешеной внутренней отдачей, что невольно подумалось: «Бестия!»

Из кухни тянуло жареным чесноком.

Ганс разговаривал с официантом, дежурящим при входе за конторкой. Что-то втолковывал по-немецки.

Если он понял правильно, столик был заказан на четверых. «Нас трое — а кто четвертый? — гадал, пряча глаза в землю, стараясь не глядеть на дома: явив свое истинное лицо, фасады больше не прикидывались родными, с кем можно говорить по-человечески, а не так, сквозь зубы: — Ну и черт с вами, называйтесь как хотите. Я все равно уезжаю...»

Расстались на трамвайной остановке. Он полагал, что Ганс свернет к метро, но тот двинулся в противоположную сторону, видно, ловить маршрутку. Мельком подумалось: «Интересно, куда это он?» Но, сказать по правде, было все равно.

Предвкушая минуты сосредоточенного одиночества, он пытался собрать впечатления, достойные дневниковой записи, но, доехав до общежития, осознал, что совсем разбит. «Часок подремлю, потом схожу пообедаю...» — вытянулся на кровати, подложив под голову согнутый локоть.

Ему навстречу шла женщина. В руке она держала ключ от чугунной калитки и что-то кричала беззвучно, обращаясь к дворнику: ширококостый мужик, не похожий на человека — *некто* иной породы, приближался к воротам из самых глубин проходного двора. «Вон! Вон!» — женщина с пыльным лицом, не поймешь, не то указывала, не то кого-то гнала. Но дворник ее понял: «Попался, жиденыш! — грозил страшным жилистым кулаком. — Ужо тебе!» Растопыривал рачьи клешни.

Он был уверен, что видит их со стороны: и женщину, стерегущую запертую калитку, и кряжистого дворника, и мальчишку лет десяти, — но в следующий миг оказалось: не мальчишка, а сам он — маленький еврей, за спиной которого шевелятся ожившие отбросы человеческой жизнедеятельности, набухают в мусорных баках. Он чувствовал их тлетворную вонь.

Но не боялся. Даже ждал со странным любопытством: все закончится, скоро; в самый последний момент, когда к нему потянутся ракообразные крючья, он успеет крикнуть: «Я — не еврей! Я русский!» — и невыносимая вонь развеется...

Но развеялась не вонь, а сон. Стыдный для советского человека-интернационалиста, который даже во сне не имеет права такое выкрикивать.

Приподнявшись на локте, он моргал слипшимися ресницами, уверяя себя в том, что случилось сонное недоразумение. Наяву он спас бы этого мальчишку: «Как наш советский солдат».

Скорей всего, именно грех антиинтернационализма, в который он впал совсем нечаянно, упрочил решимость: свою будущую невесту он отыскал на другой день. Не упомянув о главном, предложил отметить окончание конференции в каком-нибудь кафе.

— Завтра? Морген? — В темных раскосых глазах стояла равнодушная пустота.

— Сегодня я не могу, надо навестить, — отчего-то соврал, — родственников.

— У тя чо, родственники? — глаза колыхнулись: — Черные?

— Да нет, а почему... разве... — пустота, перелившаяся из раскосых глаз прямо в его сердце, дрожала точно замерзший на балконе студень, отзываясь на стук ее тонких предательских каблучков.

С Гансом они встретились у метро. Как это часто бывает в чужом городе, он не рассчитал времени, подъехал раньше. Пытаясь отрешиться от неприятных мыслей (черт с ней, с Юльгизой, ушла и ушла, не больно-то и хотелось. Что действительно томило — очередная невстреча с профессором, хотя специально приехал за полчаса до начала, честно обошел аудитории, на всякий случай даже заглянул в университетский двор), — он вглядывался в лица пассажиров, валивших густым потоком из стеклянных дверей.

Но Ганс явился совсем с другой стороны:

— Бабосы не забыл?

Даже слегка обиделся: «Вообще-то, мог бы и поздороваться», — но ощупал внутренний карман, так, на всякий случай, попутно отметив, что Ганс успел перемениться: во-первых, подстригся — коротко, чуть ни под ноль. — «Тоже мне, солдат-новобранец», — во-вторых, надел брюки в тонкую полоску — вместо привычных синих джинсов.

— Голова не мерзнет? — поинтересовался с ехидцей.

— Штилле идем, не спешим, — Ганс заметно нервничал, будто не в ресторан собрались, а на какой-нибудь экзамен — мутный, вроде Политэкономии социализма или Истории КПСС.

Между тем постепенно темнело. Он шел, не узнавая окрестностей, расцвеченных электричеством вывесок. Втайне надеясь, что не узнает и той самой подворотни — из постыдного сна.

Но узнал — лишний раз убедившись: нет ни ракообразного дворника, ни его пыльной помощницы, ни отпрыска еврейского семейства (может, даже сына тети Гиси. Хотя вряд ли, их семья жила у Исаакиевской площади — отсюда далеко, совсем другой район).

Собственно, мусорных баков тоже не было. У стены (где его воображение разыграло нелепую сценку, соединив смерть с мусором, — он понял, откуда кинорежиссер его сна почерпнул идею: мусорный мешок, тот самый, упавший на рельсы, который он принял за человеческие останки) — стоял диван. Огромный, старинного вида. Вдоль спинки (да уж какая там спинка — спинища) змеилась кривая трещина, будто всадник, буденновец, рубанул саблей — от валика до валика, на всем скаку. Из прорех, вывернутых наружу, как мягкие человеческие ткани лезли клочья поролона и желтоватой свалявшейся ваты. Ускоряя шаги, он попрощался с белогвардейцем, павшим в квартирных боях...

— Куды рванул!

— Но мы же... — чудовищная вывеска светилась на ближайшем фасаде. В двух шагах.

— Не подъехал ищо. Тут стоим, ждем.

Он поднял глаза: господи, да с чего он взял! Нету этого. Вчера просто ошибся, обознался с чужими буквами. Потому что смотрел не прямо, а сбоку. Он поскреб по сусекам, собирая школьные запасы немецкого. Тоже, конечно, не фунт изюма, но все-таки не *frei*...

— Вон он. Пошли.

Фары погасли, обратившись в пустые глазницы. Эбнер с каким-то парнем попугайского вида вышли из черной машины и направились к двери, над которой горела не такая уж страшная вывеска: *"JUDENFREMD"**.

Вчерашний официант, с которым Ганс договаривался, предстал перед ними в немецкой военно-полевой форме и провел их к столику, стоявшему в нише — особняком. Что-то почтительно объяснял, обращаясь исключительно к Эбнеру, но меню подал всем четверым. Получив в руки тяжелый складень (золотой обрез, светлая кожа с вензелями — хотелось рассмотреть и пощупать, но разве станешь, как дикарь, когда другие уже сидят и читают) — он тоже раскрыл. Названия блюд, напечатанные по-немец-

---

* *Judenfremd* (*нем.-русск.*) — букв.: «отчужденный от евреев», «не имеющий с евреями ничего общего». Корявое новообразование, не существующее в немецком языке.

ки, ни о чем не говорили. Зато, и даже слишком красноречиво, говорили цифры, среди которых попадались даже трехзначные. Выбрав нечто двузначное, он обратился за помощью к Гансу:

— Это что?

— Ганце цимес... Овощи вопщем... — Ганс промямлил неуверенно, — кажись, еще орехи...

— Не орехи, а сухофрукты, — Эбнер обернулся к официанту, стоявшему по стойке смирно: — Ты чо, мля-сука, не понял? Товарищ из СССР.

Официант метнулся, подал еще один складень. И отступив на два шага от столика, вытянулся по-фашистски. Застыл.

Пока он изучал незнакомые названия — вроде бы на сов-русском, а все равно непонятно, — остальные успели сделать выбор.

— Айерцвибеле. Без перца. Гриви, — Эбнер перечислял уверенно, не заглядывая в меню. — Цимес картофельный без корицы...

— Ой, мне тоже картофельный, — его спутник расцвел, как эдельвейс на склоне горы.

Когда здоровались, Эбнер назвал имя. «Какая-то птица...» — скребанув по тем же школьным сусекам, вспомнил: Колман.

— Тебе-то куда — зад как у борова, — Эбнер буркнул недовольно.

— У меня? — нежная улыбка завяла и сбросила лепестки.

— Ну не у меня же. Я везде жирный. — Эбнер пошевелил пухлыми пальцами.

— Ты просто упитанный, — Колман протянул руку и погладил Эбнера по рукаву.

Третья

Эти двое вели себя странно. Можно сказать, вызывающе. «Тем, фазанам с Марсова поля, общественные работы. А этих — будто не касается. Ладно мы с Гансом. Но здесь же официант. Донесет».

Парень, наряженный в полевую форму, ждал как ни в чем не бывало. Сделав вид, что задумался, он отвел глаза и заметил чемоданы: обшарпанные, без ручек, с железными уголками. Сверху на них лежало что-то стеганое. Вроде сложенного вчетверо одеяла. На одеяле — женская кожаная сумочка и какой-то сверток...

— Давай, твоя очередь, — Ганс обращался к нему.

— Я — то же, что и ты, — он ответил, борясь с желанием внимательнее рассмотреть вещи, случайно попавшие в поле его зрения. Эти вещи — интересно, чьи? — так и притягивали взгляд.

За ближним столиком ужинали двое: мужчина, пожилой, лет пятидесяти, и девушка с мертвенно бледным, будто белой краской замазанным лицом. Девушка потянулась к своей сумочке. У женщин двух сумочек не бывает.

Трое парней, сидевших от него слева — спортивные, с бритыми затылками, — тем более исключались.

— Что господа будут пить? Пиво, шнапс, руссиш водка? — официант обращался к Эбнеру.

— У жидов отличные вина. Не зря нас, русских, спаивали, — Эбнер, видимо, пошутил. — Хорошее. Красное. По твоему выбору.

Официант щелкнул каблуками и исчез.

— А в Петербурге много еврейских ресторанов?

267

— У Колмана спроси, он в курсе, — Эбнер усмехнулся.

— Пока не очень, но тема в тренде, — попугайский парень ответил с радостной готовностью. — Раньше-то суши жрали.

— А что такое: суши?

— Ну... — Колман растерялся. — Эби, сякэ, унаги, типа роллы там всякие. Короче, японская байда. У вас чо, нету?

Он хотел объяснить, что СССР поддерживает культурные связи с Китаем.

— А у нас прям как подорванные. Сперва ничо, а теперь — даже желтожопые.

«Желтожопые! — он усмехнулся про себя. — На свою, голубь, посмотри...»

Официант принес темную пыльную бутылку. Ловко вынув пробку, налил на дно бокала — Эбнер промокнул губы салфеткой и, пригубив, покатал во рту:

— Манишевиц. Неплохо. Весьма неплохо. Я всегда говорил, Моген-Довид сладковат.

— Милости просим жидовские кушанья отведать, — Ганс пригласил мягким голосом своей покойной баушки.

Горячий морковный салат, в котором попадались крупные изюмины и кусочки чернослива, оказался на диво вкусным. Но он специально старался есть помедленнее, — мало ли, подумают голодный и вообще не привык к ресторанной пище. Нечто похожее, жаль, не запомнил названия, готовила тетя Гися, мамина старинная подруга. Особенно ей удавался яблочный пирог. Нарезая на пухлые дольки, мама говорила: ты, Гися, кулинарный гений. Ах, Машура, да какой это штрудель — слезы! Отмахивалась, перечисляла по пальцам: изюма нет, орехов нет, лимона, и того не предвидится. Но зато, они обе смеялись, есть мука, маргарин и тертая булка. А потом тетя Гися говорила: сколько лет прошло, а все равно для них ведь готовлю. Даже, бывает, спрашиваю: вкусно? — оборачивалась, смотрела на фотографию, которую вывезла, когда эвакуировалась с Кировским заводом. Одна. Родные остались в Ленинграде. Тетя Гися никого не вырезала. Это потом, наслушавшись Любу, он понял, чем тети-Гисины родственники отличаются от пустых лиц-овалов.

— А у вас в совке? Жидовские кухмистерские есть? — Колман ковырялся в тарелке, выуживая крупные изюмины.

Он покачал головой.

— А чо так? — Колман отложил вилку и потянулся за чайной ложкой. — Странно. Жидов-то у вас много. Это у нас — пшик. Тут кафе одно, на Героев ваффен СС. Угол Штрейхера. Короче, едешь по Нюрнбергской, справа, где Дом офицеров. Прикинь, открытие через две недели. А шеф-повара нет, — Колман рассказывал, поигрывая ложечкой. — Дали объявление. Приходят какие-то уроды, типа мишлинге...

— Что такое мишлинге?

Колман растерялся, даже ложечку отложил. За него ответил Ганс:

— Полукровки.

— Вроде меня, — Эбнер усмехнулся.

— У тебя... евреи в роду? — он спросил, безуспешно скрывая изумление.

— Ну, не до такой степени. Мать русская. Из недобитых дворян... Сталин всю семью уничтожил, двоих братьев, родителей, — в глазах мелькнуло что-то непримиримое. Он догадался: с точки зрения Эбнера, не фашизм, а советский строй — форма Абсолютного Зла.

По крайней мере, теперь понятно, откуда у него такой сов-русский, чистый, можно сказать, интеллигентный. Не то что у Ганса. Если закрыть глаза на некоторые шутки и, главное, сомнительные отношения с Колманом, Эбнер, честно сказать, нравился ему все больше. Ведет себя спокойно, уверенно. Не суетится, как Ганс. Похоже, тогда, в общежитии, когда Ганс их познакомил, Эбнер специально изображал из себя эдакого тупого захребетника. Только непонятно: зачем?

— Нет проблемы, — Эбнер откинулся на стуле. Жесткий взгляд стал собранным и деловитым. — Нанять. В СССР.

— Да пытались. Послали запрос. Анфраге, — Колман развел руками: — Советские евреи не желают работать в России.

— Отписка, — Эбнер промокнул рот.

— Почему отписка? — он вмешался, вспомнив тетю Гисю: приезжает сюда, где всю ее семью расстреляли, — и представить невозможно.

Эбнер усмехнулся и подозвал официанта. Тот подошел и замер в почтительной позе — с белой салфеткой на согнутом локте.

— Имя вашего шеф-повара?

— Таненбаум. Абрам Таненбаум. — Официант заметно напрягся.

— Я могу с ним поговорить?

— Сожалею, но... шеф-повар никогда не покидает кухню. Условия контракта.

— Почему? — глаза держали парня на прицеле.

— Не могу знать, но... у нас разные гости, — официант скосил взгляд на бритые затылки их соседей. — Хозяева боятся провокаций. Но если... какие-то проблемы, я передам, хозяева примут меры...

— Передайте еврею наши комплименты.

— Так точно, — вытянувшись по стойке смирно, официант прищелкнул каблуками.

Больше не обращая на него внимания, Эбнер продолжил:

— Мой отец говорит, в СССР есть хорошие рестораны. За рус-марки, — снова промокнул рот.

— Нет, — прежде чем глотнуть вина, он тоже промокнул. — Это преувеличение, — хотел рассказать про «Метрополь», куда впускают любого, с улицы, но решил не вдаваться. На всякий случай перевел разговор. — Он что, в СССР бывает?

— «Беркут» — его проект, — объяснив коротко, Эбнер повернулся к Колману, который тихонечко дергал его за рукав. — Ну?

Тот что-то сказал — он уловил просительную интонацию.

Эбнер скривился неодобрительно, но все-таки кивнул официанту.

— Боржоми без газа. И, — бросив насмешливый взгляд на Колмана, — нус-бройт.

— Ну да, я знаю, твой отец инженер.

Официант принес маленькую пластиковую бутылку и пухлую лепешку на блюде, которое поставил посредине стола.

— Инженер? — Эбнер переспросил рассеянно, глядя на Колмана, который, по-детски улыбаясь, обламывал мягкие горбушки. — А-а. Нет. Там его деньги.

— Как это — его? Я читал, проект государственный.

— Одно другого не исключает, — Ганс протянул руку к лепешке. Он хотел последовать примеру, но официант уже нес горячее. Впрочем, как выяснилось, не им, а бритым парням.

— Но это же... дорого...

— Дорого, — Эбнер подтвердил. — Но не дороже денег. Ваши тоже вложились.

— Какие наши? — Над тарелками бритых парней вился ароматный пар — смесь чеснока, корицы и чего-то неизвестного. Наверняка ужасно вкусно. Жаль, если он заказал что-то другое.

— Начальство. У вас ведь так называется? Не деньгами — откуда у них, — Эбнер хмыкнул. — Рабочей силой. В СССР дешевая. По нашим меркам — бросовая.

Он хотел возразить: никакая не бросовая, но заметил картинку, висевшую на стене. Как раз над сложенными в дорогу вещами.

— А там... что?

— Это к дизайнерам, — Эбнер повел бровью в сторону Колмана, доедавшего лепешку. — Еще не лопнул? Вот и отвлекись, объясни.

Колман вскочил и, дожевывая по-кроличьи, поманил его пальцем. Он уже жалел, что спросил.

Вместо того чтобы сидеть, обсуждая серьезные вопросы: деньги, рабочая сила, межгосударственное сотрудничество... «Сам виноват, теперь неловко», — встал и отодвинул стул. Проходя мимо бритых, уловил обрывок разговора:

— Не, лимон в том году. Гауляйтер у них сменился. Этот ваще борзеет. Лучше сразу к федералам.

— Ага, сразу! У тя чо, ходы?

— Ходы не ходы, а тоже кушают...

«Федералы, лимон... — новая абракадабра, составленная из уже знакомых слов, снова не поддавалась переводу. — Плохо дело, — попенял себе. — Так не годится. Нем-русский придется подтянуть...»

Вблизи оказалось: не картинка. Фотография какого-то многочисленного семейства. Первый ряд занимали старики и дети — за исключением самого младшего, младенца, которого старуха держала на коленях, сидели на стульях с высокими спинками. Среднее поколение — дети стариков со своими мужьями и женами — стояли позади.

— Беккера концепция. Мы в Штиглице вместе учились. У вас ить Мухинка, да?

Выяснилось, что однокурсник Колмана бывал в Ленинграде, встречался с коллегами-дизайнерами.

— Ваще, грит, отстой. Прошлый век. Ни одной новой идеи. Гонят советскую дешевку.

«Дешевку... — стало обидно за советских дизайнеров. — У самих-то что?»

— Я, конечно, не дизайнер, но, честно, что тут такого современного? И фотография старая, — он смотрел на женщину за спиной старика. Она смутно кого-то напоминала.

— Как — што! — Колман возмутился. — Всё. Беккеру чо советовали? Заказать, изготовить. Эта, на киностудии. А Беккер — нет. Уперся: тока аутентичные позиции.

Он наконец понял, на кого похожа женщина с фотографии: на тетю Гисю, но не теперешнюю, а лет двадцать назад.

— Чо, думашь, легко? Не знаю, как в совке, а наша бюрократи... Пропуск на въезд в особый район — айн! Разрешение на осмотр складов — цвай! Беккер грит, чо не сожгли, сгнило. Не всё. Почти. И вещи, и документы. Даже фотки — и те переснимать пришлось. А все одно — не фальшаки, — Колман хихикнул. — Не то што у вас в совке.

— У нас?! У нас всё настоящее. Рембрандт, Тициан, Леонардо.

— Да кому они сдались — старье! Ни концепции, ни стиля... А главно, хлоркой провоняло...

— Хлоркой? В Эрмитаже?!

— Не. Там, на северах. Куда их... Ну, эта... поездами. Короче, выбрал — а-апять подляна: справка-разрешение на вывоз.

— Так это... всё... — боясь поверить своему ужасу, он смотрел на размытый чемодан.

— Ну, — Колман подтвердил с гордостью: — настоящие жидовские вещи. Хороша идейка? Дарю. А чо, найди грамотного дизайнера. Бабок срубите. У вас ить тоже полно. Ссылки и все такое. Вывеска, — Колман сосредоточился: — «Го-ло-до-мор». И шеф-повару никаких заморочек. Хыть говна в тарелку наложи. Концепция, мля. Хошь не хошь — жри.

— У нас... такое... нет! Никому и в голову...

— Чо, не доперли ищо? Зензухт. Не боись, допрут. Ностальгия. — Колман смотрел колючими глазками злого избалованного подростка. — Вспо-омнишь, как я предлагал, а ты, мля, кобенился.

«Ностальгия — тоска по раю... Но здесь, у них...» — он попятился назад к столику.

Ганс скользнул равнодушным взглядом, будто не заметил ни его отсутствия, ни тем более возвращения.

«Встать, плюнуть им всем в рожи, — теперь он смотрел на Ганса как на неотъемлемую часть этого гнусного фарса, — пусть звонят, вызывают, выводят. Проклятые. Ни стыда ни совести...» — но мысль о полиции пригасила праведный пыл.

Не чувствуя вкуса, съел горячее.

Колман сделал поползновение выцыганить десерт, но Эбнер потребовал счет.

Еще каких-нибудь полчаса назад он пришел бы в ужас, но теперь равнодушно отметил трехзначную цифру против одной позиции — и полез в карман. Завтра он уедет назад, прочь из их поганого Питера (до чего же гнусная кличка!) — и больше ни ногой, сюда, где все продается и покупается, даже смерть невинных людей: собираясь в последнюю дорогу, складывали нехитрые пожитки в старые чемоданы, снимали со стен семейные фотографии...

Эбнер достал бумажник и вынул несколько купюр.

— Но мы... — он оглянулся на Ганса, — договаривались...

— Со мной? — Эбнер вложил деньги в маленький кожаный складень. — Купишь чо-нить. Не знаю, родителям, — и кивнул официанту.

Ага, и денежки сохранил... — внутренний голосок хихикал, хоронясь между слежалыми кисточками.

«При чем здесь?! — он возмутился. — Я хотел заплатить. Эбнер сам».

Хи-хи, ясно, сам... Вот только интересно, что он за это попросит?

Хотел ответить: пусть просит. Плевать мне на его просьбы.

Но бритоголовые, сидевшие за соседним столом, вдруг вскочили и, выбросив вперед и вверх правые руки, рявкнули:

— Зиг хайль!

Губы Эбнера сложились в усмешку отвращения, Эбнер что-то сказал по-немецки, он разобрал только: «Русише швайне». Ганс густо покраснел. Один Колман безмятежно допивал кофе, будто ад, сидящий за соседним столиком, никак его не касался.

«Додик вонючий! — тонкая ядовитая струйка вливалась в самое сердце. — Рано или поздно допрыгается, донесут. Если уже не донесли... — и засопел разочарованно, вспомнив: даже в этом случае Колману ничто не угрожает, по закону о неприкасаемости. — Жаль, к нам его нельзя. На нашу советскую зону. Уж там бы узнал — что почем...»

Он-то надеялся, что их подвезут, но Эбнер кивнул на прощание и отбыл. Колман — с ним.

Из трамвая они с Гансом вышли порознь. «Какого черта он за мной шляется!» Теперь, зная цену им всем, он надеялся, что хоть в вестибюле отвяжется, но Ганс сказал чужим деревянным голосом:

— Машинка. Вопщем, надо забрать.

«Дойдем, узнаешь у меня! И в общем, и в частности, — шагая вверх по лестнице, он предвкушал, копя драгоценные капли злобы, подлинной, рождавшейся в кишечнике или глубже, в темных желчных протоках. — Будет тебе! И совместная борьба с международным еврейством, и формы дегенерации. И тесное сотрудничество, и добрососедские отношения, и общие разведывательные операции...»

Если бы в эти последние минуты кто-то, к примеру московский парень, ночующий у родственников, шепнул ему: тише, тише, геополитика сложнее, чем нам, простым смертным, кажется, возможно, он бы и удержался. Но кроме него и Ганса в темной комнате никого не было.

— Ты хоть знаешь, чьи там фотографии?! А вещи? Чемоданы. Евреев, которых вы уничтожили! Морду вам набить, фашистам, — он выдохся и затих, будто вырвало наконец горькой интернациональной злобой.

— Все сказал? — Ганс усмехнулся, пошарил в сумке и зажег настольную лампу. — На. Это — тебе.

Странно, но даже эта откровенная насмешка не насторожила.

Он просто протянул руку:

— Мне?

В конверте оказалась записка. Он развернул, и в этот же самый миг за стеной, в соседней комнате, заиграла бравурная музыка.

Китаист

— Адрес, — Ганс пожал плечами. — Твоих родственников, — и прежде, чем он узнал мелодию предвоенной песни:

А если к нам нагрянет враг матёрый,
он будет бит повсюду и везде, —

добавил тихо и буднично:
— Привет от Геннадия Лукича.

I

Четвертая

I

Весточка с Родины — на этот раз несомненная. Одним, но безусловно могучим авиаударом она разбомбила маленький областной город его смутных логических построений, догадок, подозрений и далеко идущих выводов. Он бродил по руинам, но не мертвым, а, напротив, подвластным воле шефа, чье вмешательство все переменило. Эта — почти божественная — воля одним мановением построила другой, правильный городок, в котором посланником оказался не Лаврентий Ерусланович (даже стыдно, кого он принял за полномочного представителя своей великой Родины), а Ганс — майор-особист с энкаведешными петлицами (краповые, голубая выпушка — крепятся к шинели золотыми пуговицами). Уж если сравнивать, ставить по ранжиру, профессор Нагой — всего лишь полевой генерал, выполнявший спецзадание командования.

Белый квадрат окна вытягивало и плющило по осям симметрии, пока не свело в косой ромб жизненно важного для него вопроса: «А я-то теперь кто?..»

Самое неприятное, что ответить на этот вопрос мог исключительно Ганс. И ответ грозил ему новой бедой. «Наверняка ведь донес», — и про совместное предприятие, и про деньги, не говоря уж о сомнительных разговорах. Он смотрел мимо Ганса, стараясь унять страх, — с тем же успехом, с каким унимал бы кровь, которая бьет толчками из раны: сквозной, но задевшей кость.

Ясно одно: Ганс приставлен к нему с самого начала. Свести знакомство, войти в доверие, расположить к себе, выспросить, склонить к сомнительному делу и, наконец, дать полный и развернутый отчет.

— Ты понял? Их нашли. — Лицо Ганса белело как чистый лист: будто все слова и буквы отчета, отправленного по назначению, исчезли — как с той, первой записки: *история не знает сослагательного наклонения...*

— Кого? — он переспросил покорно, чувствуя себя ломтиком колбасы между двумя кусками хлеба. Эдаким бутербродом. Снизу — внутренняя наружка. Сверху Ганс.

Вот только где те челюсти, что его сжуют?

— Родичей твоих! Круто, а? — в глазах Ганса посверкивали искорки дружелюбия, будто и не агент наблюдения и оперативной связи. *Просто* друг.

«Родичи... — Точно бесплотные призраки, ему явились мать и сестры: Люба и Вера. Встали у окна. — Неужели их привезли?»

Даже в этом смятенном состоянии он понимал: мама и Люба — еще куда ни шло. Но Вера? Веру задействовать не могли. Ее муж — профессиональный комсомолец. Геннадий Лукич их терпеть не может, однажды прямо сказал, предупредил: комса — самая гниль, ни совести, ни идеалов. «Вырастили достойную смену! — Шеф чертыхнулся. — Только и ждут, когда мы, старики, ослабнем». С зятем он вел себя осторожно.

«А, — он смотрел на Ганса, — с ним?»

Торопливо, боясь запамятовать что-нибудь критически важное, иными словами, опасное и лишнее, перебирал все, о чем в эти дни говорили: Любина шуба, коммуналка — ну, это ерунда; поезд — хорошо хоть не особенно восторгался, просто подтвердил: да, хороший, современный; архивы — тема сомнительная, но сам-то он больше слушал да помалкивал. Про архивы говорил Ганс.

— Что их искать? Они всегда дома. Когда не на работе.

— Ты чо, не въехал? Сам сказал, все погибли. А они — вона где, — Ганс ткнул пальцем в письмо-бумажку с Родины, о которой он отчасти забыл, выпустил из виду. — Отъезд отменяется. Ты остаешься. Поселишься у них.

Судя по всему, ожидал от него вспышки радости по вновь обретенным родственникам, но он уже успел овладеть собой. Расправил лицо, как мятый лист, — не считаешь ни слóва, ни мысли, даже самый короткий промельк. Только пустая улыбка. С расчетом на то, чтобы скрыть неуместную радость, проступившую из-под слоя патриотизма, толстого, как вечная мерзлота его родной Сибири: «Ура. Остаюсь».

Тактика скрытности себя оправдала. Ганс смотрел разочарованно, как малец, развернувший конфету-леденец, на поверку оказавшуюся фантиком. Он тоже развернул и прочел, на этот раз осмысленными глазами: *улица Малая Посадская* — прежнее название его родной, имени Братьев Васильевых; *дом 6.* Совпадение не коснулось номера квартиры, где обретаются какие-то уцелевшие родственники: ее номер стоял в седьмом десятке. Как, впрочем, и они сами, седьмая вода на киселе.

— Вопщем, завтра с утра, — Ганс распорядился деловито, уже не майор-особист, а какой-нибудь зам по хозчасти, — но с теми же самыми нашивками (крап, голубая выпушка).

И ушел.

Действуя сугубо автоматически, он развернулся на каблуках, прошагал к вешалке, взялся за ручку чемодана: «Собраться. Лучше сейчас, не откладывать на завтра... — и вдруг осознал: — Родственники. Здесь, в России...» Для него, советского человека, само существование этих темных людей не предвещало ничего хорошего. Напротив: бросало густую тень. Гуще, чем неподтвержденная гибель отца, — с этим он с грехом пополам (спасибо Геннадию Лукичу!) справился: все-таки отца призвали, его отец погиб. А эти — наоборот. Уцелели, оставшись *под немцем*, не исключено, что по собственной воле.

«Сотрудничали. Как пить дать, сотрудничали...» — он стоял, держась за косяк, прислушиваясь к нарастающему гулу: что-то глухое и неотвратимое собиралось на гребне Уральского хребта.

Уже понимая: разговоры — чушь. Болтовня, от которой всегда можно отпереться. Слово против слова. Еще неизвестно кому, ему или Гансу, Геннадий Лукич поверит. Это же не документ. Вроде той справки, на которой написано черным по белому: Мохнаткин, Лихайчук, Свирский — преступная троица, избегнувшая советского правосудия. Тут ему пришла еще одна мысль: а что если Ганс предъявил эту справку не случайно? Дескать, таковы и твои родственники. Еще и намекнул: вот возьму и передам вашим органам. Дал понять.

Он лег и свернулся улиткой, калачиком-эмбрионом.

Теперь он был почти уверен: этих родственников (по которым в лучшем случае плачет тюрьма, а в худшем — виселица) раскопал не кто-нибудь, а именно Ганс. Обнаружил, роясь в фашистских архивах. В качестве архивиста его и используют. Чтобы выводить пособников на чистую воду. Все остальное, вроде сегодняшней *весточки*, — так, в качестве мелкой услуги: попросили — передал.

Страдая, что оказался таким слепцом, бог ты мой, сущим идиотом, он выбирал и отбрасывал мелкие камушки, боясь подступиться к крупным валунам.

Собственно, что он знает о довоенной жизни? У сестер был отец, который погиб, а мать снова вышла замуж. Если б не погиб, как бы она вышла?

Как-как? А как другие выходили. Писали заявления, мол, муж или жена остались под немцем...

Он представил себе глаза матери, ее ладонь, запечатывающую рот... И представив, заткнул гнусного наветчика: «Мало ли что другие! Она не могла».

Уж кто-кто, а мать все понимала. Ради личного счастья подставить под удар дочерей? Поэтому и стояла на своем: нет никаких родственников, погибли в блокаде. Отец ее девочек, дед, бабка — все.

Выходит, был. Кто-то еще, кого она никогда не поминала: брат, сестра? Положим, двоюродные: наверняка они остались на тех забытых фотографиях. Если бы мать не ошиблась, не перепутала с жировками, это еще можно было исправить. Вырезать, превратить в лица-овалы. Начни кто-нибудь расспрашивать, тыкать в размытые фигуры: а это, мол, что за пыльник — случайно не твой двоюродный брат? А это старушечье платье в мелкий цветочек — не твоя ли двоюродная тетя? — пожать плечами: и пыльники, и такие же точно платья до войны продавались в магазине. Кто их только ни носил...

Разве могла она знать, что где-то далеко, в покинутом навсегда Ленинграде, подрастает другой мальчик, Иоганн, ровесник ее сына («Для друзей — Ганс», — он усмехнулся через силу), которого проклятые фашисты допустят до своих архивов.

Он не заметил, как оказался у окна. Там, в чернильной тьме Иоганнова доноса, заливавшей его новую жизнь, ходили бесплотные тени родственников. В сравнении с ними тети Гисины имеют если не кровь и плоть, то, во всяком случае, ясную память о своей бывшей плоти и крови: их память можно вставить в рамку и прибить к стене. Чтобы стряпать их любимые еврейские блюда, разговаривать, предаваться ностальгии — тоске по утраченному аду. Тете Гисе больше нечего бояться. Ее семейная история *не имеет* сослагательного наклонения. Ни в прошлом, ни тем более в будущем. Ее родственники не нуждаются в защите. Они уже под защитой: ясной и несомненной еврейской смерти. Непроницаемой, как облако черного дыма, в котором они ушли в небеса.

Впервые в жизни он завидовал евреям: «Их история не имеет. А моя?» Как выяснилось, еще как имеет! Просто *не знает*, точнее, не знала вплоть до сегодняшнего вечера, когда круг беспамятства, очерченный матерью, лопнул ободом гнилой бочки или разошелся, как шов, наложенный руками неумелой фельдшерицы. И теперь *они*, признавшие над собой преступную власть оккупантов, сбиваются во мраке, готовясь ринуться на приступ, чтобы перечеркнуть его будущее кривым фашистским крестом.

Думал скрыться... Утаить... Отсидеться... От нас не скроешься... Нас не скроешь... — сонм неведомой родни, от которой нет ни спасения, ни защиты, то взвизгивал, то шептал злыми голосами.

Вглядываясь во мрак, он дрожал точно огонек свечи, которую зажгли, прилепили к подоконнику — как знак для разгулявшейся нечисти: ваша жертва здесь.

Подымите мне веки... — кто-то могущественный (Геннадий Лукич в сравнении с ним — мошка) взывал из темноты. Он втянул голову в плечи, зная, что за этим последует: *Вон он, я его вижу...*

Но в этот последний миг, который навек ему запомнился, бесплотные тени отпрянули от стекол. Он вздрогнул и обернулся на стук, резкий, как крик петуха.

— Войдите, — ответил, дивясь своему ровному голосу.

Ежели бывает на свете облегчение, вот оно: в дверь входил его сосед по комнате, тот самый парень из нашей советской Москвы.

— Добрый вечер, — и бросил назад, обращаясь к кому-то в коридоре. — Заноси.

Крепкий мужик — судя по выражению глаз, из желтых — втащил кожаный чемодан.

— Не сюда, к кровати, учи тя, мля, учи, — московский парень распорядился сварливо и, дождавшись, когда носильщик скроется за дверью, картинно пожал плечами: — Видал? Тупари.

Он отвернулся, сделав вид, что собирает листочки с материалами конференции. Щелкнули застежки чемодана.

— Шмоток надавали, — сосед зашуршал пакетами. — Думаешь, Китай? А вот и нет. Чистая Европа! Сестры говна не хавают.

— У тебя... есть сестры?

— Ну да, двоюродные, по матери, — сосед подтвердил легкомысленно, словно в этом нет ничего особенного. — Мать-то моя отсюда. Питерская.

— А... отец?

— Не. С Тюмени. Архитектор, строил нашу Москву, — парень сунул руки в огромный пластиковый пакет. — Видал? Красота!

Мех зыбился, переливаясь черными волосками.

— Скажи, а? Натаха охренеет!..

— Повезло тебе с родственниками, — он выдавил из себя клейкую улыбку.

— Это да, — парень достал бутылку с пестрой наклейкой. — Стаканы́ есть?

— Чашки.

— Покатит, — налил и потянулся чокнуться. — За окончание командировки, даст бог, не последняя! Бейлис. Классный ликер...

Он пил мелкими глотками, чувствуя, как что-то не похожее на жидкость мягко обволакивает язык, гортань, пищевод.

— А чо им? Я на их месте тоже, как грится, не жидился... Жируют. Не то что мы, — небрежно мотнув подбородком в сторону Родины, парень прищелкнул языком. — Прикинь. Квартира — прям на Исаакиевской. Так — немецкое посольство, — резанул густой точно слизь воздух, — а так, — поперечный разрез, — они. Комнат — штук шесть. Ванна метров пятнадцать. Малахитом обделанная, как в Эрмитаже. Сортиров — два...

— Тоже обделанные? — он вложил в вопрос изрядную толику издевки. Но сосед — «Как тетерев на току» — не уловил.

— Прикинь. Парадная — будто языком вылизали. Специальный желтый приставлен. Утром идешь — моет, возвращаешься — подметает. У каждой двери коврик. А лифт! Не поверишь, духами шибает. А у нас? То-то и оно...

Тут, будто пахнуло смрадом родной парадной, в его душу закралось подозрение: «Эге! Парень-то не прост. Похоже, засланный казачок».

— Европу насквозь объездили. Этим летом в Мексику намылились. Меня приглашали. Во суки! Знают, что нельзя мне, а зовут! — Парень понизил голос, хотя и до этого говорил негромко: — Остаться предложили. Типа, выбрать свободу...

— Это у них-то свобода! — он воскликнул возмущенно, уже почти не сомневаясь: провокатор. — А ничего, что тут оккупация? Фашизм.

— Да ладно тебе! — парень ослабился. — Может, кому и оккупация. А моим разлюли-малина.

— Чего же не остался? — спросил, будто предоставил последнюю возможность оправдаться, отыграть назад, ответить как положено: не могу предать свою Родину.

— Так здесь-то я — кто? Приживал, — нацедив беловатой слизи и коротко выдохнув, парень опрокинул себе в рот. Пустая чашка замерла в воздухе: — Не. Поздно. Алес капут. Ушел наш цуг. Раньше надо было чухаться. Не бежать как подорванные. Нах остен! Нах остен!..

«Не-ет, — он думал, — не провокатор. Просто крыша у него съехала!» — вот, оказывается, о чем предупреждал Геннадий Лукич.

— Поглядел я тут, посравнивал. Приеду, родакам расскажу. А то гордятся! Типа, спасли СССР. И чо теперь? На булку его мазать? Или на задницу заместо джинсов? Кому он сдался-то ваще! — парень отставил недопитую бутылку. — Прикинь, в ванной штука у них такая, вроде унитаза. Сперва думал, ноги в ней моют, — зевнул широко.

«Может, временное помрачение. Геннадий Лукич говорил, так тоже бывает. Подлечить — пройдет».

Хлипкая стенка пропускала звуки. Зажурчало тоненькой струйкой, потом хлынуло водопадом. Он подтянул одеяло, накрываясь с головой. Как в детстве, когда играл в лесного зверька, который забился в норку.

— Ну чо, свет-то гасить?

Он не ответил. «Пусть думает: сплю...» Но мысль, хищная лисица, вертелась, что-то вынюхивая. Он знал: что. Так ли уж права была мать, когда устремилась на восток, потеряв по пути маленькую Надежду? Ведь если бы она осталась, кто знает?..

Лежал, конструируя новую семейную историю: «И кто тогда Ганс? В сравнении со мной. Не говоря уж про Юльгизу. Твои родственники, случайно, не из черных? Мои-то из черных... — Сосед ворочался. Значит, тоже не спал. — Со всеми, кто живет в Петербурге, поставил бы себя иначе... И с Эбнером — на равную ногу...»

— Сказать, о чем ты сейчас думаешь?

Он вздрогнул и вытянул руки по швам. Прижал к бокам, будто парень мог вывернуть его, как шубу. Да еще и прощупать с изнанки.

— Вот типа урод, продался за джинсы. Или за пиво. Срать мне на ихнее пиво! Не веришь?

Самое удивительное: он верил. Но это ничего не меняло. Хотя еще вчера он наверняка оценил бы искренность этого едва знакомого парня. Тем самым угодив в западню. Но сегодня — «Вот что значит — вовремя» — весточка, полученная с Родины, будто изменила состав воздуха, впрыснув в него добавочный химический элемент. Под воздействием которого он чувствовал острое любопытство: делиться с первым встречным такими опасными, безумными соображениями — неужели это и есть первый симптом тяжелой мозговой болезни?

Не дождавшись ответа, сосед опять заговорил:

— Заладили: захребетники — предатели. Когда было-то? Вон, сестры мои... Кого они предали? Родились и живут. Ты чо, думаешь, я родину не люблю? Тут-то тоже типа родина. Историческая.

Он вспомнил сестру. Люба тоже позволяет себе критику. Но там, у себя. А не здесь, в чужом враждебном окружении. «Тоже родина? — будто пробуя на вкус, повторил вслед за парнем, но с отвращением выплюнул: — Не родина. Нет». Здесь, за уральской границей, даже намек на безоглядную искренность обретает оттенок предательства. Подлой клеветы. Будь этот парень его близким другом или родственником, вполне возможно, он попытался бы предостеречь. Но чужому, едва знакомому человеку уже ничем не поможешь. Все, что он может сделать, — обезопасить себя. Опередить. Сообщить раньше, чем это сделает парень, вконец ополоумевший от роскошной российской жизни.

«Но — как? — вдруг его осенило: — Ганс. Он же на оперативной связи».

Прислушиваясь к ровному дыханию соседа, думал: «Спишь? Вот и спи, дурак...» Геннадий Лукич разберется. Если все нормально, отпустит. Теперь он готов был посочувствовать парню: если сообщение нигде не задержится, его *возьмут* сразу, как только поезд пересечет государственную границу...

В голове стучали колеса. Будто он снова в поезде, но идущем обратно. Нах остен. С запада на восток.

Вагон, в котором он сидел, затаившись, замер напротив серой двери. Советские солдаты несли караул. Он нашел глазами группу офицеров — все как один с краповыми (голубая опушка) лычками. Долгополые шинели расступились, являя взгляду болтливого соседа: тот споткнулся, будто толкнули в спину, и, мелькнув напоследок, исчез в дверях.

«Я-то здесь при чем? Сам напортачил, пусть сам и отвечает», — короткий смешок, прилипший к губе, вспух простудным прыщиком. Прыщ-смешок наливался, становясь крепким красным бутоном...

К утру воспаленная усмешка зажила, отпала подсохшей корочкой. В утреннем свете ночная история казалась ясной и простой. Политическая болезнь зашла далеко. Сообщить — значит прийти на помощь. Как товарищ товарищу.

Петербургское солнце, слабое и неверное в сравнении с родным, ленинградским, выглядывало из-за приспущенной занавески. Болтливый парень тоже проснулся, сидел над раскрытым чемоданом, будто изумляясь количеству подарков, полученных от здешних родственников.

— Ну чо, жрать идешь?

«Ни здрасьте тебе, ни с добрым утром... Совсем он тут одичал».

— Эх, тапочки у них оставил. Хорошие такие, новые... Ничо, другой раз заберу. Как думаешь, джинсы пропустят? Или лучше — на себя? Типа замерз...

Он пожал плечами неопределенно: мне-то почем знать? Нам, простым советским людям, подарков не дарят, ни джинсов, ни тапок. Все-таки не удержался:

— И шубу сверху надень. Как Дед Мороз.

— Не влезет, узкая, — парень ответил, будто всерьез рассматривая этот вариант.

«Воистину обезумел. Прав Геннадий Лукич — тяжкая болезнь».

Ганс явился к десяти. Мельком кивнул его соседу — мол, нашелся и нашелся, чему удивляться.

— Ну, двинули?

Он обернулся в дверях, повторив про себя: «Олег Малышев», — будто положил в отдельную папку.

— Чо смурной такой? Не спал?

— Парень этот, мой сосед. Ты был прав. У родственников кантовался. Подарков надарили! Два чемодана, — он бросил пробный камень. Никакой реакции. — В Мексику приглашали...

— И чо, поедет?

— Кто?!

— Ну этот, как его...

— Олег. Олег Малышев, — он произнес четко, по буквам, превращая слепую папку в настоящее «Дело».

— Круто! Я бы тоже не отказался... Прикинь. Ацтеки. Вопщем, великая цивилизация...

«Я ему про Фому, а он — про Ерему... Уф-ф...» — Невесть с чего отяжелевший чемодан еле полз, переваливаясь, постреливая колесиками на стыках тротуарной плитки. Он тащил, пыхтя и отдуваясь как паровоз.

— Остаться предложили... Уф-ф... Типа, выбрать свободу... Уф-ф...

— Где? В Мексике?.. Да чо у тя там, кирпичи?! — Ганс перехватил ручку чемодана. Он испугался, что сейчас все откроется: вывалится прямо Гансу под ноги. Но умница-чемодан сам подобрался, поджал колесики.

— Не в Мексике. Здесь, в России... — он сжал и разжал кулак, разгоняя кровь.

— А он?

— Сказал, поздно начинать. Раньше надо было. Не драпать, а оставаться. В общем, прикидывал.

В глазах Ганса мелькнуло что-то зыбкое, похожее на понимание.

— При-ки-ды-вал... Хорошее слово. В смысле, думал?

— Да. Думал. Да. — Будто разре́зал на отдельные ломтики. Гансу осталось проглотить.

— И чо? Ваши все прикидывают. Ты, между прочим, тоже.

— Я?! Когда? — он выдавил из себя тоненьким голоском, лишь бы заглушить то, что пульсировало за ушами: «Доложил, точно доложил. Так, гад, и написал... — и вдруг ослаб. Шел, с трудом удерживая равновесие, — хотелось пасть в ноги, просить, умолять — может, поймет, сжалится, не отправит. — Ничего он не поймет...» — как слепой с глухим или на разных языках — дело не в словах, слова выучить можно, а в другом, чего не объяснишь, не расскажешь.

Все-таки попытался:

— Надо сообщить. Про него. Геннадию Лукичу.

— Ты это чо? Специально? Меня, што ли, проверяешь? — Зайчики, пляшущие в глазах Ганса, убеждали лучше всяких слов. «Не написал. Не отправил. Геннадий Лукич не знает: ни про деньги, ни про все остальное...»

— Ага, — кивнул. — Проверка на вшивость. Ладно, — подвел великодушную черту. — Мир.

И почувствовал прилив бодрости. Как-никак, спецоперация внедрения по месту жительства его неведомых родственников уже началась. Вступила в первую фазу. В метро он неприметно оглядывался, проверяя, нет ли следом наружки. Пока что ничего подозрительного не обнаружилось. Но расслабляться нельзя. Вражеским агентом может оказаться кто угодно. (Они с Гансом уже поднялись на поверхность. Ганс побежал за сигаретами.) «Да вон хоть тот, мужик в длинном кожаном пальто». Скользнув намеренно равнодушным, но одновременно цепким взглядом, он сделал вид, что рассматривает афишную тумбу, залепленную огромным плакатом:

ГАСТШПИЛЕ. КИРОВ-БАЛЕТ. ЛЕНИНГРАД. СССР.

А ниже, буквами поменьше:

Мариентеатер. Сцена цвай.

Лебеди-балерины, сбившиеся белой стайкой, расправляли крылья, утомленные долгим перелетом над просторами европейской части их бывшей Отчизны. «Ничего... Мы и на второй сцене себя покажем, — он подбодрил усталых соотечественниц. — Если что, у нас и опера есть... И оркестры... — перевел взгляд на мужика, но рядом с тумбой, где еще минуту назад торчал тот, кожаный, теперь стоял другой. В синей куртке с золотыми молниями-змейками. Эти молнии выглядели особенно подозрительно. — Как плохие зубы», — на курсах им показывали зубные накладки, специальные кривые протезы, которыми пользуются агенты, чтобы отвлечь внимание от других, запоминающихся, примет.

«Если пойдет за нами...» Предполагаемый агент повернулся к нему спиной и направился в сторону Невы.

— Палатки позакрывали, — Ганс вернулся, запыхавшись.

Он поморщился: «Палатки! Нормальные люди говорят: ларьки».

За трамвайными рельсами торчал гранитный постамент, с которого их вечный короткоусый фюрер приветствовал своих верноподданных: тех, кто, выйдя на поверхность из глубины метро, снова уходили под землю — вливались в подземный переход.

— Ну чо, вниз? Или поверху перейдем?

Он медлил, делал вид, что раздумывает:

— А можно?

— Ага. Если очень хоцца... — Ганс подмигнул.

— Это что, надолбы? — По другую сторону трамвайных рельсов из асфальта то здесь то там лезли полусферические шляпки без ножек.

— Типа. На тротуар въезжают, оборзели совсем!

Сворачивая за угол, он заметил еще один подозрительный объект: обтерханный старик, на первый взгляд из желтых, рылся в урне, выуживал пивные банки, прежде чем сунуть в матерчатую торбу, плющил их протезом — снизу круглой, как набалдашник, деревянной ногой.

Еще один, внушающий подозрения, обнаружился за углом: тоже старый, в темно-сером поддергае, отдаленно напоминающем изношенную чуть ни до дыр шинель — если, конечно, укоротить. Слева на

груди, где советские ветераны носят ордена и меда-
ли, висел фашистский крест.

— Он что, эсэсовец?

Местный ветеран поднял слезящиеся глаза и что-
то забубнил, протягивая к нему культяпку, словно
просил прощения за преступное прошлое.

— Не, из вермахта, — Ганс сунул руку в карман и,
к его несказанному изумлению, подал: немного,
горстку монет, но дело-то не в сумме, а в самом фак-
те. — Жалею я их. На пенсию ихнюю не проживешь.
А ваши? Они-то как, не бедствуют?

— Ну ты сравнил! Нашим — почет и уважение, без
очереди пропускают. И в магазинах, и в поликли-
никах.

— Чо, всех? А в *Смерше* которые служили?

— Какая разница? Все равно — фронтовики.

— Ты правда так думаешь? — Ганс смотрел на него
странным, отрешенным взглядом, под которым он
вдруг растерялся.

— Слышь, а их-то предупредили?

— Придешь — узнаешь, — Ганс пожал плечами.

— А вдруг выгонят — куда мне тогда деваться? —
перед лицом скорой встречи с теми, кого, как ни
пытался, не мог вообразить, он осознал меру своего
одиночества, высшую. — Ты побудь во дворе. Недол-
го, минут десять. Если не вернусь...

— Чо, считать коммунистом?

«Во дурак, нашел время», — но разозлиться снова
не получилось. Тем более Ганс кивнул:

— Не бзди. Не брошу... Чай, не чужие...

«Не чужие? Ну да... А — *какие*?» — в тишине, похожей на сердечный спазм, он обернулся к Гансу, чув-

ствуя прилив нечаянной и невнятной нежности, размывающей все прежние понятия, на которые еще сегодня утром, за завтраком, он привычно полагался, искренне веря, что они если и не врожденны, то всосаны с молоком матери-отчизны.

«Что со мной?..» Близость, сильнее братства и родства, во всяком случае этого, сомнительного, с мифическими родственниками, в чей дом он теперь внедряется, побуждала к сущему безумию, на которое способен лишь тот, кто навеки изгнан из советского рая. Он прикусил щеку, боясь выдать острое желание: вложить в сухую пясть Ганса свою влажную ладонь... И — гори оно все вечным огнем!

Он вздрогнул, будто очнулся от обморока: поспешил облизать губы, на которых остался соленый привкус — но не сладкая слюна. Вскипевшая кровь.

«В *кого* я здесь превращаюсь... — воззвал к себе прежнему, тому, кто едва не погиб, ухнув в адскую воронку. — Да пошел этот Ганс подальше! — подумал грубо, еще не до конца веря в свое спасение: как если бы тело, разорванное взрывом пехотной мины, собрали, как глину, по кускам и прилепили к прутьям арматуры.

Сквозь густые черные прутья виднелся сегмент двора. В глубине, за подворотней, перегороженной чугунными запертыми воротами, синела дощатая будка. В будке кто-то сидел.

— Может, позвать, крикнуть?

Но Ганс нажал на кнопку. Дырчатая пластина отозвалась громким шуршанием, будто малюсенький инженер, выдумавший это устройство, оторвал и смял кусочек чертежной кальки: мол, ходят тут, отвлекают от изобретательских дел, и, пробившись сквозь шершавые помехи, раздраженно выдохнул:

— Хто?

— В шестьдесят четвертую, — он ответил ясно и четко.

— Захады, — голос с тяжелым желтым акцентом.

Ти-ти-ти, — чугунная калитка затинькала веселой птичкой.

Миновав подворотню, они вошли во двор, вымощенный аккуратной сероватой плиткой. Еще одно отличие — балконы, пустые, не заваленные хламом.

Пока он оглядывался и сравнивал, желтый, несущий службу в караульной будке, распахнул узкое оконце:

— Туда идыте. — Оттопыренный большой палец указывал на вторую подворотню.

Волоча грохочущий по плиткам чемодан, он выхватил взглядом *свое* окно. Будто еще не поздно скрыться в родных коммунальных дебрях, где даже соседи роднее и ближе этих, неведомых, кого ему зачем-то навязывают, выдавая за родственников; закрыться в комнате, где на подоконнике, знакомом до последней выбоинки, ветвится денежное дерево, разросшееся за последний год. Сестра Вера сказала: хорошая примета. Вспомнив пухлый конверт, полученный от Ганса, подумал: «Надо же, и вправду к деньгам...»

Второй двор встретил их обшарпанными стенами в сизых застарелых потеках. Разбитым, весь в каких-то ямах, асфальтом. И косым — над единственной парадной — козырьком.

Справа виднелись гаражи. Аккуратные, не чета дощатому разнобою ленинградских сараев. Пока не пустили центральное отопление, в них хранились дрова. У каждой семьи своя отдельная клетушка, многие этим пользовались, держали кур, а многодетные из четырнадцатой квартиры даже свинью. Пока управдом (развели, понимаешь, антисанитарию) не вызвал участкового. Мать все-таки успела. Купила кусок — большой, килограмма на полтора. Парную свинину он попробовал в первый раз, прежде ели солонину. Мать сравнивала с американской тушенкой, которую он уже не застал, говорила: хорошая, но больно постная. Наша вкуснее. С жирком. И на хлеб намазать, и в макароны, и картошку на ней пожарить: не сравнишь, когда на комбижире.

Он поднял глаза. Кроме сарайной клетушки, каждой семье полагался кусочек чердака. Когда подрос, помогал матери таскать тазы. «Эти, из тридцать первой, снова веревки наши завесили...» Сперва удивлялся: и как это она определяет? Неужто помнит наизусть соседское белье, чужие пододеяльники и наволочки (после войны в лучшем случае простыни — это уж потом разжились) — решительно сдергивала со своих вероломно завешенных веревок, складывала стопочкой, грозясь в следующий раз бросить прямо в грязь. А пусть перестирывают, впредь неповадно будет...

Ганс нажимал на кнопки — еще одно электронное устройство, только теперь на двери.

— Хто? — раздраженный женский голос вогнал его в ступор: а правда, кто?

Оглянувшись на Ганса, — тот кивал ободряюще — ответил лаконично:

— Руско. Алексей Руско.

После этих слов железная дверь запела иначе.

— Но пасаран, — Ганс дернул сжатым кулаком.

«А этаж-то какой? — но тяжелая створка уже захлопнулась — точно крышка саркофага, отвечая его темным мыслям, которые жгли изнутри: — Не ждет. Караулит, чтобы я не сбежал». Ганс — его личный заградотряд.

С этими злыми подозрениями одолел первый лестничный марш, попутно отметив: ни мочи́, ни коммунальной вони. Но, конечно, не так, как расписывал Малышев Олег, — и стены довольно обшарпанные, и окурок вон валяется...

Хотел поехать на лифте, но передумал: «Подумаешь, лифт! У нас тоже есть», — в памяти всплыла густая сетка, провисшие под собственной тяжестью двери: чтобы открыть, надо хорошенько отжать и дернуть. Кряхтит, но работает отлично, ни разу не застрял.

Навстречу спускались мужики. Пятеро или шестеро — валили крепкой спаянной ватагой, волоча за собой куски неровных, точно обгрызенных досок. Он посторонился, чтобы освободить дорогу. Но они замерли, прижавшись к стене.

Пытаясь найти выход из глупого положения, он сделал короткий жест: давайте, давайте же, проходите. Но они будто вдавились в штукатурку.

И тут словно всплыло:

— Шнель! Шнель! Цурюк!

«Откуда?!» — и сам испугался, хотя ясно: из фильма про советских пленных. Как оказалось, *это* все еще работает: зловещие фигуры — «Ну какие зловещие! Обыкновенные ремонтники...» — выступили из стены ожившим античным горельефом и двинулись вниз.

Дождавшись подтверждающего удара нижней железной двери, он продолжил путь.

Дверь в шестьдесят четвертую квартиру была распахнута настежь.

— У меня чо, отпуск резиновый? К завтрему! Поял, чо сказала? — визгливому женскому голосу неуверенно возражал мужской, сумрачный и бубнящий, отступал, распирая плечами широкий дверной косяк. Кряжистый дядька в ватнике — не иначе бригадир тех, попавшихся навстречу, — постоял на площадке, будто надеясь еще что-нибудь услышать. Но так ничего и не дождавшись, ссутулил спину и двинулся по лестнице вниз.

Он думал: войти, сделав вид, что не застал отвратительных криков, унижающих человеческое достоинство ремонтных рабочих, или все-таки подождать?

«Дверь-то открыта. Рано или поздно кто-нибудь да выглянет...»

— От уроды желтые! Все ноги переломашь! — из квартиры слышался женский голос, чужой, но смутно знакомый. Голос приближался.

«Ну вот, сейчас...» — он придал лицу выражение, с которым следует представляться неведомым родственникам. Даже спину напружинил, точно собираясь отдать поклон.

— Эт-та что такое! Ей, юнге! — В дверном проеме стояла Люба, его ленинградская сестра.

Вежливая маска сползла и слиплась душными складками на горле.

— Оглох? Слышь, а ты ваще чей?

Стараясь взять себя в руки, он переступил с ноги на ногу. «Ну да. Спецоперация. Значит, и я — молчок».

— Алексей. Алексей Руско, — ответил как дóлжно в условиях сугубой секретности, но шея тянулась заглянуть: если Люба, значит там, в глубине конспиративной квартиры, должна быть мама. «Доставили. Привезли. Вот гад, соврал-таки», — недобрым словом помянув Ганса, сглотнул, ощутив острый приступ нечаянной радости: нет никаких захребетных родственников. Легенда. Прикрытие. Одним словом, блеф.

— Дык ты чо?.. — сестра сверкнула Любиными глазами и, скривив Верины губы, крикнула назад, в глубину квартиры: — Фатер, фатер! Тут к нам приперся-то! Да иди же суда!

«Отец? Почему?.. Разве...» — этот неведомый и пока что невидимый персонаж, которого она вызвала, не встраивался ни в какую легенду.

— Тут у нас... эта... Гляди, ноги поломашь!

Прихожая представляла собой странное зрелище — вроде чердака. На полу, хотя пола, в сущности, не было, лежали продольные бревна. В их прорехах зияли пустоты.

Люба или Вера (теперь он не был ни в чем уверен), которую вдобавок к дурацкому захребетному говору и короткой стрижке еще и переодели, — «Кофта мятая, штаны с кружевами... Кошмар какой-то...» — перешагнув через прореху, утвердилась на бревне.

— Чумадан — к стенке. Давай. Присланивай. А это что такое? — она воззрилась на него с изумлением.

— Где?

— Хде-хде? На тебе.

Он хотел ответить как подобает, с солидной долей достоинства — под стать добротному на вате изделию, которое она с любопытством оглядывала, но на другом краю чердачного пола показалась фигура, закутанная в слежалый оренбургский платок.

— Любаша, детка... Кто там? — Мало этого, еще и колпак на голове. Старик щурился подслеповато, видно боясь шагнуть, чтобы ненароком не угодить в прореху.

— Конь в пальто, — она сверкнула ровными белыми зубами, мгновенно потеряв сходство как с Любой, так и с Верой. — Руско, грит. Если не брешет.

— А зовут-то, зовут его как? — старик дрыгнул ногой и заглянул в прореху, в которую канул тапок, оставив его в одном носке с дыркой, откуда торчал большой палец.

«Не понимаю, зачем все это?.. А! Чтобы соседи не догадались...»

Ответил громко, именно в расчете на соседей:

— Здравствуйте. Меня зовут Алексей.

Старик пожевал губами и, стянув с головы засаленный колпак, воззрился на него с прежним недоумением.

— Руско Алексей Иванович. Из Советского Союза.

— Как из Союза? — она шатнулась, едва удержавшись на бревне. — То-то я... Эта... думаю, из желтых... А ты во-он оно што!..

— Ива...нович... — старческие пальцы мяли колпак. — А ваша... мать?

— Мария Игнатьевна Руско.

303

— Мария... Господи боже мой, Мария... — старик всплеснул руками, выпустив наконец колпак, в тот же миг сиганувший вслед за тапком. — А мы ведь думали... Погибли, все погибли. И Наденька, и Вера...

Он стоял, потупившись, ожидая явления соседей, которым предназначается весь этот цирк с конями и прорехами, организованный наскоро, спустя рукава, в расчете на то, что он, курсант Руско, догадается не перечить, вести себя благоразумно и естественно.

— Любаша! Что же мы тут-то стоим? — судя по решительной интонации, представление двигалось к завершению.

— Ой, эта... проходи, колидор туточки... Дык ты чо, мне, што ли... брательник?

Переступая через голые бревна, он прошел поперечным коридорчиком. Слава богу, хоть в кухне не раскурочили, оставили нормальный человеческий пол.

Старик ковылял следом:

— Мария жива... Люба! Мать твоя жива! — надо отдать должное, причитал легко и естественно, чего не скажешь об этой странной зубастой Любе: «Могла бы приготовиться, порепетировать... Несет черт-те что...»

Удивлял и ее нем-русский язык: какой-то уж слишком простонародный, во всяком случае, отличный от того, на котором говорит Ганс. «А с другой стороны, язык за неделю не выучишь...»

— Суда, суда, в кресло... На кухне буем. В зале бардак совсем. Ну, давай, рассказывай, — она села на стул и сложила руки. Старик примостился на табуретке.

Он все еще надеялся. Сейчас появится мать («Нет, разговаривали не дома. Скорей всего, пригласили к себе: вы, Мария Игнатьевна, должны нам помочь, это — в интересах вашего сына, речь идет о его будущем», — он вспомнил ее глаза: есть люди, у которых глаза на мокром месте, чуть что — плачут. А у его матери — в любую минуту готовы налиться страхом), — вот сейчас она войдет в кухню, и всё встанет на свои места, объяснится, даже новые зубы, которые Любе (или Вере?) вставили спешным порядком, пока сам он участвовал в международной конференции: «Вставили. Зачем?..»)

— Надя не выжила, погибла, — чтобы не сбиться и все не испортить, он решил придерживаться правды: эвакуация, поезд, цыганка.

— Царствие небесное! — Люба перекрестилась широко и истово. — Значить, верно я — Наденьке-то за упокой. Ой! — припечатала рот ладошкой. — Мама и Вера... А я им свечки-то... Им ить во здравие надоть... От грех-то какой!

Он кивнул недоуменно. «Свечки. В церкви, что ли?»

— Да. Мама жива. И Люба, и Вера. А Надя потерялась, отстала от поезда.

— Што ты говоришь! — она всплеснула руками. — Как в жизни-то бывает! И я отстала-потерялась. А потом, слава те оссподи, нашлась! — вдруг словно споткнулась о голое бревно. — Как Люба? Люба — то ж я.

— Нет. Вы не Люба. Люба — там, в Советском Союзе.

А про себя: «И не Вера. Дело не в этих дурацких свечках: за упокой или там за здравие. И даже не в руках. Хотя у Веры всегда маникюр, а у этой ногти — будто обгрызенные. Глаза. У Веры — другие. Потерянные». Во всяком случае, последнее время. Однажды мать сказала, не ему, Любе, но он слышал: мне кажется, Славик от нее гуляет. А Люба в ответ: нечего было выскакивать за кого попало, нашла бы приличного человека. А мама: где их теперь найдешь! Ты вон. Ищешь, ищешь — а толку-то? Седеешь уже... Мать протянула руку — погладить. Но Люба встала и вышла из комнаты. Потом плакала в туалете...

Но если не Вера — значит все-таки Люба? Чувствуя, как его ум заходит за разум, он скосил глаза на старика. Тот смотрел на него умным собранным взглядом.

Под этим взглядом он понял то, что смутно чувствовал: что-то не сходится. В этой якобы семейной истории: «Мама и Вера — да. А Люба — нет». Никогда не согласилась бы сотрудничать. Люба — из другого теста. Хоть жги ее, хоть режь. Положим, они ее вызвали. «Любовь Матвеевна, вы должны понять. Есть обязательства перед Родиной. Разве вы не советский человек?.. Ну не-ет, — он подумал. — Только не шеф». Геннадий Лукич — профессионал. Понял бы с одного взгляда, что перед ним за птица. Он сидел, не сводя глаз со старика, будто искал подтверждение еще одной, но самой важной мысли: никогда Геннадий Лукич не сумел бы договориться с Любой. Нет у них общего языка.

— Вы... Надя, — вымолвил с трудом, тщетно пытаясь осознать, что перед ним, в образе этой взрослой женщины, чем-то похожей на обеих ленинградских сестер, предстала воображаемая подруга его тайных детских игр: «Мама... Что будет с мамой, когда она узнает...»

— Я? Умерла... Это што ж, мне — за упокой? — воскресшая Надя бормотала растерянно. — Ну нет! — тряхнула челкой. — Я, к вашему сведению, жива! И здорова! Вон, ремонт делаю! Полы перебира... перебира... — вдруг всхлипнула по-детски и кинулась опрометью из кухни.

Раздался грохот.

— Ах ты господи! — старик, откуда прыть взялась, торопливо сполз с табуретки и, шаркая единственным тапком, затрусил в прихожую. Он помедлил, но тоже вышел.

Старик стоял на бревне, не решаясь ступить вниз, где, скорчившись в прорехе, выла его дочь, оплакивая свою безвременную смерть. Наконец, держась за стенку, старик спустил сперва одну, а потом и вторую ногу.

— Ну-ну, больно тебе, больно, пройдет, пройдет... — неловко и не в такт покачиваясь, стягивая с плеч слежалый платок, будто дочь голосила от холода, как от боли, бормотал и тер ей глаза уголком платка.

II

Снова они сидели в кухне, но на сей раз он — на стуле, сестра на табуретке — с пылающими, будто натертыми слежалой шерстью щеками, а старик, глава семьи, в которой, вопреки всему, все до одного выжили, в кресле.

Ему казалось, старик не просто рассказывает: подводит итог войны. Как его мать, когда радовалась покорению космоса.

— Мария добивалась, да все бестолку...

В августе: женщина, идите, идите, не сейте панику; в сентябре, когда кольцо вокруг города смыкалось, а паника-севок уже давала дружные всходы, хоть на ВДНХ вези-показывай: женщина, проявите сознательность, теперь не до вас, заводы-фабрики не успеваем, отправляйтесь и ждите согласно ордеру и прописке; в октябре: снова ждите. Кто ждет, тот обрящет — голод и холод блокадных месяцев, бомбежки, а если что не поняла, объяснит метроном.

— Она и так и этак, и на производство, и в райком. Наконец дали предписание. На завтра, на воскресенье. Ну, собралась, всех троих вас закутала. Вас трое, а руки — две. К дворничихе нашей пошла, к Адиле, добрая была женщина. Мать ей говорит: что хочешь из квартиры бери, все тебе оставляю, только до вокзала проводи. Двоих сама несла, Адиля — третью. Приходят, а там! Содом. Слух прошел, эшелон, дескать, последний. Женщин, которые на платформе дежурят, смели. Машу с двумя детьми подхватило, в вагон внесло. А Адилю оттеснили. Она и так и этак, разве сладишь с толпой...

Старик пошевелил голым пальцем.

Он силился представить вокзальную неразбериху, но отвлекался на слоящийся ноготь: «Мама бы заштопала... Или Люба. А эта и не подумает. Тоже мне, дочь...»

— Адиля два часа еще сидела, а вдруг, думала, вернутся. В войну всякое бывает. Женщины-дежурные по платформе ходят, вещи брошенные рассматривают — чего бы взять. Там одна, совсем девочка, стопку тарелок приглядела. Адиля еще удивилась: зачем ей тарелки? Была бы еда — а в тарелках или без тарелок... Адиля ее спрашивает: не подскажешь, доченька, этот эшелон последний? А дежурная смотрит и молчит. Потом, видно, ребенка пожалела: не то чтобы кивнула, а так... Адиля ее и растила, пока я с фронта не вернулся.

— Ну рóстила? И что?

Ему пришлось сделать над собой усилие, чтобы отрешиться от монотонного голоса, говорящего странные вещи, идущие вразрез с тем, что рассказывала мать.

— А по мне, лучше в детдом. Вдруг ты бы не вернулся. Чо, с желтой, што ли, жить?!

— Детдомовских сколько умерло... — старик возразил устало, видно, не в первый раз.

— В детдомах тоже по-всякому. Уж кому как повезет. Мало ли, в спецпрограмм бы попала. Волос-то у меня светлый, — она провела рукой по тусклым волосам. На его взгляд, скорее русым. — Усыновили, а потом — раз! — и черный пасс. Ну чо молчишь? Скажи. Предлагали ить тебе! Прикинь, — сестра обернулась к нему, словно ища поддержки. — Ить, главно дело, предлагали. Эти, с военкомата. Нет, уперся! Давно бы жили как люди, там, у себя. И полы после капремонта. И соседи приличные, а не эти... руссише шваль...

Переводя взгляд с нее на старика и обратно, он ежился под гнетом нового страшного вопроса, на который у советского человека не бывает убедительного ответа: отцу сестер оккупанты предлагали черный паспорт — *за что*?! За какие такие заслуги перед новым нем-русским отчеством?

Но где-то глубоко, с изнанки, ему думалось: «Все-таки не черные...» Для анкеты синяя родня — лучше. А с другой стороны, прощай шикарная жизнь...

— В парадной бирна перегорит, хто новую вкручиват? Я, — сестра стукнула себя кулаком в грудь. — А у вас? Из управы небось приходят?

— У нас нет управ. — Повторил осторожно это слово, которое встречал в книгах про немецко-фашистскую оккупацию. — У нас ЖАКТы.

— Да разницы-то! Главно, штоб арбатали.

— Лампочки мы сами меняем, — признался и пожалел: пусть бы думала, что советские коммунальные службы работают отлично.

— А протечки у вас бывают? — она стрельнула глазами в потолок, где над самой раковиной проступало сизо-коричневое пятно.

— Бывают, конечно.

— А кто устраняет? Эти, жаки?

— Да, — он соврал, лишь бы покончить с неприятными расспросами.

— Ну вот. А мы сами. Потому как — собственники! — торжествующий тон шел вразрез с первоначальным смыслом разговора, в котором она сетовала на плохую работу местных служб.

Он вдруг спохватился. «Ганс... Ждет меня. Внизу».

— Простите. Я на минуточку. Схожу и вернусь.

— А жить где бушь? В гасхаусе или тут, у нас? — Он уже дошел до кухонной двери, когда услышал ее вопрос.

— Хотелось бы, — но в голове не укладывалось: «Если бы кто-нибудь бы из них приехал к нам...»

— А ты ваще-то на скока? — сестра не унималась. — Ну, больше, чем на три дня? Тада в управу надо. Аусвайс гостя, заявление, справка, копия справки...

Не дослушав про справки и копии, он вышел в коридор. Верный чемодан, привыкая к новым условиям жизни, поджал под себя колесики, угнездившись на бревне.

Ганса во дворе не было.

Он стоял, потерянно глазея на гаражи, выросшие на месте прежних дровяных сараев. Эта картина будущего мешала найти привязку ко времени. Выбивала его мысли из колеи. Пытаясь взглянуть на себя глазами вновь обретенных родственников, он гадал: «А я-то для них кто? Человек, явившийся из прошлого?» От этих странных вопросов кружилась голова: будто не он оказался в ином пространстве, а само время соскользнуло с привычной траектории, побежало по ленте Мёбиуса: кажется, будто вперед, а на самом-то деле — по кругу.

«А вдруг еще не ушел, вдруг он там, ждет меня в сквере?» Надеясь обнаружить Ганса, обогнул дом с торца.

Но в третьем дворе не было даже сквера. Только еще один флигель, обшарпанный, с проплешинами отпавшей штукатурки: «Вот тебе и хороший район!» — голая кирпичная кладка такого отвратительно розоватого цвета, будто все стены в парше. Взгляд, добежавший до крыши, уперся в слепые чердачные окошки: их перечеркивали косые кресты. — «Неужели еще те, блокадные?!» Стало как-то не по себе. Будто и вправду угодил в прореху времени, из которой так просто не выберешься...

Тут распахнулась дверь под низким козырьком и выпустила пожилую тетку, замотанную серым глухим платком.

В одной руке она держала веник, дворницкий, на длинной палке, другой вела девочку не то двух, не то трех лет. Посадив ребенка на скамейку, принялась мести. Судя по широким уверенным взмахам, которыми она обшаркивала асфальт, не такая уж пожилая. В чем он и убедился, когда, давая себе короткую передышку, женщина сдвинула платок со лба. Прежде чем она отвернулась, он успел распознать азиатские черты.

Шаркая размеренно и монотонно, будто внутри нее что-то тикало, блокадный метроном, желтая дворничиха дошла до стены и, прислонив метлу, выкатила во двор детскую коляску с ободранными боками. Там сидели тройняшки — три железных ведра. Насколько он разглядел, с песком.

— Ищешь каво? — Ему показалось, она приглядывается не столько к нему, сколько к его пальто.

Он покачал головой и, бросив сочувственный взгляд на девочку, еще не имеющую понятия о своей будущей жалкой доле, двинулся обратно, стараясь не думать о другой дворничихе — Адиле, бездетной, растящей чужую русскую девочку.

Миновал арку, ведущую в первый двор, и остановился под «своими» окнами. В этой квартире семья жила до войны. После войны выселили, отправили во второй двор. «Не нас же, а их», — но все равно он чувствовал обиду на черных.

Во двор въехала машина. Стоя у караульной будки, он следил с любопытством. Водитель (мужчина лет сорока, гладко выбритый, в длинном черном пальто) заглушил мотор и, сохраняя на лице отстраненно-брезгливое выражение (желтый дежурный не сводил с него подобострастных глаз), скрылся в угловой парадной.

— Туда иды. Ферботен стоять. Твой хоф — там, — указав на подворотню, желтый скрылся в своей амбразуре.

«Это он что, мне?!»

— Эй, любезный! — Будто не советский человек, а какой-нибудь дореволюционный барин, подзывающий лакея. — Я гость, из Советского Союза.

Желтый высунулся из будки и воззрился на него с таким натуральным ужасом, словно ему явился призрак.

III

— Ща, папаша домется, за тебя возьмусь. — Здешняя Люба (или Надя — он все еще сбивался) внесла охапку неглаженого белья. Кинула на диван и взялась за подушку. Из-под наволочки, будто не кусок бязи, а живая куриная кожа, полетели мелкие перья. — Ах ти, оссподи! — нет бы ловить горстью, как все нормальные люди, она их хлопала — как расплодившуюся моль. — В Ралькиной расположишься.

— А Ральф сейчас где? — Он покосился на тусклые переплеты, будто присыпанные пылью предвоенных десятилетий: по меркам ленинградской Публички, стариковская библиотека тянула на *спецхран*. На стеллажах вперемежку с округлыми русскими названиями мелькали острые, псевдоготические — торчали погаными овсюгами среди колосьев родимой кириллической ржи. «Небось, и "Майн Кампф" имеется...»

— Ралька-то? — она хлопнула мимо. Описав дуговую траекторию, перо ускользнуло под диван. — Забыла, как по-вашему... Когда все вместе-то...

— Слет? — он предположил осторожно, решив, что она имеет в виду движение «Перелетная птица»*.

— Не, — она следила глазами за перышком. — Куда им лететь. Близко. На поезде едут...

— А чем они там занимаются?

— Хрен их знат. Картошку, что ли, копают.

— В марте?!

— Значить, не картошку... — она пожала плечами. — Которые в общежитии не остаются, домой приезжают. А Ралька — черт ленивый, шайтан... Суда, суда ступай, ды держу я, держу...

Шайтан, которого она помянула в сердцах, выдавал питомицу Адили.

Старик — уже не с платком на плечах, а в длинном черном халате, голова замотана банным полотенцем — цеплялся за ее руку, одолевая порог. Морщины, распаренные горячей водой, разгладились.

— Ну все, отдыхай, — дочь распорядилась и перевела взгляд на гостя: пустой, неосмысленный — точ-

* «Перелетная птица» (*нем. "Wandervogel"*) — молодежное туристическое движение в предвоенной Германии.

но угодивший в прореху между завершенным делом и тем, к которому только приступала. — Дык чо, звякнуть, можа?

На тумбочке у стариковского изголовья стоял телефонный аппарат.

— Куда? — Он не понял.

— Ну, эта... — она замялась. — Твоим. А чо? Пусть сеструхи порадуются. Думали, помер ихний папаша.

— Нет-нет, не сейчас, — он заторопился, словно надеясь перебить жужжание зуммера, надсадное, требующее советских сестер к ответу:

Это к чему ж вы, лж-живые, руку прилож-жили? В анкетах: уж-ж-же умер. А выходит ж-жив?..

— Я сам. Это... мое дело. — Жужжание смолкло, будто дали отбой. Старик лежал, сложив на груди руки, будто дождавшись весточки от выжившей семьи, задумал умереть.

Он обернулся в дверях. Старик смотрел на него одним глазом (другой — зажмурен), словно подавал тайный знак: дескать, не сейчас, потом, когда ее не будет. Все тебе объясню. Ничего не утаю.

Ждать, однако, пришлось дольше, чем он предполагал.

Следующие пару дней старик, словно выполняя указания дочери, вел себя смирно и, казалось, избегал разговоров. Задав несколько общих вопросов про конференцию — на которые он, на всякий случай, дал вполне обтекаемые ответы, — больше ни о чем не расспрашивал. Даже о жизни своих *девочек*, будто по сравнению с тем непреложным фактом, что все они выжили, житейские подробности не имели никакого значения.

И все-таки его удивляла доверчивость старика: «Даже не заподозрил: а вдруг никаких советских родственников, обыкновенная спецоперация под прикрытием?» — пока не сообразил: *именно что* заподозрил, не такой уж он, старик, простодушный. Помалкивает, ведет рекогносцировку.

Похоже, для этой цели отцу сестер хватало ответов на вопросы, которые ставила его дочь.

Как ему казалось, пустых. Но, делать нечего, отвечал.

Вновь обретенную сестру занимали сплошные частности: площадь кухни в их коммунальной квартире или — что совсем уж непонятно: «Слышь, а у вас в комнатах покрашено или тожа обои? А занавески есть? А кафель в ванне?» — будто его ответы (как часть, обозначающая целое) могут дать полную картину советской жизни. Отдельная статья интереса — Любина зарплата, отчего-то в пересчете на рус-марки. Итоговая сумма (к чистому окладу он прибавил квартальную премию) выглядела унизительно куцей, оправдывая жалостливое, но одновременно высокомерное недоумение: «И чо на это купишь? — которое она сама же, махнув рукой, и разрешила: — Чо у вас там ваще купить!»

Жизнь обеих сестер ее совсем не занимала, словно ей заранее было известно: там, в СССР, личной судьбы не бывает. Исключительно общие тяготы, которые люди избывают всем миром, а не каждый по себе.

Самое неприятное, что эта ее полупрезрительная уверенность в какой-то мере передавалась и ему. Даже индивидуальные свойства сестер понемногу скрадывались: приходилось задумываться, отвечая, казалось бы, на простой вопрос: «А Надя на какой должности арбатает?» Хотя, скорей всего, на него действовала и чехарда имен: подразумевая Любу, она упорно говорила «Надя», но от этой путаницы страдал и образ Веры. Его уху, привычному к сочетанию «Люба и Вера», слышались какие-то посторонние люди: «Надя и Вера», с которыми он не знаком.

В точности как старик, знать не знающий своих советских дочерей или представляющий их по образу и подобию *этой* дочери. Ему хотелось развеять стариковское заблуждение, объяснить, что они совсем другие, но образы сестер размывались, как на старых выцветших фотографиях.

Менялись даже их голоса. Вдруг ему чудилось, будто не она, здешняя сестра, а Вера кричит противным визгливым голосом, кляня на чем свет стоит бессловесных желтых, ползающих на коленях в прихожей. Желтые кивали, обещали скоро закончить. Не сегодня-завтра.

— Суки, а? Заказов наберут и выдрючиваются, — сестра грозилась порвать пасть какой-то неизвестной Галке, которая присоветовала эту самую бригаду. — Ага, непьющие! Сама скоро с ими запью!

Но злость, вопреки обещаниям, топила не в вине, а в *сериалах*.

Впервые услышав это слово, он было решил: многосерийные фильмы, в СССР такие тоже снимают. Особенной популярностью пользуются киноленты про разведчиков. Даже Люба их смотрит.

Но на экране мелькала какая-то семейная история, до того запутанная, что — как ни старался, не мог понять. Вроде бы (давно, еще в первых сериях) случилась ужасная катастрофа. Главный герой выжил, но потерял память, а героиня — наоборот: нашла потерянную дочь.

Сестра всхлипывала, вытирая набежавшие слезы:

— А все война проклятая. Вона чего наделала.

Ему казалось: это она о себе, плачет над собой.

Ждал, что теперь, когда сериал растопил ее сердце, она придет к нему, чтобы задать *настоящие* вопросы. Попросит рассказать про мать: какая она, добрая или строгая, как живет, о чем мечтает, помнит ли ее, свою пропавшую дочь.

«И ведь не скажешь, что сухая, бесчувственная...» — с непостижимой для него искренностью она (подчинив свою жизнь строчкам телевизионной программки, испещренной пометами — не пропустить, не забыть) сопереживала этим выдуманным персонажам, с головой погружаясь в их размолвки, свадьбы и разводы.

Мало того. Считала долгом держать в курсе дела всех домашних. Потом-то он, конечно, привык, но сперва не мог взять в толк, кто эти имяреки (друзья? знакомые?), кого она, зачерпывая суп из кастрюли (по-здешнему похлебку) или раскладывая по тарелкам булеты (по-нашему котлеты), наделяет свойствами живых людей, то и дело допускающих ошибки, причем каждая грозит стать роковой. «Чо он ваще к ним заявился? Позвонить, што ли, не мог!» Или: «Она чо, не видит — он жа ее погубит!»

От этих застольных разговоров у него возникало чувство, будто в квартире есть кто-то чужой. Он подавлял в себе желание: проверить. Заглянуть в кладовку или за шкаф. Тревога, крепнувшая к вечеру, мешала заснуть. Он ворочался, тоскуя по Ленинграду. В домах, построенных заново и на новом месте, нет ни шорохов, ни скрипов. Только соседские голоса. Разговаривают или скандалят за стенкой. Бывали ночи, когда ему казалось, что в Петербурге не осталось живых людей.

Ральф вернулся во вторник. Разговор со стариком случился накануне. Сестра смотрела очередной сериал. На сей раз не «про жизнь», а «про войну».

Телевизор работал громко. Он слышал каждое слово, словно в *зале*, где она сидела, заблаговременно поставили жучок, для надежности снабдив усилителем звука. Даже хотелось ощупать испод столешницы или заглянуть за плакат, висящий над Ралькиной кроватью (какие-то волосатики с гитарами). Но вспомнил: в старых домах вживляют глубже. В межкомнатную перегородку. Или, например, в пол.

Благородный фашистский офицер допрашивал злодея-комиссара, который упорствовал, но, загнанный в тупик несокрушимыми доводами, заговорил. Он успел подумать: «Ага, прямо!» — и услышал стук. Источник не вызывал сомнений: стучали из кабинета.

«Это он. Зовет».

Чтобы не угодить в густой липкий раствор, который рабочие закачали в пустые пазухи, прошел по бревну на цыпочках и приоткрыл дверь.

Оказалось, старик вбивает гвоздь. Точнее, уже вбил и теперь прилаживал к стене фотографию в деревянной рамке: какие-то парни, двое, в солдатских гимнастерках, видимо, новобранцы, — издалека не разглядеть.

Старик закряхтел и взялся за спину:

— О-хо-хошеньки-хо-хо, грехи наши тяжкие, — поправил покосившуюся рамку и, усевшись в кресло, воззрился на гостя. — Ну, что у вас слышно?

Не вполне понимая, куда тот клонит: уточняет семейные обстоятельства, от которых его самого отсекло ходом истории, или берет шире — в масштабах страны, он промычал что-то неопределенное. Тем более не старик, а он должен ставить вопросы. Пусть, к примеру, ответит: как так вышло, что, будучи советским человеком, согласился сотрудничать с фашистами.

«Эх, надо было сразу... Зря я дал ему время. Наверняка все продумал», — он терялся под взглядом старика. Ему казалось, насмешливым. Дескать, а ты кто такой? С чего ты взял, что я обязан отвечать?..

Пока он размышлял и прикидывал, старик ухитрился взять инициативу в свои руки:

— Как думаешь, будут объединяться?

— Кто?!

Оказалось, не кто, а что: Россия и СССР, две сопредельные территории — в единых довоенных границах. «Ну ладно мы. Для нас — восстановление исторической справедливости, — он вспомнил доклад Лаврентия Еруслановича: намекая на грядущее объединение, Нагой ходил вокруг да около, маскировался скандальными архивными материалами. Старик, в отличие от советского профессора, ставил вопрос ребром. Что и вызывало подозрения. — Выходит, захребетникам это *тоже* выгодно?»

Разве можно соглашаться на то, что выгодно врагам?

— А ваши, — он решил не отвечать, потянуть время. — Ваши что говорят?

— Наши? — старик задумался. — Нашим выгодно. За Хребтом нефть.

— У вас что, запасы кончаются?

— Кончаются. Вот именно. — Судя по выражению глаз, старик говорил о чем-то другом, по отношению к чему нефть, природный газ и связанные с их добычей выгоды — пустая отговорка. — Я полагаю, у вашего *режима* тоже.

Глядя на пергаментную кожу, зерненую мелкими старческими бородавками, он жалел, что ввязался в этот разговор вместо того, чтобы сразу поставить старика на место: «Это у вас режим. А у нас...» — но правильное слово ускользало.

— Нет. Это невозможно.

— Почему-у? — старик сложил губы трубочкой, как капризный ребенок.

«Смеется надо мной, что ли?»

— Ну как — почему? Разные политические системы.

Ему понравился свой ответ: простой и ясный. «Теперь отстанет».

Но старик потянулся за очками:

— Эка невидаль! А до войны — одинаковые? — будто довоенное прошлое, куда отец сестер призвал его обратиться, требовало специальной сверхсильной оптики.

Вооружив глаза, старик, казалось, обрел силы. Из солдата-призывника (как эти двое на выцветшей фотографии, на которую он невольно поглядывал) превратился в решительного и зрелого командира:

— Бог с ними, с поставками полезных ископаемых! И даже с зерном, хотя тоже гнали эшелонами...

— Я знаю, — он перебил. — Договор о взаимном ненападении, вы это хотите сказать? Ну да, на месте Сталина я бы Гитлеру не поверил.

— Ах, на месте Сталина! Ах, ты бы не поверил! — старик бормотал, только что не потирал руки. — Ну, и где бы ты все это взял?

— Что — всё? — он переспросил раздраженно.

— Сверхточное оборудование, — уже не командир, а военпред, руководящий приемкой по заранее согласованному списку, старик перечислял материалы для судостроения, минно-торпедного и инженерного вооружения, гидроакустической аппаратуры, самолетов, химического имущества и каких-то вовсе загадочных «элементов выстрела», которые Германия якобы поставляла СССР. — По-твоему Гитлер дурак. Вооружал будущего противника, обменивался с СССР военно-техническими делегациями. А «Лютцов»? А сигналы минской радиостанции? Кто их использовал в тридцать девятом, когда бомбил польские города? Пушкин?

Всякому терпению есть граница, которую враг нарушил, допустив наглую и очевидную провокацию: «Лютцов какой-то выдумал, радиосигналы... — Высокомерное презрение противника — вот что досаждало особенно. — Гад ползучий. И Пушкина нашего приплел», — он сдерживался из последних сил.

— И это — советский нейтралитет? — ему показалось, старик хихикнул. — А по-моему, сотрудничество. Координация действий государств-союзников.

«Все. Хватит. Сколько можно терпеть!» — будто вскрыл красный пакет, доставленный нарочным из штаба военного округа, с приказом: бить врага на его территории. — Ну держись, сейчас ты у меня попляшешь!»

— Какими такими делегациями! Вы почем знаете?! Дипломатом, что ли, служили? — бабахнул из здоровенного ствола. И вслед, короткими прицельными очередями: — Может, вы сами к фашистам ездили? Беседовали? За одним столом сиживали?

Он-то думал, противник ответит беглым оправдательным огнем, мол, никуда я не ездил, ни с кем не сиживал. Или, что еще опаснее, поднимет в воздух самолеты со свастиками на крыльях, чтобы безжалостно, на бреющем полете, расстрелять его советские аргументы, заранее рассредоточенные вдоль западной границы.

Но старик ни с того ни с сего снял очки. Будто превратился в *языка*, разоружившегося перед компетентными органами:

— До войны в советских газетах как писали: Германия, германские войска, а потом — раз! — и немцы. Почему? — захваченный *язык* щурился подслеповато.

— Потому что оккупанты. Немецко-фашистские захватчики. Напали подло и вероломно, — переходя в контрнаступление, он бил историческими фактами. Бесспорными — так, во всяком случае, ему казалось. Вплоть до сегодняшнего дня.

Но сегодня что-то шло не так. Он чувствовал: ему не подавить стариковского сопротивления.

Даже всей мощью огня, а уж тем более этими одиночными выстрелами из винтовки Мосина, а хоть бы и снайперской (образца 1891/1930 г.г.), — в школе, на уроках начальной военной подготовки, доводилось разбирать-собирать, но сам-то никогда не стрелял.

«Надо что-то еще, решающее, важное... Эх, Ганса бы сюда! Он бы подсказал».

— Двадцать второго июня. Вероломно. В четыре часа утра. В воскресенье. Мирные люди спали, — стало совсем муторно, будто ведет бой холостыми патронами: не иначе немецкий шпион или предатель из своих (эта мысль жгла особенно) забрался к нему в подсумок, чтобы выкрасть настоящие, боевые. Под покровом исторической тьмы.

Он ждал, что старик ему ответит. Но противник медлил. Это пугало и настораживало: «Наверняка что-то замышляет...»

Наконец старик нарушил молчание:

— Вероломно? Значит, доверяли. Выходит, не такие уж разные. А хочешь знать — почему? Фашисты, коммунисты — это все видимость. Главное, все мы люди: и немцы, и русские.

«Ну, пошло-поехало... Вот она, жизнь среди оккупантов!»

Вместо пошатнувшейся было уверенности в конечной победе он ощутил новый прилив сил. И в то же время облегчение: по сравнению с советскими идеологическими догмами (в последние годы и вправду холостыми) их российская пропаганда — убожество, полный и окончательный бред.

— А евреев куда, в печь?! А татар — на поселение?!

Старик пожал плечами:

— Ну, татар-то и мы выселяли. В сорок четвертом. И прибалтов — перед самой войной...

Это неожиданное и неприятное *мы* сбивало с толку: кто тут агрессор, кто — подвергшаяся вероломному нападению сторона? Хуже того, ему казалось, что путаница перекинулась и на военные карты. Теперь он уже не мог в точности сказать, на каком стоит рубеже: прежнем, довоенном, пересекающем территорию Европы, или нынешнем — евроазиатском, режущем СССР по Хребту.

Удивительно, но его противника это никак не смущало: будто обнаружив лазейку в еще не демаркированной границе, старик свободно перемещался туда и обратно, попутно постреливая то в своих, то в чужих.

— Зимнюю войну помнишь?

Несмотря на растерянность, он все-таки догадался: речь о Финской войне. Короткой, не то три, не то четыре месяца, в продолжение которых Красная армия захватила обширную территорию — значительную часть Карельского перешейка. Стратегическая задача: отодвинуть границу подальше от Ленинграда. Впоследствии это позволило выгадать дополнительное время для эвакуации как предприятий, так и мирных граждан, отрезанных кольцом блокады от Большой земли.

Заговорив о Финской войне, противник совершил ошибку, тактический промах: он знал, как этим воспользоваться. Ледяные ночи страшной зимы сорок первого, сто двадцать пять блокадных грамм, за которыми еще надо выстоять, голодные мальчишки-ремесленники, промышлявшие в очередях, — уж это точно не пропаганда. А сущая правда. Об этом ему рассказывала мать: как наминала мякиш, заворачивала в марлечку, окунала в соевое молоко — бутылочки выдавали в консультациях, девочки совсем ослабли, не могли сосать. Шептала: господи, такие страдания, и всё зря... «Почему — зря? Если все выжили, конечно, кроме Нади...» — всякий раз хотел, но не успевал спросить. Мать, словно спохватываясь, повышала голос: а всё они, фашисты проклятые! Люба дергала плечом, шипела: фаш-шисты — фаш-шистами, а наш-ши! Не помнишь, а я помню, эти, из Смольного, жрали в три горла, им самолетами возили. Рыбу, мясо, икру... Мать отмахивалась испуганно: да что ты можешь помнить! Ты же маленькая была, новорожденная. Люба вскидывалась, резала с плеча: вот именно, была, а теперь выросла...

— Ну помню. И что?

— Не полезли бы на финнов, — старик пожал плечами, — может, и блокады бы не было.

Раньше он верил им обеим, и Любе, и маме. Но здесь, в Петербурге, решительно встал на сторону матери — против старика. Потому что понял, к чему старик клонит: дескать, да, я сотрудничал с оккупантами, но виноваты в этом не фашисты, а ленинградские власти, это они не сумели воспользоваться довоенным преимуществом, сперва допустили блокаду, а потом сдали город, обрекли ленинградцев на вечный позор, а многих — на смерть.

Но была и существенная разница. Люба говорила: какого черта ушли, сдали город, надо было стоять насмерть! А старик, кто его знает? Небось, еще и радуется, что Ленинград сдали. Уж про себя-то наверняка.

Он вскинул голову, отвечая им обоим: Любе и ее отцу — предателю.

— Да, блокада. И все равно: кто хотел — уехал, другие сами не пожелали.

— Это она, что ли, не пожелала? — старик ткнул пальцем в стену, целясь в дочь.

— Нет... Дети — конечно. Но вы-то были взрослым... А все равно остались.

— Остался, — взгляд старика затуманился, будто старик смотрел не на него, а в прошлое, где по Невскому проспекту гонят пленных комиссаров: руки за спиной; запястья, натуго перекрученные веревками; на ногах не сапоги, а чуни. А ленинградцы в них плюют. Когда Ганс об этом рассказывал, он не поверил, назвал агитационной фальшивкой. Но теперь словно увидел воочию...

Взгляд старика вернулся:

— Если бы не я, моя дочь бы сгинула... — в глазах стояла тоска, но не тихая и покорная, которую Ганс почему-то назвал русской.

«Да какой он русский! Предатель, сволочь, фашист! Как он может сравнивать? Жизнь одного человека, пускай даже и дочери, с этим, огромным... С судьбой Отчизны».

Хотел сказать, бросить в лицо старику, но в дверь просунулась заботливая голова:

— Фатер, а ты эта, сегодня-то срал?

Он опустил глаза, сделав вид, что не слышит, но сестра и не подумала застесняться, мол, извини, не заметила, думала, отец один.

— А то гляди! Доктор — строго-настрого, штоб каждый день... Ну чо? Проголодались? Потерпите маленько.

Терпеть он не стал. Вышел, не оглянувшись на поникшего старика, в котором жестоко обманулся: «А ведь я давал ему шанс. Оправдаться, доказать, что он не фашистский прихвостень, а советский интеллигент, быть может, единственный, кого чудом пощадили фашистские каратели. Все, хватит, — решил окончательно и бесповоротно: больше не поддаваться на стариковские провокации. — Видеть его не хочу!»

Даже от ужина отказался. Сестра не уговаривала, пожала плечами, дескать, как хочешь, всё на плите, проголодаешься — разогрей.

В зале бормотал телевизор. Герои сериала, эти лживые призраки прошлого, вели военные действия против его родной страны. Он знал, чем все закончится: их неправедной победой, которую они отпразднуют в самой последней серии.

На потолке — прямо над его изголовьем — лежала тень, темное пятно, как на биографии старика. «Окажись я на его месте, сидел бы тихо, доживал подобру-поздорову. Сколько ему осталось? Лет пять... или семь — это в лучшем случае».

Он зажмурился, надеясь забыться и заснуть, но, как назло, заурчал желудок. «Зря я отказался от ужина... — Казалось бы, чего проще: встать, выйти в кухню, но не было сил шевельнуться. — Один, один в чужом городе...» Среди этих, чужих, Ганс — единственный близкий, почти советский человек, с кем можно поговорить начистоту.

Четвертая

Так-так-так... — постукивали чьи-то пальцы. — *Чтобы эффективно работать на чужой территории, разведчик обязан забыть о своих чувствах. Перенять образ мыслей противника, научиться думать, как оккупанты. Разве тебя не учили этому, Алеша?..*

— Я помню и стараюсь.

Плохо стараешься. Ну ладно, даю тебе подсказку: для предателей война не кончается. Но ведь и для нас, бойцов невидимого фронта, она тоже не кончается. Мы с тобой, Алеша, обязаны воевать до победного конца.

Он открыл глаза, чувствуя, как тело наливается новой силой и волей: значит, вот оно — задание, его война, которую он обязан вести в новых, современных условиях. Он — разведчик, резидент, от эффективных действий которого зависит исход этого последнего решающего сражения, *исторического*, — слово каталось во рту, на языке, шипучее, ударяющее в голову, в кровь, в желудок, в котором подсасывало, точно в моторе, требующем дозаправки.

Спустил ноги и, двигаясь ощупью, выбрался в кухню — на оперативный простор. Стоял, осваиваясь в темноте, не зажигая света, словно электричество могло засветить еще не проявленную пленку или шифровку с приказом: его заданием, полученным от Родины...

Подобравшись к плите, отодвинул крышку, выудил котлету, пропитанную остывшим жиром, но ему показалось: с пылу с жару. Торопливо проглотил и двинулся обратно, ловко переступая через прорехи: как настоящий призрак, которому не страшна никакая тьма.

Из кабинета сочился свет: желтоватая полоса между стеной и чуть приоткрытой дверью.

Старик не спал. Сидел в своем кресле.

— Я вспомнил. Говорят, на будущей зимней олимпиаде СССР и Россия выступят единой командой.

— Говорят? — старик поднял седую клочковатую бровь. — Вот она, вечная беда советской пропаганды. Нет бы напрямик. А то темнят, ходят вокруг да около.

Он хотел возразить: пропаганда ни при чем, наоборот, спорткомитет сделал специальное заявление, опровергающее слухи. Но старик не дал ему и рта раскрыть.

— Единой командой — хорошо. А лучше бы единым фронтом, нет? Не находишь?

— Ну... наверное. Против Запада?

— С Западом нам, положим, не справиться. Разве что в будущем.

— А с кем? С Китаем? — «Да он сумасшедший», — не верилось, что старик готов посягнуть на его любимый Китай.

— Китай трогать незачем. Увязнем. Вот Ближний Восток — другое дело.

Он слушал, стараясь не дать воли своим чувствам. Что было весьма непросто, учитывая бред, который нес старик: о новой исторической миссии, старик назвал ее «Освобождением Востока», о каком-то общем красно-коричневом знамени, под этим «полыхающим стягом и наши и ваши желтые охотно отправятся воевать, чтобы принести свободу своим восточным собратьям, которые, если сравнить с нами и даже с вами, — влачат жалкое существование».

— Ты со мной согласен?

— Не знаю, — он поежился. — Все-таки война... Снова миллионы погибших. Самых лучших, кто не отсиживается в тылу, — он понимал, что выходит из роли разведчика, который должен слушать и поддакивать. Но ничего не мог поделать с собой. Стариковские бредни задели за живое. — Ладно бы призывники, — тут он допустил ошибку: покосился на фотографию.

Старик не замедлил этим воспользоваться:

— Значит, призывников не жалко?

— Вы не так меня поняли, — он поспешил исправить положение. — Их же все-таки обучали...

— Обучали? — в глазах старика мелькнуло что-то непонятное.

— А ополченцы... Вы же должны помнить. Учителя, врачи, студенты... Гибли в первом же бою.

— Помню, — стариковские глаза потухли. — Ополчение — пережиток прошлого. Больше никаких учителей и врачей. Только желтые. Их бабы рожают как кошки...

Потом, когда ушел к себе, лежал в темноте, но сколько ни раздумывал: «С одной стороны, старик благодарен Адиле, спасшей его дочь, а с другой...» — не мог понять, как это соединяется в одной, пускай и старческой голове.

Под кроватью что-то постукивало, будто он снова оказался в поезде, но не в «Беркуте», в другом, который идет на войну. Однако не с Россией, как мечталось в детстве, а с какими-то неизвестными восточными странами: «Хорошо ему рассуждать. В его возрасте не призывают. На войне гибнут молодые...»

Тук-тук-тук... — уже не колеса поезда, стучали чьи-то пальцы. — *Думай, Алеша, думай,* — пальцы постукивали, передавая шифровку. — *Старик тебя провоцирует. Но ты не должен поддаваться.*

«Как *тогда?*» — он отстучал коротко. Длинно нельзя, враги могут засечь, запеленговать передатчик. Но шеф его понял: перед войной фашистские спецслужбы тоже пытались внедрить дезинформацию, мол, Германия не собирается нападать на СССР.

На тебя вся надежда, Алеша. Будь бдителен. И помни. СССР — оплот мира. Не позволяй втянуть нас в новую войну.

Он не понял: с одной стороны, Геннадий Лукич говорил, что война не кончилась, с другой — не позволяй втянуть нас в новую войну. «Ничего, потом разберемся».

Хотел отстучать: «Я бдителен. Ничего им не позволю», — но сеанс связи уже закончился. Вот и хорошо, он подумал, значит — пора спать.

Ему снилась фотография. Будто это он. Там, рядом с другим парнем, с которым они наверняка знакомы, иначе зачем сниматься на общую память. «Как же его зовут?» Чтобы вспомнить, надо повернуть голову, но даже во сне он знал: это не фотография, а проверка на бдительность. Фашистские спецслужбы надеются втянуть нас в новую войну. Стоит пошевелиться, и вражеские войска вероломно нарушат границу. Значит, надо замереть, не отвечать на провокации. Таков приказ.

Опасность крылась в парне. Мало ли, отлучался, был в увольнении. Накануне, в субботу, в расположении части выступали заезжие артисты. Все ходили в клуб: и рядовые, и офицеры с семьями. «Надо ему сказать, предупредить». Пока они стоят вот так, рядом, ничего плохого не случится — ни с ними, ни с Ленинградом, ни с жарким запахом травы, ни с отчаянным стрекотанием кузнечиков, ни с кучевыми облаками, которые ползут по небу мирными овечьими стайками. Предупредить, но — как? Если шевельнуть губами, приказ командования будет нарушен.

Вдруг, не выдержав страшного напряжения, когда от тебя зависит будущее советского народа, сморгнул, и в тот же самый миг парень тоже *отмер*. Он почувствовал руку на плече, но не успел понять, кто из них двоих — сам он, моргнувший, или этот, другой, положивший на его плечо свою руку, — виновен в том, что мир взорвался, рассыпался глиняными комками вперемежку с осколками. Он лежал, припав к земле. По спине шарили чьи-то руки, цеплялись за гимнастерку...

Парень, накрывший его своим телом, силился что-то сказать, но не мог, только мычал. «Контузило... Его. Не меня... — но все равно разинул рот пошире, как учили на курсах, когда объясняли, как избежать последствий контузии. — Бежать, выбираться... — Парень стих, больше не тыкался ему в затылок. Обмирая под тяжестью накрывшей его плоти, он попытался выпростать руку, чтобы выползти — не то из себя, не то из-под мертвого. — Не дойти, зацепило», — внизу живота набухала боль...

Он вскрикнул и открыл глаза.

Но сон не кончился. За окном гремела война.

«Что это... наши? Бомбят?! Но здесь же — я! Надо что-то делать... Подать знак...» — лежал, онемев, чувствуя на себе тяжесть чужого тела...

— От подонки! Да заткнетесь вы наконец! — в соседней комнате крикнуло злым женским голосом. Он слышал, как хлопнула форточка, но чувствовал только жар. Чужие пальцы ломали ребра, жгли сквозь гимнастерку, подползали туда, где все горело и сочилось, но не болью, а неумолимо-сладостной судорогой...

Последняя взрывная волна — слабая, убегающая в небытие, — прокатилась по бедрам, но прежде, чем она замерла, он вспомнил. Отдал себе отчет в том, кто стоял рядом с ним в те последние предвоенные секунды: Ганс.

«Война все спишет, это ничего, никто не узнает... Тем более я никого не предавал, не отступал, не сотрудничал с фашистами, не сверкал в небеса фонариком...» — он ждал, когда вражеские бомбардировщики, сбросив груз чужой смерти, уйдут наконец на базу.

— Твари, а? Вечера им мало. Ночью бабахают!

Он скинул с головы одеяло, будто выбрался из окопа. Призрак в белой ночной рубахе стоял в дверях:

— Тока уснула — и на тебе. У вас чо, тоже так шмаляют?

— Кто? — он спросил хрипло, еще не придя в себя.

— Да эти, пиротехники хреновы. От живут! Разбогатели, деньги на ветер. Мало им госсалюта. Я чо пришла-то. Напугался? — она обращалась к нему нежно, как к маленькому. — Праздник. День люфтваффе. Ты не бойся, спи, спи...

«Люфтваффе... Пиро...техники... — Оконные стекла дрожали, празднуя мелкого труса. — Не война... — он ежился под одеялом, радуясь, но одновременно ужасаясь. — Но это же так, во сне. Мало ли, что может присниться...» — сладость сонного сражения, преступная, противоречащая всем его жизненным принципам, побежала волной по коже, вздыбив тонкие волоски.

И если бы только волоски. Спасаясь от того, что сейчас неминуемо случится, он повернулся на живот, рывком, словно вжался в родную землю. Но земля не помогла.

Пятая

I

Не поддаваться на провокации. Но и мямлить, как он мямлил вчера, — нельзя. «Следует крепить линию обороны. Запасаться железобетонными фактами. Для этого мне нужна консультация специалиста, — так, шаг за шагом, словно разведчик, уходящий по первопутку в расположение противника, он обосновывал настоятельную необходимость своей встречи с Гансом. — Надо его найти. Но как?»

Проще всего подкараулить на факультете. «А с другой стороны, — обдумывая промежуточный этап операции, он взвешивал все за и против: — не дай бог, напорюсь на Шварца. Привяжется: что случилось, почему вы не уехали?..»

По счастью, вспомнил: книжный магазин. Тот самый, напротив Гостиного двора рядом с кондитерской «Север».

Если не считать названия (в Петербурге знаменитая кондитерская называется «Норд»), всё оказалось в точности как рассказывал Ганс. Магазин пришелся кстати во всех отношениях: дома торчать не хотелось, особенно теперь, когда у племянника начались предпраздничные каникулы, которые Ральф проводил на кровати. Сестра злилась: «Видал, пожрет и заляжет!» Его тоже удивляла такая жизненная позиция. Здоровый парень, нет бы сходить куда-нибудь. А то напялит наушники и лежит лежмя.

На курсах учили: сперва надо осмотреться. Он побродил по залам. На всякий случай заглянул в кафе. На беглый взгляд ничего подозрительного не обнаружилось: читают, разговаривают, кофе пьют.

Первое правило наружного наблюдения: держать под контролем дверь. В качестве прикрытия он выбрал стеллаж со словарями.

Ганс не появлялся. Сперва это не слишком беспокоило: «Да куда он денется! Придет». На третий день, сделав для себя ряд интересных открытий, касающихся местного языка, приступил к книгам. На полках, маня и притягивая взгляд яркими обложками, стояли десятки тысяч томов. Приходилось признать: в России полиграфическое дело поставлено на самую широкую ногу, впору позавидовать захребетникам. «А ведь еще совсем недавно...»

Он помнил те, книжные, костры. Костры, сложенные из книг, они потухли в начале пятидесятых, после смерти Иозефа Геббельса, тогдашнего Генсека НСРРП. Но сохранились документальные свидетельства. Он запомнил одну фотографию: Дворцовая площадь, Александрийский столп, люди в черном. Их лица размыты темнотой. Фокус наведен на Ангела: каменное лицо — безучастное, будто костер, полыхающий у подножья, его не касается. Что ему людские безумства!

Когда случалось проходить по родной ленинградской площади, ломал голову: а этот? Тоже смотрел бы в пустоту? Или бы сорвался, погребая врагов под своими обломками? Как Гастелло, советский герой-летчик, который направил охваченный пламенем самолет на скопление вражеских автомашин и цистерн с бензином. Между прочим, немец по отцу...

Для начала выбрал два томика на пробу: «Стань счастливым, или Как переменить судьбу» и «Я — душа офиса. Как заставить коллег пахать на тебя». Но полистав, брезгливо захлопнул: пусть сами это читают, искупают свои исторические грехи.

С конспиративной точки зрения книжный магазин оказался идеальным местом. Множество читателей коротали здесь свободное время. Некоторые примелькались до такой степени, что тянуло поздороваться. В особенности высокий парень, на вид вполне интеллигентный. Сидел в самом дальнем углу. Цепкий взгляд, которым парень (обычно погруженный в книгу) время от времени обводил зал, вызывал тревожные подозрения: «А вдруг не просто так? Вдруг он за мной следит».

Но убедил себя: обыкновенный невроз оперативников. Особый психологический эффект (Геннадий Лукич называл: «видимые признаки повсюду»), когда во всех и каждом подозреваешь наружных наблюдателей: в малых дозах весьма эффективное лекарство, держащее разведчика в тонусе. В больших — сущий яд, отравляющий жизнь.

Пятая

Их знакомство состоялось не в читальном зале, а в маленьком уютном кафе. В обеденное время он позволял себе покинуть пост ради чашечки кофе. Капучино (раньше и понятия не имел, что бывает такая вкуснотища) стоил здесь недорого, не сравнить с городскими ценами.

Поводом послужила ложечка, которую парень уронил, а он поднял.

— Позвольте представиться. Алексей. — И, опережая вопрос, к которому успел привыкнуть, добавил: — Из Советского Союза.

Его собеседник ничуть не удивился:

— Вернер, — и кивнул. Ему понравилась такая реакция. В отличие от других захребетников, встречает не по одежке.

Кстати, одет он был довольно несуразно. Темные вельветовые брюки, вытянутый свитер, особенно рукава, которые Вернер то и дело поддергивал, оголяя запястья. По-русски говорил довольно чисто, так что оставались сомнения: понятно, что не желтый, но вот синий или черный?.. Естественно, спрашивать не стал.

— Зачем вы это читаете? — Вернер бросил взгляд на книгу, которую листал его новый советский знакомый. На обложке, демонстрируя накачанный торс, красовался полуголый мужик. (Покраснев, он отложил поспешно.) — Это же... — Вернер поморщился. — Мюль. Нормальные книги наверху. Могу показать.

Они поднялись на второй этаж.

— Вам што милее: классика или современность?

Он хотел сказать: современность, но Вернер уже подвел его к полке, где стояли советские классики. Пушкин, Достоевский, Толстой.

— Выбирайте, — и, усмехнувшись, ретировался.

Он смотрел разочарованно. «Наших я и дома могу», — но не хотелось показаться невежливым.

Вытянул красно-коричневый томик, открыл и прочел:

«В конце новембера, хотя снега ваще-то не было, по утрянке, часов эдак в девять, цуг Питерско-Варшавской железки на быстрой скорости гнал к Петербургу. За окном стоял такой собачий холод и туман, что, казалось, хрен рассветет. В десяти шагах, вправо и влево от дороги, фиг разглядишь чо-нибудь из вагенфенстера. Из пассажиров были те, которые валили назад из-за бугра; но больше всего набилось в отделение для желтых, какая-то мелкая сволочь и подонки с ближних станций. Все обалденно устали, у всех глаза в кучу, мозги раком, к тому же продрогли как собаки, морды бледно-желтые, вроде под цвет тумана...»

«Ну не-ет. Сами пусть читают». Поставил на стеллаж и сошел вниз, еще не зная, как к этому отнестись.

С одной стороны, первый абзац романа (в школьных сочинениях пишут «великого» — в свое время он прочел, но так и не понял, в чем тут особенное величие. Есть интересные места, особенно начало и конец, а середина затянута, не худо бы и подсократить) в переводе на нем-русский звучал уныло и убого, но, с другой стороны, нельзя не отдать должного переводчику, который передал подлинник близко к тексту, даже ухитрился сохранить ритм или тон, свойственный Достоевскому: читатель вроде него, знающий китайский, где один и тот же иероглиф, прочитанный разными тонами, может означать совершенно разные вещи, в состоянии это оценить.

На его осторожный вопрос Вернер ответил: те, кто предпочитает сов-русский, ходят не сюда, а в специальный магазин. Какое-то военное название, он не запомнил со слуха: не то «Дзот», не то «Окоп», где представлена как классика, так и современные авторы. Сам Вернер частенько туда захаживает.

— На Васильевском. Переулок Маргарет Браун.

Имя ему ни о чем не говорило. Но любезный парень вырвал лист из блокнота и начертил план: от метро по Среднему проспекту, свернуть направо — третий дом от угла.

— Буквально подвальчик. Типа, как в Мастере и Маргарите, — и, встретив его недоуменный взгляд, уточнил: — Алоизий Могарыч, тезка нашего дедушки, — судя по тонкой усмешке, отпустил шутку.

— Дедушка? — он переспросил, пытаясь распробовать ее соль.

— Фатер. Адольфа Алоизовича. Нашего дорогого и любимого, — Вернер кивнул на нишу, где в аккуратной золоченой рамке висел навязший в зубах жестокоусый портрет. — «Я — часть той силы, что вечно хочет зла и вечно совершает благо...» Круто — да?

Этого он тоже не понял. Счел за благо сменить тему:

— А Николай Островский там есть?

— Чо, известный писатель? — Вернер спросил тревожно и что-то записал в блокнот.

Сам парень отдавал предпочтение современным авторам. Выяснилось, что его новый знакомый — критик.

— Типа Латунский, — Вернер скептически поднял бровь. Видимо, намекал на местного литературного деятеля.

— Но вы... еще молодой.

— Нашли молодого! Тридцатник скоро стукнет...

Он хотел сказать, советские критики много старше. Но Вернер его не слушал, жаловался на жизнь: арбайтает в газете, ведет еженедельную колонку.

— Типа новинки из мира книг. А чо делать? Жрать-то охота...

— Понимаю, — он посочувствовал. — Цензура душит.

— Цензу-ура! — Вернер протянул мечтательно и, заложив страницу, объяснил: большинство текстов, которые приходится рецензировать, фуфло. Если и попадается что-нибудь более-менее стоящее, за неделю все равно не вникнуть:

— Сюжетец типа перескажешь и — в номер.

— Вы сотрудничаете с толстыми журналами? «Новый мир» или «Наш современник», — он назвал самые прогрессивные, которые сестра Люба читала от корки от корки.

— Скажите еще «Черный передел». Лабуда. Глянец. Особенно этот, как его... — Вернер пощелкал пальцами, но так и не вспомнив названия журнала, заговорил о кошмарной литературной ситуации, которая сложилась в России, в отличие от СССР, где живут и работают воистину глубокие и серьезные писатели, которых сам бог велел рецензировать.

— Кого вы имеете в виду? — Он ожидал услышать знакомые имена: Юрий Бондарев, Семен Свешников, Иван Нагибин, чьи книги, в отличие, скажем, от Пикуля, цензура пропускает со скрипом. А некоторых писателей вообще не пропускает. Стругацкие, например, ходят в самиздате.

— Солженицын, Трифонов, тот же самый Булгаков... Одним словом, титаны!

Он чуть не ляпнул: а разве они советские? Но поостерегся: «Эмигранты. Скорей всего. В Америке небось живут».

— Значит, у вас их переводят?

— Да кому они тут нужны! Кто их ваще читал? Кучка специалистов, а у газет тираж, реклама... Во чо им надо, — Вернер ткнул пальцем в ближайший стеллаж и заговорил горячо и сбивчиво, как о наболевшем.

Он слушал, с трудом ориентируясь в жарком потоке слов и мыслей, пока не нащупал изнанку этой сбивчивой горячки: оказалось, Вернер тоже написал роман. Но его роман не издают.

«Тоже мне, писатель! Писатели — люди солидные. А этот... Вертопрах».

— А что издают?

В ответ он услышал гневную тираду, из которой понял, что современные нем-русские писатели пишут всякую ерунду.

— Тут один... — Вернер назвал имя: не то Охрупкин, не то Нахрапкин. — Прикинь, навалял про Локотьскую республику...

Он вздрогнул и оглянулся на дверь.

Слава богу, Вернер этого не заметил.

— Действие в сорок третьем, а героя с себя списал. Мудозвон, о советской армии рассуждает. А сам ладно бы еще в вермахте, дак эсэсовцем служил. Или этот, — последовала еще одна фамилия: Мышкин или Тришкин, впрочем, Мышкина он бы запомнил. — Во томище! Страниц пятьсот. Типа, любовь не кончается со смертью...

Он фыркнул:

— Посильнее, чем «Фауст» Гете.

— А чо, остроумно, — Вернер одобрительно кивнул.

— Это не я, это Сталин сказал. Про Максима Горького. «Девушка и смерть».

— И смерть? Не, не читал, — Вернер поддернул рукава.

Запястья поросли короткими, светлыми волосками. Как у Ганса. Испугавшись, что покраснеет, он отвел глаза.

— А государство почему не вмешивается?

— Дак свобода типа, — Вернер скривился презрительно и, сам себе противореча, заговорил про какие-то *гранды*, которые Культурминистериум выделяет издательствам, публикующим бесчисленные утопии и антиутопии, основанные на конспирологических теориях о «мировой закулисе», якобы угрожающей суверенитету России и целостности ее границ. Столь же щедрая поддержка обеспечена благостным сказочкам о крепких нем-русских семьях и мемуарам любовниц покойных знаменитостей. Особой популярностью пользуется серия «Жизнь замечательных нацистов» и еще одна, эротическая: «Любовь в концлагерях».

Вернер развел руками:

— Такая, понимаешь, херня.

— Понимаю. Литература для желтых.

— Да ты чо! Желтые кроссворды разгадывают. Им цайтунги раздают. Бесплатно. У метро. Не видал?

Впав в крайнее раздражение, Вернер заговорил о содержимом этих бесплатных газетенок (большая часть полос отдана чудодейственным средствам от сердечных болезней или, напротив, для усиления потенции, подборкам тупых анекдотов, мнениям полицаев о музыке, музыкантов — о спорте, продавцов косметики — об архитектуре, художников — о последних достижениях медицины, учителей — о выборах, депутатов местного штадтсобрания — о новых федеральных законах). Наскучив подробностями, до которых ему не было никакого дела, пусть живут как хотят, он кивнул на книгу:

— А ты что читаешь?

В отличие от других, которые Вернер бегло просматривал, эту книгу он читал вдумчиво, делая выписки.

Его вопрос послужил поводом для нового устного эссе: о последней литературной моде, которую Вернер, судя по всему, ее безусловный сторонник, называл «игрой стилей». Современные нем-русские писатели, обладающие особым внутренним слухом, копируют стилистику классических произведений. От древнерусских до раннесоветских. Если верить Вернеру, на фоне убогого мейнстрима это смотрится смело и свежо.

— А твой роман... Про что?

Вертер кисло сморщился.

— Ну... — он попытался объяснить. — Писатели, они же анализируют, ищут смысл...

— Смысл? — Вернер переспросил, будто не расслышав. — А он чо, имеет быть?

— Ну как же не имеет... Все-таки литературные герои. Не в вакууме живут. Работают.

— Во-он куды тебя потянуло! На социалку.

— А если про оккупацию? Рискуя жизнью, герой борется за свободу. Наверняка прославишься, — он хотел сказать, что роман, который напишет Вернер, уйдет в самиздат, его будут передавать из рук в руки.

— Не, — Вернер мотнул головой. — Не канает.

— Но почему?

— Герой, свобода... — махнув рукой, Вернер пустился в туманные рассуждения о том, что титаны рождаются в условиях полной несвободы, сиречь абсолютного рабства, когда писатель, противопоставивший себя идеологии, ощущает прямую и непосредственную угрозу собственной жизни. — А у нас? Чо хошь, то и пиши. Хыть наизнанку вывернись. Самое большее, с работы попрут.

Он не понял, гордится или горюет.

— А если про черный паспорт? Я уверен, издательства клюнут.

— Думашь? — Вернер поддернул рукава.

— В Союз писателей вступишь или как тут у вас...

— Под мудаков старых прогибаться? Не, не стоит того. Уж если прогибаться...

— Под федералов? — он вспомнил разговор Нагого со Шварцем.

— Где я, где федералы! — Вернер усмехнулся. — Под них я бы с удовольствием. Не предлагают чо-то, — и посмотрел прямо ему в глаза.

Ему показалось, Вернер обиделся. Или расстроился. Даже ушел раньше обыкновенного. Книга, которую он читал, осталась на столе. Том выглядел солидно, во всяком случае, увесисто. Заглавие «Пурга».

На обложке лежал снег. Тощая кобыла, упираясь из последних сил, тащила пустые розвальни, казалось, увязшие в снежном крошеве. Картинка ему понравилась: и эта телега, и гнедая лошаденка пробуждали что-то давнее, однозвучное, как звон колокольчика в бескрайней русской степи.

Он открыл наудачу:

«— Так ить пурга, барин, — Опанас вздохнул горестно и смиренно, перед лицом разгулявшейся стихии. — Беда. Буран.

— Сам вижу, что буран. Но тем не менее ехать надо, — Александр Сергеевич выглянул в заиндевелое окошко. — Бог не выдаст, свинья не съест. Затемно авось доберемся.

— А волки привяжутся? — Опанас весь напрягся, будто прислушиваясь к голодному вою.

— Да нам-то! Из ружьишка стрельнем, в крайности костерок разведем... — Но всем, собравшимся в станционном трактире, было ясно: городской барин и сам боится, вот и мелет всякое пустое...»

Стало жалко русских классиков, которых в России сперва переводят на нем-русский, а потом вместо них пишут.

Пожав плечами, закрыл.

Но на этом не закончилось. Тощую кобылу он увидел на другое утро. В тот день он пришел пораньше.

В углу, за стеллажами, сидела аккуратная старушка. Он не намеревался туда заглядывать, но пришлось обойти высокую картонку. Судя по надписи: «Пасть порву за роман Алоисии Сивокобыленко!» — реклама какой-то книжной новинки.

Прижав к груди раскрытую книгу, старушка съёжилась на табурете. Морщинистые пальцы загораживали лошадь и телегу, словно с грехом пополам добравшись до почтовой станции, ямщик въехал на постоялый двор.

— Простите, пожалуйста! Да вы читайте, читайте...

— Я куплю. Да-да, может быть, наверное... — выцветшие глаза сочились испуганной надеждой.

Он почувствовал себя виноватым: напугал старого человека.

— Как по-вашему, это хорошая книга?

— Очень, — она улыбнулась. Из-под морщин проступили нежные девичьи черты. — Я ведь этих, нынешних, ну никак не понимаю, а тут... Читаю и радуюсь: и Пушкин, и Толстой, и Антон Павлович — родные мои, все, все... Я ведь в блокаду их сожгла. Нет-нет, вы не подумайте, не для себя. Дети замерзали, соседкины. А теперь, вы не поверите! Будто воскресли.

Он не понял, кого она имеет в виду: соседских детей или русских классиков.

— Но их же... можно купить. На Васильевском. Магазин «Окоп».

— С моей-то пенсией! — она засмущалась. — А тут, спасибо им, разрешают.

— Ну... — он наморщил лоб, — а в библиотеке?

— Да ты, мил человек, сам-то откуда будешь? — старушка смотрела с детским изумлением.

— Алексей Руско, — он слегка поклонился. — Из Советского Союза.

— Оно и видно, — она поджала тонкие губы. — В библиотеке пасс требуют. А у меня... — тихонечко, шепотом, — желтый. Нет-нет, — старушка вдруг заторопилась, — теперь-то ничего, послабление вышло, года три уж как...

— Что значит — послабление? Какие-то изменения, благотворные?

«Надо же, — подумал. — У нас только ожидаются, а в России, значит, уже».

— Вы хотите сказать, с желтым тоже можно?

— Можно, — она подтвердила покорным эхом. — Только опоздала я. Кто на пенсии, не пускают, говорят, возраст дожития... Нет-нет, я не против. Пусть. Молодым... везде у нас дорога, старикам везде у нас... — закрылась сморщенной ладошкой. Как Моська, когда говорил про свой родной Тибет.

— Вы меня простите, может, я не в свое дело...

Она улыбалась и кивала, словно подбадривала. «Не такая уж она и старая... Чуть-чуть постарше мамы».

— Честно говоря, вы... как-то не похожи на желтую.

— Сын у меня, Сереженька... Служил в Красной армии. Сразу погиб, осенью. Я похоронку-то сожгла. А все равно дознались. Наши, когда бежали, бумаги бросили... А они нашли. Если б хоть рядовой, а то комиссар... — она поправила выбившуюся из-под платка седую прядь.

— А вы, — поколебавшись, он все-таки спросил. — Хотели бы обратно, в СССР?

— Как это... обратно? Опять чтобы война?

— Ну что вы, — он поспешил успокоить. — Если мирным путем...

— Мир...ным, — она смотрела на него с ужасом. — Нет-нет, никогда, ничего такого, даже в мыслях... Я ить всем довольная, спасибо партай и правительству. За счастливую старость. Вы уж эта, прощения просим, герр офицер, чо с меня, с глупой-то старухи... Пустите меня, пожалуйста...— она умоляла, сложив руки на груди.

Он кивнул ошарашенно, не понимая, что на нее нашло.

— А чо непонятного? — (Все-таки рассказал Вернеру) — Я ить тоже сперва. Гляжу на тебя. Ходишь, оглядываешься. Вынюхиваешь. Ага, думаю, не иначе из Абвера. И внешность подходящая.

— Ну и послал бы меня подальше, если я агент. А то сидишь, болтаешь...

— А чо, клёво! С агентом перетереть. Вдруг, думаю, чо предложишь.

— Про Гитлера болтал, про государство. С агентом-то?

— А чо такого-то! Што ли агент — не человек?

— Не просто болтал. Критиковал власти.

— Да насрать им на мою критику! Не глупее нас с тобой. — Вернер больше не усмехался. — Дураком, што ли, выставляться, типа данке партайке и правительству. Я ить не в наружку хочу. Мне творческая работа нужна... Слышь, а ты точно не агент? Жалко. Прикинь, а я губу-то раскатал. Вдруг, думаю, на тиви пригласишь. А чо, я бы справился.

«Будто в наружке дураки, — он думал обиженно. — А скользкий все-таки тип. Еще и усмехается... Да и я хорош! Болтаю, книжки почитываю. А дело стоит...»

Пятая

Пока переходил Неву (на мосту ужасно дуло, ветер с залива так и норовил сбить с ног), все думал о несчастной старухе, матери погибшего комиссара. Надо было сходить с ней в этот «Окоп». Подарить томик Пушкина или Чехова. На добрую память. В глубине, где у верующих должна быть душа, разлилось приятное тепло, будто так и сделал, подарил, осчастливил. Даже представил, что забирает ее с собой, в СССР, где у стариков хоть и небольшие, но все-таки достойные пенсии, что бы там ни говорила Люба. Уж в библиотеки-то их точно пускают.

Новый удар ветра вернул его в грубую реальность: «Нечего Ганса дожидаться. Пора брать врага за рога».

Но как назло, старик снова не вышел к ужину. Сестра жаловалась: последние дни совсем ослаб, видно, переволновался, — поглядывала на него осуждающе, будто не обстоятельства, а лично он в этом виноват.

Картофельные котлеты с грибным соусом — такие вкусные, что самое время вспомнить пословицу: когда я ем, я глух и нем. Но не тут-то было. Снова она болтала без умолку, делясь сериальными новостями. Даже за чаем, к которому подала вишневое варенье с косточками. Аккуратно и вежливо выплевывая (сперва на ложечку с тонкой витой ручкой, а уж потом на краешек блюдца), он думал о Вернере: «Телевидение. Тоже мне, творческая работа! Тупые сценарии писать».

Демонстративно отодвинув розетку, Ральф вышел из-за стола.

— Куда же ты, сы́ночка! И вареньице не доел... — сестра изогнула брови горестными лодочками, будто сейчас заплачет.

Но вместо слез закапало и полилось над плитой. Ежевечерняя сценка. Он уже успел привыкнуть.

— Ну ты гляди! Полилось! — обнаружив, что над плитой снова капает, Люба срывалась с места и, единым духом взбежав на пятый этаж, колотила в соседскую дверь. Он знал, что за этим последует. Сестра возвращалась, так ничего и не добившись. С лестницы, ей вслед, неслись истошные крики:

— Да штоб вы сдохли! Олихархи проклятые! Всё как есть скупили! — наваливаясь на перила, соседка наливалась счастливой злобой. — Лила и буду лить! И чо ты мне сделашь! Ишь, умные! И папаша твой, и этот, выблядок! Сука драная, родила под забором!..

— Давай я с ней поговорю, — он жалел сестру, за которую некому заступиться.

Люба вздыхала обреченно:

— Раковина у ней течет. Сто раз ить предлагала. Починить, ага, за свои сре́дства.

— А она?

— На хрен, грит, мне твои поганые деньги. Сама, мол, не нищая... Все! Хватит! — стучала кулаком в стену, будто верхняя соседка могла услышать. — Завтра же! В управу! Пусь они разбираются!

Но никуда не шла. Назавтра все повторялось:

— У, суки-провокаторы! Радио совейское слушают! Всё-ё куда следоват сообщу! Страх потеряли! Жильцов к себе пускают...

— Это она про тебя, — Люба прислушивалась к затихающим крикам.

— Может, все-таки сходить? В управу. Пройти регистрацию. Паспорт, копия...

— Копия? — она переспрашивала рассеянно, как всегда, когда не успевала переключиться с одного дела на другое.

— Мне кажется, ты ее просто боишься.

Думал, начнет отпираться, доказывать.

— Внук у ней в СС. Срочную служит. Меня-то не посмеет. А Ральку точно уделает... И раньше не дай бог. А теперь, думаю, чистый зверь...

«У одной в СС, у другой в Красной армии... — он вспомнил профессора Пейна. Англичанин ошибался: не только люди, живущие по разные стороны Хребта, — маленькие зеркала. Отражения друг друга. Выходит, по одну сторону тоже...» Он пожалел, что не расспросил Веркиного мужа, когда тот разбирался с соседями — шепотом, на ухо. Но ведь сработало. — «Знать бы, чего он там наплел...» Инерция доброго дела, пусть не дела, а намерения, когда собирался помочь матери погибшего комиссара, побуждала к действию.

На его вежливое «здравствуйте» соседка буркнула неразборчиво.

— Жилец — это я. Позвольте представиться. Алексей Руско, из Советского Союза. Может, вы еще не слышали. Готовится межгосударственный указ, — боясь рассмеяться и все испортить, он потер переносицу: — Нарушителей норм общежития (чуть не ляпнул: социалистического) будут высылать. На перевоспитание. Наших — к вам. Ваших — в Сибирь.

— Об-ше-жития? — она повторила за ним.

— Которые на лестницах буянят, соседей нижних заливают. Меня с проверкой прислали, в командировку. С советской стороны...

— Так я-то... чо... я ж... сыночек, родимый, да как же... — она залопотала испуганно.

Войдя в роль Веркиного комсомольца, он строго перебил.

— *Там* объяснять будете. В Советском Союзе. Нашим компетентным органам. И про сыночка. И про внучка вашего. Он ведь, кажется, служит? — достал из портфеля блокнот. — В войсках СС.

Уходя, он оглянулся, убеждаясь в том, что история, во всяком случае российская, знает сослагательное наклонение, а главное, отлично его помнит, — то, что стояло в ее глазах, доказывало эту нехитрую мысль.

В разговоре с сестрой он не стал вдаваться в подробности:

— Поговорил. Обещала починить.

— Чо, так и сказала?! — Люба не верила своему счастью.

Но на другой день больше не лило. Сестра, видно на радостях, затеяла печь пирог.

Он смотрел на ее локти, присыпанные белым: точь-в-точь как у мамы, когда раскатывает тесто.

— Жизнь собачья, и не заметишь, как озвереешь... Бьешься, бьешься. И этот, папаша Ралькин. Молодая была, дура, за черного выскочила, думала, поживу по-человечески. А вон как обернулось. С синего хыть алименты бы шли...

— Значит, — он почувствовал укол зависти, — у Ральки черный пасс. А я думал...

— Не, — она обтерла лоб мучной рукой, остался белый след. — Пасс в восемнадцать. Хожу вот, добиваюсь. У самой-то синий...

— А я слышал, если муж черный, на жену это тоже распространяется...

— Грю же — дура. Некогда было. То одно, то другое. Вот и дождалась. Этот-то, муж объелся груш, сбежал... Короче, смешанный брак. Если в разводе, почти всегда отказывают, — она вздохнула. — По матери определяется.

«Как у евреев». Тетя Гися говорила: в Израиле национальность определяют по матери.

— Комиссию прислать обещали. В августе. Проверка жилищных условий, то-се, жратва, шмотки. Ремонт особенно учитывают... Ну ничо. До августа успею, — она задумалась. — Я-то ладно, и так бы прожила. Для сына. Пусть хоть он по-человечески... Как думашь, выгорит?

«Если бы они знали, — он думал не о ней, а о своих соотечественниках, — какую цену захребетники платят за свою богатую жизнь...»

— А хочешь, я тебе погадаю? — не дожидаясь ее согласия, сбегал за карточками. Разложил на кухонном столе. — Выбирай.

— А чо это? Ох, не знаю, как-то... Ну... — она смотрела робко, словно и верила, и не верила ему на слово. — Не, не эту, вон ту, — указала мучным пальцем. — Ой, руки-то!

Пока она смывала муку, он заглянул: № 23, «Бо». *Разрушение* — плохая карточка, слава богу, успел подсунуть другую: № 40. «Цзе». *Разрешение.*

Ключевые слова: освобождение, стойкость, счастье. Если и сжульничал, всего-то на одну букву.

— Ну? Чо там? Гут? — она заглядывала, будто готовилась принять из его рук свою судьбу.

— Лучше не бывает, — снова он чувствовал теплоту под сердцем, когда одно твое слово, сказанное к месту и вовремя, способно осчастливить другого человека.

— Вот спасибо тебе, братик! Считай, должница твоя.

— Я... тут, у вас... — приняв ее слова за намек, он почувствовал, что неудержимо краснеет: — Живу, питаюсь... У меня есть... немного... Но если надо, я готов, марок триста...

— Да ты чо! Даже не думай, — она замахала руками. — Ты мне — и это, как его, раз...решение, и бабку верхнюю. Не возьму, хыть жги меня, хыть режь. Ну иди, отдыхай. Скоро пирог будем кушать, яблошный...

«Хоть жги ее, хоть режь... — направляясь в комнату, он думал ворчливо. — Сама намекает, а сама... Тоже мне, благодетельница, не нужны мне ее деньги, слава богу, не нищий... Подумаешь, пирог! Пусть сама ест. С Ралькой со своим».

В первый день, пытаясь наладить общение с Ральфом, спросил: ты хотел бы полететь в космос? — в ответ услышал: и что я там забыл?

«У нас каждый мальчишка... А у этих! Тоже мне, мечта — черный пасс. — Косясь на племянника (по обыкновению, тот завалился на диван, лежал в своих наушниках), он думал: — Разве это жизнь? Ни тебе великих свершений, ни новых идей... Здоровый парень, откормленный, пахать на таком. Ишь, лежит — куль с рисом. Мать для него старается, работает как проклятая. Ремонт затеяла... Хотя зря я ее оправдываю. Тунеядца вырастила. Морального урода».

— Вражьи голоса слушаешь?

— Ага, — Ралька подтвердил легкомысленно.

— Би-би-си или Голос Америки?

— На кой они мне, — племянник скривился. — Ваш Маяк.

«Издевается, что ли?»

— Шлягеры у вас клёвые, — Ралька поерзал, будто настраиваясь на любимую советскую волну. — «Дремлет усну-уший северный город, серое небо над головой... Чо тебе снится кресерарура...»

Он и не предполагал, что у племянника окажется такой сильный голос. Только вот слова... Каша во рту.

— «...В час когда утро стаёт наревой...» Круто! Тока не разобрать, город-то какой?

— Ленинград. — «Разыгрывает, точно разыгрывает...» — Там же крейсер Аврора. В час, когда утро встает над Невой, — но петь постеснялся.

— Мутерше тоже нравится. Как в кирхе, грит. Ну, типа ангелы. Не, дед другую любит. Про солдат. Там птицы еще такие...

— А! — он догадался: — Соловьи.

— Во! — Ральф обрадовался. — Ваще чумовая. Типа мертвецы.

— Кто? Да нет! — он возразил горячо. — Просто отдыхают, спят.

— Я тоже сперва... А дед грит — специально врут, штоб живые не расчухали, ждали их с фронта.

«Глупости какие!» — но все равно стало противно. Чертов старик покусился на самое святое: солдат минувшей войны.

— А я ему, ну, деду-то, раз жмурики, чо ж они, грю, поют? А дед: на фронте и не такое бывает. Рассказывал. Ваши, када отступали, своих не хоронили. Присыпют чуток. Они и лежат...

— Черный пасс получишь, что будешь делать? — он прервал поток гнусной клеветы.

Ралька усмехнулся как-то нехорошо, по-взрослому:

— Валить.

— К нам, в СССР? — он вспомнил Ганса.

— Я чо, идиот? Нах Дойчланд. А чо, наши многие уезжают. Достало...

— Но ты же черным будешь. Разве плохо? Живи, радуйся.

— Ра-адуйся! Ага, тока на какие шиши? Это она думат, — Ральф мотнул подбородком в сторону кухни, откуда тянуло сладкой яблочной начинкой, — типа, добыл ксиву и жируй. Раньше надо было чухаться, када начиналось. Теперь уж поздно. В хорошую тему не впишешься. Бобик сдох.

Он подумал: «Да ну его к чертовой матери! Пусть катится в свою Германию».

— Не знаешь, пирог скоро, а то я что-то проголодался.

— А скока щас? — Ралька взглянул на часы. — Не. Сперва у ней ящик. Посмотрит, тогда уж. Хошь — включу.

— Да уж сам как-нибудь справлюсь, — он взял электронное устройство, с помощью которого захребетники, не вставая с места, переключают программы. Давно хотелось попробовать. А заодно понять: ну ладно, сестра. Глупая женщина, необразованная, что с нее возьмешь. Но Вернер? Мечтает попасть на телевидение...

— Сам дак сам, — Ралька нахлобучил наушники и отвернулся к стене.

Чувствуя себя почти что космонавтом или, во всяком случае, работником центра управления полетами, нажал на красную кнопку и услышал музыку. Бодрящую, энергичную. Музыка прервалась, замерев на взлете. Он увидел диктора. Мужчина (судя по шикарному темному костюму — из черных) занял собою весь экран. Расплываясь в широкой улыбке, поприветствовал зрителей. Но особенно ему понравился желтый галстук: «Как у Незнайки в Солнечном городе».

Диктор расхаживал по студии, время от времени замирая в горделивых позах. Увлекшись этим потешным зрелищем: «Только перьев не хватает», — он не сразу разобрал слова. А когда разобрал...

«Американцы. Точно, они». Голос Америки, вещающий на Россию, обличал проклятую фашистскую хунту, которая ведет страну к катастрофе.

«Павлин-то павлин, а здорово чешет. В ЦРУ небось натаскивали...»

— Люди. Невинные. Десятки и сотни! И где? Думайте, думайте, шевелите мозгами. Своими. Куриными, — развернувшись на каблуке, диктор принял новую эффектную позу: — В концлагерях. В то время как ихнее начальство, от суки, паразиты! Па-уки! Да чо там, вши! Ползу-ут, присосались к народному телу, пью-ют народную кровушку! — новый поворот: анфас. — Но мы еще дождемся! Ага! Справедливости! — прицелился указательным пальцем. — В клетку их! На скамью подсудимых! В Гаагский трибунал!..

«В какой трибунал? — шепотом повторил слово, похожее на гусиный гогот, будто попробовал на вкус. — И как только разрешают? У нас бы...» Он не успел вообразить полный комплекс мер, которые предприняло бы советское руководство, попытайся кто-нибудь протащить на наши голубые экраны оголтелую антисоветскую пропаганду, потому что ведущий, расстреляв воображаемую обойму, заговорил другим, деловитым, тоном:

— Наш спецрепортер, как звать — не скажу, а то фашистские звери его чик-чик, — задрал галстук и высунул язык, изобразив висельника, которого только что, у всех на глазах, вздернули.

«Профессионально работает. Ничего не скажешь. — Он оглянулся на племянника. Тот мычал, надвинув на голову наушники. — Ишь, подпевает. А мог бы и послушать. Вот где правда-то...» — осудив равнодушие новоиспеченного родственника, граничащее с отсутствием твердой жизненной позиции, снова приник к экрану. Тем более висельник воскрес:

— Короче. Рискуя отдать свой жизнь, сфоткал. Так што нехер чаи распивать и сардельки трескать. Успеете. Все для вас — вон, полные варенхаузы. Кому сказал! Рыла не воротим, сидим, мля, и смотрим, как жертв беззакония загоняют в спецавтомобили. Через час, когда вы натрескаетесь как свиньи, они, мученики кровавого режима, окажутся за решеткой, где к ним применят спецметоды, о которых мы, живущие в свободной демократической стране, и понятия не имеем. Нимальс не имели! И не будем иметь! — висельник снова взвыл и, вскинув руку, прицелился в студийный экран. — Вон они, страдальцы! Ох, горе-то какое! Даже я, казалось бы, взрослый человек, обеспеченный... Гляжу и плачу... — выхватил из нагрудного кармашка платок, желтенький, под цвет галстука. — А вы... Хрен от вас дождешься. Нищета подзаборная. Шелупонь, — трубно высморкался, смял и сунул в карман.

Даже делая скидку на грубость нем-русского языка, он удивлялся тону американской пропаганды: «На что уж наши, тоже, конечно, критикуют, — на память пришли привычные, стертые слова: заокеанский милитаризм, европейский буржуазный ревизионизм, нем-русский реваншизм, в которых он вечно путается, не улавливая разницы. — Но *такого* себе не позволяют...»

Впрочем, как бы разнузданно ни вел себя этот, агент ЦРУ, главное не форма, а суть: он сидел, не в силах оторвать глаз от экрана, всей душой сочувствуя несчастным захребетникам, которых гонят как скот на убой. По срамному замыслу оккупантов акция изображала праздник.

Вместо чемоданов и сумок, которым суждено сгнить на вонючих фашистских складах, обреченные несли портреты, увитые искусственными цветами. По экрану побежала строка. В переводе на сов-русский:

*ЖЕРТВЫ НЕСУТ ЦВЕТЫ
НА СВОИ БУДУЩИЕ МОГИЛЫ, —*

он ужаснулся откровенному цинизму местных властей.

Веселые, улыбающиеся люди, похоже, ни о чем не догадывались. Даже те, кого уже загоняли в открытые грузовики. Он смотрел на девушку, свою почти что ровесницу. Ловко перехватывая поручни, девушка карабкалась по приставной лестнице. Над кабиной реял красный транспарант.

ДА ЗДРАВСТВУЕТ ПЕРВОМАЙ —
СВЕТЛОЕ БУДУЩЕЕ...

«Это же... мы... — будто хлестнули по глазам. — Наш советский праздник. Весны и труда. Сволочи! Вот сволочи!» — он вскочил и заходил по комнате, сжимая кулаки.

— Ась? — племянник стянул с головы наушники.

— Нас! Фашистами обозвать!

— А чо такова-то? — Ральф искренне удивился. — Ну фашисты, и чо? Прям слова вам ни скажи.

— Это не слово. Это... это... Сами вы фашисты проклятые!

— Ну. Да. — Ральф прищурился. — Э, а что ты там смотришь? Параша это. Для желтых.

— Для желтых? — он вдруг почувствовал, что остывает. — Все равно нельзя. Наш праздник. Демонстрация.

— Монстрация? Клёвое слово, — Ральф потянулся и зевнул, блеснув крепкими зубами члена гитлерюгенда.

Но самое неприятное: «Ладно желтые, они на демонстрациях не бывали. Но я-то, я!» — он чувствовал жгучий стыд: как так вышло, что захребетники его заморочили?

— Ты чо там, а? Колбасу ливерную мажешь?! — Палец ожившего висельника указывал прямо на него. — Ты, ты! Чо глазами лупаешь! Сюда гляди!

— Он... видит нас?

Ральф задумался.

— Не, вряд ли...

— А почему — про колбасу?

— Ну кто-то же мажет.

— Да, но он-то этого не видит.

— Дык этот, который мажет, сам знает. Што он типа мажет.

«Всё, не могу больше», — он окончательно запутался.

— А для синих — какой канал?

— Возьми да пощелкай, — Ральф скривился. — Ладно, кинь пульт...

Студия, возникшая на экране, была раскрашена соответственно: синий помост, на котором расположились участники — каждый за отдельной кафедрой; лампы дневного света, темно-синий галстук ведущего. Впрочем, этот не орал и не тыкал пальцем. Вел себя сдержанно. Чего не скажешь про участников передачи. То и дело перебивали друг друга, размахивали руками — вот-вот передерутся. Но как ни странно, до драки дело не доходило. В критические моменты ведущий умело вмешивался — то шуткой, то ловким замечанием снижал накал страстей.

Привыкая к сумбуру, царящему в студии, он вглядывался в лица участников, пока не остановился на тетке в ярко-красном костюме, которой ведущий предоставлял слово вне очереди, а главное, не перебивал.

— А в красном — это кто?

— Рожа вроде знакомая... — Ральф задумался. — Шишка какая-нить. Из Райхстага.

— А другие?

— Не, ну ты ваще! Мне чо, плотят, рыла ихние помнить...

— Проголодались, касатики? — Он и не заметил, как вошла сестра. — А, ток-шоу... — она придвинула табуретку, устраиваясь поудобнее. — Ну, кто тут у нас гевинтает? — и, поймав его недоуменный взгляд, ткнула пальцем в ведущего. — Ой, классный ваще такой, с юмором! Короче, судит. Баллы им назначает. По-вашему, очки. У кого меньше всех, того чик-чик!

— Убивают? — у него похолодело под сердцем.

— Не! — она тряхнула челкой. — Кто б тада глядел! Хуже. Черный пасс отымут... Я за того, за седенького. Номер двенадцать. Жалко его, прям сил нету... Сколько лет пользовался, привык, — ему показалось, сестра всхлипнула.

Как он ни вслушивался, пытаясь разобрать нем-русскую абракадабру, смысл происходящего ускользал. Учитывая, что в студии собрались депутаты Рейхстага, можно было предположить, что обсуждается какой-нибудь новый закон. Те, кто голосовали за и против, выносили свои доводы на суд телезрителей. Но по реакции людей, собравшихся в студии, было непонятно, кто из них на чьей стороне. Его внимание привлекла рыжеволосая женщина, маячившая за спиной ведущего. С одинаковым энтузиазмом она аплодировала каждому из участников. Впрочем, как и мужчина, сидевший с ней рядом. Он решил, что таковы здешние правила: никто не имеет права выдавать свои промежуточные предпочтения. Чтобы тем самым не повлиять на итог игры.

Скоро он почувствовал, что устал. От этих криков, от синего света становилось муторно. Экранные лица слипались в одну общую массу. Но теперь, когда он перестал вслушиваться, бессмысленное мелькание больше не раздражало. Скорее, завораживало, погружая в сладостное безмыслие. Лишь бы тот, на кого он поставил, набрал как можно больше очков.

Мужчина средних лет, невзрачный, с редкими бесцветными волосами, из-под которых уже посверкивала будущая лысина, — он и сам не знал, почему выбрал именно этого участника под номером шесть. Шестой номер не старался попасть в камеру, будто привык держаться незаметно, но в его серых близко посаженных глазах стояло что-то свинцовое, придающее вескости, казалось бы, самым тихим и простым словам. Даже ведущий это понял и больше не подыгрывал красной тетке. Лишившись поддержки, она стушевалась, будто выцвела, хотя и продолжала что-то выкрикивать тонким блеющим голоском.

Незаметно его охватил азарт: «Ага-а! Получи, овца красная! — он ерзал, только что не подпрыгивая на стуле, то сжимал, то разжимал кулаки. Ногти вонзались в ладони, но он ничего не чувствовал. Только бормотал: — Давай, давай!»

Седенький № 12, на которого поставила сестра, — не то бывший ученый, не то инженер в кургузом обвисшем пиджачке, — норовил вмешаться, топтался за своей кафедрой, тянул руку, надеясь привлечь к себе внимание. Один раз ему это удалось. Двенадцатый попытался высказаться, но под насмешливым взглядом ведущего сбился, запутался и вскоре, впрочем, заслужив свою порцию аплодисментов, сник.

Цифры, загоревшиеся на табло, наполнили его душу победным ликованием: № 6 утвердился на верхней строчке. За ним, впрочем с большим отрывом, шел № 4, толстяк (этот ему с самого начала не понравился), отиравший потный лоб мятым неопрятным платком.

— Яу! Мы! Их! Сделали! — Ральф подпрыгивал на кровати, будто матрас выстреливал в него жесткими пружинами.

«Ишь как пробрало... А говорил — плевать! — но было приятно, что племянник тоже поставил на «шестого». Номер двенадцать, за которого болела сестра, маячил в самом конце. Вдруг он заметил: плачет. Слезы, пролитые по столь ничтожному поводу, вернули его к реальности — будто нюхнул нашатыря: — Все-таки странные они тут. У нас бы...» — вообразил советских сестер, которое смотрят эту передачу. Воображаемая Люба отпускала ехидные замечания, воображаемая Вера хихикала.

— Ну, проиграл. С кем не бывает.

— А я-то, я... Верила ить в него... — она всхлипывала все громче.

Похоже, своим замечанием он сделал только хуже. «Надо ее отвлечь».

— Если честно, я так и не понял, о чем они тут... разговаривали? — подобрал вежливое слово.

Нехитрый маневр сработал:

— Вроде, эта... — она силилась вспомнить. — За мир. Против этих, которые разжигают.

Он думал: «Против американской военщины. Ну да, у нас тоже бывают такие передачи...» — но сколько ни морщил лоб, всплывали одинаковые рты, сонные, твердящие пустые слова: миру мир, за мир во всем мире.

— А тот, потный, номер четыре?

Сестра всплеснула руками и затараторила:

— Ой! Дык артист! Прошлый месяц сериал с ним был. Как же его? Ах ти господи... Про царское время...

— У вас и про царское снимают?

— А чо нет-то? История, наше великое прошлое... Не-пре-рывное, — она старательно выговорила трудное сов-русское слово. — Распутин. Вот.

— Ну да, — он согласился. Скорее из вежливости. — Немного похож.

— Чё немного-то! — сестра возмутилась. — Прям вылитый, надёжа-государь. Всея Руси.

— Погоди, погоди... Николай Второй, он же худой был, невысокий. А этот...

— Да ты чо! — она растопырила руки, изображая внушительные габариты последнего российского императора. — От он какой, царь-то наш бывший!

— Это ошибка, — он решил не сдаваться, — я видел фотографии.

— Ну ты сравнил! Фотки-то чо — такого нахимичут, есть мастера! Одного вырежут, другого вставят. А в кино — как его заклеишь? Ходит, разговаривает. Как Ленин ваш, — она хихикнула. — Типа вечно живой....

— Царь, значит, общий, а Ленин наш? — спросил ехидно.

— Ну да. Царь — он где жил? В России. А Ленин в СССР.

— А Гитлер? — он улыбнулся, решив, что она так шутит.

Сестра задумалась:

— Сперва царь... Потом революция... Не, ты меня не путай, — она смотрела испуганно. — Потом уж Гитлер. Пришел к власти. Ага, после царя.

— А Сталин куда пришел? — Снова его голова наливалась жидким свинцом.

— Как куда? К вам.

Боясь выдать свои истинные чувства, презрение вперемешку с недоумением, он вышел и закрылся в ванной. Набирая пригоршнями холодную воду, плескал в лицо. Свинцовая боль не унималась, будто остывая, металл не терял в объеме, а распирал лобные пазухи. Пришлось сунуть голову под струю.

Сестра сказала: окончательные результаты серии игр объявят в День России — государственный праздник захребетников, знаменующий освобождение стра-ны из-под гнета большевиков и комисса-ров. «Спросить бы у нее: если Сталин пришел к нам, а к ним сразу Гитлер — от кого их тогда освобождали?»

II

Ночью валил снег. Утром, когда он вышел из дома, всюду лежали толстые сугробы, особенно на тротуарах, — свежий снег должен быть сухой, а этот липнул к ногам. Мелькнула мысль: не спуститься ли в метро, но решил без нужды не тратиться. Тем более небесные запасы вроде бы истощились, падали редкие и ленивые хлопья. Держась протоптанных ранними прохожими тропинок, он двинулся в сторону Невы. Но ступив на мост, жестоко пожалел: на мосту мело и гулял такой пронзительный ветер — того и гляди снесет.

Колонное здание — в ясные дни оно отлично просматривалось — застилал густой липкий туман. Казалось, туман пригасил и звуки. Лишь дойдя до кромки Марсова поля, он различил сухое шарканье дерева по асфальту. Бригада желтых расчищала снег.

Донесся внятный шум моторов. Он заметил человека с синей повязкой на рукаве — тот замахал руками. Желтые, торопливо подхватив лопаты, отошли, но недалеко. Встали плотной группой приблизительно на том месте, где в его родном Ленинграде — «Никто не забыт и ничто не забыто!» — пылает Вечный огонь.

Он услышал команду: на-пле-чо! — и только теперь оценил остроумную выдумку захребетников. Издали и вправду казалось, будто на плечах у них не лопаты, а настоящие портреты, притороченные к деревянным палкам. (На заводе, где раньше работала Вера, портретоносцам доплачивали, после каждой демонстрации выписывали по десятке. Местные желтые несли своих вождей бесплатно и, считай, без отрыва от производства.)

Низкий рокот перешел в надсадный рев. К Марсову полю, выдвигаясь двумя колоннами, подползали крытые грузовики. Первая выворачивала из Немецкой улицы (по-нашему: ул. Халтурина), другая — с моста, где по ту сторону Мойки едва виднелось приземистое строение, обложенное ватным туманом, за клочками которого ему, ленинградцу, мерещился Спас на Крови, последние десять лет привычно обшитый строительными лесами: к реставрации приступили года через два после воссоздания, когда куском отслоившейся от купола смальты чуть не зашибло насмерть одного незадачливого любителя русской старины.

Пока он вспоминал и сравнивал, люди, в большинстве своем женщины, уже успели выгрузиться. Колонну, следующую боковой аллеей, сопровождала Пятая айнзацкоманда (он узнал черную с серебряными нашивками форму). Полицаи двигались цепью, шевеля нетронутый снег газонов высокими, глухо шнурованными сапогами. Внутри колонны, направляя людской поток к подножью широкой каменной лестницы, сновали мелкие распорядители с красно-белыми повязками на рукавах. Явственно слышался собачий лай.

Лай затих.

Едва удерживая на коротких поводках своих четвероногих питомцев, кинологи огибали расчищенное пространство. Головастые немецкие овчарки, уткнув в землю чуткие сторожевые носы, обнюхивали снег.

Грозный вид «пятерочников» (высокий офицер уже косился на него с немым пока еще вопросом) побуждал убираться подобру-поздорову. Он решил было идти своей дорогой, не дожидаясь проблем с местными властями, но вспомнил: «Я же иностранец. Имею право. Откуда мне знать, что тут у них можно, а чего нельзя».

Женщины, потихонечку замерзая, дули на пальцы и переминались, похлопывали себя по бокам. Не то организаторы, подстраховавшись на всякий пожарный случай, доставили их заранее. Не то — из-за снежных заносов — запаздывали ответственные лица. «Пять минут еще подожду и пойду».

Будто уловив его нетерпение, на верхней площадке лестницы показался главный распорядитель — тот самый, с синей повязкой, отгонявший прилежных дворников. И махнул красным флажком. По его знаку женщины вытянули из-за пазух мятые черные тряпки. Умело расправив и сколов булавками (он подивился быстроте и ловкости, с которыми участники мероприятия друг с другом взаимодействуют), взметнули над головами готовые полотнища, растянув их так, чтобы не было складок. На импровизированных транспарантах что-то белело. Стоя на отшибе, не рассмотришь. Минут через десять, в продолжение которых участницы немого сборища стояли смирно, больше не выказывая признаков нетерпения, он почувствовал, что окончательно продрог. Холодом сводило ноги, хотелось походить или хотя бы попрыгать. Но решил, что неловко: другие-то не прыгают, а стоят.

Двое распорядителей в нижних чинах оглядывали толпу, что-то втолковывая главному, — тот качал головой, видимо в сомнении, и косился на желтую группу: дворники стояли навытяжку с лопатами на пле-чо!

В конце концов все-таки поманил.

Желтые подбежали, но не влились в основные ряды, а скромно встали сбоку. Крайние женщины отодвинулись с явной опаской.

От этого почти рефлекторного движения по толпе прошла быстрая брезгливая волна, будто человеческая масса, колыхнувшись в едином порыве, поддернула подол их общего платья, чтобы не ступить в грязь.

Лизнув сапоги пятерочников, волна побежала обратно и, докатившись до желтых, повернула деревянные полотна их лопат изнаночной — к нему — стороной.

Его взору открылись надписи: «МЫ за мир!», «Мирное солнце тоже желтое!» — из чего он заключил, что стал невольным участником митинга в защиту мира.

В тот же миг всякое любопытство прошло. Этого он навидался и у себя. В Ленинграде такие мероприятия тоже устраивали. Участников, в основном тоже женщин, свозили из научно-исследовательских институтов, бухгалтерий, плановых отделов и сборочных цехов предприятий, где преобладает женский труд. Немного удивившись отсутствию школьников: «У нас даже младшие классы привлекают», — он двинулся в сторону Садовой, стараясь держаться поребрика, чтобы ненароком не ступить на газон.

— Хальт! Аусвайс! — дорогу ему преградил черный офицер.

Он попытался улыбнуться, но от страха свело нижнюю губу. Офицер следил за ним, неприязненно поигрывая короткоствольным автоматом. Стараясь не делать резких движений, он полез в карман, нащупал советский паспорт, родную красную корочку, но не успел ни вынуть, ни предъявить.

— Тут стоять! — черный офицер ткнул пальцем в землю и отошел к своим.

Глядя на «пятерочников», плотно перекрывших боковые аллеи, он понял, что застрял основательно. «И чего меня сюда потянуло! Давно бы в тепле сидел...» Но делать нечего. Сетуя на свою глупость, лениво читал лозунги на черных транспарантах. *Миру — мир! Нет войне! Фольк и Партай едины!* Однако среди них, привычных глазу, мелькали и другие. От которых ум заходил за разум:

ОТВЕТИМ НА ПРОИСКИ СОВКА УДАРНЫМ ТРУДОМ!

ФАШИЗМ НЕ ПРОЙДЕТ!

РОДИНА ИЛИ СМЕРТЬ!

Нет, он отдавал себе отчет в том, чтó здешние пропагандисты подразумевают под фашизмом, но *Гитлер — наша вера и надежда!* — эту растяжку держала женщина лет пятидесяти с приятным, хотя и поблекшим, русским лицом. Ее взгляд лучился такой неподдельной искренностью, что, глядя в эти серые глаза, не верилось, что ее принудили, надавили, заставили пойти против совести.

Он стоял растерянный, чувствуя, как снег под его ногами превращается в грязную лужу. Черная жижа просачивалась сквозь подошвы, заползая под рант. «В сорок первом ей было лет семь. Гитлер развязал войну — она не может этого не помнить...»

Себя, семилетнего, он прекрасно помнил (первый год в интернате, вкусные обеды, хотя добавки не полагалось, но каждый день мясо и густой витаминный настой из еловых игл; первые самые простые иероглифы, то и дело сажая кляксы, выводил их на серой шершавой бумаге; тоска по бывшим друзьям, командиру и комиссару их партизанского отряда, которые остались в бараках), — словно это было вчера. Девочкой эта женщина пережила блокаду, голодала, чудом осталась в живых, чтобы теперь, по прошествии сорока лет, смотреть на мир пустыми искренними глазами, в которых ничего не осталось. Значит, память — магнитная пленка: можно стереть и вновь записать?..

Его отвлекла заварушка в сомкнутых рядах.

Светловолосая девушка что-то выкрикивала, подпрыгивая на месте, размахивая мятой тряпкой. Собственно, внимание привлек ее голос. Саму возмутительницу порядка он разглядел, когда — взрезав толпу решительными шагами — двое дюжих пятерочников выволокли ее наружу. Зияющая прореха сомкнулась, как ряска на глади стоячего озерца.

Женщина, которую он минуту назад обвинил в беспамятстве, смотрела гневно и сурово. Взглядом Родины-матери — с плаката времен войны.

В бойцовских лапах айнзацкоманды невысокая и хрупкая девушка казалась беспомощной куклой. Тряхнув напоследок, бойцы поставили ее на снег. Первое впечатление, однако, обмануло: девушка выпрямилась и бесстрашно откинула со лба светлую челку. Вздрагивала только ее рука, сжимавшая краешек белой тряпки. Невольно залюбовавшись ее бесстрашием, он вспомнил советских партизанок.

Старший офицер бросил через плечо отрывистое приказание. От караульной группы, мерзшей поодаль, отделился еще один боец. Двое держали, третий обшаривал. Мелькнула синяя корочка. Он понял: изъяли паспорт. Сейчас установят личность. Но офицер, даже не заглянув под обложку, спрятал документ в нагрудный карман.

Боец номер три, которого он — еще одна ошибка — принял за мужчину, оказался дюжей теткой. Но понял он это чуть позже, когда тетка-бойчиха отошла к своим и достала маленькое зеркальце. Прихорашиваясь после процедуры обыска, она пудрила толстый как картошка нос.

Светловолосую уже волокли. За ней, по разворошенному снегу, тянулась синяя тряпка.

...ЮДИ БРАТЬЯ И СЕСТРЫ!
...ВОРИТЬ ПРАВДУ!

Все, что он успел прочесть, — остальное завернулось и смялось, — прислушиваясь к тому, что цедили ражие исполнители:

— Сучка, мля, синяя... Чо, крутая?... Ща свинтим, ага, и в камеру...

Неожиданно для себя он двинулся следом — будто задумал стать свидетелем, чье присутствие спасет от самого страшного. Удивительно, но на сей раз его никто не задержал.

Пятерочники подтащили свою добычу к грузовику. Он остановился поодаль, косясь на брезентовый кузов, — а вдруг не просто грузовик? Ждал, что брезент сейчас откинут, чтобы швырнуть ее в фашистскую душегубку. Но пятерочники о чем-то совещались.

Тот что повыше снял черную кожаную перчатку и, лениво замахнувшись, ткнул ей в лицо голым кулаком. Девушка упала.

Переступив через распростертое навзничь тело, солдаты айнзацкоманды двинулись обратно — враскачку, бесстыдной уверенной походкой, за которой угадывались ежедневные тренировки в закрытом спортивном зале. Не решаясь броситься ей на помощь, он дожидался, пока они отойдут на безопасное расстояние. Но пока медлил и оглядывался, девушка уже успела встать. Подцепив полную горсть снега, обтерла лицо, на котором — он был уверен — остался след от удара. Но оказалось, ни синяка, ни ссадины. Только красноватое пятно на правой скуле.

Заметив, что на нее смотрят, девушка пробормотала какое-то слово (*заханвей* — так ему послышалось), скомкала синюю тряпку и сунула ее за пазуху. Плюнув в ближайший сугроб, пошла в сторону Садовой. Он догнал ее на повороте.

— Извините... Прошу прощения... Может быть, я... Вам помочь...

— Чаво? — она обернулась.

На месте этой девушки он бы тоже не понял. Никто и никогда не бил его по лицу.

— Хошь, я эта... провожу типа... — забормотал на своем доморощенном нем-русском.

— Не, ну суки, а? Ваще-то я в театральном. Так, на секундочку. А прикинь — фингал?

376

— Ужас, — он откликнулся сочувственно. — Но ведь могло и хуже, — замерзшим пальцем начертил в воздухе решетку. — Плохо, что паспорт забрали. В институт сообщат.

— Куда-куда? — она смотрела с подозрением. — Слышь, паря, а ты ваще хто?

— Я? Ах да, — он спохватился. — Алексей. Алексей Руско. Из Советского Союза.

— А... То-то гляжу... Слышь, а ваши, ну, эти... тоже типа гонят? Обещают не бить, а сами... — она потерла скулу, которая, видно, ныла.

Он смешался: кто — *эти?* Но вспомнив надпись на ее синей тряпке: *...ворить правду!* — сообразил: местные власти, вот кого она имеет в виду.

— Плюнь ты на них! — дал искренний совет. — Не обращай внимания...

— Дак вы чо, не обращаете? Типа по барабану? Не. Ваще обнаглеют. Вы там, чо, рабы? — она смотрела гордо, как настоящая партизанка-героиня.

— Посмотрел бы я на вас, если бы за такие дела сажали...

Ходили слухи о каких-то студентах-медиках, якобы устроивших сидячую забастовку у Мавзолея, но охрана в штатском (Люба слышала по Голосу Америки) сориентировалась мгновенно, с тех пор о них ни слуху ни духу...

— Са-жать? А... В смысле, закрывать. И чо? Меня два раза. А всё равно — во им! — она сложила кукиш и только что не сунула ему под нос. — Выступала и буду! А то, видал-миндал, руки распускают. Не-е-е. За ихние сраные копейки — стошка, ха-ха! На плюгавом корпоративе и то... Куртку чуть не порвали, —

она ощупала карманы. — Прикинь, в Галерее брала. Чистая Италия... Ой! Слышь, а скока щас? Ух ты! Препад наваляет, генеральная у нас, — и побежала через мост.

«Стошка, кооператив...» Он и половины не понял. И все-таки ее бесстрашная решимость вселяла надежду: большинство, вроде той беспамятной женщины, смиряется с властью оккупантов, но есть и другие, он думал, молодые смельчаки, готовые, выражаясь фигурально, рвать фашистские поезда. «Молодец девчонка, влипла, а не раскисает!» Ведь для нее еще ничего не кончилось — паспорт-то у них в руках.

Свернув на Садовую, он ускорил шаги, торопясь поделиться с Вернером, послушать, что он скажет?

Но Вернера его рассказ не впечатлил.

Митинги в защиту мира — обычное дело. Как правило, их устраивают в утренние часы. Организаторам проще: народ на работе — посадил в грузовики и привез. Желтых привлекают бесплатно. «Ну крупы, бывает, дадут, гречки или рису. А синим приплачивают. Марок по двадцать. — Синие митингуют в центре, желтые по окраинам, где фабрики и заводы. — Чо зря-то возить?»

По единому утвержденному сценарию всех участников строят. Минут через пятнадцать в их рядах обнаруживается провокатор с запрещенным лозунгом: вроде этой девицы. Хотя, как правило, используют парней. Выволакивают, требуют предъявить паспорт: первые ряды должны убедиться, что отщепенец-протестант из синих. Вернер сказал: «Типа, интелихент». («Но их же...» — щадя чувства Вернера, а вдруг и его родственников оккупанты сгноили, он постеснялся переспросить, но Вернер, будто поймав его вопрос налету, уточнил: «Ну, в смысле не из народа».) На глазах у всех тащат к автозаку, где и отпускают, но уже потихоньку, чтобы никто не видел, — в этом отношении утро тоже удобнее, прохожих меньше. Оплата по договоренности, но есть и голодный минимум — сто рус-марок, хотя за эти копейки соглашаются разве что студенты.

— Пасс смотрели?

— Мой?

— Да твой-то им нахер!

С собой протестанты берут пустые синие корочки — лишний раз не светиться в полиции. На случай, если у автозака кто-нибудь крутится, ну типа лишний свидетель, предусмотрены легкие побои, но без членовредительства. В крайности кратковременный арест. За ночевку в камере полагается полуторный тариф. Раньше платили без проблем. Но последнее время («Непонятки у них. С госдоходами») — экономят, в лучшем случае накидывают марок по двадцать — двадцать пять. Впрочем, как объяснил Вернер, к жестким мерам прибегали лишь на первых порах. Прохожие тоже не идиоты, понимают, жалеют бедных студентов, завидев автозак, стараются обойти стороной.

— Сказали те, стой на месте. Нет, поперся... Ладно хыть не увезли — до утра в камере париться. Ни одеяла, ни жратвы. Короче, повезло ей. Мужики не злые попались. Отоварили и — типа гуляй. — Вернер придвинулся поближе. — Прикинь, берут меня вроде... Тьфу-тьфу-тьфу, штоб не сглазить! — костяшками пальцев постучал по столу.

— Куда? — он спросил машинально, еще не отойдя от этой истории, за которую было обидно и стыдно: в очередной раз остался в дураках. И девушку жалко. Пострадала по его вине...

— На тиви, — Вертер покосился на нишу, где висел портрет фюрера.

«Хотя, — он думал, — если разобраться, она сама виновата: какого черта подыгрывать оккупантам». Та, чьей смелостью он искренне восхищался, оказалась продажной пособницей. А эти, пятерочники, — наоборот. Нормальные мужики. Врезали, но не сильно, как говорится, по долгу службы.

— Погоди. Говоришь, люди понимают, знают, что за деньги, — и все равно верят?

— Верят. — Вернер кивнул.

— Но почему?

— А не почему, — Вернер пожал плечами.

— Так не бывает. Должна же быть причина.

— Причину тебе, — глаза вспыхнули сумрачным светом.

Потом, вечером, когда пытался записать в дневник, он честно старался вспомнить, но сколько ни вспоминал, всплывали отдельные слова: патриотизм, всеобщая мобилизация, кругом враги — в СССР давным-давно затертые. Но в устах Вернера они обретали форму связной речи: выспренней и одновременно издевательской — это странное сочетание напоминало явление гальванизации (он вспомнил опыт с мертвой лягушкой: если нерв возбудить искрой от электрической машины, лапка сокращается судорожно) — мертвые слова корчились, наполняясь призрачной жизнью.

— Как-то так, — Вернер откинулся в кресле. Лицо, принявшее землистый оттенок, казалось маской.

— Но... зачем?

Безжизненная маска ожила. Глаза снова вспыхнули:

— На случай... ядерной... войны, — и погасли, словно присыпанные пеплом.

— С кем?!

— С вами. — Под остывающим пеплом кривилась усмешка.

Он почувствовал тесноту в груди, будто давило чем-то тяжелым, плющило ребра. «Надо ответить, сказать...»

Но изо рта сочились пустые слова:

— Мы, советские люди, все как один... за мир... это вы... фашисты, агрессоры... — лопались на губах красными пузырями.

— Ха-ха-ха! Ха-ха-ха! — Вернер смеялся, то откидываясь в кресле, то сгибаясь пополам.

«Что это с ним, судороги?» — он испугался, что Вернер сейчас сомлеет.

Но тот вдруг икнул, будто подавился последним смешком.

Громкий неприятный звук разорвал морок. Он вздрогнул и пришел в себя. «Вот дьявол! Здорово у него получается...»

— А ты гришь, не поверят, — Вернер, принявший нормальный человеческий облик, хмыкнул. — А? Классно я тебя развел? Ладно, не бзди! Кому она на хрен нужна — война? Мир, дружба, движуха!

Совместные проекты, то-се... Наши-то лопатой гребут! — Вертер оскалился. — А ваши? Зубами небось клацают, локти грызут, што сами типа не оккупанты.

Этот неожиданный зигзаг (напомнивший таинственный сговор Нагого со Шварцем) грозил увести разговор в другую, опасную, сторону. На всякий случай он решил не отвечать, черт с ним, пусть болтает. Но Вернер и сам сник.

— Первый канал — круто. И по деньгам, и ваще.

— Ага, — он поддакнул. — Черный пасс получишь?

— Да чо — пасс! Пасс само собой. Карьера. Вплоть до Рейхстага.

— А не врет?

— Кто?

— Ну этот, с кем ты... Агент. Из Абвера.

— Можа и из гестапо, — Вернер задумался. — Я ксиву не спрашивал.

— Так тебя... вызывали? — он ощутил слабость в ногах, особую, незабываемую, как тогда, в гулком вестибюле, когда шел к Геннадию Лукичу на первую встречу.

— Катькин скверик знашь? Короче, подсел один. Обещал помочь.

Он думал: «Скверик? Зачем? Есть же квартиры» — грязная лестница, дверь, обитая черным дерматином, чтобы дверь открылась, надо дать три звонка — два коротких и один длинный. Тот, с кем он встречался время от времени, представился Иван Петровичем, один раз случайно перепутал, назвал Петром Иванычем, но тот не поправил...

Плоское лицо куратора всплыло и исчезло.

Вместо него в просвете входной двери стоял Ганс. Коротко и энергично шаркал, стирая с подошв уличную грязь.

Он вскочил и направился к двери, чувствуя такую щемящую радость, будто не просто связной — тонкая ниточка, соединяющая с Родиной, а самый близкий родственник, которого он было потерял, но вновь обрел.

Ганс счищал с рукавов снег. Остатки снежного крошева забились в черные складки.

— А говорил, каждый день приходишь, — он-то думал, начнет оправдываться, ссылаться на срочные дела.

Но Ганс, зайдя за ближний стеллаж, буркнул:

— Занят был. — И отвернулся.

Он заметил ссадину на левой скуле.

— Ах, за-анят, — протянул обиженно. — А я, между прочим, тоже не скучал. С парнем тут с одним познакомился, — в надежде, что Ганс заинтересуется, спросит.

Но Ганс его не слушал, косился на дверь.

На колючем придверном коврике топтался бритоголовый в кожаной коричневой куртке. Оглядев книжные полки, нацик попятился. Видно, сообразил, что забрел не туда.

— Прикинь, на телевидение пригласили.

— Кого?! — Ганс глянул с ужасом.

— Его, — он указал на спинку кресла, скрывавшую Вернера.

— Тьфу! — Ганс плюнул. — А я... Всё, думаю. Приплыли.

На подлокотнике темной расслабленной тенью лежала согнутая в локте рука.

— Пошли, познакомлю, — он направился в угол.

Но там, где только что сидел Вернер, зияло пустое кресло. «Вот гусь. Даже не попрощался. Придет, никуда не денется...»

Однако Вернер так и не появился. В тот день, если не считать еще одного случая, впрочем, весьма сомнительного, они виделись в последний раз.

Ганс сел и вытянул ноги, всем своим видом показывая, будто и вправду забегался, устал.

«Ишь как отделали», — он смотрел на ссадину: судя по красному ободку и припухлости, совсем свежая.

— Что, вмазали тебе? — спросил, чтобы сбить с Ганса спесь.

Но Ганс молчал.

Если драка неизбежна, бей первым. Этому правилу барачной жизни их, малолеток, учил Пашка-комиссар. Он вспомнил Пашкину злую усмешку, усмехнется и — хрясь!

— На митингах, небось, подрабатываешь? — спросил с усмешкой.

— Што? — Ганс растерялся.

— Ну, сколько тебе заплатили? Колись, — и, не давая противнику опомниться, рассказал про девицу с пустой синей корочкой.

— Вранье это, — Ганс скривился, будто судорогой свело рот.

— А Вернер говорит, правда, — он оглядел пустое кресло и понял свою задачу: сличить показания. Провести очную ставку.

Подследственный рассказывал путано.

Какое-то движение. Ганс сказал: «Синяя тряпка. Ихние лозунги на черном, наши — на синем». Тайный девиз, по которому сторонники движения узнавали друг друга, — *азохенвей*! В переводе с еврейского: кошмар! Или: ой-ой-ой! Активистов ловили, таскали в гестапо. Некоторых даже сажали. Обычно дней на десять.

— Дней? — он переспросил недоверчиво.

Но, как выяснилось, дело не в днях. Во-первых, в камере били, а главное, выгоняли. Если студент — из института. Кто работает — с работы. Потом в приличное место не устроиться, только на завод. Или уборщиком. Пять лет назад, когда движение синетряпочников пошло на спад, власти организовали свое, подконтрольное. За деньги.

— Погоди-погоди... — теперь, когда показания в общих чертах совпали, настал черед подробностей: — Арестовывали, это я понимаю. Но свое-то зачем?

— Типа, свобода. А то эти, придурки европейские, бухтели...

Он кивнул: «новые немцы», отказавшиеся от Рильке, — вот кто имеется в виду.

— А! — Ганс махнул рукой презрительно. — Им мозги засрать — как два пальца. Чо хошь гони, сожрут. Я ить, — придвинулся поближе, — как тада рассуждал. Рано или поздно, не знаю, война не война, вопщем, попрут их отсюдова.

— Кого?

— Да наших, черных. Вон у вас. Военка, космос. А эти? Ни во што не вкладываются. Одно на уме — пилить.

Он не понял, при чем тут заготовка леса. «Линию обороны строят? Вдоль Хребта? Но почему из дерева? Дерево же гниет...»

Но, к счастью, понял главное: болтовня про объединение двух стран — дымовая завеса, которую захребетники напускают специально, чтобы под ее покровом вероломно напасть на СССР. То, что захребетники вот-вот перейдут уральскую границу, заставляло его сердце биться быстрее. Ему нравился новый виток разговора, похожий на встречу советского разведчика с высокопоставленным нацистским чиновником, которого удалось завербовать.

— Ты, — он закинул ногу на ногу, — допускаешь возможность войны?

— Ну, не то штобы... Типа блицкриг. Ваши границу перейдут, этим-то ничо не останется, — Ганс сморщился брезгливо. — В Европу ломанутся. А чо? У них приготовлено. И жилье. И киндеры ихние там... Не, сперва, конешно, подергаются, желтых на фронт погонят, фолькштурм типа... — высокопоставленный нацист замолчал.

«Наши? Перейдут границу? — сперва он удивился, но потом сообразил: Ганс опасается говорить прямо, наводит тень на плетень. — Жалеет, что пошел на откровенность?»

Оказалось: нет.

— Потом гляжу, совместные проекты. Типа мир-дружба. Всё, думаю. Навечно окопались. Валить, короче, решил. Черный пасс получу — и тю-тю!

— А теперь?

— Не знаю.... Свалю — им все останется. И город, и страна... Не, я понимаю, путь долгий.

— В тысячу *ли?* — он вспомнил свою любимую китайскую пословицу.

Самое удивительное, Ганс его понял.

— Ага. И конференция. Маленький, а все-таки шаг...

— Какая, наша?

— Наша-то при чем? Дак он чо, не передал?

— Кто?

— Старик. Родич твой... Я ж его просил.

— Так ты... на квартиру приходил?

— Ну да... Сказал, буду ждать. В книжном. Послезавтра, в два. Ты же пришел, — Ганс смотрел укоризненно. — Значит, передал.

— Да какой он родич! Так, седьмая вода на киселе. Ну, — спросил небрежно. — И что он тебе наговорил?

— Дак он чо, не рассказал?

— Так, в общих чертах, — ответил уклончиво. — Сказал, поговорили.

— Поговорили! — Ганс фыркнул. — Прикинь, чо оказалось-то. Даже не рядовой. Руководитель Локотьской республики.

— Кто?

— Кто-кто! Старик. Не главный, но все-таки. Из ихнего Самоуправления. Самого́ Воскобойника помнит, — Ганс сиял как начищенный медный грош.

Между тем у него отливала кровь от сердца, пульсировала толчками, будто вскрыли яремную жилу.

«Пятно на биографии... Не-ет, это не пятно. Руководитель Локотьской республики... Это — руки. По локоть в крови...»

Полицаев вешали на площади. Все от мала до велика ходили смотреть. Мать еще долго вспоминала: жалкие, и не подумаешь, что звери. А потом идешь — языки у них синие. Будто не расстреливали мирных жителей, а карандашом писали. Виселиц он не застал, но все равно боялся химических карандашей: карандаш, который надо слюнявить, оружие предателей.

Вдруг точно остановили кровь. Пережали резиновым жгутом.

«Я — тут. Чтобы привести в исполнение... Но у меня нечем. Не голыми же руками?!..»

— Сперва уперся — ни в какую! Еле уговорил. Прикинь, встреча бывших врагов! Ну, как тебе?

— Врагов? — Он смотрел на свои руки, чувствуя боль в пальцах, будто им передалось последнее содрогание стариковской плоти.

— У нас в универе. С вашей стороны Смерш, с нашей — гестапо. *Republik Lokot* — отдельная панель. Как раз по моей теме. Научник одобрил. Апробация перед защитой. Историческая очная ставка! Как думашь, класс?

Он едва выдавил из себя.

— А... когда?

— В июне хотят, к празднику. Списки пока што согласовывают.

— Как согла...совывают? — рука, перетянутая жгутом, затекла.

— Обыкновенно. Запрос направили. В ваши ветеранские организации. Типа, в рамках послевоенного сотрудничества. Преодоление пережитков прошлого, общая трагедия...

— И... ответили?

— Ну да. А что такова-то?

— Как что такого! — он дернул и сорвал жгут. — Наши с фашистами. За одним столом! Угощаться?

Кофе пить, печеньки поганые кушать! Ты этого добиваешься? — как кровь из рваной раны, *лились гневные слова.*

— Не кофе, а водку. Да чо ты взъелся? Шварц тоже за. Научник с ним перетер. Там, у вас, наверняка локотьчане остались. Ну, в смысле бывшие. Которые в Красную армию сбежали. Как эти: Мохнаткин, Лихайчук, Свирский. А другие у нас остались. Одни — к нашим, другие — к вашим... Вопщем, Шварц обещал помочь. Связаться с вашим руководством. Ну, в смысле, уже. По своим каналам.

«Фронтовиков просеивали сквозь сито: кого в лагеря, кого прямиком *на площадь.* Смерш работал добросовестно... Как он сказал? По своим каналам. Научник со Шварцем, Шварц с Нагим, Нагой...» — все складывалось в одну цепочку: простую и ясную.

Почти физически он чувствовал, как его, точно мешок, затягивают жернова истории — чтобы хрустнуть позвонками. Слабыми. Этим жерновам — на один укус.

— Душно, — оттянул удавку воротника.

— Дак чо сидим-то, пошли. Зайдем куда-нить.

Он встал на ватные ноги. Не чуя рук, вдел себя в пальто. Слежалая вата легла на плечи холодной тяжестью. Будто не их, пособников врага, а его выводят на площадь.

По Невскому шел как под конвоем.

— Ну, продышался малёха? — Ганс заглядывал ему в лицо.

«Поговорить со стариком, убедить, объяснить. Может, еще не поздно?..»

— А ты... — он сделал вид, что рассматривает вывеску. — Когда с научником беседовал... Фамилию не перепутал?

— Кого, старика? — Ганс остановился. — А чо, разе не Руско?

Он повертел ноющими запястьями, будто ослабили тугую веревку.

— Руско — мой отец.

— А старик?

— Понятия не имею. — Хотел сказать: у матери девичья осталась, но сообразил: этих подробностей, кто-кем-кому приходится, Ганс не знает. Думает, дальние родственники. — У нас в роду с фамилиями сплошная путаница! Но ты не беспокойся, мне не трудно, если надо, я могу спросить.

«Иванов. Или нет, Иванов слишком подозрительно...»

— Ладно, вопщем-то, не срочно, — Ганс кивнул. — Сюда давай. Посидим. Или, — подмигнул, — а? Для поправки здоровья. Чо-то бледный ты. Как смерть.

Пока Ганс торчал у стойки, он успел осмотреться: большинство столиков пустовало. Лишь справа от входа сидела пожилая тетка с мальцом лет восьми. Он прошел в дальний угол и сел лицом к дверям.

— Старик это так... — Сделав заказ, Ганс сел напротив. — Я ить чо пришел. Совет мне нужен. Короче...

Он слушал, не перебивая. Последние дни у Ганса сложилось впечатление, будто за ним следят:

— Хотя хер их знает... Нацики, они ить все на одну рожу: ну, помнишь, в юденкафе. — Ганс кивнул официанту. — Данке шён.

Тетка пила кофе. Малец, видно ее внук, сосал леденец. Длинный, завернутый в бумажку. Такую, пеструю, как змеиная шкурка, — однажды нашел в лесу. Из-за этого вышел спор. Серега-командир утверждал: змея, сбросив старую кожу, начинает жить заново. А Пашка-командир — нет. Не заново. Сбросит и продолжает...

— За успех конференции! Прозит! — Ганс поднял рюмку с таким воодушевлением, будто грядущая встреча ветеранов добавляла его жизни смысла, а ему самому — сил.

Мальчишка, торчавший за спиной Ганса, облизывал леденец синим языком.

— Так это, — он указал глазами на ссадину, — нацики тебя разукрасили?

— Ну, вопщем... Эта...

Ему показалось, Ганс заюлил.

— Не хочешь, не говори. Но на твоем месте я отнесся бы серьезно. Тем более тут, у вас...

— Чо у нас-то?

Он пожал плечами.

— Могут убить.

— Ага, — Ганс хихикнул. — Иду такой. А они крадутся... Пиф-паф из револьвера!

Он смотрел на рюмку, которую Ганс осушил наполовину.

Таблеточку бы нам сюда... Эхма! — внутренний голос крякнул мечтательно.

Конечно, он понял, чтó этот, внутренний, имеет в виду. Спецтаблетка закладывается заранее — в складке между ладонью и указательным пальцем. И никаких следов. Ни в рюмке, ни потом, когда вскрытие покажет сердечный приступ. Главное, отвлечь. Буквально на секунду.

«Ты еще зонтик вспомни», — отшутился, полагая вопрос исчерпанным. Тем более их группе эту тему давали сугубо теоретически. В отличие от профессионалов, которым читали спецкурс, включающий практику.

Но внутренний, видно, не понимал шуток.

Хочешь стать профессионалом, стань им!

«Легко сказать», — он откликнулся, чувствуя себя задетым.

Тренироваться надо. Вон наши балерины. С утра до ночи ногами машут. Про музыкантов я уж и не говорю.

Он думал: «Я же не по правде. Так, понарошку».

— Гляди, мальчишка какой противный... Вон, слюнявый, — указал пальцем.

Ганс обернулся.

Всего на одно мгновение его рука зависла над рюмкой.

— Думашь, правда убить могут? — Ганс больше не смеялся, смотрел встревоженно.

Он улыбнулся, радуясь, что воображаемый эксперимент удался. И вообще, как-то отлегло от сердца: «Ничего, что-нибудь придумаю. — Осталась только обида на старика: — Мне-то небось не рассказал. А Гансу все выложил. И про себя, и про этого, Воскобойника...»

— Убить — вряд ли... Да и незачем, — ответил, твердо надеясь, что крайние меры не понадобятся. Старика удастся уговорить, объяснить, ну ладно вы, вы свою жизнь прожили, но там же ваша семья.

Тут ему в голову пришла еще одна мысль. Точнее, опасение. В связи с нациками.

— А научник твой со Шварцем... Они когда разговаривали?

— В понедельник вроде, — Ганс наморщил лоб. — Не, во вторник. Точно. Тест ищо был. По Средневековью.

— Среда, четверг, — он загибал пальцы, — а сегодня пятница,

— Ну, пятница, — Ганс моргал рыжеватыми ресницами. — И чо?

— А Шварц не мог? Ну, ты понимаешь, — постучал костяшками о столешницу.

— А-а-а, — сжав пальцы в кулак, Ганс внимательно оглядел свои костяшки. — Дак а чо такова-то? Я и раньше доклад делал, и научник мой в курсе.

— Одно дело доклад... А тут конференция ветеранов.

— Дак Шварц же ее и придумал. Полгода типа носится.

— Ну да, — он вынужден был согласиться. — Тогда конечно. Если...

— Чо?

— Да нет, ничего.

«Нашим-то зачем? Во-первых, знают — полгода переписываются. А тем более — нацики...» — этого он не мог себе представить — чтобы советские компетентные органы, работая на российской территории, пользовались услугами этих ублюдков в коричневых кожаных куртках, салютующих своему поганому фюреру.

— Успокойся. Никто за тобой не ходит.

— Спасибо... Хорошо с тобой, легко. Черт! — Ганс потрогал ссадину.

Ему вдруг почудилось, будто не явь, а продолжение сна, в котором Ганса ранило. Хотел спросить: болит?

Но Ганс уже встал. Выходя следом, он думал: «Нет. Что-то здесь не так. Сам сказал, синетряпочников выгоняли из институтов. А его почему оставили?..» Подозрительным казалось и то, что на его просьбу оставить номер телефона Ганс ответил решительным отказом:

— Сам тя найду.

III

Дома его застал очередной скандал. Люба орала на бригадира. Сутулый мужик в ватнике кивал потерянно:

— Дык я-то... Сами ить сказали... Штоб подешевле...

— Не, ты гляди на него, а? — сестра воззвала к нему как к свидетелю. — Я чо, знала? Не, я чо, знала!

— Высохнет... Сами ить сказали...

— Высохнет?! Ты чо, не поял, с кем связался? На! — совала бригадиру под нос какую-то затрепанную бумагу.

— Прощенья просим, читать не обучены, — бригадир кланялся. — Нам сказали — мы делам...

Он пристроил пальто на вешалку и, не дожидаясь развязки: «Сами пусть разбираются», — ушел к себе.

Стоило ему скрыться, скандал стих. Входная дверь, выпустив бригадира, захлопнулась.

«Итак... — он откинулся, пристраивая гудящую голову на диванный валик. — Там его бывшая жена и дочери. На себя наплевать, пусть хоть их пожалеет...»

Сестра заглянула в комнату:

— Прикинь, мокрые положили. Сухие, грит, дорого... Масло, короче, кончилось, в гешефт схожу.

Щелкнул входной замок.

«Тут очередей нет. Минут десять... туда и обратно...»

Пол в коридоре нещадно скрипел.

Старик сидел в кресле, закутавшись в халат, точно его знобило. Хотя в кабинете было сухо и тепло.

— В магазин пошла. Масло, сказала, кончилось, — он объяснил, будто с этим и пришел.

— А, ну пусть, — старик кивнул.

— А вы... получше вроде бы сегодня, побViceRoy, — не зная, как перейти к делу, присел на диван.

Но стоило начать, робость прошла. Говорил легко и почти свободно: и про конференцию, в которой старик, мечтающий о воссоединении СССР и России, выразил готовность участвовать, и про сестер, Вера замужем за комсомольским работником, и про мать, на ее жизни наверняка отразится, могут и пенсии лишить, — но что-то настораживало.

Тут, в комнате старика. Интуиция — секретное оружие разведчика: он скользил взглядом по пыльным книжным обложкам. «Вроде бы всё на месте... — И настольный прибор с двумя симметричными чернильницами, и бронзовый стаканчик для вставочек, и ватный колпак — шутовской, который старик пристроил на диванный валик, и фикус в темной глиняной кадке с оплывами глазури, и черный носок —

ежится на полу, стесняется своих дырок, но прорехи все равно видно, и настенные часы с продолговатыми гирями — оттягивать время, и подушка с неглубокой вмятиной — оттиском стариковской головы, похожим на посмертную маску, только не с лица, а с затылка, и снова, опять, по второму разу, понимая: — Что-то я упустил».

— С утра ломит, на холод пошло... — сухие морщинистые пальцы терли виски, разгоняли стылую кровь, которая и струится, и думает медленно.

— Парень приходил. Кажется, в понедельник. Меня искал, помните?

— Сырники обещала, с вареньем, — старик моргал пустыми младенческими глазами.

Либо Ганс попросту соврал, с него станется, — «Либо крыша у него съехала... — боясь поверить своей удаче, он смотрел на старика. — Так Гансу и скажу: какая, мол, конференция, он вам такого наговорит, что было и чего не было».

Старик положил руки на подлокотники, будто пытаясь встать. Сучил слабыми ногами.

— Вам в туалет? Пойдемте, я провожу, — он вскочил предупредительно.

— Сам, — старик отстранил его руку, но не встал. Так и остался в кресле. — Вам, молодым... Вы ведь как думаете... история... она в архивах. А для нас... — кряхтя и неловко выворачивая шею, старик обернулся к стеллажу. За стеклами, вперемежку с мусором уходящей жизни: упаковками давным-давно принятых таблеток, старыми карманными календариками, медными нем-русскими монетами, уже темными от времени, огрызками карандашей, ломаными ручками, — прозябали маленькие лица: то по одному, то по два, то какими-то группами. — Мне скрывать нечего, жизнь прожита... Долгая, трудная, много ошибок... Но если вы, молодежь, спросите, что в ней было главное... — старик глубоко задумался, прежде чем продолжить рассказ.

— Я фабзауч закончил и остановился. Что поделаешь, семью надо кормить. А Гешка, он-то холостой был, в институт подался. Выучиться мечтал... на архитектора... мы с ним... с детства, не разлей вода...

Он сделал вид, что рассматривает фотографии, хотя какое ему, в сущности, дело, кто из них Гешка: этот, в плаще и шляпе, или другой — в несуразной шапке-ушанке.

— ...В марте сорок первого, под женский праздник... Мы с Машей ребеночка ждали. А тут повестка. Явиться в райвоенкомат. Машенька напугалась, заплакала, убьют тебя, плачет, убьют... — старик дышал тяжело.

«Повестка, — он подумал. — Как моему отцу. Я тоже родился без отца», — словно вывел главное правило двадцатого века, дважды доказанное его матерью.

Видно, боясь сбиться, старик снова растер виски. Тонкие ниточки крови, ему казалось, высохшие, проступили из-под кожи, став голубоватыми на просвет. Будто восстановленный кровоток помог справиться с дыханием, отец его сестер снова заговорил. Но теперь уже громче и без пауз.

— Оказалось, на курсы. Если честно, я даже обрадовался. Вот вы, молодые, думаете, мы ничего не понимали? Газеты про мир, про дружбу с Германией, а я ведь как рассуждал: пусть не завтра, но рано или поздно все равно война. В Осоавиахим ходил, значок имел ворошиловский... Только снайпер из меня не вышел — тоже талант нужен. А без военной специальности — куда? Прямиком в пехоту. Танкистом-то, думаю, лучше. Кто ж знал, что наши коробочки горят как свечи... Или летчиком — летчики перед войной, это словами не объяснить. А теперь представьте, каково было мое удивление...

«Осоавиахим... Ворошиловский стрелок...» — чувствуя скуку смертную, он жевал слова старика. Как в интернате, когда приходили ветераны. Пели на один голос: За Родину! За Берию! Класса до пятого он еще надеялся: вдруг найдется хотя бы один, кто расскажет всю правду.

— Вы меня простите, — все-таки улучил момент. — Там... Люба, кажется, пришла, я... — встал и попятился к двери. — Помочь. Сумки тяжелые...

Но голос старика не отпускал.

— Приезжаю, а он там. Тоже обрадовался, вдвоем веселее. В обслугу нас определили...

— Где — там? Под Ленинградом? — спросил, как поторопил.

— На границе. Забыл, как городок назывался, — старик хихикнул и погрозил крючковатым пальцем.

«Подумаешь, военная тайна, — он фыркнул про себя. — Каждому дураку известно». Готовясь к обороне, советское командование распределило силы по трем главным направлениям: на юго-западе в районе Львовского выступа, у Белостока и по линии Шепетовка–Орша. Но вот дальше... Дальше непонятно. В учебниках — и в школьных, и в вузовских — только несколько строк: не успели догнать Германию по вооружению, до войны СССР занимался сугубо мирным созидательным трудом, Гитлер нас обманул. Ясно, обманул: на то он и фашист.

— А потом... Числа не помню... Но быстро. Начальство сразу улетело, с семьями. А нам... Приказ. Выбираться своими силами...

Справляясь с дыханием, норовившим прерваться, старик рассказывал о шоссейных дорогах, по которым советская жизнь катилась на восток. Всё вперемежку: автомашины, трактора, полуторки, повозки, люди. Гнали коров, тащили детей и чемоданы. Везли скарб на тележках. Надеялись прорваться к железной дороге. Ходили слухи, будто беженцев уже ждут поезда.

Он кивал, и слушая и не слушая (слова влетали в одно, положим правое, ухо — но, не задерживаясь в голове, вылетали из левого), пока старик не упомянул регулярные армейские части, которые тоже двигались в восточном направлении, оттесняя гражданских к обочинам.

Этот явный поклеп на Красную армию вывел его из себя, отдался коротким приступом гнева: «Врет он все! Наши части сражались, из последних сил отбивали фашистские удары».

— А потом налет, — старик закрыл глаза, словно прислушивался к нарастающему гулу. — Гешку в ногу ранило, не сильно, так, мясо зацепило. В общем, отстали мы. Что делать? Решили двигаться в направлении Ленинграда. Все-таки к дому поближе...

Голос старика окреп. Ефремов–Богородицк–Новомосковск, Эртиль–Уварово–Ртищево, Гродно–Сокулка–Индур — мелькали названия станций. Но как ни воображал карту, ничего не получалось: ни привязки к местности, ни стре́лок главных ударов. Как если бы стратеги и тактики Генерального штаба, узнав о стремительном приближении противника, разбежались, побросав секретные протоколы бесконечных ночных совещаний, красные конверты с грифом абсолютной секретности: без спецприказа не вскрывать; кожаные папки с планами будущих войсковых операций: сбор в районе М... марш-бросок на линию А–Ф... ликвидировать немецкий прорыв у Д... Все буквы русского алфавита, призванные на службу в Красную армию, взявшись за руки, ходили по кругу. Он мотнул головой, разорвав их бездарный (это еще в лучшем случае, не исключено, что в их ряды затесались подлые предатели) хоровод.

— Оглянуться не успели, попали в окружение. Ну всё, он говорит, хана. Просил: пристрели, все равно не дотащишь. Себя только погубишь. Или того хуже — в плен. А я: в какой, говорю, плен! Пусть попробуют! Вон, говорю, у нас две обоймы, если что — последняя пуля. В общем, пистолет у него забрал, на всякий, как говорится, пожарный, глупостей чтобы не надумал, в горячке-то... И потащил. Три недели. Считайте, на себе волок...

— Во-он ты где, оказыватса! А я-то думаю-гадаю, куды делся? — сестра заглянула и исчезла, только пол заскрипел.

«На конференциях хоть регламент соблюдают...» — он томился тоской.

— До Брянска почти дошли, все надеялись, заживет. И вправду подзажила, хромал, но шел, только с едой беда, стрелять-то боялись, а на ягодах с грибами долго не продержишься, отощали. А тут деревня. Зашли...

Вроде Макеевка или Мареевка, тетка-то говорила... Потом вспомню. Не привык, чтобы так, перед всеми, вон вас сколько. Профессора, студенты... — старик улыбнулся.

Радостная улыбка безумца ударила прямо в сердце. «Точно, в маразме. Если, конечно, не симулирует... Ладно, — решил. — Потерплю».

— Три дня отлеживались, подкормились немного. Первое лето в деревнях не голодали, картошка была, сало. Это потом изымали продовольствие, и новые власти, и партизаны. Подчистую мели... Пока лежали, всё вспоминали: Ленинград, школу, мы ведь в одну с ним ходили, двор наш, как в свайку играли, в казаки-разбойники, в лапту... На четвертый день слышим: стреляют. Мотоциклы, крики. Немцы вошли. Мы в сено зарылись, лежим, надеемся. Дом-то совсем у леса, вдруг, думаем, пронесет. Войска вперед уйдут, мы вылезем и — деру. Кто ж знал, что сосед нас видел. А к вечеру голоса. Я к окну подполз, выглядываю, а там солдаты. И сосед этот, рукой показывает. На чердак. Дескать, там. Что делать? И тетку жалко, дети у нее, трое. И себя жалко. Это заранее рассуждать легко, мол, себе — последняя пуля. А как до дела доходит... Решили выходить. Нашивки-то сорвали, а все равно в форме. Мы ведь, дураки, как рассуждали: пока в форме — вроде как в строю. Переоделся — дезертир. Наши, думали, вот-вот вернутся, очухаются, перейдут в наступление. У нас ведь всё: и танки, и самолеты. Через пару дней, ну неделю —

это уж в крайности... Тетку-то, которая нас приютила, сразу... во дворе. А нас погнали. Сперва в Дулаг. Сборный лагерь, значит. Под Гатчиной. Таких как мы, почитай, целая армия. Неделю голодали, пока вербовщики не пришли. Построили нас. Выбирайте: жизнь во славу Великой Германии или капут. А смерть, что ее выбирать? Считай, уже в аду.

Сложив на коленях руки, он слушал чужую маленькую правду — самое малое, что мог сделать для сумасшедшего старика.

— Я Гешке-то и шепчу: соглашаемся, оружие дадут, что-нибудь придумаем, рано или поздно — к нашим. А он ни в какую. А я, с голодухи наверное, — черт с тобой, хочешь сдохнуть, сдыхай, и — шаг вперед. Стою, не оглядываюсь. Чувствую, а он рядом. Вот, думаю, и хорошо, до своих доберемся, свидетелями будем друг для друга. Главное добраться, потом-то все объясним... Кто дал согласие, в Брянск повезли. Сперва в своем ходили, оборванцы оборванцами, а потом выдали форму...

Не в том дело, что старик сотрудничал, был пособником. Это он знал и раньше, но чтобы так, в открытую. Признаваться, что немцы его завербовали...

— Он через три месяца сбежал, когда нога зажила. А мне не удалось. Если бы хоть вместе, а то в разных группах. Карточка осталась. Там ведь и парикмахер был, и фотограф — кто хотел, фотографировались. Сколько лет берег, теперь отдал. Мне умирать, а вам, молодым, мало ли, пригодится для истории...

Интуиция разведчика не подвела. Он смотрел на пятно от рамки, голое, на обоях, которое осталось от фотографии.

«Жалко, второго не запомнил», — подумал расслабленно, как во сне, в котором он и Ганс остановили время: *Не бойся, никто не узнает, война всё спишет...* — но где-то далеко, перекрывая влажный ночной шепот, уже играли побудку: *Та-та, та-та, та-та-та-та-та-та...* — голос горна летел над грешной землей.

«Как это спишет? Почему спишет? Он что думает, я — Ганс».

— Фамилия? — спросил коротко, дернув шеей, отгоняя остатки сна, в котором дал слабину, сплоховал, но теперь, когда сон рассеялся, не дрогнет, будет стоять насмерть, как герои Брестской крепости. Выполнит приказ командования. — Как его фамилия? — повторил вопрос, чувствуя прилив горячей напряженной крови.

— Чья? — глупый старик еще не понял, в какой попал переплет.

— Друга, — он усмехнулся, — вашего. Думали, война всё спишет?

— Не помню, — голос старика осел.

— Уж позвольте вам не поверить. С детства знакомы, в одном дворе жили... Кстати, он из какой квартиры? — Будто со стороны он слышал свой ровный голос, имеющий право задавать любые вопросы, на которые старик обязан давать ответ. — Ладно. К этому вернемся позже. Вы упомянули о сборном лагере. Известно, что именно в этих лагерях гитлеровцы искали политруков, комиссаров, евреев. Среди пленных находились подлецы и предатели, которые их выдавали. За тарелку брюквенного супа, за кусок хлеба, за окурок. Может, и вы с вашим другом, а?

Старик молчал.

— Думаете, фашисты идиоты, не понимали? Большинство, кто соглашался с ними сотрудничать, делали это с одной-единственной целью: при первом удобном случае перейти обратно к своим.

— Да-да, — старик обрадовался. — Я и говорю... Мы тоже...

— Прекрасно, так и запишем, — он сглотнул вкус синего химического карандаша. — Политруков, комиссаров...

— Это не мы! Мы же надеялись. Через линию фронта. К своим...

— Значит, только евреев? — Три кубика в его петлицах соответствовали званию старшего лейтенанта во всех остальных войсках. В землянке, куда он вызывал их всех, по очереди, стояла тишина — тяжелая, в три наката.

— Евреев? — Над фитилем лампы-коптилки вился мотылек. — Был там один. Они бы не догадались, кто-то им сказал...

— Кто-то? — он вскинул брови. — Но не вы? Как же вы узнали?

— Все знали...

— Ах, все? — Мотылек сгорел покорно и бесшумно, как все, кому он, выполняя поставленную задачу, задавал вопросы: — Все нас не интересуют. Ваше дело — отвечать за себя. Итак?

— Евреев, которые чернявые, сразу расстреляли. А этот — блондин. И волосы прямые. Сперва даже не поверили, на допрос таскали. Не признавался. А потом специалист. По еврейскому вопросу. Приехал, сказал: хальбюдэ...

— Вы уверены? — он смотрел в упор. — А почему не мишлинге?

Но старик не дрогнул:

— Мишлинге на идиш, а специалист — немец, потому и... Не сразу, сперва осмотрел.

Исправляя свою досадную оплошность, которой хитрый старик не преминул воспользоваться, он зацепился за последнее слово:

— Что значит — осмотрел? А! Понимаю. Вы при этом присутствовали. В качестве кого?

— Нет. Его при всех осматривали, раздели, поставили на табуретку...

— Его на табуретку, а вас — переводчиком?

— Не было никакого переводчика. Специалист сказал: дас ист хальбюдэ. Схватили и увели.

— Ну что ж, — он сморщился брезгливо. — Будем считать, на этот вопрос вы не дали удовлетворительного ответа.

— Как не дал... Я ответил, сказал, объяснил... — как дурное колесо, старик наматывал на себя глаголы прошедшего времени. Которые придется отматывать обратно. Год за годом.

Впрочем, сроки не его дело. Это дело трибунала. Поэтому и не считал. Думал: а дальше-то что?

По правилам полагается выяснить: есть ли свидетель, который может подтвердить письменно и устно, что вы, находясь в плену или на оккупированной территории, не сотрудничали с фашистами, пятная честь советского человека? Но старик сам во всем признался, донес на себя, а заодно и на друга. Такого поворота инструкция не предусматривала. «Буду действовать по обстоятельствам, — он погладил петлицы, убеждаясь наощупь: к прежним трем кубикам добавился еще один. — Первое — фотография. Изъять как вещественное доказательство. Ганс упрется, дескать, я не просил, он сам отдал. Скажу: отдал, а потом передумал. Единственная память, сказал, умру — забирайте, а пока я жив...»

— Фюрер по телику. Через цейн минут, — на пороге землянки, которую ему, офицеру Смерша, предоставили для допросов, стояла Люба, здешняя сестра.

Земляные стены оползали, погребая под собой упоительное чувство, будто он держит в руках чужую беззащитную жизнь.

— Номер квартиры тебе? Ишь, любопытная Варвара... — бывший подследственный, ускользнувший от праведного советского правосудия, ухватил себя за нос двумя согнутыми пальцами. — Слыхал, что с ней стало? То-то.

— У тя чо, салфетки кончились? Сопли размазывашь, — сестра рылась в ящике комода. — На, в тряпку сморкайся. Ну чо, фюрера-то смотреть? Или хер с ним?

Старик отвернулся.

— Не хошь, как хошь. А ты? — сестра обращалась к нему.

«Фюрер?.. По телевизору?.. — на пустом месте, где только что зияло пятно от фотографии, нарисовалась косая челка и короткие вертикальные усики. — А... — догадался. — Военный фильм».

В соседней комнате, куда он нехотя поплелся, уже горел экран.

— Вон, в кресло садись. Пописаю — приду.

По ту сторону экрана собрались люди. Насколько он разобрал, бригада национал-социалистического труда. Выступая от лица рабочих, бригадир отчитывался о выполнении повышенных обязательств, которые его коллектив взял в преддверии праздника, Дня Весеннего Равноденствия. Желтые, одетые в аккуратные робы, жались в стороне.

— Ну чо, началось? — сестра вошла, вытирая руки кухонным полотенцем. — Дык это ж... — она присматривалась. — Третья. От паразит, опять куда-то заныкал...

Пока она в поисках пульта обшаривала Ралькину кровать, бригадир успел сердечно поблагодарить Партай и правительство за предоставленную возможность внести посильный вклад в общее дело; и он, и его бригада, не щадя сил, будут и дальше...

Экран погас, но загорелся снова.

Ему явилось приятное лицо: гладкое и открытое. Ни косой челки, ни тем более жестких усиков. «Фюрер — это же не человек. Должность. Как у нас Генеральный секретарь», — он расслабился и уселся поудобнее, ожидая услышать подробный отчет о выплавке чугуна и стали на душу нем-русского населения или невиданных достижениях в их сельском хозяйстве. Однако человек, возникший на экране, рассуждал о братской любви.

— Как многим из вас наверняка известно, в семьях случаются размолвки. Но в том и состоит человеческая мудрость, чтобы превозмочь их ради стабильного будущего. Важно понимать, даже в самых тяжких случаях братьям и сестрам, выясняющим отношения, следует оставаться в правовом поле. А не взрывать ситуацию изнутри...

Глядя на это моложавое лицо, не верилось, что нынешний *главарь нем-русской хунты* (официальный перевод его должности на сов-русский) правит Россией последние двадцать лет, сменив на этом посту своего предшественника — дряхлого старика, под стать советским генсекам. Тот, прежний, был ярым антисоветчиком. Этот вроде бы нет. Время от времени советское телевидение пускало в эфир отрывки из его речей и докладов, в которых, говоря по правде, не содержалось ничего воинственного, скорее, наоборот: призывы к миру и дружбе между СССР и Россией. Но мирным инициативам фюрера никто не верил. Глядя на экран, он понял — почему.

Вместо энергичного и собранного человека, производившего весьма достойное впечатление, программа «Время» демонстрировала фотографии, на которых фюрер хмурится, кривит рот или выпячивает губы. Застывшие гримасы разительно меняли лицо. Выступая по советскому телевидению, российский вождь выглядел зловещим карликом или гномом. Казалось, он только и ждет, чтобы сотворить какую-нибудь очередную пакость. Или, в лучшем случае, наврать. Отталкивающему впечатлению немало способствовал и грубый нем-русский язык. Половину фраз приходилось запикивать. К тому же переводчик гнусавил так, будто нос ему зажали плотной бельевой прищепкой...

Для советских телезрителей главаря нем-русской хунты переводят. Только теперь он обратил внимание на нечто странное. Совершенно необъяснимое.

Обращаясь к своим подданным, фюрер говорит на чистом сов-русском языке. И, надо признать, владеет им в совершенстве.

«Интересно, она-то понимает?..» — он скосил глаза на сестру.

Люба сидела, замерев на краешке стула, молитвенно сложив руки, словно чистая речь, льющаяся с экрана, возносила ее над тяготами постылой жизни, в которой надо делать ремонт, готовить, стирать, устранять протечки, лаяться то с рабочими, то с верхней бабкой. Присматриваясь искоса, он дивился движениям ее лица: словно бабочка мелькала тихая улыбка — в глазах и в уголках рта.

— Как в кирхе. Ничо не понимаю, а — хорошо...

Он кивнул, изумившись детской простоте и ясности, с какими она, найдя простые, но правильные слова, выразила свои немудрящие чувства. «Ну почему, почему у нас не так?» — и усмехнулся, зная ответ.

Генсеки послевоенного времени страдали дефектами речи. Молотов пришепетывал. Лигачев заглатывал согласные. Густобровый выходец из Приморья слегка присвистывал. Москвичи и ленинградцы передразнивали, особенно в последние годы, когда к провинциальному говору добавилась физическая немощь и отвратительная манера целоваться взасос. Он вдруг представил себя на месте интеллигентного фюрера, удушаемого в старческих объятиях: «Вот стыдоба-то...» — слава богу, российский лидер не приезжает с официальными визитами.

— Внутрисемейные проблемы стократ обостряются, когда братья и сестры, желая унизить друг друга, принимают необдуманные, а порой и фатальные решения. Такие решения приводят к обратному результату...

«И падежи не путает, да, вот это класс! Наверняка у нас работал, под прикрытием...»

— Однако мне бы не хотелось, чтобы в моих взвешенных рассуждениях наши советские партнеры услышали пораженческие интонации. Мы, народ России, умеем сражаться до последнего, и, — стальные глаза сосредоточились, — если надо, умирать за победу. Таковы давние тевтонские традиции, которые граждане свободной России привыкли чтить. Что бы там ни выдумывали отдельные отщепенцы, представители так называемой интеллигенции...

— Война, што ли, будет? — сестра спросила звенящим шепотом.

— Ну какая война! Он же в переносном смысле.

— А папаша грил, када про братьев и сестер — всё. Пиши пропало, — она всхлипывала и терла глаза.

Он хотел возразить, успокоить, однако бурные аплодисменты, а главное лица сидящих в студии, заставили усомниться. Мужчины хмурились и играли желваками. В руках женщин мелькали белые кружевные платочки, будто, собираясь на передачу, они заранее приготовили реквизит, чтобы махать вслед мужьям и сыновьям, уходящим на восточный фронт.

— Чо, упыря слушаете?

— Да тихо ты! — сестра шикнула на Ральфа, который хихикал, возникнув в дверях. — Сам упырь!

— Напомню, — фюрер возложил ладони на кафедру, украшенную гербом России: двуглавый орел сжимал земной шар, покрытый решеткой меридианов и параллелей. Из-под когтей каплями раскаленной лавы сочилась кровь. — Последнее время, — что-то блеснуло цветом оружейной стали, — участились случаи откровенных провокаций на уральской границе. Россия — мирная страна, но терпение ее граждан не безгранично, о чем я не устаю предупреждать наших зауральских партнеров и коллег. Безответственная позиция советского руководства ставит под удар наши общие, не побоюсь этого слова, амбициозные проекты. Что со временем может привести к их полному или частичному свертыванию. В частности, я имею в виду сверхскоростное железнодорожное сообщение. Между двумя нашими столицами. Кто от этого пострадает? Простые граждане. Придется им тратиться на дорогие авиационные билеты. Но я, вопреки всему, что мы в последнее время наблюдаем, верю в силу разума, — серая радужка подернулась прозрачной поволокой. — В надежде, что зауральские партнеры не допустят неоправданных военных действий, скажу по-нашему, по-российски: нахер нам этот геморрой!

Грянули бурные аплодисменты. Камера выхватывала улыбчивые лица: гости студии ерзали, толкались локтями. Женщины, успев спрятать кружевные платочки, поглядывали на мужчин.

— Ну чо, а? — сестра грозила пальцем, кокетливое настроение, воцарившееся в студии, волшебным образом передалось и ей. — Врезали вам по яйцам! Сами виноваты. А нехер войной нас пужать, мы, эта... ага... не пужливые.

Он пожал плечами. Ни ее невоздержанный язык, ни легкомысленное поведение людей, собравшихся в студии, не смазали общего впечатления, которое произвела на него эта речь. В особенности ее эффектная концовка.

«Молодец! — мысленно он похвалил фюрера, чья откровенная грубость давала сто очков вперед унылому бормотанию кремлевских старцев: — Зовут к победам. А сами — кашу манную жуют, да всё никак не проглотят...»

— Вы слушали ежемесячное обращение к фольку, в котором наш великий и могучий фюрер призвал советское руководство к миру, а то ваще оборзели. Нет бы заткнуться в тряпочку. Гадят нам на каждом углу. Неймется им, фашистам проклятым! Сидели бы за своим Уралом... Да чо с ними вошкаться! Хунта и есть хунта. А у нас гросе премьера. Новое кинцо. Историческое. Про этого, как его, Распутина. Народ, не знающий своей истории, не имеет будущего. Как — кто сказал?! Фюрер. Так што рожи не воротим. Сидим, мля, и смотрим. А кто не поймет, я туточки, с вами. Потом типа объясню, — прежде чем исчезнуть в волнах торжественно-бравурной музыки, знакомый ведущий замер в горделивой позе античного героя.

— Новое? Ты же говорила, про Распутина недавно показывали. Ну, царь еще толстый...

— Какой ищо царь! Ничо я не говорила, — счастливая и помолодевшая сестра, даже щеки раскраснелись, кинулась обнимать сына, но Ралька увернулся, дрыгнув ногой:

— Ты чо ваще! Упыря своо тискай!

Но она не растерялась. Обняла и крепко расцеловала брата, обдав кисловатым запахом изо рта.

В эту ночь он долго не мог заснуть. Ворочался, жалея фюрера, которому не повезло с народом. «Хотя еще неизвестно, кого жальче, его или нас...» — советский народ, вынужденный прозябать под руководством расслабленных старцев, неспособных к великим свершениям.

Сестра тоже не спала, бродила по квартире. Засыпая, он слушал скрипучий пол.

Шестая

I

П рипозднившись к завтраку, он не застал начала семейного скандала.

— Уж ты бы да-а-а! Бока-то лучше отлеживать! Мать съездит, мать купит, мать-то у тя кобыла!

— Я чо, просил? В шуле оборжут!

— Дык идиоты!

— Они... они... в галерее кауфают. А ты... Дура! — с грохотом отодвинув стул, Ральф вышел из кухни, шарахнув дверью.

— Видал, чо делат! Я для него... в лепешку... — Люба всхлипнула. — Выламыватся. Куртка ему дешевая. У, галерейщик сраный! — она крикнула в закрытую дверь. — Бродом ищо бросается... Блокады на вас нету! Всё, — она встала решительно. — Не хошь, как хошь. Алеше куплю. Чо сидишь, поехали. А то ходишь в пальте в своем. Чисто покойник в гробу.

414

— А это далеко? — он спросил, держа в голове важное дело, которое вчера так и не успел закончить: допрос старика.

— Не, — она выдвинула нижний ящик. — До Героев Люфтваффе, а там автобусом.

Достала из ящика мешок — холщовый, с длинными постромками. «Совсем как у мамы». Мама всегда носит с собой — на случай, если выбросят что-нибудь дефицитное, например, гречу.

То, что сестра назвала «Героями Люфтваффе», оказалось конечной станцией метро. У остановки автобуса колыхалась огромная толпа.

— Видал, чо деется! — ухватив за рукав, сестра поволокла его к маршрутному такси.

— А сколько тут?.. — он пошарил в кармане.

— Да заплачу я! Иди, мля, садись, — она кинула на поддон горстку мелких монет.

Желтый водитель рассортировал мелочь, ловко и споро рассовав по разным кармашкам. С гордым видом первоклассника, только-только освоившего устный счет от единицы до ста.

— Приедем, гляди не отставай.

«Я ей что — маленький!» — но перечить не стал: сестра и так на взводе, даже на водителя прикрикнула:

— Эй ты! Чо дергаешь? Не картошку везешь!

Транспортным средством водитель и впрямь управлял неаккуратно: то и дело шарахался, уступая дорогу огромным черным машинам. От этих опасных маневров его слегка подташнивало, но, к счастью, маршрутка уже выезжала на шоссе.

Над приземистым строением, напоминающим стеклянный сарай (если бывают сараи, набитые новенькими автомобилями), колыхался огромный лозунг:

МЕНЯЕМ ПРОШЛОЕ НА БУДУЩЕЕ.

Глядя в окно, он думал: «У нас — наоборот».

Однажды мать сказала: «Ты и представить себе не можешь, как же быстро распадается мир, когда из него исчезают самые привычные вещи...» Покупая, она всегда сверялась с прошлым: не просто дуршлаг, а «дуршлаг вместо того», не шкаф, а «вместо того шкафа» — будто каждая из утраченных когда-то вещей занимала особую, довоенную клеточку ее памяти. Казалось, покупая что-нибудь новое, мать пыталась воссоздать потерянный мир.

— Ремонт доделаю, ауто куплю. Достало на себе таскать. Прикинь, щас багажник бы набили...

— Снова кредит возьмешь? — он уже знал, каким образом здесь все устроено.

— Я чо, рёхнутая! Под тридцать-то процентов. Ралька черный пасс получит, на ево оформлю. Черным — под пять дают. Есть разница?.. Не, ну вы гляньте, — сестра обращалась к пассажирам. — То гонит, то ползет еле-еле. Эй, желтожопый! Кончай ночевать!

— Не кричите, пожалуйста, — мужчина интеллигентного вида, сидевший рядом с водителем, обернулся. — Желтый не виноват. Не видите, авария.

Он привстал, заглядывая за ветровое стекло. Поперек полосы, моргая выпученными фарами, стояла маршрутка со вздыбленным капотом. Ее водитель, не подававший признаков жизни, лежал у переднего колеса. Поодаль, рядом с черной машиной, торчали нацики с длинными палками в руках.

Где-то впереди надсадно завыла сирена. К месту ДТП подъехала «скорая помощь» с синей полосой на боку. Из нее вышел человек в белом халате и синей полотняной шапочке. Но вместо того чтобы заняться пострадавшим, направился к полицаю.

— От мудак, синюю вызвал! Ну всё, считай, застряли, — сестра расстегнула сумку и, вынув какой-то длинный список, принялась внимательно его изучать.

Он заглянул. «Греча — 6 кило, макароны — 8 кило...»

— Кто вызвал?

— Да этот, — сестра указала пальцем на стража порядка: тот разговаривал по рации. — Жди теперь. Пока желтая труповозка притащится.

Поговорив с полицаем, синий доктор сел в машину и был таков.

— Он что... умер? — хотел спросить потихонечку, но вышло громко.

— Не, так лежит, загорает, — женщина, сидевшая через проход, проворчала недовольно. Ее замечание открыло дискуссию, в которую включились другие пассажиры.

— Желтый сам виноват, не уступил дорогу.

— Можа, не успел.

— Захотел бы, успел!

— Ага, на тот свет.

— Торопился, график ить у них.

— Знатно отделали!

— А чо? Биты-то железные. Черепушка — хрясь!

— Да чо их жалеть-то. Война бует, желтым всё одно писец. Сын у меня, академию танковую заканчивает, собрание, грит, у них было...

— Вы бы, женщина, болтали поменьше. — Вежливый человек, тот самый, сидевший рядом с водителем, обернулся. — Между прочим, желтые тоже люди.

— С каких это пор? — Вопрос поступил с заднего ряда.

Вежливый мужчина привстал, ища глазами вопрошающего:

— Со вчерашнего дня. Разве вы не слышали, Рейхстаг принял новый закон.

— Какой такой закон? — мамаша будущего танкиста высунулась.

— Желтый, проливший кровь за Россию, имеет право на синий паспорт. Посмертно. — Казалось, вежливый ответил женщине, но замолкли все.

Грузовичок с желтой полосой на борту подъехал минут через десять. Два мужика в оранжевых куртках — как у дорожных рабочих, — запихнули труп в клеенчатый мешок на молнии, подтащили волоком и, раскачав, швырнули в кузов.

— Ну слава те ос-споди, — полная блондинка, сидевшая через проход, выдохнула с облегчением. — А я ить как чувствовала. Пораньше, думаю, надо. Да с киндерами рази выйдет, то одно, то другое.

— Ага, непруха. — Люба кивнула. — Типа, жидовское счастье.

Они обменялись с теткой короткими взглядами.

— Гречи, — Люба зашуршала списком. — Килограмм пять.

— Греча дорого, не напасесси. Макарон, — тетка шептала, с опаской поглядывая на вежливого пассажира. — Мужу грю. Давай вместе сходим. Консервов же ищо. Ржет. Сам-то с Архангельска, тамошние не голодали. Они, эта... — быстрый взгляд на вежливого, — жидовское подъедали. Жиды с собой привозили, питаться надеялись...

Люба достала ручку и, что-то чиркнув в своем списке, крикнула:

— Ну чо стал, как хер на завалинке! Давай, командуй! — будто полицай мог расслышать сквозь стекло.

У обочины жались пассажиры покореженной маршрутки.

— А им теперь как, пешком? — он пожалел людей, попавших в неприятную ситуацию.

— Да хыть бы и пешком, — Люба буркнула, но вежливый все равно услышал.

— Правильно говорите, женщина. А то привыкли, что государство о них заботится...

Обогнув широкую площадь, до краев заставленную легковыми автомобилями, маршрутное такси подкатило к стеклянным дверям.

Выбравшись из маршрутки, сестра устремилась вперед. Замешкавшись, он потерял ее из виду. Пока озирался, людской поток подхватил его и понес. На случай, если начнут оттеснять, он напряг мышцы, но никакой давки не возникло: покупателей, и его вместе со всеми, втянуло потоками горячего воздуха — после уличного морозца воздушные струи казались раскаленными, словно их выдували не механизмы, скрытые между дверных створок, а само адское пекло.

Однако внутри ему открылся сущий рай.

Вверх, сколько хватало глаз, бежали эскалаторы, плотно заставленные людьми. Им навстречу, под тихую музыку, похожую на лепет невидимых фонтанов, съезжали счастливцы, успевшие отовариться. Сетчатые тележки, доверху набитые свертками и пакетами, говорили сами за себя. «Нашим рассказать — не поверят», — от ярусов, уходивших в небо, кружилась голова.

Эскалатор неожиданно кончился. Из-под ног порскнули разноцветные стрелки: красные, зеленые, синие — точь-в-точь как на штабных картах. Он — офицер, отвечающий за привязку к местности, — топтался, путаясь в населенных пунктах, гадая, в какую сторону идти.

«Да что я, право слово! Как штабная крыса. — Решил: — Вперед, а там посмотрим».

Не встретив сопротивления со стороны беспорядочно отступающего противника, его танк Т-34 вырвался на оперативный простор. Местное население встречало воинов-освободителей. Бледные, обескровленные долгой оккупацией люди стояли за стеклянными витринами. Некоторые без рук, а то и без головы.

Медленно поводя башенным орудием, боевая машина сворачивала направо. «Глуши мотор!» — он успел крикнуть своему механику.

Танк замер напротив отдела шуб.

Женщина лет сорока крутилась перед зеркалом, озабоченно оглядывая себя со всех сторон. Продавщицы всплескивали руками. Набираясь решимости, он смотрел сквозь стекло. Скорчив недовольную гримасу, женщина сбросила шубу на руки продавщице и направилась в соседнюю секцию обуви, обдав его ароматом каких-то местных духов.

«Я — победитель, имею право...» — с трудом отжав тяжелый люк, он вылез на танковую броню.

— Чо надо? — продавщица, та, что помоложе, уставилась на его пальто.

— Вали, вали, щас охрану вызову, — растопырив руки, другая двинулась наперерез, оттесняя его к дверям. — Вниз иди, там для вас, там!

— Для нас это для кого? — он сунул руку во внутренний карман.

— Ай! — младшая взвизгнула. Старшая остолбенела.

Он хотел их успокоить: дескать, Советская армия не воюет с женщинами, это вам не дранг нах вестен. Но и красная корочка произвела должное впечатление.

— Дак ты чо, из Совка? — поймав взгляд старшей товарки, младшая осеклась.

— Из Советского Союза, — он поправил, чувствуя приятный кураж. — Вот, зашел. Интересуюсь шубами.

— Так эта... Так бы и... Прошу, прошу, все в вашем распоряжении. Норочка, соболь, лисичка, — молодая затараторила. — Вам для супруги или...

— Мне, — он говорил с достоинством, присущим советскому офицеру. — Для сестры.

— Се...стра... — молодая растерялась. — Васисдас?

— Ну ты совсем! — старшая фыркнула. — Сестра. Швестер. Чо стала-то? Арбайтай давай.

Молодая кинулась к вешалкам.

— Вы уж простите за это неприятное недоразумение, — старшая старательно улыбнулась и оглядела его пальто: мол, пальто как пальто, самое обыкновенное. — Поверьте, мы очень любим советских покупателей. Серьезные такие, состоятельные. Вон, мущинка вчера. Зибен штюк взял. Для супруги...

— А этот мужчина заплатил? — Кого он терпеть не мог, это мародеров. Будь его воля — немедленно пускал бы в расход, перед строем, чтоб другим неповадно.

— Ой, — она всплеснула руками, — дак у него рус-марок немерено, цельный чумадан!

«Чемодан денег?!» Даже растерялся.

— Кофе? Или глоток шампанского? — усадив его в кресло, старшая махнула рукой напарнице: — Герда, начинай.

— А тот... покупатель. — Тайный советский миллионер, скупающий российские шубы, все не шел из головы. — Он как выглядел?

— Ну как?.. Лет эдак фирциг. Весь из себя такой, прикинутый... — она замолчала, видно, боясь соскользнуть на чувствительную тему его ватного пальто. — А вы... Я дико извиняюсь, какой суммой располагаете?

Он не успел ответить.

— Вон ты где, оказыватся! А я бегаю, ищу. Куда, думаю, делся... Гречи взяла, — сестра плюхнула на пол мешок. Тот самый, холщовый с длинными постромками. — Оборзели. Вчера три двадцать, а сёдни... — она оглядывалась. — А ты... чо тут?

— Да вот... Шубы смотрю, — он промямлил, неудержимо краснея.

— Шу-убы? У тя — чо, денег немерено? А вы?! Сучки драные! Войны на вас нету! — она напустилась на продавщиц. — Не видите? Нищий, из совка!

— Я не ни... не нищий! — он выкрикнул тоненько, пустив обиженного петуха. — У меня... вот... глядите!

— Эт-та чо такое? А ну-ка, ну-ка... — сестра выхватила у него из рук конверт и, послюнявив палец, принялась считать. — Ага. На воротник хватит, — сунула к себе в сумку.

Он тащился за ней, едва не плача: только что был воином-победителем, а теперь — кто? Мальчишка, над которым все смеются: «Даже эти», — косился на манекенов, которые больше не прикидывались освобожденным населением. — Хи-хи-хи! Ха-ха-ха! — ему чудились их пластмассовые голоса.

— Ну, — она остановилась. — Где взял? Чо зыркаешь? Я те зыркну!

Он вырвал наконец руку:

— Заработал.

— Чево-о? — она протянула недоверчиво.

Пришлось рассказывать про совместное научное предприятие.

— Сам, што ли, придумал?

— Нет, — он вынужден был сознаться. — Парень один. Ганс.

— Да... — сестра вздохнула мечтательно. — От родителям-то свезло! Прокормит на старости. Не то што мой, раздолбай... А шубу кому?

Снявши голову, по волосам не плачут:

— Любе, — он признался, как с плеч долой.

— Сразу-то чо не сказал. Давно бы съездили, приценились... — Судя по отрешенному взгляду, сестра держала в голове новую мысль, разрешившуюся неожиданным образом: не дав ему опомниться, поволокла к ближайшему эскалатору. — Ща подберем.

То, что ожидало его в подвальном ярусе, походило на китайскую барахолку: горы одежды, в которых рылись какие-то желтые. Один вид этого человеческого муравейника, пронизанного запахом пота и чего-то приторно-химического, вызывал отвращение — если бы не сестра, сбежал.

— Да зачем? Не хочу я... — Он морщился, неприязненно поглядывая на раскосого парня, который рылся в соседней куче: — Тут же для них, для желтых...

— Зра-асьте пажалста! Второй Ралька нашелся, морду воротит. У того-то хыть папаша. А мы с тобой кто? Дворняжки.

«Мой отец пал смертью храбрых, а ее — предатель, пособник, с фашистами сотрудничал. Как она смеет сравнивать!»

— Во! Вроде ничо, приличная. Мерь.

Он снял тяжелое пальто. Хотел пристроить на краешек одежной кучи, но побоялся: вдруг украдут. Как потом отчитываться?

— Да кому он нужен — твой гроб на колесах! — сестра хихикнула.

Лавируя между желтыми (здесь, в подвале, желтые не уступали дорогу), он направился к зеркалу. Глянул и остолбенел: «Ух ты! Как у Ганса... И карманы, и молния...»

— Здорово! — выдохнул восхищенно.

— Ну! — она подтвердила. — А чо с пальто-то? Может, ну его?

— Нет-нет, — он замотал головой, — мало ли, еще пригодится.

— Ага, на случай войны. И броник не нужен... Шубу выберем, одним чохом и заплотим.

Он шел за ней, представляя себе шубный отдел, похожий на тот, покинутый с позором. Но за стеклянной дверью дыбились меховые кучи.

— Тут сиди, — сестра указала ему на стул.

«Чем у них тут воняет? — От химического запаха слегка подташнивало и кружилась голова. — Ишь, бегают. Разбегались».

Двое мальчишек, судя по раскосым мордашкам, из желтых. Он следил, не одобряя их шумного веселья. Устав гоняться друг за другом, мальчишки подбежали к женщине и ткнулись ей в подол. «Мамаша их, что ли?»

Желтая, рывшаяся в меховой куче, обернулась.

«Ой! — стрельнуло электрическим разрядом. — Да нет, не может быть... Самой-то ей сколько? Двадцать два, не больше... Ганс говорил, желтые с пятнадцати размножаются».

Мальчишки снова запрыгали, исполняя дикарский танец.

«А я-то, я! Как с честной девушкой. Жениться хотел», — он думал обиженно.

Подметая пол слишком длинной на ее рост шубой, Юльгиза направилась к зеркалу. Он смотрел вслед: «И ноги кривые... Шуба ей, видите ли, понадобилась... — От этой мысли расстроился окончательно, будто шуба, купленная в подвальном отделе, ставила на одну доску его советскую сестру и эту желтую дворняжку, которую Ганс назвал дешевкой.

— Ну? Как тебе? — сестра вертелась, демонстрируя шубу.

— Может, бог с ней вообще, а? Электричеством бьет.

— Подол пусть приложит. К батарее. Батареи-то у вас есть или печное ищо?

Юльгиза шла обратно. Он нырнул за меховой бруствер. Но поздно.

— Не уехал? — она стрельнула глазками. — А я, эта. С братьями. Мутерша наша заболела.

Смерив ее холодным взглядом, сестра отошла.

«Ага, с братьями. Ври больше», — хотел забрать пальто и ретироваться.

— А уезжаешь када?

— Завтра, — буркнул, лишь бы отвязалась.

— Ну тада пока, — Юльгиза махнула рукой и добавила, ему показалось, с надеждой: — Можа, свидимся ищо.

— Не знаю. Вряд ли, — он оглядывался, ища глазами сестру.

— Ждать тя буду, надеяться. — Опершись о перила железной клетки, из которой так и лезли искусственные шубы, карабкались наружу, Юльгиза смотрела ему в глаза. Уголки ее губ слегка приподнялись, как крылья перелетной птицы, — лапки еще касаются земли, но дайте только срок, взлетит...

— Чо за девка-то? — сестра спросила недовольно.

— На конференции познакомились. В университете.

— Знаем мы эти... ниверситеты. Гляди, набегаисся по врачам. Тут тебе не эсэсер, обдерут как липку...

Он не понял — при чем здесь СССР, а тем более врачи.

Расплатившись, сестра спрятала конверт — остатки его честного заработка. «Плакали мои денежки...

На макароны свои потратит», — он вспомнил длинный список.

— Девки эти желтые — хитрые. Оглянуться не успеешь. Родит и на тебя повесит.

Кассирша кивнула, будто подтверждая ее дурной прогноз.

— Ну да, — он пристроил пальто на широкий прилавок. — Не мышонка, не лягушку, а неведому зверушку...

— А хыть кого. Алименты все одно платить.

Он хотел сказать: не надо, не заворачивайте. Это же мое, старое. Но желтая упаковщица уже свела рукава пальто на ватной груди. Завернув в плотную бумагу, перевязала кокетливой голубой ленточкой.

Поднимаясь вверх по эскалатору, он ловил на себе косые взгляды манекенов.

— Надо было коляску взять, — лицо сестры светилось тихой радостью. — Гляди, аккуратно неси, не урони.

Обратно они ехали на бесплатном автобусе.

— Разе плохо, а? — сестра склонилась к его уху. — Съездили, купили вон шубу. Другой раз ищо чо-нить. Платье, туфельки, скатерть... А хошь, по почте вам пришлю...

Он положил сверток на свободное сидение.

— Ну чо вам эта война? — сестра шептала горячо. — Ить тока-тока вздохнули, жить начали. Из нищеты выбились. А тут — вы...

Будто война зависит не от их фюрера, а от его, братской, воли: доброй или злой.

— Ну, положим, купили. А дальше что?

Не уловив его грозной интонации, она зашептала снова:

— Шкап зеркальный, люстру на кухню... Чо, не достало мыкаться? Сами не живете и нам, мля, мешаете... — смотрела как на врага.

«А все телевизор. Хуже ядерной бомбы — надо же, как действует, особенно на таких идиоток. Прав Ралька. Дура непролазная! Мозги ей полощут, а она и рада стараться...»

Неизвестно, чем бы все закончилось, но автобус подъехал к станции метро.

— Эй, пакет не забудь! — тетка, сидевшая сзади, тыкала пальцем в его сверток.

— Спасибо, — он поблагодарил вежливо.

Но тетка не унималась.

— Можа, ваще не твой? Ща полиция вызову, пусь разбираются. Можа, ты террорист? А в пакете бомба. Вон, по телику вчерась... — наливаясь бессмысленным ужасом, она пучила глаза.

— Да ты чо! — Сестра спешила на помощь, расталкивая пассажиров. — Террориста нашла! Давай, вызывай! Сама сука желтая!

— Это я-та желтая?! — тетка подбоченилась.

— Ну не я же! — сестра оглянулась, взывая к остальным пассажирам. — То-то, слышу, воняет. Хыть нос затыкай! Сперва мыться научись, потом к людя́м лезь, — тесня плечом, она подталкивала его к выходу.

Пассажиры принюхивались неприязненно.

— А и впрямь. Пойдем, кляйнер мой. Неча тут. Ихнее нюхать, — молодая женщина тащила сына за руку.

Он шел, повесив голову, все еще во власти отвратительной позорной сцены.

— А чем от нее пахло? — раньше, сталкиваясь с желтыми, он ничего такого не замечал.

— Да эта я так, штобы отстала.

— А... вообще?

— Ну... — сестра задумалась. — Подванивают.

— Про евреев тоже так говорили, — он сказал и снова почувствовал себя советским человеком, на которого не действует нацистская пропаганда.

— За жидов не скажу. Не нюхала. А от желтых — точно. Несет.

«Не-ет. Тут не переспоришь... Только выжигать. Из мозгов, каленым железом!»

Он думал про евреев. Те, кого фашисты гнали на смерть, пытались спасти своих детей. Выталкивали на обочины, полагаясь на милосердие остальных советских народов. Он шел, покачивая свертком. Будь у Юльгизы выбор, наверняка отправила бы в СССР. Хотя бы младшего. Чтобы вырос нормальным человеком. А не захребетником с кривыми мозгами.

«Отец привез мальчишку на лафете, погибла мать, сын не простился с ней...» — пользуясь тем, что в толпе, плывущей к метро, его никто не слышит, бормотал пришедший на ум стишок. Теперь белый сверток казался легким. Будто и вправду спас желтого мальца от неминуемой смерти.

II

Бездыханное тело, лежащее у колеса маршрутки... пристальные глаза вежливого пассажира... визгливый голос автобусной хамки, обозвавшей его террористом, — все, что он увидел и пережил сегодня утром, мелькало кадрами диафильма, бессвязными картинками безумной российской жизни, словно он и вправду оказался в какой-то подземельной стране, населенной маленькими людьми ростом не более как с пол-аршина. Вот только где сказочный министр, который укажет дорогу обратно, — эта мысль не покидала, пока он шел от метро до дома, поднимался по лестнице...

У дверей в квартиру их ждал бригадир.

— На протечку глянуть. Можа, высохла. Завтра и начать.

— То нету их, то являются. В выхи. Нате вам, — зажав мешок с гречей между сапогами, сестра шарила в сумке. — В зонтаг с ими вошкайся.

— Звоню, звоню, — бригадир переминался смущенно. — Папаша ваш не открывает. Чо-то бледный вчерась...

— Бледный, румяный... Тебе какое дело! — она открыла дверь и позвала. — Эй, как ты там?

Из кабинета донесся голос, тихий, едва слышный.

«Жив», — он снял ботинки и поставил на коврик.

Бригадир тоже разулся, стянул высокие сапоги. Стоя на голом полу, шевелил пальцами. От носков ужасно воняло.

«Ну вот, — он подумал, — сейчас разорется. — Но сестра, не сказав ни слова, направилась в кухню. Бригадир — босиком за ней. — Сами пусть разбираются», — решив не вмешиваться в чужие дела, отправился в комнату.

Но и там, казалось, несло: «И вправду, что ли, не моются?.. — размышляя над этим вопросом, он запихнул увесистый пакет с ватным пальто в чемодан. — А если и так, желтые не виноваты. Гигиене учить надо. С самого детства».

Люба, его советская сестра, всегда говорила: главное школа. Хорошие учителя всех учат одинаково. Доброте. Справедливости. Надежды на будущее она связывала с детьми из простых семей. Если дети вырастут образованными, жизнь изменится к лучшему.

В окне напротив торчал какой-то мужик. Делал вид, что поливает цветы. «Вконец их агенты обнаглели. За дурака меня держат. Будто я не знаю — у черных домработницы поливают», — раздраженно задернув занавеску, он вышел в коридор.

Бригадир натягивал вонючие сапоги:

— На матерьялы-то. С утра бы, ага, — распрямился и топнул ногой.

Сестра полезла в карман.

— В сумке, кажись, оставила. — Снова она отправилась в кухню.

— Эй!

Ему показалось, что ослышался.

— Это вы — мне? — он смотрел на конверт. Мятый, побывавший в кармане ватника.

— Парнишка. Морда разбитая... — бригадир почесал правую скулу. — Передай, грит...

«У Ганса ссадина на левой. Другой на моем месте не обратил бы внимания. А я вот всё примечаю».

Ты молодец, Алеша, у тебя очень зоркие глаза, — в наступившей тишине он расслышал слова одобрения, донесшиеся с далекой Родины.

«Это вы меня научили», — мысленно он поблагодарил своего пестуна.

Выходит, Ганс его ждал. Но не дождался. «Деловой! Некогда ему...»

— И гляди мне! Чеки штобы принес! — сестра вернулась, сунула бригадиру хрусткую бумажку. — А то знаю вас, хануриков. Пропьешь ить половину.

— Та ни боже мой! — повеселевший бригадир снял ушанку, заложил деньги за подкладку и поклонился. — Покорно благодарим.

— Шнелле, шнелле давай, — сестра замахала руками. — Не отсвечивай!

Бригадир пятился, огромный и неуклюжий — как Герасим из «Муму».

— Кошелек. Не иначе, скоммуниздили. Пока я с этой-то лаялась... У тя взяла. Найду — отдам.

— А... если не найдешь?

Его вопрос Люба поняла по-своему:

— Не найду — и хрен с ним! Пусь подавятся. Кошелек жалко. Стошку за него выложила. Думала, лет на десять хватит... Ну чо, руку-то бушь смотреть?

— Какую... руку? — он вспомнил пальцы бригадира: грязные, с обломанными ногтями.

— Брильянтовую. Ох и люблю я ваше кино! Люди все хорошие, добрые. Не то што наши.

— А во сколько?

«Пока она смотрит, как раз зайду к старику».

— Да уж должны. Написано — в фюн...

В конверте оказались билеты. Из Петербурга в *их* Москву — 18.03.84, отправление 23-50, вагон 7, место 12. Другой на специальном бланке *Международная компания «Беркут — сверхскоростные магистрали»*, из Москвы в нашу Москву. Отправление 19.03.84. Вагон 4, место 8.

«Обидно, — вложил билеты в конверт и спрятал в тумбочку. — Праздник их главный пропущу».

Но дело, в конце концов, не в празднике. Обида таилась глубже.

Он лег и закрыл глаза.

Ему представилась улица. Будто он стоит на пешеходном переходе. «Не улица, лучше — переулок». Пусто, вокруг ни души. Медленно опускается стекло. Но лица не видно. Только черная кожаная перчатка (Геннадий Лукич предупреждал: голую руку опознать легко, даже рассказал случай, когда резидент растерялся, узнав руку своего куратора), вспыхивает зеленый свет, водитель трогает с места (если все предусмотреть, передача займет считаные секунды, никакие агенты не заметят), он идет по зебре, пряча в карман записку с заданием Родины...

А вместо всего этого — бригадир в ватнике, заляпанном застарелой краской.

Не расстраивайся, Алеша. Одно дело делаем. У нас у всех общее задание. Но советую поторопиться. Фильм уже начался.

Он кивнул родному голосу. Шеф прав. Из комнаты сестры действительно доносилась знакомая песня: *Там живут несчастные люди-дикари, на лицо ужасные, добрые внутри...*

Старик сидел в кресле.

— Вы рассказывали про своего друга, — он начал осторожно, ожидая, что подследственный откажется от прежних показаний, начнет отпираться: не было никакого друга. — Ваш друг бежал. А дальше? Что с ним стало?

— Откуда мне знать? — старик натянул на голову ватный колпак, будто у него мерзла голова.

— То есть больше вы с ним не встречались?

— Может, и встречались.

— Иными словами, вы не уверены, что узнали его. А он — вас?

Помолчав, будто к чему-то прислушиваясь, старик покачал головой.

— Он меня не узнал.

— Это странно. Конечно, время меняет человека, но что-то все равно остается. Жесты, мимика.

Кажется, не сказал ничего смешного, но старик усмехнулся:

— Где ты видал, чтобы покойники жестикулировали?

— Говорите яснее. Он погиб?

— Да куда уж яснее... Ваши наступление предприняли. Последнее. Речка. Название забыл... — Старик рассказывал о пехоте, беззащитной перед огнем артиллерии (он понял: немцы стреляли с высокого берега). — Я стоял, смотрел. Если бы в бинокль... А так — черные точки. Вашим маскхалаты не полагались.

— Вы-то откуда знаете?

— Разведка донесла. Ни продуктов, ни фуража. И с патронами — швах. По две обоймы на брата. Бегут и падают... Много солдатиков нагнали. Дней на десять хватило.

— А потом? — он спросил через силу, удивляясь цинизму старика: «Солдатики. Они что, оловянные? Наши солдаты — живые люди».

Старик развел руками:

— Пока мороз — ничего. А весной вызвали меня. Приказали собрать похоронную команду. Немцы эпидемий боялись. У нас-то наверху лед. А на другом берегу солнце жарит. Ну, перебрались на ту сторону, глядим, всё потекло. Растаскивать начали. Да где там! Один на другом. Где упал, там и вмерз. Нижние в гимнастерках лежат. А верхние... Кто в шинелях, кто в тулупах. (Он кивнул: тулуп — зимняя форма. Мать говорила, его отец в тулупе ушел.) Ни траншей у них, ни ячеек. Кого ранило, обратно переползать пытались. А как переползешь? Покойники слоями лежат, земли под ними не видно... Вернулся, доложил. Дескать, у нас и техники такой нету, чтобы рвы копать. И с рабочей силой не шибко. Весна. Пахать-сеять надо. Все силы на полях. Сперва бумажками отделывались, сами, мол, справляйтесь. А потом прислали. Хиви — целый отряд. Нижние, кого летом убило... Эх, — старик махнул рукой. — А этот, в тулупе, — зимний. Он сверху лежал. Гляжу, вроде бы похож. Он. Гешка. Дошел-таки до наших... Двоих подозвал, этого, говорю, не зарывайте. А сам думаю, может, и не он. Мертвые все похожи. Надо смертник его найти, ладанку. Когда война началась, эбонитовые делали, — старик указал пальцем на телефонный аппарат. — Это уж потом из дерева. Только мало кто надевал. Примета считалась плохая. Наденешь смертник — убьют...

— Не отвлекайтесь. Ближе к делу.

— Да куда уж ближе... Под тулуп к нему сунулся, а там все слиплось... Если б хоть в живот, а его в грудь. Вот у немцев — у тех строго. Жетон. Хоронишь, все про него известно. А эти — большинство безымянных. Особенно рядовой состав. Один бог фамилии их знает...

— Бог? Почему — бог? — он спросил хрипло, понимая, что *этого* не может быть: отец погиб на Урале. Но будет. Сейчас, когда старик назовет имя и фамилию.

Старик, однако, молчал.

Тут, разрывая мертвую тишину, ожил и закричал телефон: Ды-ынь, ды-ынь, ды-ынь, — и снова, и опять. Точно не просит, а требует: ды-ынь, ды-ынь... ды-ынь...

Старик сидел, будто его не касается.

«Надо встать, поднять трубку», — но не было сил: коснуться эбонитовой руки бога, который знает все имена и все фамилии. Потому и звонит...

«Да! Говорите! — за стеной кричало злым Любиным голосом. — Ишо раз звякнешь, руки пообрываю!»

— Так нашли вы его смертник? — Он отрешился от злого голоса. Вернулся в колею допроса.

— Нашел. Да толку-то. Говорю же, из дерева, — старик поднялся, кряхтя. — В карман к нему сунулся. На всякий случай. Вдруг, думаю, документы. А там письмо. Карандашом, химическим, — старик доковылял до стола и выдвинул нижний ящик. Достал железную коробку. Развернул солдатский треугольник дрожащими пальцами. — На, читай.

Он взял осторожно, словно письмо, сохранившееся чудом, в его руках рассыпется в прах.

Добрый день, дорогая жена, посылаю тебе свое нижайшее почтение и желаю всего хорошего. Еще посылаю нижайшее почтение нашим дорогим детям. О себе сообщаю, что живу ничего, чувствую себя здоровым. Тут с товарищами держим оборону, тяжело, неохота потерять жизнь или остаться калекой, да иначе, видно, не получится. Как здоровье у вас, как живется? Сколько дают хлеба, хватает ли дров? Ничего, все надо пережить, на то и война. Если голодно, продай что-нибудь из моих вещей, вернусь, наживем. Девочкам передай, пусть учатся, школу заканчивают. На будущий год в институт. Я недоучился, теперь жалею. Стал бы командиром, у них зарплата побольше. Наши многие погибли. Местность тут сырая, паршивая. Пропиши, как назвала сына, а то во сне его вижу, хочу позвать, да никак. Противника бьем, а он нас. Зима здесь плохая, негодная. Не то что у нас в Сибири. Сыро и одежда мокрая. После снега подмораживает, тогда и одежда замерзает. Если снять тулуп и поставить, будет стоять заместо бойца. Только я не снимаю. Без него холодно. Поцелуй от меня детей на случай, если не свидимся...

Дальше расплылось.

Мать — интеллигентная женщина, библиотечный работник. Разве могла она выйти замуж за этого, деревенского, который пишет про всякую ерунду? Деньги, дрова, одежда. Настоящий отец писал бы другие письма. Как в музее, куда их водили всем классом. Фронтовые треугольники хранились под стеклом. *Враг будет разбит, победа будет за нами, еще разовьется над Рейхстагом наше красное знамя.* Неизвестный отец написал своему сыну. Но экскурсовод сказала: прочтите и запомните. Это не просто письмо. Завещание. Всем советским сыновьям.

— Гешка... Он одинокий был. А у этого дети, — старик смотрел внимательно, будто ждал от него чего-то. — После войны отправить хотел. Знать бы адрес, отправил... Сыну его. На память... — Так ничего и не дождавшись, старик вздохнул: — Песня у вас. Хорошая. Я, когда слушаю, обоих их вспоминаю. И Гешку, и этого... безымянного... Летят, летят... и превраща... — старик замолк на полуслове, уронив голову на грудь.

Он встал и вышел вон.

Сестра сидела перед пустым телевизором.

— Остановили чо-то. Прикинь, на самом интересном. Когда этот, ну, с рукой-то... А другой: шампанского, грит, хочу...

— В нашей абендпрограмме произошли неожиданные изменения. Срочные нахрихтен, — на экране явилась тетка восточного типа: широкие скулы, складки кожи на веках. Искры в тусклых глазах придавали ее облику налет сумрачного фанатизма — будто она ведет родословную не от мирных декхан бывшего советского Востока, а от басмачей, объявивших джихад доблестной Красной армии.

Поелозив в кресле, ведущая уселась поудобнее:

— Спецвыпуск для женщин.Уникальные кадры: наш любимый мущина открывает тракторный завод... — Молодой и энергичный фюрер, но на сей раз не в строгом костюме с галстуком, а в темно-синем джемпере с треугольным вырезом, щелкал огромными железными ножницами, будто примеривался, как бы половчее перерезать красную ленточку. Рядом топтался толстомордый мужик с инструментом поменьше, видно, местная партайная шишка. — И прошу заметить, чисто мирная продукция, не то што всякие танки, — ведущая поморщилась, — которыми эсесер надеется нас уделать, по-

глядим ищо, кто кого, хорошо смеется тот, кто смеется последний, близок день, когда последние
станут первыми, тем более Россия, победившая
проклятый коммунизм, наша великая и могучая
держава, не была и никогда не будет последней, —
ведущая тараторила звонко-механическим голосом,
точно игровой автомат: плевалась словами, как монетами, в то время как на экране сгибалась в пояс-
ном поклоне девушка в русском сарафане и кокош-
нике, расшитом бисерными свастиками, принимая
из рук фюрера сперва кусочек ленточки, а потом
ножницы.

— А еще друзья называются! Таких друзей — за жопу
да в музей. Пусть тока попробуют, — снова звякали
желтые монеты. — На айн превратим наш мирный
трактор в военный танк. А теперь сюрпри-из! Вчера
наш уважаемый Рейхстаг принял закон про желтых,
а сёдня... Как думаете, про кого? Про додиков. И сразу в третьем чтении. Чо читать-то! — ведущая испу-
стила сноп искр и усмехнулась нехорошо. — И так все
ясно: достали! Нашему каналу удалось взять интервью у инициатора этой своевременной инициативы.
Здрасьте! — она обернулась к огромному студийному
экрану, с которого зрителям кивала морщинистая
тетка в шляпке-таблетке, утыканной павлиньими перьями. — Всякие недоброжелатели, а их у нас немерено, обвиняют. Дескать, Россия — свободная страна,
а новый закон возвращает нас типа в прошлое. Вы
как депутат Рейстага чо им на это возразите?

— Выдумывают! — депутатша кокетливо тряхнула
маленькой головкой, украшенной брачным опере-
нием, вырванным из хвоста павлина-самца. — В ка-

кое такое прошлое. В прошлом их ваще к стенке ставили. Пиф-паф! — и нет додика.

— Зря она перья нацепила, — Люба смотрела неодобрительно. — Примета нехорошая.

— А позвольте-ка задать вам личный вопрос, — ведущая растянула губы в узкой улыбке и выпростала согнутые в локтях руки, будто самка богомола, того и гляди сожрет какого-нибудь незадачливого самца. — Наши зрители интересуются. Перья на себя нацепили. Примета больно плохая. Непруха по жизни. Не боитесь?

— Не-а. Пусь другие боятся, которые болтают всякие глупости. Мы, фрауенфракция Рейхстага, готовим поправку. Если нас поддержат другие фракции, мы добьемся, штоб эта красота ниаписуемая, наоборот, приносила богатство, удачу и позитивные новости.

— А теперь, — ведущая дернула себя за мочку уха, — пару слов про додиков. А то зауральские вас критикуют.

— Ага, — депутатша качнула перьями. — Нас типа критикуют, а сами — чо? Вон в совке за эдакие делишки, — повернувшись к зрителям боком, ткнула пальцем в свою тощую задницу, — до семи с конфискацией. А у нас, по новому закону, до пяти. Максимум до шести с половиной! Из гуманных соображений.

— Гуманизм — наша древняя духовная традиция, которую мы используем, чтобы дать решительный отпор фальсификаторам, кто мажет грязью нашу великую страну. Сами в говне по уши, а в нас тычут. На себя поглядите, — желтая ведущая подвела итог интервью. — А теперь сюрприз! — погрозила кому-то пальцем. — Для этих, которые угрожают. Забыли, видать! Ничо. Мы напомним. Кто к нам с мечом... от меча... — она дергала себя за ухо. — Мечу, о мече? — прислушиваясь растерянно. — Короче, вмажем, мало не покажется!

С последними ее словами студийный экран выдвинулся вперед, совпав по контуру с телевизором. Советский Солдат, стерегущий западную границу, моргнул тяжкими бессонными веками и, задрав ногу в огромном каменном сапожище, перешагнул через Хребет. Руки, сведенные на груди, выпрямились, подымая обоюдоострый меч. *Тра-та-та-та-та,* — эфир прошила короткая автоматная очередь.. Грозная статуя огрузла, распадаясь на полые обломки, из которых торчали ржавые прутья арматуры.

— Ну вот, — ведущая подытожила. — Как-то так.

— Сырники сделать, што ли?.. — Люба широко зевнула.

— А что это было? — он спросил встревоженно.

— Мультик. А у вас чо, нету? — сестра потянулась к пульту.

— Но послушай, это же серьезно.

— Чо, мультик-то?

«Гречкой запастись, это она понимает!»

— Да какой мультик! А вдруг Ральку призовут?

— И чо?

— Убить же могут.

— Значить, — сестра смотрела на экран, — бует герой. Погибнет, защищая священные рубежи нашей Родины!

— Они же захватчики, оккупанты! — он вырвал у нее пульт. — А он — твой сын. Единственный, —

злясь на себя, что не может найти правильных слов, чтобы она прислушалась и поверила, ткнул в красную кнопку.

Сестра погасла, будто ее тоже отключили от сети.

— Да что ты распетушился. Кредит возьму — отмажу. Там и надо-то тыщ сто. В крайности сто двадцать. За год-два отдам. Не, за полтора, если под тридцать годовых, делим на цвёльф, умножаем... — с этими непонятными арифметическими выкладками она отправилась в кухню.

Но дело не только в ней, глупой сестре.

«Если завтра война... — явилась страшная мысль. — А вдруг я тоже погибну? Я — разведчик. Мы, герои невидимого фронта, остаемся безымянными».

Стало трудно дышать. Будто не его секретные данные, а сам он лежит, вытянув руки вдоль бездыханного туловища. Но не под стеклянной крышкой, как В.И.Ленин в Мавзолее, а в черном эбонитовом пенале, похожем на огромный смертник...

«Когда-нибудь все равно откроют, — неимоверным усилием он сдвинул с себя черную тяжесть, не пропускающую его будущую бессмертную славу. — Пусть не сейчас, а лет через сто. Или через тысячу. Откроют и прочтут...» — не доверив это дело грядущим поколениям, он сам открутил непроницаемую крышку гостайны, под которой должна лежать бумажка, не тронутая ни водой, ни кровью, где будет значиться: Алексей Руско — его имя и фамилия, вписанные в историю родной страны.

Бумажка-то лежала, но отчего-то с другой фамилией. «Неужели перепутали?!» — поднялось разочарование, наплывая густой горячей волной.

Мы никогда и ничего не путаем, — Геннадий Лукич напомнил укоризненно. — *Разве ты забыл? Находясь в тылу врага, разведчик работает под прикрытием.*

— А почему я не под прикрытием?

Не тревожься, Алеша. Придет время, мы придумаем тебе легенду. По легенде у тебя будет новое имя.

— А его впишут золотыми буквами?

Какими захочешь, такими и впишут. Хоть золотыми, хоть серебряными.

— Я хочу золотыми. Пусть напишут... — он собрался заглянуть в бумажку со своим новым именем. На всякий случай. Чтобы запомнить.

Но тут, в самый ответственный момент, в коридоре заголосила сестра:

— Ты а-а нё-ом не паду-умай плахо-ова, падрастешь и па-аймешь всё с года-ами! Твой а-атец тебя лю-юбит и помнит! Хыть давно не живё-от...

Когда он, чертыхнувшись — «С ума, что ли, сошла! Наши песни наяривает», — вернулся к тайной бумажке, его новое имя исчезло.

Будто медальон, который он в спешке принял за эбонитовый, оказался деревянным. Как у простого солдата. Того самого. Кого старик, пособник оккупантов, попытался выдать за его пропавшего без вести отца.

III

Телефон звонил и звонил. Он повернулся на другой бок, надвинул на ухо подушку. Заполошные звонки кончились. Донесся сонный голос сестры:

— Спит ищо. — И через паузу (видно, звонивший настаивал). — Ладно. Ща попробую... — сестра заглянула в комнату. — Тебя. Срочно, грит.

Он вышел в коридор. Взял замерзшую за ночь трубку. Думал, она уйдет к себе, но сестра стояла как привидение, в длинной ночной рубашке.

— Слушаю, — запечатал рукой свободное ухо.

— Выйти можешь? — Ему показалось, Ганс чем-то встревожен.

— Ладно. Оденусь только, — он повесил трубку.

— Кто это? — сестра спросила испуганно.

— Парень знакомый. Я тебе рассказывал.

— Бизнесьмен, што ли? А-а-а... Ты, эта... — перетаптываясь босыми ногами, она следила, как он надевает куртку, — Ральку-то не забудь. Пристрой. Хватит ему бока отлеживать...

Ганс стоял под аркой, шмыгал покрасневшим носом, на кончике собралась прозрачная капля.

— А ватник свой куды дел?

— Сам ты ватник! Ну. Чего?

— Эбнер пригласил. Вечером. В ресторан.

— Опять в еврейский? Нет. С меня хватит. — Ответил как напечатал.

— Не-е. В другой. На Литейном. Дело у него к тебе.

— Дело?

Наверху за окном маячила голова сестры. Он хотел сказать: давай отойдем.

Но Ганс буркнул:

— В семь, короче, — и нырнул под арку.

«Скользкий он все-таки какой-то. Не поймешь, на кого работает. На нас или на Эбнера?.. — Подступали и другие вопросы. — Зачем я им понадобился?

444

Письмо, что ли, передать? Их агенту, — кроме художника, за которым следил, когда практиковался по *наружке*, на ум никто не приходил. — Вербовать будут, сулить бешеные деньги, — он вдруг почувствовал горячее нетерпение, словно впереди его ждал не ресторан, а схватка с жестоким и умелым противником. Готовясь к сражению, он перебирал в памяти долгие дни, сложившиеся в недели, бесконечные, как вереница подвод, — обоз, ползущий за партизанским отрядом, в котором ему доверены сразу две главные роли. Командира и комиссара. Теперь он вглядывался, отмечая опытным глазом линии оборонительных укреплений. Жерла заглубленных орудий, похожие на жала гигантских насекомых, казалось, целятся в него...

— Ну чо? Возьмет Ральку-то?

— Вечером поговорю, — повесил куртку. — Не на ходу.

— А-а-а, — сестра протянула разочарованно.

«Лишь бы сынка своего пристроить, — он лег и накрылся одеялом, надеясь вздремнуть еще часок. Но сон не шел. — А вдруг не Эбнер? Вдруг его послали, чтобы выманить. Выйду, а они — хвать!» — от этой мысли кинуло в жар. Он представил, как фашистские молодчики волокут его в подвал гестапо, где уже дожидаются палачи...

В какую бы сторону ни поворачивались обстоятельства, разведчик обязан сохранять спокойствие.

«Вам-то хорошо говорить... Ладно, побьют. Это еще ничего. А если пытать начнут, пальцы выкручивать?»

— Чо бормочешь? — Ральф высунулся из-под одеяла.

— Да спи ты, — он отмахнулся от племянника, который влез не вовремя, перебил экстренный сеанс связи с центром.

Ралькина голова скрылась.

Из шуршания за ушами, напоминающего помехи на линии, снова проклюнулся до боли знакомый голос:

Будут пытать, соглашайся. Двойной агент — нам только на руку.

«А с деньгами как? Наверняка ведь предложат».

Ты, Алеша, прямо как не наш, не советский. Деньги, естественно, сдашь.

«Сдам, — покорно кивнув, он достал из портфеля увесистую пачку нем-русской валюты. И в тот же миг перед ним открылось окошечко, за которым мелькали чьи-то руки. Воображаемая пачка исчезла в недрах родного ведомства. — Как вы думаете, на что их потратят?»

Как это — на что? На наше общее дело.

Он хотел спросить: а мне? Разве ничего не останется? Совсем?

Но окошечко уже захлопнулось. Одновременно отключилась и внутренняя связь. Сколько ни вслушивался, голос шефа пропал.

К схватке с врагом он начал готовиться заранее. Перво-наперво принял душ. Пусть не думают, что советские разведчики не моются.

— То морду ополоснет, и готово, — сестра и тут не утерпела. — А то размылся, гляжу. К бабе, што ли?

«Эх, знала бы ты, к какой я бабе! — он вытащил из корзины стираную рубашку, хотел погладить, но сестра не дала, вырвала из рук, прогнала с кухни. —

А шефу надо так сказать: если враги пронюхают, что у меня совсем нет денег, у них возникнут обоснованные подозрения...»

— Куда намылился? — Ральф шевельнул наушниками.

Обшаркивая брюки жесткой плательной щеточкой, он объяснил уклончиво: приятели, в ресторан пригласили, что-то вроде отвальной.

— В куртке пойдешь? — Ральф сдвинул наушники набок. — Тада в брюках глупо. Джинсы мои — вон, — кивнул на шкаф.

Чуть было не принял предложение, тем более и по размеру подходят, хотя Ральке всего шестнадцать: «Хорошо им тут. Жратвы навалом. С детства питаются», — но вспомнил про внутреннюю наружку. Этому только дай повод. Разноется: негоже советскому разведчику ходить в чужих штанах, это им, захребетникам, плевать, сегодня брюки сменят, а завтра изменят Родине.

Ответил сурово:

— Уж как-нибудь в своем.

Ганс ждал его у парадной.

Он поздоровался и обмер. Из-под арки донеслись грубые мужские голоса. «Началось».

— Туда. Бежим, — Ганс побледнел и сорвался с места.

Одним духом проскочив сквозь дальнюю арку, они оказались на соседней улице. Голоса отстали, запутавшись в темных подворотнях.

Хотел сказать: «Что, совесть заговорила? — но решил: — Пусть думает, что я ни о чем не догадываюсь».

— Можа, эта, пешком? — ему показалось, Ганс повеселел.

Фонари еще не зажгли. Как ни приглядывался к встречным прохожим, не различал лиц. Будто не люди, а темные силуэты. Гладкие, обтекаемые, как эбонитовые пеналы-смертники для своих бессмысленно погубленных душ. «Если меня схватят, ни один из них не заступится. Сделают вид, что не заметили...» Снова накатывал страх. Теперь ему чудилось, будто он не герой, получивший важное задание, которое обязан выполнить во что бы то ни стало. А наоборот. Беззащитный поезд, на всех парах несущийся туда, где его дожидаются вражеские подрывники. Словно бархатная пасть, перед ним распахнулся туннель, ведущий в темные земные недра...

Но в этот миг, когда, казалось, все кончено, дрогнули и вспучились неверным светом тройные колпаки фонарей.

— Хорошо, а? Мы ить с тобой счастливцы, избранники мироздания, — Ганс обернулся, будто протянул ему руку. И тотчас же, знаменуя выход из тупика, замерцали мостовые огни. Веселой морзянкой им сигналили огоньки автомобилей, плывущие над Невой двумя широкими встречными потоками, будто летели, не чуя под собой земли.

Снова пришло это странное чувство. Будто нет меж ними границы, высокой, выше Уральского хребта. Стоит остановиться, шепнуть: «Черт с ними со всеми... Главное, мы с тобой... Я здесь... Я тебя не брошу. Пусть хоть пытают, хоть на куски режут...»

— Ты не думай! Я их не боюсь. Даже если убьют, — Ганс смотрел на силуэт крепости, подсвеченной по всему контуру. — Лишь бы знать, что Россия станет великой. Не как сейчас. По-настоящему...

Электрическая кардиограмма опала и пошла смертельно ровной линией равелинов. Жалея, что Ганс снова все испортил, он тоже смотрел на крепость, где до войны (в войну успели вывезти) хранилась русская слава — знамена и ключи от захваченных нашими войсками городов. «И нечего примазываться... Тоже мне, жертва фашизма. Убьют тебя, жди!»

Их обогнала группа школьников — мальчики и девочки лет двенадцати в одинаковых красных курточках. Дети двигались по мосту сомкнутым строем, печатая шаг. Их сопровождал вожатый с тяжелым, будто оплывшим лицом.

— Гляди, полицаев-то нагнали, — Ганс смотрел вперед.

Вдоль кромки Марсова поля, растянувшись цепью, замерли черные фигуры «пятерочников».

«Целый отряд прислали, сволочи! Этот, — он покосился на мужика, который торчал у перехода, делал вид, что хочет перейти на другую сторону. — Прыгнет. Собьет меня с ног... Предатель, прихвостень, — напоследок, прежде чем дюжие пятерочники схватят и поволокут его в застенки гестапо, хотелось глянуть в Гансовы бесстыжие глаза. — Пусть знает, что я его раскусил».

На портике колоннады, точно шаровая молния, вращалась огромная свастика. Разбрасывала электрические снопы. Другая, поменьше, сеяла искры на въезде в главную аллею, куда сворачивали длинные черные машины с высокими выпуклыми крышами — словно внутри не сидят, а стоят во весь рост.

— Праздник у них, — Ганс объяснил. — Типа прием.

Будто подтверждая слова Ганса, мужик, которого он принял за фашистского спецназовца, кинулся к крайнему полицаю, размахивая какой-то белой бумажкой. Получив разрешение, примкнул к группе приветствия, встав в строй.

«Ну, ошибся, с кем не бывает...»

Подъезжающих приветствовала группа людей.

— Их что, насильно сюда согнали? — он посочувствовал несчастным, исполняющим роли статистов.

— Этих-то? — Ганс усмехнулся. — Сами записываются. В районной управе.

За узким черным каналом ежились голые деревья, словно люди на краю расстрельного рва. Он шел, поглядывая по сторонам. Город, захваченный оккупантами, подсовывал ему то рекламную тумбу: «Лучшее средство от пота», то заголовок местной газеты: «Мир слушает Россию».

«Слушают их, как же, размечтались...» По другую сторону улицы двигался детский отряд. Тот самый, что обогнал их на мосту.

— Куда это они?

— Вон, — Ганс указал пальцем. — Блумы возлагать.

На фасаде углового здания висела памятная доска. Из железной скобы, вбитой в стену, торчали красные гвоздики — слежалыми головками вниз. Двое нациков в куртках и черных шлемах топтались рядом. Проходя мимо, он замедлил шаги.

Шестая

В этом доме жил
академик права,
доктор философских наук
Адольф Отто Эйхман
(1906–1962).
Пал от лап жидов.

Шлемовидные зиганули, отдавая честь герою новой России. Какая-то желтая, идущая мимо, отшатнулась и быстрым привычным движением надвинула на лоб капюшон. Нацики проводили ее довольным улюлюканьем.

— Вы... тоже возлагали? — он спросил тихо, но эти все равно услышали. Тот, что пониже, оскалился. Блеснула золотая фикса. Он поспешил отвести взгляд.

— Не. У нас музей его. В шуле.

— А шул твой где был, в центре?

Он не понял, почему Ганс, изменившись вдруг в лице, рванул вперед.

— Да что я такого-то... — он бежал следом.

— Шул — нельзя. Надо говорить: шуле.

— Ладно, — он кивнул, хотя все равно не понял. — А почему от рук евреев?

— Выкрали его. Спецслужбы ихние. — Ганс отвечал на бегу. — В Израиловке замочили.

— Так они что, у вас орудуют? А гестапо? Вроде бы всесильная организация.

— Можа, када и была. Щас — нет. Ваще мышей не ловят. В смысле ловят. Типа нас.

— Нас? С тобой?

— Ты-то тут при чем?

451

Впереди, за Литейным проспектом, поднимались знакомые с детства купола. Он снова пожалел, что уедет, так и не увидев их главного праздника, в котором таится сокровенный смысл темной захребетной жизни. Ее *инь яо*. Говоря по-нашему: квинтэссенция, суть.

— Может, зайдем?

— Тебе-то на хрена? — Ганс удивился.

— Сестра у меня... — он замялся, подбирая подходящее объяснение. — В общем, богом увлекается.

— Дак бог-то тут при чем?

«Все у него ни при чем, — не то обиделся, не то разозлился. — И я, и бог».

Вдоль дорожки, ведущей к массивной церковной двери, растянулись нищие. Культяпые мужики — кто без руки, кто без ноги — глядели молча и хмуро. Бабки в драных шубах качали квелых младенцев, тянули душу жалостливыми голосами.

Он приготовился к величественному зрелищу. Конечно, не *Volkshalle*, но тоже, наверное, красиво...

Но внутри оказалась церковь как церковь: иконы, свечи, душный полумрак.

— Вам что тут, сынки? — тетка неопределенного возраста преградила им дорогу.

— Нам бы, тёенька, к нему приложиться. Приложимся типа и уйдем, — Ганс ответил елейным голосом.

— А вы, голуби мои, оба-два, часом не додики? — тетка дернула углы платка, затягивая узел потуже.

— Да чо вы такое говорите! — Ганс покачал головой укоризненно. — Студенты мы, универсанты.

— Универ... чо? — она оглядела их с подозрением.

— Я из Со... — он хотел объяснить, но Ганс пнул его ногой.

— В государственном университете учимся.

— В госуда-арственном? Тада другое дело... — тетка расслабила узел и, видно, потеряв к ним всяческий интерес, направилась по своим делам.

Хор, вьющийся под потолком, запел тише, уступая высокому невнятному голосу:

— Еще молимся о богохранимой России, властех и воинстве ея...

Молодой желтый славянского типа подпевал суровым баском:

— Фюрер, ты наш великий вождь, имя твое наводит трепет на врагов...

Еще надеясь, что ослышался, он навострил уши.

— ...Да приидет царствие твое, и да будет воля твоя на земле нашей и не нашей, аминь, — широко перекрестившись, желтый сломался в поясе.

— Впечатляет? — Ганс спросил шепотом. — Туда гляди.

Тонкая струйка верующих, несущих трепетные огоньки, тянулась к большой иконе. По бокам ее увивали вышитые крестиком полотенца. Почти вплотную к ней стояла двухсторонняя лесенка, похожая на детскую горку. Желтые всходили по очереди и, подтопив свечки с обратного конца, прилепляли к широкому блюду. Перекрестившись напоследок, сходили вниз.

— Святой ваш? Местный?

— Ага. Типа. Не узнаёшь?

Он всмотрелся. Из простенка, озаренное свечами, как народной любовью, выступило знакомое лицо.

— Ну чо, прикладываться бушь?

— Я?!

— Ну не я же, — Ганс хихикнул.

— Погоди, погоди. А в мечетях как? Я... где-то читал, у мусульман вроде бы нельзя.

— У мусульман нельзя. А у желтых можно, — Ганс подтолкнул его в спину. — Поближе, вопщем, давай. Щас начнут.

— Возлюбленные отцы, братья и сестры! — голос священника звучал вкрадчиво, но внятно. — Слава фюреру, миновали те страшные времена, когда наша мать-церковь корчилась под гнетом большевистских гонений. Никакие бездуховные атеисты и кощунники, враги тысячелетнего православия, больше не смеют препятствовать нашим религиозным праздникам, собирающим сотни тысяч истинно верующих по всей стране. В очередной раз мы убедимся в этом послезавтра, под сенью сего праздничного храма. В День Весеннего Равноденствия — святой для нас день, когда вместе с силами родной природы, на время впавшей в зимнюю спячку, воспрянет и начнет возрождаться наш героический нем-русский Дух...

— А почему он на сов-русском? — уважая чувства верующих, он шепнул Гансу на ухо.

— Дак старинный, типа как у вас старославянский.

Круглолицая девушка в скромном белом платочке обернулась, полыхнув укоризненным взором.

— Но сегодня, — голос священника окреп, — в канун Великого праздника, мы поминаем наших братьев и сестер, томящихся в советской неволе.

Судьба уготовила им страшные испытания. Так пусть наша сугубая молитва приблизит день, когда они, обессиленные и закрепощенные по лагерям, заводам и колхозам, собьют постылые красные звезды со стен своего Кремля. Невозможно себе представить, какая радость снизойдет в сердца человеческие, когда падет, наконец, каменный занавес Урала и мужья соединятся с женами, отцы с детьми, дети с родителями. Не говоря уж о друзьях, разлученных войной. Помолимся за нашу доблестную армию-освободительницу, сильную не столько мощью вооружения, сколько несгибаемой волей своего верховного главнокомандующего, в чьи руки Провидение вложило обоюдоострый меч. И пусть некоторые маловеры, действующие по указке своих зауральских хозяев, приводят свои жалкие аргументы. Мы-то знаем, меч Провидения действует поверх всяческих расчетов. Грядет Великое землетрясение, колеблющее основание советской темницы. Чаша страданий исполнена до краев. Недалек тот день, когда не только мы, но и они, наши заблудшие братья и сестры, станут свидетелями Пасхи среди лета, о которой в прозрении радостного духа пророчествовал наш великий святой, преподобный Серафим. Но даже он, несвободный от заблуждений и предрассудков своего времени, не знал того, что твердо знаем мы, народ, сплотившийся вокруг национал-социалистической церкви. Повинуясь воле наших праведных вождей, мы говорим решительное «нет» убогому жидо-масонскому христианству с его мягкотелой сострадательной моралью. Пусть каждый из вас повторяет про себя золотые слова нашего владыки патриарха, которыми он приветствовал участников Восемнадцатого партайного съезда: наша Пасха — не так называемое воскресение Христово, а вечное обновление великого нем-русского народа. Вместо крови прежнего жидовского Спасителя мы вкушаем воды наших великих рек. Вместо плоти — тучные зерна, выращенные на бескрайних нем-русских просторах. В пресуществленном виде они знаменуют собою народную плоть и кровь. Те-ела народного прими-ите, бессмертия истинного вкуси-ите...

Желтая паства подпевала, встав с колен.

Он ощутил кровь во рту — как в детстве, когда вылизывал солоноватые ссадины. Только густую и приторно сладкую.

— Душно. И пахнет... — как мог, он задерживал дыхание.

— Сказано, народное тело. А ты чо ждал, духи́?

— Да енти, енти... — за спиной раздался тягучий женский голос. — Приложиться, грят, хотим. А сами не прикладывались...

— Ща-а... прило-ожатся, — кто-то тянул в ответ ленивым баском.

Он хотел обернуться, но его локти держали мертвой хваткой.

— Ну чо, Брунхильд Иванна, — пробасили над ухом, — с которого начнем?

— С ентого давай, Фрицхен.

Ему в спину ткнули жестким пальцем. Он зажмурился, принимая неизбежное.

— Пустите его... он... не синий, — Ганс извивался в железных руках.

— Черный, што ли? — старостиха глянула ошарашенно. — И документик имеется? А ну, сынок, пошарь.

Тот, кто держал Ганса, моргал туповато:

— А ентого?

— Пусти. Куды он денется, — тетка махнула рукой. «Сволочь, это он нарочно, чтобы его отпустили... — Липкие руки обшаривали тело, он чувствовал чужое смрадное дыхание. — А сам воспользуется, сбежит...»

— Эт-та что такое? — тетка уставилась на его паспорт. — Дак ты чо, мериканец?

— Из Совка он, — Ганс морщился и поводил плечами.

— То-то гляжу, морда больно жидовская... Чо ж ты, сука такая, сестер-братьев наших гнобишь, в застенках их держишь, чо они тебе, болезные, сделали? — старостиха запричитала, всхлипывая.

— Дык эта, — один из ее подручных задумался. — Можа, морду ему начистить? Шобы неповадно.

— Горячий ты больно, Васятка. Охолонись, — она затянула платок потуже. — С батюшкой схожу посоветуюсь. Начистим. Ежели благословит.

Вокруг уже собиралась паства, сплачивалась, окружая их плотным кольцом. В глазах, источавших слепую ненависть, плясали свечные огоньки. «Побьют, как пить дать побьют...» — он старался не дрожать.

— Не. Не благословил. — Вернувшись, старостиха отчиталась с сожалением. — Нам, грит, политических провокациев не надобно.

— Непорядок получается, — тот, кого она назвала Васяткой, обиделся. — Ладно ентот. А синий? Пущай приложится.

— Дак я чо, против, — старостиха тоже обиделась.
Фрицхен отхаркнулся и сплюнул себе в руку.

— Ну, сволочь синяя. Сам или помочь?

Ганс оглядывался, как затравленный зверёк.

— Не хошь, как хошь, вольному, как грится,
воля, — Фрицхен вытер руку о штаны. — Правда,
Вася?

— Ага, — тот осклабился. — Тащить, што ли?

Ганс рвался, но все слабее и слабее:

— Я сам... Пустите... Сам пойду...

Кольцо прихожан разомкнулось. В тишине, на-
рушаемой мышиным хрустом свечей, сияло тонкое,
почти бесплотное лицо.

Вдруг ему померещилось, будто фюрер, лишен-
ный признаков телесности, обратил свой взор
к нему. Зов, исходящий от иконописного лика, про-
никал в самое сердце. Он испугался, что сейчас не
выдержит, шагнет навстречу...

Ганс взялся за поручни.

— Ей ты! Заснул, што ли! Можа, эта... — Фрицхен
обернулся к старостихе. — Помочь интеляхенту?

— А и впрямь, помогите, сынки. Совсем чево-то
он скис.

Какой-то желтый, сунувшись сбоку, отодвинул
лесенку. Обмякшего Ганса подняли. Аккуратно при-
мерившись, ткнули лицом.

— Делов-то, — Фрицхен похлопал Ганса по плечу. — А ты, мудащок, боялся...

Он не помнил, как оказался на улице.

Нищие тянули к нему руки, провожая глухим
ворчаньем. По лицу Ганса, бледному, словно закра-
шенному белилами, катились злые слезы.

На остриях ограды хищной стаей чернели двуглавые орлы.

— У, грёбаная! — Ганс пнул тяжелую чугунную цепь. И ни с того ни с сего рассмеялся.

«Быстро же он утешился. Плюнь в глаза — божья роса».

— А... Сам. Он, — не посмев назвать прямо, обвел собственное лицо. — Как к этому относится?

— На себе не показывай, — Ганс хихикнул. — Примета плохая. Типа, заразишься.

— Сам заразишься. Не я. Ты его целовал.

— Щас! — обернувшись к собору, Ганс выставил средний палец. — Я в него плюнул. В глаз попал, ага.

Парни в коричневых куртках и низко надвинутых шлемах пялились на тумбу. Проходя мимо, он зацепился взглядом: «Секрет мужских побед!» Мощный торс, увенчанный маленькой головкой, рекламировал средство от пота. Рекламный мужик глядел сурово, будто спасал человечество от всяческой дурной вони.

— Трусы они позорные, — Ганс вытер губы. — Сами, небось, трясутся. Вдруг в полицайку пойду, заяву настрочу.

— А пойдешь?

— Да какой с них спрос, с уродов дремучих. Две извилины в голове.

— Чтобы врезать, и двух достаточно.

— Да чо ты ваще заладил! Никто мне не врежет. Потому што бог, — Ганс поднял глаза к небу. — Или не бог... Короче, оберегает. Пока действую правильно... Всё. — Коротко оглядевшись, Ганс взялся за дверную ручку. — Пришли.

Эта короткая и быстрая оглядка будто включила тревожную кнопку:

«Ресторан, а без вывески... Ну точно. Провокация... Зря я на это согласился...» — но было поздно. Он уже вступил в темную парадную, запнувшись о порог.

Помни, Алеша. Что бы ни случилось, мы тебя оберегаем.

«Я помню, помню», — он сжал дрожащие пальцы в кулаки.

Сквозной проход под лестницей, филенчатая дверь, глухой двор, потом, кажется справа, флигель. Мелькало разрозненными картинками, словно кадрами диафильма. Снова дверь, обшитая листовым железом, рука охранника тянется к телефонному аппарату...

Дверь квартиры, не обозначенной номером, открыла безликая женщина славянского типа.

Если не считать вешалки, на которой дыбилась чья-то верхняя одежда — в таком внушительном количестве, что темные опасения расползлись как гнилая ветошь: «Ну нет, так не вербуют», — огромная прихожая выглядела пустовато.

Он почувствовал, что снова владеет собой.

Снял и повесил куртку. Придирчиво оглядел свое поясное отражение — слева от входа висело большое фацетное зеркало, — поерошил слипшиеся под ушанкой волосы и обернулся к Гансу: спокойный, собранный, каким и должен выглядеть разведчик, вступающий в логово врага.

Они проследовали светлым и абсолютно пустым коридором — таким длинным, что воображение успело развесить по стенам железные тазы и корыта, велосипедную раму без колес с разорванной цепью (сосед который год грозится отремонтировать), приткнуть к стене и даже укрыть пестрой рогожей комод с выломанными дверцами (соседка хранит всякое старье вроде эмалированных кастрюль с худыми донцами), — приметы родной ленинградской квартиры выступили так ясно и пронзительно, что безликая желтая, встретившая их в прихожей, показалась существом из другого, параллельного мира. Он оглянулся. Тень со шваброй подтирала за ними уличную грязь.

После режущего коридорного света помещение, в которое они вошли, показалось мрачным. Посередине стоял длинный, уставленный закусками стол.

На его вежливое «здравствуйте» никто не откликнулся. Кроме хозяина застолья: Эбнер, сидящий в торце, кивнул издалека.

— Вон место. — Ганс указал на свободный стул.

«Как с собакой обращаются, — снова накатывало раздражение. — Подумаешь, знать! От слова зазнаться...»

Ганс улыбнулся:

— Тут по-простому: кто смел, тот и съел.

Окинув стол опасливым взглядом, он положил себе салата, похожего на привычный оливье, кусочек желтовато-прозрачной рыбы. Потянулся было к хрустальной плошке с черной икрой, но удержался: не стоит выдавать противнику свои гастрономические слабости. «Сами предложат — возьму».

Но никто ничего не предлагал. Он жевал, прислушиваясь к ближайшей парочке.

— Да-а, тебе-та клё-ово, — девица кривила губки. — Твой фатер из вермахта. А мой эсэс.

— Ты чо думашь, они различают? Совкам по барабану, — парень оглаживал ее тощее бедро. — Всех вздернут.

— А я с та-абой ха-ачу, — потеряв всяческий стыд, она выгибалась под его рукой, как сытая кошка, только что не мурлыкала. — Ря-адом, на соседних фа-анариках...

От девицы припахивало терпкой сыростью. Он отодвинулся брезгливо.

Парни, сидевшие напротив, разговаривали о каких-то голубых фишках, один советовал сбрасывать и на что-то переключаться. Другой не соглашался, мол, раньше надо было чухаться, теперь-то поздно, и ссылался на какой-то индекс, который хрен куда отскочит.

«Фишки. Индекс», — он слушал, стараясь запомнить.

— Не. Я телик в выходные послушал. В йены переложился.

— А чо не в баксы?

— Дак все ломанулись. Слава фюреру, из Рашки хыть успел перегнать.

— А банку скока?

— Пятнадцать. Ваще оборзели.

— По-божески ищо, — второй отломил кусочек хлеба и макнул в сметанный соус. — Ваши придут, ваще раскулачат, а? Как думашь? — парень обращался прямо к нему.

— Ясное дело, раскулачат, — он пошутил с особенным тайным удовольствием.

«И правильно. Давно вас всех пора».

Над этим столом, как развернутое полковое знамя, реял *успех*. Несправедливый, доставшийся в наследство от родителей, прислужников оккупационного режима. «Ишь, жрут, — он отодвинул от себя тарелку с праздничной снедью (у этих что ни день, праздник) и понял, чем у них тут воняет: деньгами. Наглыми. Бесстыдными. — А мы? Кофе лишний раз не выпить».

Вдруг представил, как их, подгоняя прикладами, выводят во двор. «Нет, расстреливать не надо, пусть убираются в свою поганую Германию», — а на их место садятся Пашка и Серега, его друзья по бараку. То-то они удивятся, скажут, мы тебя за слабака держали, а ты вон кем оказался, настоящим партизаном...

Не успел он это подумать, как на плечо легла тяжелая рука.

Встать. Бросай оружие, — в голове зажглось и погасло.

«Эх... Надо было погоны хоть сорвать...»

Какие погоны, Алеша? — голос шефа стал укоризненным. — *Ты же не кадровый военный.*

— Ну пошли, што ли. Побалакаем, — сняв руку с его плеча, Эбнер направился к черным кожаным креслам.

Не было у него другого выхода. Только встать и выйти на пыльную дорогу, которая начинается с первого позорного шага, но кончается не родимым домом, а Дулагом, где предлагают жизнь во славу чужой страны. Или смерть — во славу своей.

— Хотел поблагодарить тебя. Отличный реферат, — выставляя оценку его работе, Эбнер растопырил пятерню.

— Не за что, — он прекрасно понимал: про реферат это так, для затравки. Захребетники благодарности не знают, привыкли все покупать.

— Выпьешь? А? Коньячку, — не дожидаясь его согласия, Эбнер махнул рукой.

Вражеский оперативник, переодетый официантом, налил в бокалы. Почему-то не до краев, а всего-то на два пальца.

«Коньяку им жалко, что ли?..» — но это так, мельком, потому что ждал следующего хода.

Но Эбнер не спешил. Покачивал бокал в ладони. На просвет густая жидкость темнела, как расплавленная ртуть.

Внутренний голос подсказал:

Не спеши. Пусть он сперва попробует.

Будто он сам не знает: могли подбросить спецпрепарат, подавляющий волю.

Его визави делал странные пассы над бокалом.

— Прав старик Черчилль, армянские лучше.

Он понюхал осторожно. Пахло приятно. Не химией, а медвяной горечью.

— Или грузинские предпочитаешь?

Вопрос он принял за намек: «Надо ему сказать. Сталинские методы остались в прошлом. Нынешние руководители СССР понимают всю важность взаимовыгодного партнерства с зарубежными странами, в первую очередь с Россией...»

Но к ним приблизился парень в строгом черном костюме. Что-то зашептал Эбнеру на ухо.

— Громче, не слышу.

— С биржи. Срочно.

— Расслабиться не дадут, — Эбнер проворчал недовольно. — Чо у них там, война, што ли?

Парень (он догадался: личный секретарь) покосился в его сторону.

— Шрёдер грит, хуже.

Он сделал вид, что рассматривает этикетку. Но его ждало разочарование. Вышколенный секретарь воспользовался шифром. Снова замелькали голубые фишки, индексы и прочая абракадабра, которую он едва успевал фиксировать в памяти: «Фьючерсы, зомби, быки...» А еще какой-то медвежий рынок. (Воображение нарисовало цыгана, который водит медведя на цепочке, — хотя здесь, в России, нет никаких цыган.)

Судя по выражению лица (Эбнер слушал, играя желваками), информация исключительной важности. Последнее, что удалось запомнить: жертва продольной пилы.

«Ничего. Наши справятся. Не такие шифры разгадывали...»

— Подумать надо. — Эбнер почесал кончик носа. — Не решать с кандачка...

— Шрёдеру чо сказать?

— Скажи, через час. И эта... гляди мне!

Секретарь потупил взор и выскользнул за дверь. Но не прошло и минуты, явился снова:

— Ящик, грит, врубите. Передают.

Залпом допив коньяк, Эбнер протянул руку. Секретарь вложил в нее пульт.

— После рекламы наша историческая игра «Переори фашиста!» продолжится. Не переключайтесь, — гнусавый ведущий помахал им рукой.

Эбнер брезгливо сморщился.

— Прошу прощения, — секретарь быстро, но почтительно взял пульт.

Такого даже он не ожидал: «В открытую передают, сволочи!» По экрану бежали разноцветные линии, то свиваясь, то расходясь в разные стороны. Монотонный голос диктовал цифры.

Наглая беспечность захребетников наводила на неприятную мысль: российские спецслужбы разработали особый шифр, нового поколения. «А вдруг нашим не по зубам?»

— Ну, — Эбнер обернулся к секретарю.

— Взять, грит, щас.

— А риски?

— Шрёдер грит, тот раз рискнули, за месяц отскочило.

— Месяц! Тут дни решают, — Эбнер повел плечом, будто оно затекло. — Ладно, — махнул рукой, — иди. Стой.

Секретарь замер и вытянулся.

— Ящик выруби.

Спецэкран съежился и, сойдясь в одну яркую точку, погас.

Он отдавал себе отчет: сейчас, прямо на его глазах, вершится нечто важное, что будет иметь далеко идущие последствия. Как для него, так и для родной страны. Волею судеб он, простой советский парень, оказался в самом эпицентре событий.

— Ну чо, прикатят ваши на танках?

Возмущала сама мысль: «Он что думает? СССР может нарушить международные соглашения? Развязать новую войну?!»

— Мы, советские люди, никогда! По телевизору — это вы! Глупости несете! — выпалил одним духом, не переводя дыхания.

— На митинге, што ли? — Эбнер поморщился. — От Ганса дури набрался?

Он не понял, при чем здесь Ганс, но под взглядом Эбнера сник. Выпустил взмокшие подлокотники.

— Чо не пьешь? — Эбнер плеснул себе в бокал и потянулся чокнуться. — Прозит.

«Хитрый, сволочь! Откажусь, спугну... — Понимая, что рискует, и рискует смертельно, он выпил и приготовился к худшему. Худшее началось немедленно: пошла кру́гом голова. — Эх, дурак! Дома не пообедал, и тут у них постеснялся», — он осознал свою тактическую ошибку: на полный желудок любое спецсредство действует слабее.

— Три недели назад, когда я уезжал... дружба, добрососедство и всякое такое... — убеждал, но не с тем, чтобы успокоить. Чтобы слушать и контролировать свой голос. Который вот-вот откажет.

Не ссы! На крайняк сам с ним перетру, — его внутренний хихикнул и рассыпался мелкими осколками.

— Неделю стараются, а желтые уже на изготовку, — Эбнер сделал знак официанту. — Дней десять еще, вконец мозги им затрут.

— А отец твой... что говорит? — он следил за официантом. Тот ползал по полу, подбирая осколки.

Похоже, спецсредство, подброшенное захребетниками, тормозило мыслительные процессы. Пока думал, не поджать ли ноги, официант успел поставить перед ним чистый бокал.

— Отец? — Эбнер дернул подбородком, будто жал воротник. — Ему-то палюбому не дернуться. Один хрен, в заложниках.

— У ваших? — В голове бежало все быстрее, будто советские танки уже на подступах к Петербургу.

— У наших, — Эбнер скривил губы. — У ваших он ваще труп.

Кажется, немного полегчало. Он сглотнул химическую горечь, замаскированную коньячным спиртом. На его счастье, планируя вербовку, захребетники выбрали препарат кратковременного действия. А вернее, он сам. Предотвратил их коварные замыслы, сбросив со стола бокал. Тот, первый, содержавший полную дозу.

Молодец, Алеша! Справился и себя не выдал.

«Этот, внутренний, все время лезет, работать мешает», — он пожаловался мысленно, ободренный похвалой.

Он, Алеша, тоже наш сотрудник. Там, где ты сейчас находишься, трудно использовать обычные методы наблюдения. Нам приходится действовать изнутри.

«Так он что?.. Правда моя внутренняя наружка?»

Пойми, Алеша. Ты, конечно, храбрый разведчик, но, как бы сказать, неопытный. И с нем-русским у тебя проблемы.

«А у него?»

Он билингва. Мать — советская партизанка. После войны служила в эсэсовском кафе подавальщицей. Погибла при исполнении.

«А отец, — он спросил ревниво, — тоже из партизан?»

Ш-ш-ш! — Геннадий Лукич приложил невидимый палец к невидимым губам. — *Нету у него папы. Он, Алеша, сирота...*

Сообщение, полученное из центра, не радовало. Теперь, когда связь прервалась, он понял: дело не в языке. А в том, что у его внутреннего кристально чистая анкета. «Неужели я потерял доверие командования? Надо возвращать. Любой ценой...»

Эбнер смотрел раздумчиво, будто что-то взвешивал про себя.

— У тя рус-марки есть?

— Немного, — он покраснел.

— Тыщонку наскребешь? — Эбнер, занятый своими мыслями, не заметил его смущения. — Слыхал, чо деется... Заработать можно. На панике. Пока идиоты сбрасывают. Прокатит, двадцатник получишь. Хошь, в рус-марках. Хошь, сразу в баксах.

«Двадцатник. Двадцать тысяч... — еще вчера он бы изумился этой непомерности. Но сейчас обиделся: — Не слишком ли задешево он надеется меня купить? Сам стократ, небось, огребет». Словно взглянув не себя вражескими глазами, он окончательно осознал ничтожность суммы, которую сумел заработать честным трудом, продав (да и то не сам, а с помощью Ганса) малую толику своих обширных знаний.

Несправедливо получается. Ты учился, пятнадцать лет вкалывал, иероглифы зубрил... — его внутренний заворчал.

Он старался не слушать. «Лишь бы примазаться. Пользы от него с гулькин нос, а долю себе потребует. Делись потом с ним...»

И тут вдруг соединилось: будто сошлись концы перебитого провода, даже язык защипало. То, что сегодня утром он принял за сеанс связи, на самом деле — приказ. Простой и ясный. Именно так шеф и говорил — внедриться. Но не с тем, чтобы заработать. Деньги — побочный эффект.

Как — внедриться! — внутренняя наружка ахнула. — *Двойным агентом, что ли?*

Дурацкий вопрос он оставил без ответа. «Если справлюсь, а я, конечно, справлюсь, — повторил не очень уверенно, будто заговаривая судьбу, — шеф поймет, кто из нас умнее. Я или этот, внутренний...»

Эбнер что-то чиркнул в блокноте.

— Открою на тебя конт. Счет — по-вашему. В банке.

«Как это он откроет? Я же уеду», — он прислушался, ожидая подсказки, но внутренняя наружка молчала, видно, затаила обиду: без меня решил обойтись, сам и соображай.

— Номерной. На предъявителя. Предъявишь. Они сверят. — Эбнер объяснил в телеграфном стиле.

— Сверят? — он почувствовал холодок в груди, словно уже видел группу советских *телеграфистов*, сосредоточенно сверяющих цифры. — Где?

— В банке. Когда назад приедешь.

— А вдруг не приеду?

— Да куда ты на хер денешься, — Эбнер пожал плечами лениво. — Пошлют.

Ему понравилась уверенность (не только потому, что в глубине души хотелось вернуться в Россию, снова глотнуть этой сумасшедшей жизни), с которой Эбнер предсказал его успешную карьеру, словно вынул благоприятную карточку: и теперь все зависит от него.

— А дальше? — все-таки задал контрольный вопрос, на который его визави ответил коротко, будто дал последнюю, самую лаконичную, телеграмму:

— Всё. Можешь снимать. — Эбнер поднялся, сдвинув кресло. — Ну чо, расслабься. Ты мой гость. Деньги через Ганса зашлешь.

Трудный разговор, в продолжение которого он не раз и не два шел по краю пропасти, отнял остаток сил. Хотелось откинуться в кресле и закрыть глаза.

«Расслабляться не время, — он пришпорил себя. — Дело надо делать». Но сколько ни жал на кнопки, спецканал больше не включался.

Хотел уже было выключить, но на экране мелькнуло лицо. Показавшееся до странности знакомым.

Вернер (или кто-то неотличимо на него похожий) вел репортаж с места аварии: поперек экрана, уныло попыхивая фарами, торчала маршрутка с перекошенным капотом. У переднего колеса лежало тело.

— Нашему каналу выпала огромная честь. Показать новый закон в действии. Первый, как говорится, случай. Желтому, погибшему за счастье народа, предоставляются неотъемлемые права синих граждан. В частности, на неотложную медицинскую помощь....

Оператор перевел фокус на карету «скорой помощи» с синей полосой на борту. Из кабины вышел врач в белом халате и синей шапочке, деловито приблизился к пострадавшему и, коротко взяв его запястье, махнул рукой. Два санитара, бережно приподняв обмякшее тело, положили желтого на носилки.

Фокус переместился на людей, стоящих у обочины.

— К нашему глубокому сожалению, — в голосе репортера зазвучали горестные ноты, — группа отщепенцев, для которых нет ничего святого, не преминула воспользоваться этим прискорбным инцидентом, чтобы устроить митинг против решения властей. Вглядитесь в их унылые хари. Они-то надеялись, что и дальше будут измываться над честными желтыми тружениками, нашими с вами согражданами. И, кстати говоря, отнюдь не безвозмездно. Как вы сами догадываетесь, за советские рубли. Но предатели просчитались. Спасибо волонтерам, стоящим на страже общественного порядка и национальных интересов России. Сейчас наш оператор покажет вам этих мужественных парней...

Вернер вел репортаж на сов-русском. («Здесь, в России, наш язык постепенно входит в моду», — он отметил про себя.) Скорей всего, именно по этой причине оператор чего-то недопонял. Вместо объявленных волонтеров показал нациков, которые стояли рядом с черной машиной с битами в руках. Видно, осознав свою ошибку, камера смущенно потупилась и, лизнув краешек серого в дрыздочки асфальта, уперлась в лобовое стекло ожидающей проезда маршрутки. Желтый водитель, смирно сложив руки на руле, смотрел вперед.

На переднем сидении расположился мужчина в темно-сером пальто и такой же серой шляпе. К своему крайнему изумлению, он узнал вежливого человека, который предостерег мать танкиста от лишней болтовни.

«Да нет, быть такого не может... И авария другая». Ту он помнил во всех подробностях: и синего врача, которого полицай вызвал по ошибке, и кузов желтой труповозки. Не говоря уже о пассажирах покореженной маршрутки, которых загнали на обочину.

«Сильные у них препараты, — недобрым словом помянув российские спецслужбы, — скорей всего, тоже нового поколения. Наши проще. Убить — пожалуйста. Но чтобы так, — он прислушался к себе. — Когда ничего такого не чувствуешь, руки-ноги на месте, а в голову черт-те что лезет... Эх! — даже подрасстроился. — Нам бы такие...»

С этой мыслью выключил телевизор. Тем более репортаж закончился. Вернер исчез.

V

Едва он вернулся за общий стол, голова прошла. Оглядевшись, он заметил, что Ганса в комнате нет. Ганс вернулся минут через десять. Бледный, потерянный. «Будто кто-то умер. Из близких. Отец или, скажем, мать». Он хотел окликнуть, спросить: что с тобой? Но Ганс все равно бы не услышал. Гости орали так, будто сошли с ума. Все и одновременно.

— В совок захотел?! Свово дерьма мало?!

— Фюрер им покажет! Попили нашей кровушки!

— Твоей, што ли?!

— А хыть бы и моей!

— Нужна она им! У их своей... Хыть залейся!

— Наша земля, сибирская! Баушка моя оттуда. С этого, как его, с Красноярска!

— Вот и вали! Чумадан в руки — и нах остен! На стройки коммунизма!..

Ганс с Эбнером о чем-то разговаривали. Он бы много дал, чтобы их подслушать. Но слушать приходилось гостей.

— Я спа-атеньки ха-ачу... — тощая девица ныла капризно, приваливаясь к плечу кавалера. Но тот тянулся к рюмке:

— За наше... как грится... общее будущее...

Кавалера перебил хлюпик в круглых железных очочках. По-местному, ботаник:

— Четвертый рейх. Да. Проект гениальный. Соединить несоединимое. Наши социально-экономические достижения. С ихними ресурсами.

Самое удивительное, голос хлюпика был услышан. Даже Эбнером, сидевшим в торце стола:

— Задолбаешься соединять. У совков армия. Не чета нашей. Сунемся, трупами завалят.

— Ну это мы ищо поглядим, кто кого, — хлюпик отвечал лениво, словно делал Эбнеру одолжение. — У нас, слава те осподи, желтых навалом.

— Не то слово, — его поддержал кавалер вульгарной девицы. — Хыть с кашей хавай!

— На желтых надеешься? — против выступил парень, опасавшийся раскулачивания: — Думашь, под танки пойдут? Хрен тебе! К совкам ломанутся.

— Ты их чо, спрашивал?

— Спрашивать их, — хлюпик обиделся. — Референдум ищо скажи.

Колман, сидевший рядом с Эбнером, вдруг оживился:

— А я согласен. Тема в тренде. Типа мистическая связь... Между русскими... Мы и они, которые за Уралом...

Эбнер повернулся к нему всем корпусом:

— Заткнулся и сел.

Официант что-то шептал на ухо хлюпику. Тот промокнул губы и вышел из комнаты.

Они с Гансом — следом. Он бы еще посидел, да Ганс куда-то спешил. Последнее, что он отметил, надевая куртку: красный телефонный аппарат. В прихожей, на стене. «Почему же я раньше не заметил? — и вдруг вспомнил: — Как тогда, в поезде. Похож на стоп-кран. Тоже красный. И тоже на стенке...»

Приложив трубку к уху, хлюпик кивал, терзая витой шнур: то вертел, то растягивал, будто проверяя его на прочность...

— Зря ты к врачу не пошел. Вдруг нерв какой-нибудь задело.

Они уже свернули на Пестеля и теперь шли в сторону Марсова поля. Впереди, над крышей углового здания, таким же красным светом сиял лозунг: «ФОЛЬК И ПАРТАЙ ЕДИНЫ!» Бейсбольная бита восклицательного знака то гасла, то снова загоралась, подмигивая ему с высоты.

— А! Ерунда... — Ганс потрогал скулу, будто проверяя, на месте ли ссадина. — На мне как на собаке... Устал я чо-то. Весь день бобиком...

На краю Марсова поля белела пустая скамья. Но Ганс направился не к ней, а к автобусной остановке.

«Перчатки, что ли, подложить?» — проведя рукой по металлическим рейкам, он примостился на краешек, жалея, что не надел ватное пальто. Но оказалось, вовсе не холодно. Наоборот, приятно. Как после трудного экзамена. Оценки еще не объявили, но, похоже, сдал.

— Знаешь, а мне понравилось. Психи они, конечно. А все равно клёво!

Ганс бросил на него косой взгляд:

— Ага. Типа зашибись! — злым холодным голосом. Как ветер, который бродил по Марсову полю, шевеля голые кусты.

«Я ему приятное стараюсь, а он...»

Сквозь патину заиндевелых веток поблескивали огни праздника для черных. Он хотел спросить: как думаешь, когда у них все закончится? — но Ганс пихнул его в бок:

— Тихо! Патруль.

Из боковой аллеи, замаскированной мерзлыми кустами, донеслось едва слышное попискивание и механическое бормотание.

— Нам-то что? Сидим, никого не трогаем...

— Заткнись! — Ганс прошипел придушенным шепотом. — Кому грю!

Два здоровенных полицая, обвешанные разнообразными средствами связи, остановились в нескольких шагах.

Один щелкал, высекая пламя. Другой, прикрываясь черными кожаными перчатками, тыкался сигаретой.

— Не. Винд, мля, — тот, который щелкал, потряс бесполезной зажигалкой и что-то буркнул в писклявую рацию. Он расслышал слово: «Яволь!».

— Ну чо там? — другой спросил лениво.

— Подтягиваться приказали.

— Бздят. Вчера на оперативке, тебя не было. Охман заявился.

— Штурмбаннфюрер? Сам, што ли?

— Ну. Типа бонбу могут. Или гранату. Эти, грит, предатели.

— Тьфу, — его напарник сплюнул. — Да чо они могут, додики!

— Я тоже не поверил сперва. А Охман грит: затаились. Ждут, силы копят. Чёрть его знает, можа и правда... — Снова запищала рация. — Покурить спокойно не дадут... Главно дело, вчера ить купил... Вроде, горела.

— Фуфло китайское, ясен пень...

Голоса полицаев скрылись за кустами.

— Эй, додики! Давно загораете? — Он и не заметил, как к остановке подошел мужик в меховой шапке пирожком: — Ждете, грю, давно?

— Я т-те дам додиков! — Ганс рассвирепел.

— Да я чо... я эта... шутейно, — мужик забормотал, отступая.

Но Ганс завелся не на шутку:

— Ща как врежу! На том свете бушь шутить!

«Только драки нам и не хватало. Мало ему одной отметины...»

— Успокойтесь, гражданин. Ступайте своей дорогой. Не будет больше автобуса. Только что последний ушел.

— Как так последний? Ты откуда знаешь?

«Рожа, как у сивого мерина...»

— Полицаи сказали, — он брякнул наобум, не успев сообразить: мужик видел все своими глазами — не только ничего не сказали, даже не подошли.

— А... Вон оно што... Так бы сразу и сказал... А вы чо сидите?

— Дежурим. У нас приказ. — Стараясь не фырк-нуть раньше времени, он ответил строго: — Оста-навливать подозрительных лиц для проверки аус-вайсов. Вот вы, к примеру... — с разгону чуть не ляп-нул: товарищ.

«А и ляпнул бы — не беда». Неловко топыря руки, сивый попятился. Но сообразив, что раком далеко не уползешь, развернулся и, втянув голову в плечи, затрусил к мосту. Хотелось свистнуть вслед. Как в детстве, пальцы в рот. Если бы не патруль, маячив-ший за дальними кустами...

— Зря ты нарываешься, — он попенял Гансу. — Нервишки пошаливают, валерьянки попей. Ну, что стряслось-то? Давай, колись. Как говорится, одна голова хорошо, а две лучше...

— А три ваще дракон. Типа змей-горыныч.

— Ну не хочешь, как хочешь... — он сделал вид, что сейчас встанет. — Пошли-ка, братец, домой.

— Нельзя мне, — Ганс обхватил себя обеими рука-ми, словно обнял. — Брательник звонил. Вопщем, приходили.

— Кто? — он спросил машинально, хотя сразу всё понял.

— Ну эти, с универа.

От сердца немного отлегло. Как-никак, универ-ситет — не гестапо.

— Приказ. — Ганс помедлил, будто собрался с си-лами. — Отчисляют меня.

— Тебя?! А-а... — он догадался. — За учебу не заплатил?

— Да ты чо! В январе ищо внес.

— Доклады делаешь, в архивах военных копаешь-ся... — тут словно зашелестело в памяти. Листок. Тот самый: Мохнаткин, Лихайчук, Свирский — который Ганс вырвал из «Дела». Чтобы передать нашим компетентным органам. «Выследили», — он ахнул и зажмурился, лишь бы упредить самое страшное: Госизмена. Слово, написанное псевдоготическими буквами, наливалось красной электрической кровью.

Он сцепил мгновенно взмокшие пальцы:

— Главное — молчи. Стой на своем. Да. Вынес. Случайно. Хотел вернуть. В конверт даже положил. Чтобы не повредить, не помять...

— Што — в конверт? — Ганс спросил таким изумленным голосом, что электрические буквы померкли.

— Ну... — он растерялся. — Документ...

— Да срать они хотели на документы! Захотят — новых наваляют, — Ганс цеплялся за металлические перекладины обеими руками: будут отрывать, не оторвут. — Организаторов отлавливают. По одному.

«Организа... — он обмер, повиснув в воздухе, не чуя ни земли, ни перекладин. — А говорил, все так делают, и курсовые, и рефераты, за деньги... — но что-то липкое, улитка, с которой сорвали панцирь, сползало по спине медленным ужасом: — Сперва его. А потом меня...»

— Засветился я. В оргкомитете. Давно ищо. Молодой был, полез.

— А что вы там... делали? — он смотрел ошарашенно.

— Да, считай, ничо. На Дворцовую вышли. Типа за справедливость. Ну, эта... Синяя тряпка. Я ж тебе рассказывал.

Рассказывать-то рассказывал. Но одно дело — болтовня. Другое — безумцы, не побоявшиеся выступить против оккупационного режима. Не тайно, а в открытую. Как декабристы. Это раздражало особенно, пронзало мучительной тоской: «А вдруг так и остаются в истории...»

— А этот, не помню кто... Как заорет. Ура! Даешь Зимний!

— У вас что, и оружие было? — он спросил недоверчиво, пытаясь вообразить огромную толпу, штурмующую чугунные ворота. Как в фильме Эйзенштейна. Только со шмайсерами.

— Какое там! Откуда!

— А сколько вас?

— Сперва человек триста. Пока мост не перешли. А там, на площади... — Ганс поежился. — Семеро осталось. Встали, тряпку растянули...

По ногам тянуло ветром и холодом. Теперь он наконец увидел: маленькую, ничтожную группку — семерых смельчаков, растянувших в морозном воздухе пустынной площади тряпку с белыми буквами: «ДАЕШЬ ФАШИЗМ С ЧЕЛОВЕЧЕСКИМ ЛИЦОМ!»

— А дальше?

— Эти, в штатском, набежали. Свинтили нас и — в гестапо.

— В центральное? На Литейном?

— Не. В районное. На Мойке.

— Значит, ты... сидел? — он выдавил из себя, заранее не веря. Ганс — не Петька, тянувший срок по малолетке. И уж тем более не беззубый старик, который рассказывал про белых вшей.

— Не, — Ганс мотнул подбородком. — Не расчухали. Они организаторов искали. А я: не знаю, грю, ничо.

— Но вас же семеро было?

— Ну да, — Ганс подтвердил, не услышав внятного русского вопроса: и никто тебя *не сдал*, ни один из семи? — Гауптштурмфюрер, капитан по-вашему. Нормальный манн оказался. Протоколы оформил. Отпустил.

— И в университет, — он усмехнулся, — не сообщил?

— Это да. На их типа усмотрение. Беседа. Профилактическая, ну... — Ганс замялся, — как бы тебе...

— Знаю я, — он нащупал твёрдую почву под ногами. — Стол, они сидят, а ты перед ними...

— Во-во. Как поц с маком. Вопщем, выперли. Пятерых. А нас с одним парнем, тоже отличник, предупредили. Ищо раз вылезем...

— Так ты... снова полез?

— Я што, идиот! — Ганс возмутился. — Знашь, как пересрал! Лишь бы, думал, отстали... Диплом-то важнее.

Ветер нырял под стеклянную загородку, холодными струйками затекал под брюки.

— И всё?

Ганс поёжился, будто не решаясь продолжить.

— Год назад. Препад один, Ланге. Пройдите, грит, в деканат.

Он вспомнил коротенького крепыша, не то булочника, не то охотника в тирольской шляпе.

— Два мужика. В костюмах. Хари такие... — Ганс смотрел куда-то вдаль.

— Размытые, — он подсказал.

— Сперва про учёбу. Работы, мол, у вас клёвые. Особенно по блокаде. А мы из института истории.

Совет у них свой, защититься легче. Кандидатам — черный пасс дают... — Ганс жевал трусливые слова.

Он давно все понял.

— Короче, ты подписал.

— Ну, — Ганс кивнул потерянно. — А чо делать было! Тада ваще одно к одному. Фатера с работы поперли. И счет с универа. Главно дело, плату повысили...

«Случайно так совпало, — он усмехнулся коротким Любиным смешком. Но где-то в глубине уже тлело, разгораясь приятным костерком, над которым он грел озябшие руки: — А строил из себя! Декабрист... Теперь — всё. Не отстанут. С живого не слезут», — шел, но не по тонкому льду. По твердой земле. Чувствуя, что этот костерок греет не только руки, но и сердце: поставив свою подпись, Ганс стал ему ближе.

— А тут Эбнер. С вашими замутил. Питание на супершнельной ветке. Папаша его. Перетер с кем надо, денег дал на раскрутку. Переводчиком меня позвали. С сов-русского. С паспортом обещали помочь...

Курица или мясо?» — он вспомнил аппетитную коробочку, запаянную в целлофан.

Мимо, скрежеща и загребая железными лапами, ползла уборочная машина. Свернув на светофоре, ушла направо. В сторону бывшего Спаса на Крови. Оттуда, с другого берега реки, тянулся луч прожектора, внимательно обшаривал окрестности. Острие замерло, пронзив насквозь. «Но если подписал... Значит, он — двойной агент».

Снова его сковало холодом.

— А Геннадий Лукич знает?

— Он-то при чем? Я документы подбираю. С нашей стороны научник мой курирует. С вашей — Геннадий Лукич.

— И всё?

— Ну да, а что ищо-то?

— Конверт с деньгами. Билеты.

— Дак научник попросил. Передайте, грит, вашему советскому приятелю. Геннадий Лукич ему прислал.

«Ах, вот оно что... Как же я сразу не догадался! Шеф использует его втемную...» — ему открылся истинный смысл спецоперации, разработанной Геннадием Лукичом: под предлогом совместной конференции — ветеранов Смерш и гестапо — воспользоваться интересом Ганса к нем-русским архивам, чтобы вывести на чистую воду последних военных преступников, кому удалось просочиться сквозь сито перекрестных проверок. И затаиться среди простых советских людей.

— Все ж видели, мы с тобой вместе... ходим, — Ганс смотрел пытливо, будто ждал подтверждения.

«Вместе... Ходим...» — Внизу живота пульсировало, будто там собралось все скоротечное и возбудимое, агрессивное и подвижное: *ян яо* — напряженное, как прямая линия, светлое, как ленинградский день, пронзающий темноту петербургской ночи. Он хотел сказать: да, вместе, мы с тобой, — но Ганс вдруг нахмурился:

— Дак чо, из-за тебя, што ли? Ну, эта, приказ.

Напоминание о приказе сбило опасные, несвоевременные мысли, направив их в правильное русло: если Ганс подписал согласие на сотрудничество с их компетентными органами, не может быть никакого приказа. «Добровольных помощников не отчисляют». Во всяком случае, у него на родине. Но решил проверить: все-таки другая страна:

— В приказе должна быть формулировка. Академическая неуспеваемость или, не знаю... поведение, порочащее, как там у вас... фашистский строй.

— Национал-социалистический... Да в том-то и дело! Сказали, по закону про додиков. А фатер как заорет. Урою! Своими руками! Брательник мне позвонил. Не вздумай, грит, возвращаться — озверел, точно уроет. А главно, обидно. Ну какой я, к чертям собачьим, додик? — Ганс прошептал отчаянно. — И мыслей таких нету. Веришь?

— Да я-то что... Я... — Он хотел сказать: не бойся, я тебя не выдам. Но губы не слушались. Снова занималось внутри. Предчувствием преступной сладости, не идущей ни в какое сравнение со всем этим... бабьим...

— А это откуда? — Он смотрел на ссадину, которая почти зажила, отпала даже корочка. Остался желтый нимб.

— Нацики, — Ганс ответил, глядя ему в глаза. — На остановке, закурить попросили. Тоже про додиков бухтели... Не знаю, чо делать-то теперь?

— Ну хочешь, в деканат сходим. Могу заявление написать. Ничего не было, ну, в смысле, такого, особенного, о чем они... — он забормотал, не зная, как поточнее выразить эту сомнительную мысль.

В отличие от другой, несомненной: «Зачем он мне это рассказал? И про гестапо, и про нациков».

— Правда? — Ганс смотрел с надеждой. — Дак чо, зайти за тобой? Тада я эта, завтра. В одиннадцать.

— А ночевать где думаешь, в общежитии?

— Хотел. А Эбнер грит: дома не найдут, в общагу сунутся. Да чо теперь! — Ганс махнул рукой. — Одну ночь перекантуюсь. С вокзала погонят, койку сниму. Невелика птица, — и усмехнулся. — Ага. Вопщем, фогельфрай*.

Этого нем-русского выражения он не помнил. Но, уловив слово «птица», кивнул.

Нахохленный Ганс и вправду походил на птицу. Так, спрятав голову в грудных перьях, и сидел в его памяти, пока, расставшись с настоящим Гансом, он шел через мост. В то время как настоящий Ганс шел по направлению к вокзалу, уменьшаясь в своем значении и весе, пока не съежился до маленькой тушки, сложившей крылья на съемной койке.

«Птица-то птица... — он будто смотрел вслед. — Но другая, не похожая на Юльгизу. Та вот-вот взлетит. А этот, — отчего-то подумалось, — вряд ли...»

Напоследок Ганс задал еще один вопрос: «Как думашь, што такое фашизм?»

Он даже растерялся: черт знает о чем этот Ганс думает, будто мало ему своих проблем.

По ту сторону Невы, вдоль крыши плоского здания, тянулся вездесущий лозунг: «ФОЛЬК И ПАРТАЙ ЕДИНЫ!» Бейсбольная бита горела сильно и уверенно.

---

* *Vogelfrei (нем.)* — опальный, отверженный обществом, вне закона; в нем-русском языке «фогельфрай» имеет и другое дополнительное значение: свободный как птица, что соответствует немецкому *frei wie ein vogel*.

Он остановился посредине моста. Внизу, меж редких электрических прогалин, тошнотворным паром какого-то варева курилась тьма.

Когда враги запираются, их надо выводить на чистую воду. Но в том-то и состояла загвоздка: что делать, если они во всем признаются? Сперва старик, а теперь — Ганс. «Лучше бы уж врали, как мы...» — поймав себя на этой крамольной мысли, он поднял сухие глаза.

Над Петербургом, колыбелью трех революций, склонялось низкое небо без единого признака звезд: слепая мать, которую обманули, подкинули чужого ребенка. В то время как родной прозябает на сибирском холоде по другую сторону Хребта. «А ты говоришь, звездное», — силой *ян яо*, своей прямой несгибаемой воли, он преодолел тысячи пустых километров, обращаясь к сестре Любе, почитательнице немецкого путаника-философа.

И услышал Любин голос: «Ты решил его обмануть?» — «Кого? Старика?» — «Ганса». Он хотел поправить, сказать, ты ошибаешься, его зовут Иоганн.

Но голос исчез.

Осталось только пустое небо. Зеркало, завешенное черным платком.

Уже не колыбель, где тлеет будущая жизнь, а смертное пепелище, на котором он стоял и думал: ей, любимой сестре, хотя и рожденной от отца-предателя, давно пора понять. Бывают времена, когда складки черной ткани, наброшенной оккупантами на огромную часть некогда бескрайней державы (отчего-то подумалось: от Кёнигсберга до Владивостока) глушат нравственные законы. Чтобы это осознать, достаточно прислушаться к своему сердцу, ожесточенному исторической несправедливостью.

Он прислушался, но ничего не услышал. Там, внутри, зияла пустота.

Больше не обращая внимания на бесполезное небо, он ускорил шаги.

В прихожей осторожно снял куртку, надеясь незаметно проскользнуть в комнату, но — только ее и ждали! — явилась здешняя сестра.

— Шляешься. А я... Спина прям отваливатся. Зато всего взяла, — она подталкивала его в спину. — На антресоль закинуть надо. Ральку-то не сдвинешь. Лежит приклеимшись. Как жрать, так он первый. А как таскать... — завела свою всегдашнюю канитель.

В кухне — одна на другой — стояли две картонные коробки.

— Я, эта, лестницу пока...

Он взялся за коробку.

— Ого! Кирпичи, что ли?

— Сам ты кирпич. Макарон взяла, консервов, вермишели...

— Столько-то зачем?

— А вдруг блокада? Хыть на первое время... — она распялила лестницу, заляпанную белой краской. — Всё истоптали, — ткнула пальцем в пол. — Ходют и ходют. Туда сюда, туда сюда. Утром помою. Сил уж никаких.

— Закончили, наконец? — он покачал лестницу, проверяя на прочность: не хватало только сверзиться.

— Да хрен их разберет. Вроде, грят, всё. Можа, завтра придут проверят, — она пожала плечами: — Чо там проверять?

Затолкав на антресоли обе коробки, он глянул вниз. Цепочки белых следов начинались от входной двери. Стоя на верхней перекладине, он ясно различал отпечатки каблуков. Одни пошире, другие поуже. Те, что поуже, свернули к стариковской двери...

Выполнив поставленную перед ним задачу, он разделся быстро, по-солдатски, и наконец лег. После трудного дня хотелось все обдумать, разложить по полочкам. Даже, может быть, свериться с карточками.

Однако поздняя прогулка сделала свое дело. Стоило коснуться подушки, и сон, быстрый как смерть, набросил ему на голову глухой черный платок.

Седьмая

I

Его разбудил крик.

Он нисколько не удивился: так оно и должно быть. По логике сна.

Во сне ему явился всадник в сверкающих ратных доспехах. В правой руке он держал обоюдоострый меч с двумя глубокими выемками. Голову рыцаря защищал шлем в форме куриной головы. Из забрала-клюва изливался свет, такой яркий, что ему казалось, сейчас ослепнет. Он ухватился за стремя, лишь бы сослепу не упасть.

Что бы ни случилось, Алеша, помни, — из щели раздался любимый голос. — *Мы — члены великого Ордена,* — шеф покачал петушьим пером, венчающим шлем, — *который борется против зла, защищая свое добро.*

В то же мгновение всякий страх исчез.

Он хотел спросить: а почему свое, разве добро не общее?.. Но, вспомнив свой договор с Эбнером, счел за благо промолчать.

Ответил как положено.

— Я помню. — В надежде не только услышать, но и увидеть родное лицо шефа, поднял глаза.

Свет немного ослаб, но не настолько, чтобы смотреть без опаски.

Помнить мало. Надо соблюдать заповеди. Первая — любовь к Родине. Настоящий рыцарь обязан сражаться с неверными, ее врагами.

— Сражаться значит вызывать на дуэль? — тут он заметил: рыцарь-то без перчатки. Поводья держит голая рука.

Это уж как получится, Алеша. Все диктует оперативная обстановка. Наша задача — выводить всех на чистую воду.

Он хотел сказать, я готов. Но Геннадий Лукич крикнул страшным голосом и поскакал прочь, нахлестывая вороного коня...

На самом деле кричала женщина, заходясь на высоких нотах, падая вниз и захлебываясь, будто глотала глубокую густую воду, и снова взмывала к зияющим вершинам, откуда крик, замерев на излете, срывался в безобразный визг.

«Люба?.. Мама? — он открыл глаза. На соседней кровати сидел Ральф, тряс лохматой со сна головой. Все вернулось, встало на свои места. — Я — здесь, в Петербурге...» — окончательно пришел в себя, точно вынырнул по другую сторону реальности.

Теперь из прихожей слышался тихий плач, словно перебитый голос здешней сестры полз по дну пропасти, в которую канул. Доползя наконец до двери, как раненый до родного порога, последним усилием воли ввалился в комнату, замирая на бездыханной ноте:

— Фа... фа... фа... — она силилась выговорить.

— Ты чо? — хриплый голос Ральфа прервал по́туги.

— Фа-тер... Там...

Пока Ральф обеими руками тер пустые со сна глаза, он — словно в пролом разверзшейся стены — увидел дырку в носке, не достающем до пола, и синий язык, который стариковская смерть вывалила на галстук-удавку...

Половинки стены сомкнулись, как полотна разведенного моста.

Не попав в бесполезные тапочки, он уже шагал босиком.

Огляделся с порога, ища глазами *то*, неестественно-вертикальное, однако оно, полыхнувшее на сетчатке воображения, оказалось ложной версией: тело располагалось горизонтально. Левая рука свесилась, пальцы сведены в кулак, точно покойник в последнюю минуту жизни еще надеялся встать, искал для себя точку опоры.

Беглый осмотр места происшествия и положения трупа вызвал обоснованные сомнения.

Стараясь не отвлекаться на жалкие причитания: «...Да чо ж это, оссподи, вчера ить, вчера, картошечки, сам попросил, картошечки, грит, жареной, а я ить, сука такая, оссподи твоя воля, завтра, грю, там же эти, на кухне-то, к плите не подступиться, а он, сердешный, на своем стоит, хочу, грит... А эти, то одно то другое, от, думаю, истинно твари желтые, заманали, то воды им дай, то чо...» — он осматривал серое лицо: впалые щеки, обросшие седоватой суточной щетиной, рот слегка приоткрыт...

— Гляди, гляди, сы́ночка, дедушка-то. Прям как живой, глазыньками на нас смотрит, ах ти осспóди...

Левое веко сомкнуто, из-под правого, словно покойный кому-то подмигивает, посверкивал будто живой и любопытствующий взгляд.

— А утром-то, дай, думаю, зайду, поздоровкаюсь, спрошу, можа, чо надо, а потом, сука такая, в прихожей, думаю, сперва вымыть, эти-то аспиды наследили, не вымою — по комнатам разнесем, черным-то ехало-болело, за них все сделают, а мне? Самой корячиться... Да чо ж ты глядишь, мой родненький, или сказать чево хочешь? Доченьке своей, сиротинушке... Ах ти осспóди! — она всплеснула руками: — Поняла я тебя, поняла. Подвязать, ротик тебе подвязать...

Пропустив мимо ушей несущественное, он сосредоточился на белых следах. «Рабочие. Или она? Утром, когда вошла...» — гадал, пытаясь высмотреть отпечатки каблуков.

— И не сумлевайся, все для тебе сделаю, и подвяжу и обмою, неужто в чужие руки отдам, не, чужим не доверюсь, будешь у меня как куколка... Подушечка смялась, дай-ка поправлю...

Он отступил в сторону: хочет — ну пусть.

— Жрать-то буем или как?

Даже обернулся, не узнав голоса. Будто сама себя перещелкнула на другой сериал, в котором никто не умер, самое обыкновенное утро.

— Завтракать, грю, а? Или полицайку сперва? Понаедут. Одно, другое, и не пожрешь спокойно.

Ралька почесал в затылке и скрылся.

На письменном столе лежал раскрытый блокнот, рядом — карандаш.

— Я тут, с ним... побуду.

— Дык посиди. И ему повеселее лежать, всё не один, — сестра покивала и, взявшись за щеку, — зуб что ли у нее разболелся? — ушла.

Ему казалось, старик смотрит, следит нехорошим взглядом. Стараясь действовать осмотрительно, он сел в продавленное кресло. Вытянул шею и скосил глаза.

Теперь стало понятно: верхний листок вырван, но, за исключением некоторых букв, остальное более или менее отпечаталось.

Дор га Ма ия,
как же я был сча ив, когда уви твоего сы узнал, что вы жи и и де-
вочки вместе хотя бы после смер ни дня в мо горест жизни, что-
бы я не увствовал свою п д вами ви у

Старик лежал молча, прикусив свой поганый язык. Буквы выступили снова, точно их смазали химпроявителем. Но слабым. Поэтому проявилось не всё.

«Ишь, каяться надумал...» Он подтащил кресло вплотную к письменному столу.

Предатели пишут химическими карандашами. Если карандаш химический, на древесине остаются разводы.

Разводы, кажется, были. Но едва заметные. Словно старик, каясь перед советскими компетентными органами, не слюнявил карандаш, а лизал самый кончик грифеля сухим от страха языком.

«Ну, и как мне это проверить? Лизнуть и выплюнуть?..» — но брезговал после старика, будто карандаши предателей напитаны еще не известным науке ядом. И тут сообразил.

Стараясь двигаться бесшумно, слава богу, в кабинете пол не меняли, подкрался к лежащему навзничь телу. Нижняя челюсть отпала. Радуясь тому, что сестра не успела подвязать, он заглянул в приоткрытый рот: темная щель, впавшая, однако слишком узкая, чтобы удостовериться окончательно.

Старик смотрел на него одним глазом.

Мертвый глаз белел, будто подмигивал: мало ли что я наболтал твоему Гансу. Чтобы передать дело в трибунал, нужны доказательства. Вот ты их и найди.

Ему понравился такой, официальный поворот: похоже, мертвец одумался, оставил все эти личные глупости. «Какой я ему родственник! Даже не пасынок. Здесь, на оккупированной территории, я — единственный полномочный представитель советского правосудия».

— И искать нечего, — он ответил строго, как и подобает при исполнении гособязанностей. Тем более преступник и не думал оправдываться, во всем сознался, причем не устно, а в письменном виде, что делает излишними все дальнейшие следственные действия.

«И что теперь, закрывать дело? — однако на темном небосводе мозга занимался какой-то тревожный отсвет: — Рано, рано».

передать с   *пусть оста тся у тебя на память*

В пробел между словами, плотно, как в эбонитовый смертник, ложилось имя: *А-л-е-к-с-е-м*.

У него не осталось никаких сомнений. Старик задумал его подставить, всучив это письмо: «Чтобы фашисты меня схватили на границе, как того парня, — перед глазами качнулось и поплыло: приземистое здание, похожее на вокзал, таможенник с эсэсовской эмблемой, вражеские солдаты в черных тулупах. Но где-то в конце тоннеля уже маячил свет, в котором черные тулупы становятся белыми. — Положим, даже схватили... И что? Теперь не прежние времена. Наши с захребетниками сотрудничают. Меня обменяют. На их шпиона...»

Совсем было успокоился. Но тревожный отсвет высветил другое слово: *останется*. «Ляжет мертвым грузом в наши архивы. Документы — не солдаты. Бывает, что и оживают. Если со мной решат расправиться... Да кто решит?! — он воскликнул про себя, словно опомнился: — Что бы ни случилось, шеф меня защитит. Мы — члены великого Ордена», — однако страх не исчезал. Наоборот.

Ему вдруг показалось, будто кто-то, заранее наточивший карандаш, разложил на столе пустые бланки и теперь записывает за ним каждое слово.

Прочтите, — холодный голос придвинул заполненные листы.

«Нет-нет, я вам доверяю», — он попытался отодвинуть, отвести от себя беду. Но заполненные листы допроса словно прилипли к столу.

Положено, — голос ответствовал сурово, тем самым исключив саму возможность человеческого контакта.

Стараясь не шевелить губами, он читал и не узнавал своих показаний. Суровый голос записал за ним совсем другие слова. Если верить бланку, на вопрос: «Вы уверены в безупречности вашего шефа?» — он показал следующее: «Раньше — да. Теперь не знаю. А вдруг, пока я был здесь, в России, что-нибудь открылось?» — «Иными словами, вы не исключаете того, что при известных обстоятельствах ваш шеф способен предать Родину? В этом случае вы, его ученик, становитесь членом преступной группы, с которой у пролетарского государства разговор короткий», — голос сглотнул слюну, будто передернул кадык. Как затвор.

— Нет-нет-нет, я ничего такого... — он понял, что запутался. — Я не говорил... то есть говорил, но не так, — отшатнулся, боясь ненароком коснуться лежащей перед ним бумаги.

Подписывайте, — голос приказал отстраненно.

Он осознал: выхода нет, подписать все равно придется, и не такие подписывали. Взял воображаемый карандаш. И тут...

Ну чо, обосрался? Бушь знать, как делать мне козью морду.

По сравнению с голосом, заполнявшим протокол допроса, голосок его внутренней наружки растекался медом и киселем.

«Ну, погоди! — он пригрозил. — Сквитаюсь с тобой. Попомнишь свои гнилые игры...»

Чо гнилые-то! Ты, эта, арбайтай давай. Старик пишет предсмертное письмо...

«Старик пишет предсмертное письмо», — он заторопился, будто ловил не сокрытое свидетельство преступления, а свет погасшей звезды.

А потом действительно умирает. На первый взгляд, своей смертью...

«Дыхательный спазм, сердечная недостаточность, обширный инфаркт...» — он перебирал естественные причины смерти.

Иными словами, внезапно. Ну, и где оно?

Отсутствие подлинного документа указывало на то, что событие, которое он расследует, носит не очевидный характер.

«Возможно, уничтожил, — в надежде отыскать подлинник, которым старик подставлял под удар свою бывшую жену и нездешних дочерей («И меня», — холодели кончики пальцев), он шарил по столу, перебирал разрозненные бумажки. — Да какая разница! Если подследственный во всем сознался».

Сознаться-то сознался. Но идейно не раскаялся. Не разоружился перед органами. Не осудил свои прежние заблуждения.

Теперь наконец дошло. Вот почему он сперва запутался, заплутался в этих трех соснах. Все дело в том, что план старика, каким он представлялся в начале расследования, на поверку оказался куда коварней. Бывший руководитель Локотьской республики сумел-таки скрыться от правосудия. Вопреки исторической справедливости, гласящей: предатель не должен умирать своей смертью. Его смерть принадлежит народу.

Белый глаз подмигивал из-под прижмуренного века, насмехаясь: «Ах, народу? Ну-ну!» — старик снова понукал, сжимая кулак.

«А если письмо там?..» — он приблизился и опустился на колени. Подавив в себе брезгливый холод

497

(оперативная работа предполагает и не такие испытания), попытался разжать мертвый кулак. Кое-как сладил с указательным пальцем. Остальные пальцы не поддавались. Но и этого, одного, хватило, чтобы убедиться: нет там никакого письма.

Из-под дивана несло грязными носками. «Вон они», — два мятых, как черные тряпицы. Сквозь настырную вонь пробивался другой, слабый запах — химический. Такая же противная смесь стояла в прихожей, когда он вернулся в новой куртке и с Любиной искусственной шубой. В день, когда пришел бригадир.

«Зачем он пришел? Чтобы замазать протечку. Нет, замазывали рабочие. Они и наследили. Почему они наследили? Потому что их привел бригадир...»

Стариковский подбородок заострился, казалось, старик прислушивается к его мыслям, даже торопит:

— Ну! Ну!

«Разнукался! Я ему не лошадь...»

Мертвец упрямо тыкал в пол. Будто, решив сотрудничать со следствием, желал на что-то указать.

Следуя стариковскому указанию, он приник ухом к полу, точно русский богатырь Алеша Попович, припадающий к Матери-Земле...

Снизу, из-под пола, раздался сухой щелчок. Явственный. Уловив который, он, словно воочию, увидел офицера-оперативника, снимающего с головы наушники. И понял, чем, если не считать грязных носков, воняет из-под дивана. «Надо пошарить, залезть поглубже...» — лег, распластавшись животом.

Мелькнувшая догадка не обманула.

«Вон он. Пустой, без иглы... Иглу унесли. А его не успели. Или выронили. Он и закатился...»

От осознания того, что в действительности случилось, его бросило в жар.

— Сырники гото... Ты чо тут? Змеюкой ползаешь.

— Держит. Смотри. Сжимает что-то, — пряча находку в левой руке, он указал на стариковский кулак.

Сестра плюхнулась на колени. Пока она, демонстрируя неженскую силу, крутила и выворачивала стариковские пальцы, он успел спрятать шприц в карман. Прямо из-под носа местных полицаев, которые вот-вот явятся.

— Скажи, а уколы ему делали?

Бригадир, ответственный за спецоперацию, пожал плечами, видно, не одобряя его вопроса.

«А вдруг сто лет тут валяется...» — он ответил с некоторым вызовом, как полноправный участник спецоперации (в отличие от Ганса, которого шеф использует втемную). А заодно поставить на место своего внутреннего, норовившего влезть со своими соображениями: *Как же, ага! Лекарство на другой день выветривается. Спецсредство тем более.*

Сестра подняла голову:

— Ходила одна. Из поликлиники. Наглая! Мне, грит, плати... У меня чо, грю, станок печатный? И по рехтунгу в кассу внеси, и в карман ей сунь...

— А вчера?

— Вчера — не. Не приходила.

— Ты уверена?

— Дык цельный день дома, с этими. То одно, то другое... — сестра поднялась, кряхтя и держась за спину. — Глянь-ка. Золотое. Обручальное вроде...

Может, и обручальное, ему-то какое дело, если здесь, в этой самой комнате, почти на его глазах, приговор над военным преступником приведен в исполнение. Он развернул плечи, как перед полковым знаменем, реющим на холодном ветру.

— А я-то, дура бестолковая. Нет бы догадаться. Эти-то — и скорая, и полицайка. Так и норовят, што плохо лежит...

«Вот тебе и евреи... Мы, русские, не хуже. И вывозить не понадобилось. На месте все решили...» Он смотрел на свои голые руки с любопытством. Будто пальцам передалось последнее содрогание преступной плоти.

Хотя бригадир и другие неизвестные оперативники все сделали за него.

II

Пока сестра договаривалась с дежурным полицаем: «Через час дык через час. Мое дело отзвониться. А дальше ваш головняк...» — он успел заглянуть в ванную комнату. Вымыл руки с ароматным мылом, перебивающим неприятные запахи: «Ну вот и все», — теперь командировка и вправду закончилась, причем не в календарном смысле — согласно дате отъезда, указанной в его обратном билете, — а в другом, высшем.

«Торжество исторической справедливости».

Эти слова вызывали дрожь, похожую на подкожный зуд. Страстно, как почесать, хотелось выйти и объявить во всеуслышание: «Я, простой советский парень, причастен к этому торжеству».

Неприятный запах не исчезал. Даже сырник, казалось, припахивает чем-то химическим.

— Чо нюхаешь?

— Я? — он вздрогнул.

— Воняет, што ли? — сестра повела носом. — Не. Ничо не чувствую. Нос, што ли, заложило? То-то чихаю с утра. А сама думаю: ох, примета плохая, к чему бы? А вона как обернулось... И правда, воняет, — она втянула широкую струю. — Вчера ить просила. Вынеси, грю, завоняется...

— Он тоже жрет, — Ральф надулся по обыкновению. Как мышь на крупу.

— Да вынесу я, какая проблема, — наглость племянника оказалась весьма кстати.

— Тока по-быстрому. Эти-то вот-вот заявятся, — увязав черный пластиковый мешок, сестра глянула на часы.

Сворачивая в сторону помойки, он снова почувствовал зуд, другой, похожий на обиду: «Ведь захребетники так и не узнают, как ловко я распутал это дело. Гансу, и тому не расскажешь».

Но одобрение шефа уж точно заслужил. Он представил лицо своего пестуна, которому всегда завидовал, мечтал перенять его талант. Оказалось, у него тоже есть. Свой, особый: воображение, которое не следует путать с фантазией. Фантазеры выдумывают. А он проник в самую суть. Во все перипетии спецоперации. Уж если на то пошло, не вполне безупречной: «Наши тоже маленько накосячили. Поторопились с ремонтом. Пришлось организовать дополнительную протечку...»

Освободившись от жгущей карман улики, он шел обратно спокойно и уверенно. Как по своей земле.

Геннадий Лукич говорил: лучшая легенда — правда. Раньше, пока единственным пятном на его безупречной жизни лежала гибель отца, подозрительная, не подтвержденная никакими документами, он принимал эти слова на веру.

Но сейчас, подняв глаза на окна квартиры, где лежал мертвый старик, который вмешался в его жизнь, он думал: что же будет теперь, когда частью этой правды стал и сам старик, и его здешняя дочь, и Ральф — ее сын?

Выходит, в его жизни тоже действуют два начала. Темное (*инь яо*) и светлое (*ян яо*). Однако, вопреки уверениям Моськи, им никогда не слиться. Не образовать новую сущность. Две ветви его семьи навеки противостоят друг другу — решительно и бесповоротно. «Но кроме Геннадия Лукича об этом никто не знает...» И не узнает — если правильно составить легенду.

«Мать, сестры. Пусть тройняшки, как в документах... Но лучше, чтобы Надя умерла в блокаду. А отца сестер убили на фронте. В первые дни войны».

Чтобы легенда вышла безупречной, оставалось решить судьбу его собственного отца.

Лицо, прилипшее к стеклу его жизни: широкие дальневосточные скулы, нос с едва заметной горбинкой, — смотрело на него из темноты. Поезд шел, постукивая на редких стыках. Он следил, как образ отца постепенно размывается, сливаясь с невнятным степным пейзажем. Превращается в пустой овал. Как на старых довоенных фотографиях, когда лица (которые не встроить в правильную семейную историю) вырезают бритвой: был человек и нету.

Осталось только тело. Старик сказал: если мертвое тело лежит долго, его не опознать. Тут никакие архивы не помогут. «Этим и надо воспользоваться... Да, — он чувствовал, что и сам в это верит. — Мой отец, павший смертью храбрых, лежит в земле». Четверть века — срок, который не выдержит никакая ладанка. А тем более деревянный смертник — как у тех, кого призвали в конце войны.

Он ждал, что пустой овал покатится вниз по насыпи, но пустота распухала, надуваясь тяжелым болотным газом. Пока не превратилась в огромный шар. Сквозь прозрачную оболочку проступило лицо, но не отцовское, а его собственное. Будто это он — там, внутри. Он ощутил невыносимую резь в бронхах: «Выдох — вдох, выдох — вдох...» — на третьем вдохе резиновая оболочка лопнула. Словно кто-то, орудующий опасной бритвой, догадался полоснуть.

Поток холодного воздуха окончательно купировал приступ удушья. В подворотню он вошел новым человеком, про которого можно сказать: родился в рубашке.

В сущности, он был даже рад за отца: новая легенда спасала его отца от настоящего Дулага, где умирали от ран или с голоду. Либо выживали, сделав шаг вперед. Непоправимый, облачающий пленных советских солдат в фашистскую полевую форму...

Тут, где-то на периферии сосредоточенного на себе сознания, возникли полицаи — с рожами, заспанными еще со времен их тупого захребетного детства. О чем-то толковали с охранником. Желтый высунулся из узкого окошка и оттопырил большой палец:

— Туда идыте. Шийсят четвертая — там.

Он услышал слабый хлопок ладоней времени, поймавших эти слова, похожие на бессмысленное насекомое вроде тощего подвального комара. Не то привет из первого дня, когда он в сопровождении Ганса явился в этот двор. Не то отблеск не заслуживающей внимания реальности.

Далекой, как его барачное детство. Счастливое. Все-таки Пашка и Серега, командир и комиссар, главари компании, его не прогоняли. Считали своим. С городскими, с которыми жил в одном дворе, дружбы не получилось. Он учился в китайском интернате, зубрил иероглифы — они ходили в простую школу, прогуливали уроки, качали мышцы, писали на заборах. В тайной надежде, что это поможет, он тоже мечтал написать. Не иероглиф — а *то самое* слово. Даже носил кусочек мела в кармане. Мел раскрошился, так и не найдя себе применения.

Однажды, кажется в шестом классе, разговорился с одним парнем, которого дворовые тоже не держали за своего. Илья сказал: «Зря ты к ним лезешь. Они — шантрапа».

Больше не разговаривали. Встречаясь на лестнице, кивали и проходили мимо, обоюдно признавая: им нечего друг другу сказать. Илья учился в Политехническом, потом переехал в Москву. Что было дальше — мнения соседей разделились. Одни говорили, сбежал, ухитрился перейти границу с Монголией. Другие — сел по политике. Вроде был даже обыск, нашли листовку. Но дело не в разговорах. А в том, что жизненная позиция, которую выбрал для себя Илья, не довела его до добра...

«А моя?»

Он вспомнил слова Геннадия Лукича, призвавшего защищать добро.

Значит, он был прав, когда тянулся к дворовым мальчишкам — надеялся стать для них своим. Тогда он просто не знал: чтобы стать своим, следует от многого отказаться. Во всяком случае, от китайского интерната. А значит, по логике вещей, и от своей основной профессии.

Он шагал, каждым шагом укрепляя еще мягковатый костяк новорожденной легенды: «Если не китаист, то — кто? — выбор был неширок. Мнимая профессия не берется с потолка. Геннадий Лукич говорил: выбирать следует из того, что уже наметилось в реальной жизни. — Может, философ?»

Конечно, не путаник из Кёнигсберга. А серьезный, гегелевского толка. Этому направлению философской мысли он всегда отдавал пальму первенства. Все действительное разумно, все разумное действительно. В сущности, формула, позволяющая примирить действительность с воображением. Доказать, что воображение не противоречит разуму. Наоборот. Воображение — одно из главных его свойств.

Еще одно ключевое понятие гегелевской теории: национализм. Не этот, вульгарный, извращение фашистских идеологов. А национальный дух, живущий в народном теле. «Или в теле народа? — он закашлялся: как тогда, в церкви. — Да. Пожалуй, так благозвучнее...»

— Опаздывашь. Жду тебя, жду... Полдвенадцатого уже, — Ганс постучал по стеклышку часов.

О том, что у них назначена встреча, он — за событиями этого безумного утра — начисто забыл.

— Простыл, што ли? — Ганс спросил заботливо. — Дохаешь. И глаза красные...

— Не в то горло попало. — «Зря я сюда сунулся. Надо было через другой двор».

— Я, эта... с Эбнером перетер. Эбнер грит, в деканат глупо. Пересидеть надо. Поищут и плюнут.

— Ты... ему звонил?

— А чо такова-то? Черных не прослушивают.

— Ну ты-то пока еще не черный.

— Дак я из автомата, — радуясь своей сообразительности, Ганс просиял.

«Наши все равно бы вычислили. По голосу. Дня за три. Вторник, среда, четверг», — он сосчитал, неприметно загибая пальцы.

— Ну, мне пора. Собраться надо. Упаковать вещи.

— Как? — Ганс смотрел растерянно. — Прям щас? А я? Можа, прошвырнемся? Посидим где-нить...

«Полицаи не выходили, значит, все еще там, в квартире».

— Ладно, — он согласился. — Если недалеко.

Счастливое сияние вернулось: Ганс махнул рукой и зашагал в направлении бывшей мечети.

Он шел, размышляя о своем: «Да ну ее, эту философию... История лучше. Во-первых, более или менее знаю. Позаниматься дополнительно, почитать... — но опыт жизни в России подсказывал: тоже небезопасно. — Ляпнешь что-нибудь. Вроде бордюра-поребрика. И, считай, спалился....»

— Если... ну, мало ли. Вдруг захочу поменять специальность, — над крышами домов стояли призраки минаретов. — Как думаешь, я мог бы стать новистом?

— Тебе-то нахера? Китаист — круто! И язык ихний знаешь.

— Нет, ну а все-таки? — призраки растаяли, оставив по себе пустые пятна на куполе небес.

— А ты... эта, — Ганс замялся. — Не обидишься?

— Конечно нет! — он ответил искренне. — Мы же с тобой друзья.

— А, ну да... Помнишь, ты рассказывал про свово учителя? Имя такое... Еврейское. Типа Абрам.

— Моисей. Моисей Цзинович.

— У меня тоже был. В гимназии. Веньямин Саныч. Классный манн. А главно, умный! Не, ты тоже умный! И память у тебя — дай бог каждому! Только Веньямин знашь чо говорил? Памяти мало. Если есть сомнения, нельзя отмахиваться. Историк думать должен. Слышь, а как правильно: дóлжен или должóн?

— Дóлжен. Полагаешь, я не умею?

— Умеешь. Тока... Я давно заметил. Кто-то у тебя внутри. Не, не то штобы... А как будто. Типа охранник. Ты идешь, а он: сюда можно, а тут — ферботен! Во мне ить тоже это было...

— Значит, — он усмехнулся, — ты сбежал. Может, и у меня получится.

— Не, — Ганс смотрел вперед, будто видел взорванные минареты. — Это Веньямин. Без него я бы не смог...

Он тоже смотрел вперед. Но видел пустые пятна.

— А хошь, — Ганс остановился на перекрестке, — Ленинград тебе покажу? Настоящий.

— Как это, настоящий? — он оглянулся. — Где?

— Тут, — Ганс указал на дом с высокой зеленой башенкой. Краску разъела рыжеватая ржа. — Две сестры жили. До войны учились в консерватории. Одна на скрипке, другая на рояле. Пока мать была жива, еще ничо. А потом... Вопщем, солдат заманивали.

— Фашистских?

— Да какое! Ваших. Убивали и... — Ганс сглотнул с трудом. — Блокада, все вокруг помирают, а им хоть бы хны. Румяные, кровь с молоком. И глаза светятся. По глазам-то и догадались. Сообщили куда следует...

Он старался не глотать. Однажды мать обмолвилась: «Случаи людоедства — да, бывали».

Потом молчала. Больше никогда. Наоборот. В ее памяти Ленинград остался живым пространством, заселенным интеллигентными людьми. «Можно подумать, сплошь, — Люба пожимала плечами. — А как же пришлые, деревенские?» — «А вот представь себе! — мать сердилась: — В Ленинграде особая почва. Или воздух. Атмосфера. Все, кто приезжал, впитывали культуру». А Люба, нет бы смолчать, снова за свое: «Культурный не значит интеллигентный. Вон, Верка тоже у нас культурная...» Как-то раз спросил: «А в Петербурге тоже особая почва?» — «Не знаю», — мать растерялась. Но Люба тут как тут: «Ага, особая. Вырастет какой-нибудь интеллигент, ну мало ли, по ошибке, а его — раз! — и с корнем, как сорняк»...

— Знашь, как меня ломало. На первом курсе, когда открыли блокадные архивы. В автобусе, бывало, еду, боюсь оглядываться: кажется, што вдруг дети людоедов. Типа потомки ихние. Потом ничо, прошло. Люди-то разные. А тогда, в блокаду, особенно... А тут, на углу, — возвращаясь к теме экскурсии, Ганс указал на вывеску. — Это теперь молоко. В войну булочная была. По ночам машины с хлебом подъезжали. Крысы их пугались, выскакивали. А женщина, Вениамин Саныч дневник ее читал. Ослабла совсем, живую крысу не поймать. Дак она раздавленных. Собирала и варила... А там, — Ганс обернулся в другую сторону, — парнишка один, из фабзауча. Девчонка хлеб получила, а он у нее вырвал. И ну в рот себе запихивать! А хлеб мокрый, сразу не проглотить. Очередь на него накинулась. Чуть насмерть не забили. Если бы не военный один... А здесь, на ступеньках, брат с сестрой сидели. Брату одиннадцать. А ей шесть. Отец на фронте. А мать ихняя пропала. И карточки. Вот они сюда и пришли. Вдруг кто-нибудь сжалится, подаст. Брат держался ищо, а сестра умирать стала. Он ее тянет: вставай, вставай... А тут женщина. Из булочной вышла. На сестру его глянула. А у той глаза прозрачные, как в ледяной корке. Он и не просил. Сама. Кусочек отломила, махонький, меньше довеска. Рот ей разжала. Не умирай, грит. Она и ожила.

— А как твой Вениамин узнал, что именно она сказала?

— Дак слышал... — Ганс смотрел прозрачными блокадными глазами. Ему вдруг почудилось: обреченными. — Брат — это он сам... А тут, где мы с тобой стоим, старик упал. Лежит и просит: помогите, помогите. А другие мимо идут. Сил ни у кого нету. Дня три лежал, пока в ров не свезли...

Он не хотел ничего видеть. Но увидел: впалые щеки, жесткий щетинистый рот. Старик, лежавший на снегу, шарил вокруг себя, собирал рассыпанные хлебные крошки, каждая обещала сил для продления жизни, но ослабевшие пальцы не удерживали, крошки уходили в мерзлую землю.

«Это не я. Это фашисты вас убили», — под скрежет сорвавшихся с цепи жерновов, перемалывающих время в обратную сторону, он обращался к старику. Вот только к какому? К тому, блокадному? Или к этому, который дожил до нынешних времен и теперь лежал на продавленном диване.

Но старик его не слушал, смотрел в другую сторону, куда указывал Ганс. Словно они с Гансом сговорились. Словно мертвый старик передал Гансу неотъемлемое право: свидетельствовать *за себя*.

— А вон там, гляди, гляди. Женщина. Стоит и смотрит. А глаза у ней мертвые, пустые... — Ганс охнул и отступил: — Ты... эта... чо?

— Что — я? — он спросил раздраженно.

— Смотришь. Как... она.

— Никуда я не смотрю, — он отвернулся.

— Это она смерть увидела. Не свою. Свою-то многие видели. Привыкли... Веньямин говорил: блокада, да, героизм, подвиги, но главное — муки. Смертные... Экскурсии нам устраивал. Память у него, как у тебя. Кажный дом помнил.

«Нет, — он думал. — Блокада — это вера. Мать говорила, страдали, но верили». С этим и вырос: блокадники не глядели на смерть. Они ее презирали. Трудились, делали танки и снаряды, защищали город, спасали детей. Есть блокадная правда, беззаветная. Этой правды у него не отнять. Как бы Ганс ни старался, что бы ни выдумывал про настоящий Ленинград.

— А где он теперь, твой учитель?

— Нету.

— Умер?

— Не умер, — Ганс смотрел вниз, как в землю. — Вопщем, вывели нас...

Он вдруг представил двор. Широкий ров, вырытый заранее. На гребне сырой земли стоят школьники. Со своим учителем.

— Я ищо подумал, фест. Тогда што ни месяц — новый. То день эсэсовца, то еще кого. Типа сплочение нации. Гляжу: Веньямин. Стоит в углу и молчит. Директор нас спрашивает: как вы думаете, киндеры, кто это? А я ему говорю: учитель наш, Веньямин Саныч. А он: все так думают? Ну что ж, придется вам узнать правду. Перед вами Вениамин Менделевич Зильбершток, который подло воспользовался временными послевоенными трудностями, штобы спрятаться за нем-русской фамилией. Теперь, либе киндеры, жид изобличен. Но своего он-таки достиг. Дождался, пока наше государство ввело мораторий на смертную казнь, заменив эту меру национал-социалистической защиты гуманным запретом на профессии...

— А Вениамин? — он перебил.

— Всё, — Ганс сморщился и развел руками. — Больше его не видели. Через месяц ваще забыли. А я не мог. Все хотел понять. Раз уж юде, чо он в школу-то сунулся? Шел бы на завод. Типа слесарем... А потом понял. За другое его убрали. Он ить знаешь што говорил: давайте предположим, что немцы потерпели поражение. Могло быть? Еще как могло! Но дело-то не в немцах, а в нас. История пишется не врагами. А теми, кто внутри страны. Ну, понял?

— Донесли.

— Ага, — Ганс кивнул. — Типа отрицает нашу победу. А директор — он чо, дурак?! Прознают, самого на завод сошлют. Вопщем, как ни крути, надо увольнять. А статьи нету. Только через год приняли, я в одиннадцатом классе учился: фальсификация истории — до двух лет. Вот директор и решил. Представить его евреем. А Веньямин Саныч ни разу не еврей.

— Ты уверен? — он чуть не рассмеялся. — Забыл, чему тебя учили? Если есть сомнения, нельзя отмахиваться. Так?

— Ну. А чо? — Ганс силился что-то сказать, но он не позволил.

— Рабиновича помнишь? Профессор, который не приехал. Ты еще сказал, странная фамилия.

— Дак я... эта... — Ганс смешался.

— А я: обыкновенная, еврейская.

Он смотрел, как лицо Ганса стягивает гримаса страха.

— Не только фамилии. Имена тоже бывают. Хочешь узнать — какие? — По деснам бежал приятный холодок. — Или боишься?

Отступив на шаг, будто старался удержать равновесие, Ганс кивал как китайский болванчик.

— И правильно, — он одобрил. — Новист не должен бояться...

Предвкушая момент торжества, сглотнул сладкую слюну, как в детстве, когда надеялся поймать осетра. Пашка говорил, ничего не выйдет, нужна снасть, а у нас ни блесен, ни удочек. На ивовый прут попадалась мелочь.

— Ничего. А тем более правды.

Не ерш, не пескарь, приварок к скудному барачному рациону — огромный осетр, мечта его детства, дергал верхней губой, будто еще надеялся сорваться с крючка.

— Обыкновенные, еврейские. Например, Бень-я-мин...

III

Можно подумать, молотком ему врезали. По кумполу.
Он шел обратно, удерживая в памяти эту странную картинку: Ганс дернулся и замер, тяжело дыша, словно давясь отравленным воздухом. Или газом. Вспомнил название: Циклон-Б.

Вчера, когда Ганс спросил про фашизм, он немного растерялся. Теперь, после недостойной выходки Ганса (фактически тот предал своего учителя), у него был готов мстительный ответ: «Фашисты — антисемиты. И всё. И весь сказ».

Сворачивая в переулок, он думал: «Положим, Моська оказался бы китайским евреем...» Проверяя себя, вообразил Моську в черной еврейской шапочке. Старый учитель кивал доброжелательно: «Все холосо, все плавильно, мы, зывсые в Тибете, тозе немнозечко евреи — для остальных китайцев, котолые стлоят коммунизм...» Сморщенный старик засмеялся тихонечко, прикрывая ладошками маленький китайский рот.

Мысленно сложив на груди руки, он поклонился своему старому учителю, от которого — по будущей легенде — ему, возможно, придется отказаться... Но отказаться — не значит предать. Моисей Цзинович может не сомневаться: если бы Ганс что-нибудь эдакое ляпнул, уж он нашелся бы с ответом: «Ну еврей, и что?»

Тут у него заныла губа. Будто что-то впилось и застряло. Крючок, но не тот, который заглотнул доверчивый Ганс.

Он пошевелил языком, зализывая ранку. Язык нащупал металлический острячок. Будь Ганс умнее, он бы догадался, на какую снасть его ловить: а ты уверен, что у Геннадия Лукича кристально чистая анкета?

«Да, я уверен», — ответил, но не Гансу, а своей внутренней наружке, следившей за ним исподтишка. Рыцарей всесильной организации проверяют до пятого колена. А может, и до шестого.

Но тебя-то приняли. Не посмотрели, что отец просто погиб.

Это-то и кололо, впивалось в верхнюю губу — будто кто-то водил его как пескаря на длинном ивовом пруте. «Ну а вдруг? Вдруг бы открылось, что в жизни шефа было что-нибудь плохое. Ну пусть не плохое. Пусть сомнительное...»

Он не успел понять, как поступит в этом случае. Потому что увидел давешнюю дворничиху, которая копошилась у парадной. Заметала мусор в огромный железный совок. Хотел поздороваться. Но желтая, брызнув в него тонкой струей ненависти, прошипела:

— Иш-шь, фаш-шистская сволочь!

— Это вы... — он опешил. — Мне? Какой же я фашист! Я советский человек...

Но она плюнула и, подхватив совок с мусором, ушла.

Обиду он сорвал на Гансе: «Тоже мне, новист прыщавый. Трагедию развел — на пустом месте. Вот и пусть разбирается со своим Вениамином, а у меня своих дел невпроворот», — позвонил в дверь.

— Мать где? — спросил коротко, с порога.

— На кухне. Тебя ждет. Куды, грит, подевался? — племянник хмыкнул и ушел к себе.

«Этому хоть трава не расти. Опять, небось, залег, — он думал неприязненно. — Закатать бы его к черту, к дьяволу, в бараки! Работать хоть научится...»

Сестра плакала, приткнувшись к обеденному столу.

— От суки каки бесстыжие! Я им: он жа ветеран, кровь за вас проливал, ему ить льготы полагаются, гроб бесплатный, венок от вермахта... А они, ничо, грят, не знаем, документов нету, может, вы, эта, ваще. Да чо мы, грю, ваще? Фотка же есть, в форме, с товарищем со своим. Вместе типа служили. А они морды гнут: можа, форму-то купили. А я им: ага, в военторге, в войну типа всем продавали, иди да покупай...

— В форме? Так он... разве... в фашистской?

— Ну не в совейской же. Он чо — дурак? Был бы в вашей, неужто на стенку бы повесил?.. Говорила ить, просила как человека, сходи, оформись...

Он мучительно вспоминал фотографию, которую так и не успел подробно рассмотреть. Но теперь она будто встала перед глазами: «Нагрудные карманы на пуговицах...»

А в глубине кармана патроны для нагана и карта укрепления советской стороны... — внутренняя наружка пропела высоким голосом солиста пионерского хора.

— И чо?! Опять в кредит впрягаться?! — Отчаянный голос сестры толкнул патефонную головку: перечеркивая музыкальные дорожки, противно заскрежетала игла. — А куда денешься? За место заплати, могильщикам сунь, и этим, в морге, которые покойников раскрашивают. Такое нарисуют, фатера родного не признаешь. Про гроб я уж молчу... Ценник от пяти тыщ и выше.

— Гроб и за тыщу можно, — Ральф сунулся в дверь. Но, видно, на свою беду.

Сестра взвыла:

— Чо, больной на всю голову! Типа как у желтых? Во те, — выставила фигу. — Это тебя в таком-то пущай зароют. Я чо — нищенка! И дед твой, слава богу... Дед-то... — вдруг охнула и, распустив сложенную фигу, запечатала рот.

— Ты чо? — Ралька моргал недоумевающими глазами, но она только подвывала, мотая головой.

Он махнул племяннику: мол, нечего тут торчать, не видишь, мать переживает.

Ральф скривился, но ушел.

— Да что случилось-то? Объясни наконец.

— У него, эта, конт в Нерусбанке... Забыла иль совсем. Из головы вон. Доверенность у меня. Надо было туда сперва. А уж потом в полицайку. Теперь сообщат... — она всхлипнула и ткнулась лбом в стол.

— Ну сообщат. Вот уж, право слово! Ты — прямая наследница. Через полгода все получишь.

— Хер я чо получу! У синих изымают. В доход го-суда-а-арства, подчисту-ую гребу-ут, — она плакала, противно кривя рот.

— Погоди рыдать! Надо сходить, попробовать... Вдруг еще не поздно... — он вспомнил полицаев, идущих по двору вразвалочку: не похоже, чтобы *эти* горели на работе.

— Да ты чо! — она крикнула звонко, по-птичьи. — Ферботен. Вон, у нас в офисе. Мутерша у одной от-кинулась. Она такая и пошла. Радовалась, дескать, успела. Дык ее жа и обвинили. Сама, мол, мутершу кокнула. Лишь бы наследством завладеть. Десятку впаяли. До сих пор сидит...

Он вспомнил заповедь своего великого Ордена: бороться против зла, защищая добро.

— А много там? — спросил осторожно, словно прощупывая почву, прежде чем сделать шаг.

— Где? — сестра оглянулась на дверь.

— На счете.

— Двести сорок... тыщ, — она шевельнула невер-ными, оплывающими губами, будто сама изумилась непомерности отцовского наследства.

— Ух ты! — он даже присвистнул. — Машину мож-но купить. Помнишь, ты хотела.

Всхлипнув в последний раз, сестра подперла щеку кулаком.

— Да хрен с ней, с этой машиной! Я ить до-олго потом думала. Когда с мола-то вернулись. Сдурели мы с ентими деньгами. То чашки, то тарелки. То лю-стру, то шкап зеркальный... Ну не будет у меня шка-па. На хрен мне этот шкап!

— А Ралька?

517

— Вырастет — сам заарбайтает. Руки-ноги есть. Не инвалид.

— А вдруг война?

— В смысле... на отмазку? — она оглянулась на кухонный телевизор, будто ждала подсказки: *убъют, станет героем*.

Но темный экран молчал.

— Конечно, вольному воля... Сама решай...

Она смотрела с испуганной надеждой, будто не здешняя Люба, с которой его ничего не связывает, кроме сомнительного родства, а Надя — подруга его детства.

— Но на твоем месте я бы рискнул.

— А ты... сходишь со мной? Ральке хыть скажешь. Если меня, ну, типа... — она сложила руки крест-накрест. — А с Ралькой-то чо будет? — замерла, прислушиваясь.

Он не вмешивался: пусть сама взвесит. Это ее решение. Даже отвернулся. Но следил исподтишка, как в ней материализуется его мысль, становясь неодолимой силой.

— Так, што ли, лучше? — Надя вопрошала тихо и грозно, обращаясь не то к оккупационным властям, не то к самому захребетному богу, в которого, за неимением другого, верила. — Верчусь, как белка в колесе — и чо? — она растопырила локти и оперлась о стол свободными запястьями. — Што буеттто и буеет. Моя жизнь пр́клятая, можа, хыть Ралька не повторит...

Не курица, точащая жалкие слезы. Тигрица, спасающая детеныша, — ходила по квартире, распахивала шкафы, что-то выхватывала и запихивала в сумку отработанной ухваткой опытного бойца, который — хоть среди ночи разбуди — вскочит и соберет разобранный автомат. Будто в мыслях своих, занятых обыденными делами, давным-давно приготовилась. К своей войне.

— Законов напринимали. Плевать мне на ихние законы...

С экрана телевизора на нее щурилась огромная гуттаперчевая рожа: то хохоча, то беззвучно морщась, чмокала мягкими щеками, разевая рваный рот.

— Ну вот, на первое время, — сестра застегнула молнию и приткнула сумку в угол. — Если чо, в полицайку снесешь. Ралька-то дурак, растеряется... Так. Доверенность, паспорт, — она порылась в другой сумке. — Ну, с богом типа.

Он думал, перекрестится. Но она подняла на него глаза, в которых еще минуту назад жили сомнительная любовь и подлинная надежда. Теперь будто обе умерли. В живых осталась только вера. Истовая, в его правоту.

IV

— Тут жди. На лавочке. Если чо, не было тебя. И знать ничо не знашь.

Он сел на скамейку, стараясь не думать о том, что будет дальше, когда она войдет в высокую дверь. Словно станет новорожденной. И ее снова украдут. Но теперь, когда здесь нет матери, некому будет бегать, расспрашивать: «Вы не видели, не видели?» — надеяться на мифическую цыганку, которую якобы видели на полустанке. Он поднял глаза к небу, словно где-то там — под низкими серыми облаками — уже летела ее маленькая неприкаянная душа.

Из стеклянных дверей выходили клиенты банка. Кто-то направлялся к машине, ожидающей хозяина, другие — к автобусной остановке. Он вглядывался, пытаясь прочесть по лицам. Но на их лицах ничего не отражалось: ни возмущения ее беззаконным поступком, ни сострадания к ее будущей несчастной судьбе.

— Не, я-та подчистую сняла. Слава те осподи, ученая таперича. Вон, в позатом году, по телику: бла-бла-бла, всё у фюрера под контролем. Наши с офиса-то, умные. Кинулись. А я, дура, поверила. Сижу, будто меня не касается. А потом — тыц-пердыц! Выдают. Стошку в день.

Две женщины. И не заметил, откуда появились. Одна (как он понял из их разговора, снявшая деньги со своего счета) тяжело плюхнулась на скамейку. Будто не в банк заходила, а шпалы ворочала.

Другая, рыхлая блондинка, шарила в сумочке.

— Пасс-то... Дома забыла.

— Чо, долго? Туда — обратно. На завтра закажешь...

— Чо на завтра-то? Ты ить сразу сняла.

— Дык повезло. На мне и кончились. Тетка за мной стояла. Всё, грят, под заказ. Тетка-то эта — ох! — мне типа срочно, сын, дескать, заболел. А я думаю: врет. На отмазку небось снимает.

— Ага, хватилась. Как жареным-то запахло. Эти, в военкоматах, тоже не идиоты. Вдвое щас взлетит. — Рыхлая блондинка говорила с удовольствием,

словно глупость матери чужого сына снижала накал
ее собственной недальновидности.

— А они такие: мы, либе фрау, деньги пока што не
печатаем...

— Пока што? Так и сказали?! — рыхлая охнула
и кинулась в ближайший проулок.

— Простите, — от волнения он чуть не стянул с головы шапку-ушанку. — Та женщина. Которой срочно.
Темненькая такая, в синей куртке?

— Можа, и в синей. Тебе-то што? Ходят тут всякие,
шпиёнят, — тетка защелкнула сумку и загородила ее
собой. — Поживиться задумал? Ща. Будут тебе и синие, и черные. Ага, с погонами... — пошла, но обернулась: — Тока посмей за мной, фашист. Урою. Голыми руками. И полицаев не надо.

«Да что ж такое делается, всеобщее помешатель-
ство... Всё, пора уходить».

И тут, словно по волшебству, в дверях показалась
Надя.

Он кинулся навстречу.

Но она шла быстрым шагом, не останавливаясь.

Заглядывая сбоку, он пытался прочесть по ее
лицу:

— Получилось? Скажи.

— Ага, — Надя обернулась растерянно, будто сама
еще не верила. — Всё, до копеечки. И еще одной, за
мной которая. А дальше, грят, нету. На завтра. Под
заказ. Прикинь, десять минут, и плакали мои денежки. — Но плакала она сама. Не вытирая набегающих
слез, судорожно шмыгала носом. — Спасибо те, братец... Век бога молить. Мало ли чо в жизни-то случится. Так и знай, помню, молюся за тебя...

Гордость. Но не та, что с матерью комиссара, для которой собирался купить томик Пушкина. Подлинная, настоящая. Когда не просто задумал благое дело. А сумел осуществить.

— Ну, а как было? Просто отдали? И не спросили ничего? — Он засыпал ее вопросами. Пусть расскажет во всех подробностях, чтобы насладиться победой, к которой приложил руки.

Но сестра пожала плечами:

— Считай, повезло. Обыкновенно сто раз проверят. Кажную бумажку обнюхают. А сёдни — не до меня им. С ног сбились. Очередь с пяти утра. Уж они выдавали-выдавали...

Обижало то, что сестра, которой он протянул руку поддержки и помощи, уже преуменьшает его заслуги. «Недалекие люди склонны относить чужие успехи на слепую удачу». Что касается его самого, в целом не сомневаясь в том, что удача — птица капризная, он окончательно уверился: птица-удача на его стороне.

— Папаша, царствие ему, конечно, небесное, дурак старорежимный. Всю жизнь, почитай, в России. А как был совейский, так и помер. Скока раз просила — дай. Ральку от армии отмазать, — она рассказывала, становясь все словоохотливее, переживая радость возвращения в свою по-новому счастливую жизнь. — Уперся. Ни в какую... Мы, дескать, служили, и он послужит. Сравнил! У них-то нормальная война была, человеческая. А у нас... Где тут свои, где чужие?..

Надя рылась в шкафу, перетряхивала вещи, выуживая какие-то кофточки, свитера, платья.

— Не с пустыми руками явишься. Вещи хорошие, почти што не ношеные. Платок — матери. Бог даст, свидимся. Тока бы войны не было... — обеими руками она подхватила разноцветную, будто шевелящуюся груду.

— А ты как же?

— Ничо, — сестра разулыбалась новыми фарфоровыми зубами. — Жива буду, куплю.

— Не поместится, — он раскрыл чемодан. Там сиротливо жалось свернутое и упакованное в бумагу пальто, похожее на солдатскую скатку. «Будто не домой еду, а на войну. Вместо Ральки».

— Дык в сетку его пихнем. — Вынув сверток, она утрамбовала вещи: новую шубу, подарки матери и сестрам — и застегнула молнию.

Он вспомнил подарки, которые получил Олег Малышев, его сосед по комнате, чьи родственники не поскупились, купили все новое.

«А нам старье отправляет...» — покосился на ее дурацкие, с кружевами, штаны.

— Зеркало завесить надо, — буркнул хмуро. — Покойник в доме.

Думал, сестра спохватится. Скажет, спасибо, что напомнил, а то опасно, не завесишь, нечистая сила явится.

— Зеркало... ага... чем бы его... Простыней, што ли... — быстрыми пальцами она перебирала стопку наглаженного белья.

— Вроде бы черным полагается.

— Ладно. Чо уж теперь! — она развернула белую простыню. Накинула на шифоньер. Но жестко накрахмаленная ткань не удержалась. Сползла, сбившись белесыми складками.

— Надо сверху прижать. Хоть книгой. — Подсказал то, что всегда делала мама, готовясь показать диафильм.

Но сестра будто осеклась:

— Не. Фатер этого не любил. Глупости, мол. Пустые суеверия. Сёдня его день. Вот и сделаем по-его.

С этого момента, когда сестра, положившись не на него, а на своего отца-предателя: «Пусть как хочет. Мое дело — предложить», — приняла опрометчивое решение, обезумевшие жернова времени вертелись все быстрее и быстрее: казалось бы, только что стоял над раскрытым чемоданом, откуда тянуло чем-то химическим, и вот он уже на кухне. Сестра жарит свои вечные сырники.

— Жалко, — она откинула выбившуюся прядку: на лбу остался белый мучной след. — Поминки-то без тебя... — задумалась на мгновение. — А давай сёдня. Помянем.

— Пока не похоронили, вроде не полагается...

— Ну не полагается. И чо? Если б не ты, все бы у нас с Ралькой... Писец, короче.

Не только отказ от строгих предписаний веры. В ней самой что-то изменилось. Раньше она удерживала в голове одну-единственную мысль. Но теперь будто все в ней сместилось, сошло с насиженного места. Вертелось и двигалось одновременно, сбивая границы, перетекая одно в другое, словно в ее жизни больше не осталось отдельных, не связанных между собой дел. Казалось, ее пальцы уже не разбирают, что делают: лепят сырники или перебирают высокую стопку наглаженного белья; собирают в дорогу новоиспеченного брата или разгребают завалы скопившихся в доме тряпок, которые ей больше не понадобятся; накрывают стол к обычному ужину или к незаконным поминкам по отцу.

— А помнишь, когда я приехал, ты заплакала?

— Я? — она переспросила испуганно.

— Ты, ты, кто ж еще! Свечку неправильно ставила. Надо было за здравие, а ты — за упокой.

— Кому?

— Да себе, себе, — он улыбался, жуя сырник. — Я имена перепутал. Сказал, это ты потерялась в поезде. Пропала.

— Не, не помню. Не было этого.

Вдруг ему захотелось признаться: для него она как была, так и осталась Надей, подругой его барачного детства, но сестра глянула на часы.

— Опять Ралька загулял. Заявится незнамо когда. Можа, отец-то прав. Человека бы из него сделали. В армии.

— А позволь-ка мне еще один сырничек, — он слегка откинулся, вытянул уставшие ноги.

— Ты чо, это ж аладушки...

— Упс! Перепуточки! — Ухмыляющийся Ралька показался в дверях.

«Явился не запылился, — он смотрел, как нахальный племянник, наложив себе горку оладий, поливает их сметаной. — Я ему жизнь обеспеченную устроил, а он ухмыляется».

Встал и, не говоря худого слова, гордо направился в комнату. «Поминки у вас... Вот и справляйте... — От темно-сладкого вина, которое Надя выставила на стол, и выпил-то всего ничего, он слегка осовел. Но это невнятное состояние никак не мешало размышлениям. Скорее, наоборот. Вострило ум, высветляло главную точку раздражения, которое с самого момента знакомства он испытывал к Ральфу (в сестре *это* тоже было, но в зачаточной форме, а в сыне, ее отпрыске, расцвело): полное равнодушие к тому, что выходит за рамки собственной жизни. — Будто нигде их не воспитывали. Ни в пимпфе, ни в их поганом Гитлерюгенде, где *при всем при том* прививают начатки общественного сознания, конечно уродливого, а как иначе в условиях оккупации? Но в вопросах общественного воспитания важен результат. — В армию его. Или в бараки, — снова явилось волнующее ощущение собственного всесилия, когда стоит захотеть, и жизнь преобразится, станет новой легендой, совершенной в своей ясности и простоте. — А то живет на всем готовом. Внук прислужника, яблочко от яблоньки... — образ племянника размылся, уступив место вездесущему Гансу, который, в отличие от Ральфа, никак не уймется с общественными вопросами, что, сказать по правде, бесило еще больше. — Вынь да положь ему: что такое фашизм? Всё-ё вам объяснят. Растолкуют. Дайте только срок», — с этой утешительной мыслью включил зачем-то телевизор, который, по местному обыкновению, нет бы пустить кино или в крайнем случае последние известия, показывал очередную муру.

Снова собирались захребетники, рассаживались рядами. Он ждал бравурной заставки, как всегда на их Первом канале. Но в студии, заливаясь широкими сердечными переливами, запел баян. Непривычные фиоритуры заставили насторожиться. Он вглядывался в лица гостей, узнавая в них вчерашних желтых, — еще накануне они моргали бессмысленно, включаясь в ход передачи исключительно по мановению ведущего. Теперь, наряженные в строгие костюмы и нарядные платья, глядели сурово, будто телевизионный маскарад переменил не только их внешность, но и внутренний мир.

«Батюшки! А это кто?!»

Давешний висельник, привыкший блистать нарядными галстуками, стоял на помосте, ссутулившись. По сравнению с собой позавчерашним, шикарный ведущий заметно сдал. Выглядел обтерханным — словно его, ухватив за галстук, долго и тщательно возили мордой по столу.

Разлившись напоследок особенно развеселым наигрышем, баян затих.

— Я эта... туточки... — обтерханный переминался, не решаясь двинуться дальше в своих унылых речах.

— Чо замолк? Давай! Кайся! — из задних рядов крикнули громко и отчетливо. Камера метнулась, пытаясь поймать выкрик, но, промахнувшись, заскользила по одинаковым лицам.

— Ишь, яйца перетирает! На яишный порошок! — женский голос утонул в общем радостном визге. На этот раз оператор нацелился без промаха: тетка славянского типа оглядывалась победительно, принимая поздравления от ближайших соседей за блестяще остроумную шутку. Блестело и ее лицо, отечное, неумело заштукатуренное дешевой косметикой.

Камера вновь поймала висельника.

— Я эта... намедни... Позволил себе. Про шелупонь... Дык это я так, шутейно... прикол типа, — извивы туго спеленатого тела выдавали его судорожные попытки вскинуть и заломить руки, но убедительной истерики не получалось. — Уж простите, люди добрые... — голова клонилась, вот-вот сорвется с плеч и покатится под ноги телезрителям. — Вы... Эта... не шелупонь. Вы... типа граждане... великой страны... — как боевой конь, заслышавший зов трубы, обтерханный собрался и заговорил бойчее. — Страны победившего равенства и братства, когда желтые ну вот ни капельки не уступают черным, а в чем-то даже опережают. Шелупонь не вы, дорогие мои желтые собратья и сосестры. А наоборот. Синие...

Студия ответила восторженным улюлюканьем.

Он поежился, гадая, что же будет дальше, но тут, разряжая напряженную обстановку, широко и вольготно вступил баян. В это же самое мгновение студийный свет, моргнув, погас. Гости затихли, как попугайчики в клетке, на которую ловкая и умелая рука хозяина накинула черный непроницаемый платок.

Однако эти несколько секунд мрака дали фору студийным операторам. Фильтр или не фильтр, — кто их поймет, профессионалов? — но когда платок сорвали, на свет явился не обтерханный уродец, а прежний красавец, ни дать ни взять сказочный Иван-Царевич. Как ни в чем не бывало обличал советских фашистов и их пособников в подлой, а главное, опасной для Великой России клевете.

«Видно, мало его по столу возили», — не зная, как иначе выразить чувство гадливости к этой продажной твари, он нажал на кнопку. Стер или, выражаясь научным языком, подверг мгновенной аннигиляции. Жаль, что элементарные частицы не исчезают. Как доказали советские ученые, на их место являются новые, чьи свойства еще не до конца изучены, но уже сейчас многое можно предугадать...

Вздохнул и прилег на диван, чтобы следующие полчаса, проведенные в одиночестве и легкой дремоте, поразмыслить о том, что за жизнью захребетников, какой бы пошлой и безумной она ни казалась, все-таки интересно наблюдать.

В отличие от него, время не раздумывало и не дремало. Бежало все быстрее. Серенький день его отъезда, едва успев затеплиться, промелькнул. Из всего, чем это время, казалось бы, полнилось, он запомнил только собственное отражение, когда, ухватив за ручку туго набитый чемодан (другую руку оттягивал неудобный громоздкий сверток с ватным пальто), заглянул в зеркало. Из зазеркального пространства, не завешенного вопреки народному обычаю, на него смотрели желтоватые, не иначе от накопившейся усталости, глаза.

И вот он уже стоит в прихожей, поскрипывая сырым полом, принимая последний Надин поцелуй и Ралькино равнодушное: «Чо, поехал? Ну, бывай». Во внутреннем кармане лежал конверт с рус-марками, которые счастливая сестра вернула, не дожидаясь напоминаний с его стороны.

Напоследок он окинул взглядом гаражи, небрежно, как прощаются с теми, с кем рассчитывают встретиться в самом недалеком будущем, и, стрекоча колесиками по сероватой, под стать вечернему полумраку, дворовой плитке, двинулся к метро. То, что Ганса во дворе нет, нисколько не удивляло. Уж в этом он успел его изучить. Поэтому был уверен: «Придет. Не сюда, так к поезду». Хотя бы для того, чтобы оправдаться за вчерашнее малодушие, когда Ганс до смерти испугался, узнав, что его бывший учитель — еврей.

«Я-то его, конечно, прощу, — он думал великодушно. — Как говорится, свои люди — сочтемся. — И все-таки, положа руку на сердце, не понимал этой странной потребности: заслужить прощение одного, пускай и близкого, человека. — Вот, например, я... Мы, советские люди, прощены изначально. Если наши действия и поступки совершаются во благо родной страны...»

В дальнюю арку, обшаривая стены электрическими щупальцами, въезжала машина.

Давая дорогу, он отступил в сторону. Однако фольксваген с черно-желтой полосой на борту не поехал дальше, а остановился у будки охранника. Передние двери распахнулись синхронно, как жесткие крылья скарабея, выпустив двоих полицаев. Один, внушительный и корпулентный — «Небось, пожрать не дурак» — держал плоскую кожаную папку. Другой, худой и желчный, поигрывал наручниками.

Отметив краем глаза, как эта парочка, ведомая предупредительным охранником, скрылась во втором дворе, где он только что оставил сестру Надю с ее сыном, которым завтра предстоят неприятные похоронные хлопоты, он объяснил себе неурочное появление полицайского наряда: «Еще кто-нибудь умер. Из жильцов. Что поделать, все мы смертны», — отметил резонно, но не слишком уверенно, будто вынося за эти скобки самого себя.

Да. Смертны. Но жизнь на этом не кончается, а идет дальше, принимая порой самые неожиданные формы, — с этой оптимистической мыслью он махнул рукой здешним родственникам, желая им всего самого-самого: счастья, здоровья и успехов в личной жизни — как пишут на первомайских открытках, — и энергично зашагал к метро.

От ранних сумерек рябило в глазах. То и дело смаргивая густые желтые плюхи, опадающие с фонарей, как листья с осенних кленов, он дошел до ступенчатого подземного перехода, но решил перебираться поверху, пожалев чемодан. Не стоит лишний раз бить колесики. Была надежда, что чемодан у него не отберут, оставят в личное пользование.

Неподалеку от входа в метро стояла телекамера на распяленной треноге. Ловя в прицел идущих мимо пассажиров, оператор, маячивший за ней, прилип к глазку. Девица-корреспондент в пушистой вязаной шапочке нянчила большой, поросший черной шерстью микрофон.

— Скажите, пожалуйста, вы поддерживаете политику фюрера? — старательно выговаривая сов-русские слова, она выбирала кого-то одного из сплошного потока и, сделав короткий выпад, совала ему микрофон под нос.

По его наблюдениям (он остановился из любопытства), выбранные вели себя по-разному. Некоторые шарахались как от чумы. Но большинство, по преимуществу желтые, охотно уставлялись в камеру старательно-напряженным взглядом, словно

531

перед ними не последнее достижение научно-технической мысли двадцатого века, а древний фотографический треножник, откуда вот-вот вылетит птичка — главное, не спугнуть. Выражая безусловную поддержку всем политическим начинаниям фюрера, они помогали себе руками. Видимо, сказывалась общая нехватка сов-русских слов.

В надежде, что его тоже заметят и выберут, он подошел поближе, репетируя про себя достойный развернутый ответ, осуждающий текущую политику оккупантов. Однако пронзив его острым взглядом если не сложившегося зрелого мастера, то уже вполне многообещающего телевизионного подмастерья, вынужденного до поры довольствоваться простенькой работенкой на подхвате, девица буркнула:

— Чо стал, совок недорезанный? Давай, давай! Не отсвечивай. Вали.

«Для них же, дикарей, стараюсь. Чтобы шерстью не заросли, — он скривился обиженно. — Не хотят как хотят, не больно-то и надо», — влекомый общим потоком, влился в стеклянные двери.

Спускаясь по эскалатору, вглядывался в лица встречных пассажиров, словно надеясь уловить их новые общественные настроения, но улавливал неприятный запах. Отнюдь не технический, характерный для метро. Ноздри ела смесь застарелого пота (будто однажды и до смерти напугавшись, пассажиры забыли вымыться) и затхлых грязных носков. Выходя на платформу, он ждал, что этот слишком человеческий дух развеется, но его терзания только усилились: из черного тоннеля, откуда вот-вот должен появиться поезд, тянуло сладковатым смрадом, о природе которого лучше не размышлять вовсе, иначе придется вообразить мертвое тело, по-хозяйски вольготно раскинувшееся поперек рельсов, чтобы — как к заслуженному отдыху — приступить к процессу разложения собственных органических тканей...

Тошнотворную вонь перекрыл отчаянный низкоголосый гудок.

В вагоне он старался не дышать. Мало-помалу это стало получаться. Теперь можно было вообразить, будто вокруг — никого. Ведомый приятным чувством абсолютного, космического одиночества, он доехал до нужной станции и, выйдя на поверхность, поднял глаза.

Поперек площади, ровно над тем местом, где в Ленинграде высится памятник героям, павшим за Родину, а после войны торчали виселицы (заиндевелые тела пособников и предателей неделями покачивались в прочных веревочных петлях), — полоскалась огромная тряпка с нарисованными на ней лицами. Точнее сказать, контурами лиц. Будто выведенных фломастером. Синие силуэты на белом фоне с несоразмерно увеличенными носами и подбородками походили на евреев — как их изображали фашисты. Или на изображения самих фашистов из его любимого журнала «Крокодил».

Пятеро бились в предсмертных судорогах, корчась на ветру.

Острие электрического луча, наведенного на них с гостиничной крыши, высвечивало грозный лозунг:

ПОЗОР ПРЕДАТЕЛЯМ ФОЛЬКА И ФЮРЕРА!

Но не одной всеохватной вспышкой, а переползая с буквы на букву. Медленно и последовательно, точно школьная указка. Словно те, кому это послание предназначалось, умели читать, но плохо. Как первоклассники — даже не по слогам.

Впрочем, что бы ни имел в виду автор этой грозной инициативы, она не снискала особого успеха. Прохожие вверх не глядели, торопясь каждый по своим делам. Он заметил лишь двоих, остановившихся под фонарем. Вторя острию указки, желтые шевелили старательно-послушными губами. По плоским, слабо освещенным лицам расплывалось невнятное удовольствие, будто символическая смерть пятерых, вывешенных на всеобщее поругание, обещала им бесплатный пропуск в царство справедливости — возможно, даже в рай.

Сверившись с табло, он вышел на указанную платформу и, докатив чемодан до вагонной двери, предъявил билет проводнику.

И вот он уже сидит на нижней полке (правой рукой прижимая к себе шуршащий сверток с зимним пальто, левой придерживая чемодан) — в тайной надежде, что другие пассажиры, купившие билеты в его купе, по каким-то им одним ведомым причинам вдруг откажутся от поездки. А значит, в целях личной и багажной безопасности, будет достаточно запереться изнутри.

За хлипкой перегородкой бродили гулкие голоса, двери соседних купе то разъезжались, то защелкивались с сухим хрустом, как вставные челюсти великана. Он сидел, затаив дыхание, совсем было поверив в счастливую звезду своего космического одиночества. Но тут шарнирная дверь чмокнула и поползла вбок, впустив румяного широкоплечего мужика в ярко-желтой куртке из пластика. Вроде бы совсем новой, но уже с глубокими заломами на рукавах.

— Чо в темноте-то, как сыч? — пассажир, от которого несло тяжелым пивным перегаром, включил свет. — Ну, как грится, привет. От старых штиблет, — и хохотнул.

С некоторым ужасом он смотрел на прозрачный пластиковый пакет, чьи бока раздували многочисленные пивные банки. Надо полагать, сосед запасся внутренним топливом на всю ночь.

— А я думал, эта, предатель в соседи попадется, — ражий любитель пива плюхнулся на свободную койку, будто застолбил территорию, принадлежащую ему по праву. — Мое место, поял? Но меня не будет. В гости позвали. Короче, чо хошь. Дело молодое, — мужик осклабился, довольный своим щедрым предложением. — А не хошь, запирайся и спи.

— А эти, верхние?

— Ты чо, белены объелся? Ваген эсве. Как грится, выше нас тока птицы... Ага, небесные, — икнув перебродившим содержимым желудка, его благодетель вышел вон.

«Вот это да! — уныние как рукой сняло. Мало того, что вышло, как загадал. Так еще и СВ. О вагонах, в которых ездит высокое начальство, ему доводилось слышать, но чтобы самому — об этом и не мечтал. Выходит, там, в центре, его вклад в общее дело оценили по заслугам. — Думал, ты один такой важный», — он пристыдил своего внутреннего соперника. Тот только губами чмокнул.

На самом деле чмокнула дверь.

— Кока-кола, пепси, — из плетеной корзинки торчали цветные бутылочные пробки, — шнапс, пивко... А, это ты! — проводник презрительно махнул рукой и попятился.

— Мне, пожалуйста... — он хотел спросить кока-колу, но как-то само собой вылетело: — Шнапс.

«Ну а что такого-то, работа сделана. Уеду — так ведь и не попробую».

Проводник смотрел недоверчиво:

— Ваще-то цейн рус-марок.

— Ну, цейн, — он полез в боковой карман. — И что?

— Да ничо. Ваши не покупают.

— Что значит, наши?

— А ты, эта... — проводник окинул его цепким взглядом. — В Москву-то. Не на слет?

— Я домой. В СССР. Из командировки.

Услышав про СССР, проводник отчего-то помрачнел, даже оглянулся через плечо. Но, видно, никого не обнаружив, засуетился:

— Дык, эта... можа еще чаво? Орешков. Или колбаски. Пожрать типа напоследок. Ваши-то, када едут, завсегда... Ну, нет так нет. Отдыхай типа, — сунув десятку в кармашек белой форменной куртки, проводник исчез.

По вкусу их хваленый *Schnaps*, нем-русский национальный напиток, слегка походил на водку. Но существенно уступал ей по крепости. К тому же отдавал персиком или бананом. Глотнув раз-другой, он завинтил пробку и сунул бутылку под подушку: мало ли, вдруг контролеры. Но минут через десять не удержался. Приложился еще пару раз.

«Проветрить бы надо, а то пивом воняет», — сдвинул в сторону дверь.

Пустой коридор, залитый приглушенным светом, казался неправдоподобно длинным, будто пронизывал не один-единственный вагон, а весь состав насквозь. По контрасту с душным купе здесь царила освежающая прохлада. Взявшись за поперечный поручень (на то и поезд, чтобы слегка покачивало), он уловил струю воздуха — тонким приятным сквознячком тянуло от окна.

Что-то ныло над ухом. Но не тем въедливым комариным писком, от которого можно отмахнуться. А мелкой пружинной дрожью. Словно металлические кольца сжатого до отказа времени, накопив внушительный запас потенциальной энергии, грозили распрямиться во всю свою длину.

Сжимая холодный поручень, он окончательно осознал, что не просто едет в поезде. А пускается в обратный путь: из России назад в СССР. Короче, нах ост. С пересадкой в их поганой Москве.

В этом пространственно-временно́м ракурсе (а быть может, сдвиге) родная страна, ожидающая его за Уральским хребтом, представлялась неоглядным островом справедливости, которому угрожают коварные и завистливые враги.

Между тем поезд набирал скорость. Черно-белыми проплешинами не до конца растаявшего снега бежала мерзлая земля. Но не следом за поездом, как можно было предположить, исходя из элементарной марксистско-ленинской логики. А, напротив, — рвалась обратно. В Россию.

Впрочем, оптический эффект обратного движения легко объяснялся элементарным физическим законом: именно так, и никак иначе, это и должно представляться пассажиру, глядящему из окна.

Он не сразу заметил багровый край заката. С военной точки зрения краснота, залившая горизонт, представляла собой узкую прорезь, сквозь которую возможно проникновение на территорию, занятую стратегическим противником.

Забрав лицо в ладони, он приник к стеклу. Но то ли смотровую щель его командирского танка забросало грязью, то ли по другой причине — ближайшая перспектива получалась блеклой. Даже автомобильная развязка, которой он любовался на пути в Россию, больше не выглядела сияющим марсианским кренделем — приметой двадцать первого века. От некогда сверкавшего во тьме виадука остались серые горбатые контуры. Видно, обслуга, получив соответствующий приказ, приняла срочные меры к затемнению. С целью противодействия доблестной советской авиации.

Хотел протереть смотровую щель рукавом, но она как по щучьему велению раздвинулась, превратившись в широкое обзорное стекло. И тотчас — так ему показалось — скрипнули и застонали рычаги, с которыми он, летчик, настоящий ас своего дела, управлялся так же легко и привычно, как захребетники со своими телевизионными пультами.

Нащупав кнопку бомбометания, он примерился, прежде чем метнуть.

Под самолетным днищем заскрежетало. Железная птица, послушная его воле, распустила сжатые до отказа когти. Почувствовав себя на свободе, мегатонная бомба унеслась вниз со свистом, чтобы, разорвавшись, трижды обогнуть земной шар, опоясав его ударной волной.

«Жаль, — он прислушался к тишине, — что кремлевские старцы никогда на это не решатся». А казалось бы, чего проще: нажал — вот тебе и воронка. Километров пятнадцать в диаметре, два километра в глубину.

Дождешься от них, — внутренняя наружка заняла место штурмана. — *Дымком свежим потянет, враз в штаны наложат.*

«А главное, момент удобный. Бомбанем и обвиним фашистских захватчиков. Дескать, это они напали вероломно. СССР был вынужден защищаться».

Да чо нам ваще оправдываться! Ничо ж не было. Пусть попробуют доказать.

Вняв логике своего бывалого штурмана, он глянул вниз. Его недавний соперник, а теперь боевой товарищ, оказался прав. Кровавая рана облаков затягивалась, неопровержимо свидетельствуя: эту местность никто не обстреливал и уж тем более не бомбил. Он, советский летчик, охраняющий священные рубежи отечества, выполнял свою мирную задачу в условиях интенсивного бокового ветра и низкой облачности. Летчики не отвечают за природные явления. Не его вина, что внизу вспучивается и сама собой загорается багровым закатным светом нем-русская земля.

Каким бы коротким ни вышел воображаемый воздушный бой, за это время купе успело проветриться. Он взялся за ручку двери, будто перевел штурвал на положение: «вниз».

«Ну и с кем мне передать деньги?.. Все меня оставили, все», — вспомнил сестру Надю и ее сына. Им всем, включая Ганса, он как мог оказывал посильную помощь. А что в ответ?

Космическое одиночество, которое он пережил в метро, здесь, в поезде, предстало другой своей гранью: будто не пустой коридор, а иное пространство, пронизанное сквозняками истории. Выстуженное, лишенное человеческих запахов по той причине, что простым смертным вход сюда заказан. Не то что в затхлые архивы, пахнущие потом и кровью, которые облюбовал для себя Ганс. Возомнивший себя невесть кем. «Еще поглядим, кто тут будет судья, а кто обвиняемый... — так он подумал, чувствуя, что снова кружится голова. — А всё шнапс. Слабый-то слабый, а куда коварнее нашей водки... Ой! А это кто?..»

У дальнего окна, примыкающего к туалету, возникла, будто вышла из пустоты, долговязая фигура. Он приглядывался искоса, не решаясь окликнуть. А вдруг — не Ганс?

Чтобы как-то привлечь к себе внимание, а заодно убедиться, что Ганс (или не Ганс) явился взаправду, а не просто ему кажется, он поднял левую руку. Полупрозрачная фигура ответила зеркальным жестом, подняв правую — тонкую и длинную, точно ножка комара: два безвольных излома, в запястье и в локте. «Передразнивает меня, что ли? Все-таки он или не он?» — повернул голову, чтобы узнать наверняка.

Вторая попытка удалась. Фигура оборотила к нему свое лицо. Но не бледное, какими бывают усталые человеческие лица. А будто закрашенное свинцовыми белилами. Явственно синел только ободок. Тонкая кайма. Начинаясь где-то сзади, у основания черепа, она огибала оттопыренные уши, вспухая под подбородком.

Заметив его изумление, Ганс, словно куражась, высунул длинный язык.

«Напился, собака! В дымину. И безобразничает», — он взялся за ручку двери, которая так и норовила вырваться. Открыл купе нарочито замедленным жестом, будто дал ясную подсказку: иди и проспись.

Восьмая

I

В отличие от распрямившейся пружины пространства, время вело свою собственную независимую политику. Не успел он глаза закрыть, и вот уже наступило новое утро — каждой минутой торопко стучащих колес приближавшее его к их опозоренной Москве.

На выход он приготовился заблаговременно, не дожидаясь, пока за окном поплывут унылые новостройки. Волоча за собой багаж (ладно бы чемодан, так еще и сетка, норовящая зацепиться за все, что торчит, выдается или выступает), проследовал в самый конец вагона, где за стеклянной дверью уже стояли два мужика. Холеные чиновные лица несли следы ночного угара, а проще говоря, попойки. Женщина интеллигентного вида, вышедшая за ним следом, поморщилась и уткнула нос в обмотанный вокруг шеи платок.

— Разумеется, приветствую. Притом безоговорочно.

— Вы, Карлуша Генрихович, неисправимый оптимист. Поглядим, что вы запоете месяца через два, когда сов-русские танки прорвутся-таки к Москве. Лично меня эта перспектива напрягает.

Судя по всему, эти двое продолжали ночной разговор. В замкнутом пространстве тамбура он невольно прислушивался.

— Бросьте вы каркать! Фюрер не допустит.

— Ваши слова, да сов-русским в уши.

— А вы — неверующий Фома. Идея Четвертого Рейха, как ее понимает фюрер, не война. А мистическая связь людей, в чьих жилах течет, или некогда текла, советская кровь. Возьмите нашу военную доктрину. На территории России военные действия исключаются. Мы, — говорящий гаденько усмехнулся. — Мирная страна. А если што, виноваты будут сов-русские. Они и прошлую войну развязали.

— Да ладно вам! Признайтесь, батенька! Желаете обратно в совок? А? В глубине-то души.

— Отнюдь, отнюдь. А вот привить к советскому дичку бесспорные завоевания России, ее, я дико извиняюсь, свободы... Вот вы, к примеру. Бывали в совке? Это не жизнь. Ад. О правах человека я и не заикаюсь. Речь о самом элементарном — шмотки, жратва. В магазинах хыть шаром покати. А очереди! Великий Дант отдыхает.

— Сов-русские не ропщут. Очереди — их духовная традиция.

— Да слушайте их больше! У меня родичи в совке. Чего ни привезешь, всему рады. Любому, прости ос-споди, говну.

— Дак они што, желтые? Не ожидал от вас. Фюрер свидетель, не ожидал!

— А вы, Пал Иваныч, кажись, недолюбливаете желтых?

— Да я им — отец родной. Подарки к кажному празднику. И кухарке, и водителю. И этому, как его, садовнику. Накормлены, одеты. Супружница лично на распродажи ездит, штобы им, сукам таким, потрафить... — чиновник вдруг смешался.

Что не укрылось от наметанного взгляда его собеседника.

— Ну вот. Сами ездите, а на меня наезжаете.

— Вы, Карлуша Генрихович, не так меня поняли. Если што и ляпнул, исключительно про ихних. Которые там, в совке. Дескать, смирились и не ропщут. А нашим-то — чево роптать! Живут, как у фюрера за пазухой.

Тот, кого звали Карлушей Генриховичем, тонко усмехнулся:

— А вот тут, дорогуша мой, вы правы. Нам, государевым людям, следует держать нос по ветру, — обвел указательным пальцем свой ноздреватый нос. — Нынче не давеча. Про желтых как про покойников: либо хорошо, либо ничево...

— Извиняюсь, пардон, прощения просим, — проводник вышел в тамбур и протиснулся к самой двери.

— Ублюдки. Твари фашистские.

Он вздрогнул: женщина, уткнувшаяся носом в платок, высказала его заветную мысль. Лишь бы не встретиться взглядом с проводником: «Донесет, как пить дать донесет, — он вжался в стену. — И дверь не откроет. Дождется, когда полиция явится...»

Сохраняя на лице вежливо-бесстрастное выражение, проводник нажал на зеленую кнопку:

— Всего доброго, данке, типа ждем вас снова.

— Пшел на хер, урод тряпошный! Понаставили вас тут — болванов! — Женщина, чье грубое заявление, во всяком случае в его глазах, несколько обесценило ее предыдущее политическое высказывание, первой вышла на платформу. И исчезла, смешавшись с толпой.

«Ладно проводник. Он при исполнении. Но эти...» Чиновники, которым она, если называть вещи своими именами, плюнула в рожи, утерлись, будто так и надо.

Напротив вагонной двери стояли двое, по виду тоже чиновники, но по осанке — не слишком высокого ранга. Видимо, кого-то встречали. Он остановился, решив переждать основной поток. Чиновники обсуждали переименование одной из канцелярий гестапо в Отдельный жандармский корпус, однако с сохранением прежних полномочий. Так, во всяком случае, утверждал один из них — с высокомерной не по чину верхней губой. Его внимание отвлек гундосый окрик.

— Па-аберегись! Па-аберегись! — Носильщик распугивал медлительных пассажиров, заполонивших платформу. Тележка, нагруженная чемоданами, перла прямо на этих двоих. Чиновники порскнули по сторонам, точно зазевавшиеся клопы.

Неся на себе выражение угрюмого достоинства, носильщик двинулся в сторону вокзала. За ним следовал какой-то невзрачный юркий мужичок, надо думать, хозяин чемоданов.

Он попытался пристроиться в фарватере, но его оттеснили ярко-желтые куртки. «Откуда их столько?.. Ах да, у них же слет». От яростной желтизны, стоявшей в воздухе, посверкивало в глазах.

Делегаты сбивались в колонну, которую возглавлял его несостоявшийся сосед по купе. Под левым глазом любителя баночного пива расползался здоровенный синяк.

«Пусть пройдут, мне торопиться некуда, — он пережидал густой желтый поток, который должен вот-вот схлынуть и, если ночью не примерещилось, выбросить на пустой берег Ганса — не то рыбину, не то отшлифованный волнами камушек с дырочкой. Даже название вспомнил: куриный бог.

Поток наконец схлынул. По пустой платформе гулял мусор: клочки бумаги, обрывки газет, фантики, окурки, куски шпагата, тряпичные лоскутки, от которых пассажиры поезда поспешили избавиться, словно от улик канувшей в прошлое ночи. Он разглядел даже куриную кость — кто-то швырнул мимо урны. Нет бы обглодать и аккуратненько завернуть.

Он двинулся к зданию вокзала, лелея в себе обиду. «Да кто он вообще такой, чтобы о нем думать! Ни рыба ни мясо, ни кафтан ни ряса, ни богу свечка ни черту кочерга...» — родные фразеологизмы, к которым догадался прибегнуть, чтобы раз и навсегда разделаться с Гансом, лопались на языке ментоловыми шариками, придавая резвости ногам.

Но бодрое настроение сбилось. Как ни пытался продолжить в том же духе: «Ни пава ни ворона, ни в городе Богдан ни в селе Селифан, ни вреда от него ни пользы...» — вместо бодрящих шариков во рту хрустела сухая галька. И выпил-то всего ничего, подумаешь, полбутылки, тем более не водка, а шнапс, но все равно пересохло во рту.

— Да стой ты, ирод совейский! Кому грят!

Даже вздрогнул и обернулся. Но оказалось, он ни при чем. Тетка орала на своего сына. Хотя мальчишка, которому досталась такая сумасшедшая мамаша, и так стоял смирно. Он кивнул ободряюще, дескать, терпи, мать есть мать, — однако наглый малец окинул его презрительным взглядом.

«Номер восемь, левая сторона... — Презрительный взгляд мальца не давал сосредоточиться. Ему потребовалось несколько минут, чтобы понять: серебристый «Беркут» не здесь, а в тупике. — Глаза не хотят мозолить. Этим, кому закрыт выезд из России».

Он перехватил сетку с зимним пальто в другую руку. Но не успел сделать ни шагу.

— Ну чо, двинули? — Там, где только что торчал противный мальчишка, стоял Ганс. Лучился радостью встречи.

Его ответная улыбка сложилась криво, будто с привкусом презрения, разлитого в воздухе.

— Куда? — он искал следы ночного грима. Но их не было. Ни на лице, ни на шее — похоже, тщательно смыл.

— Дак на восьмую, — Ганс ткнул пальцем в электронное табло.

— А ты?.. — он растерялся. — Разве тоже на «Беркут»?

— Ага. Прикинь. Эбнер все устроил. Перетер с кем надо, — Ганс не скрывал распиравшей его гордости. — Нехрен, грит, светиться. Россия типа большая. Найдешь, где пересидеть.

— С пустыми руками? — он усмехнулся, обнаружив наконец то, что искал: белое пятнышко под ухом. Как мазок кистью.

— А что мне? Документы, бабок малёха, — Ганс помахал тощим портфелем. — Брательник што смог вынес. Хотел, грит, свитер ищо. Дак папаша, цербер хренов. У шифоньера засел. Бдит.

— Пятно. На шее у тебя.

— Можа, паста зубная... — Ганс послюнявил палец и торопливо стер.

— А я, между прочим, не сказал, что оно белое.

— Дак умывался, что ищо-то? — Своим смущением Ганс окончательно выдал себя.

«Так ему и надо, впредь не будет держать меня за дурака».

С этой духоподъемной мыслью предъявил паспорт и проездные документы. Ганс маячил у соседнего вагона, что-то втолковывал проводнику. «Видали. Путешественник», — кислая обида перетекала в острое раздражение. Расползаясь все шире — как тягостный неверный рассвет, за которым придет такое же сумеречное утро, какое теперь стояло за окном. — Нельзя ему деньги доверять. Возьмет и прикарманит. А потом — какие, скажет, деньги?»

Он и не заметил, как поезд тронулся, пускаясь в обратный путь.

Долго ли, коротко, но когда открыл глаза, не было ни новостроек, ни суетливых московских предместий. Под мягкий шелест колес расстилались пустые бесхозные поля. Исконно советская земля, истомившаяся в фашистской неволе, еще дремала, исподволь наливаясь весенними соками. Но словно в насмешку над правильно и рационально организованным севооборотом, ее, как свежие кривые царапины, перечеркивали густые жирные колеи.

Его взгляд (будто влажная тряпка, которой вытирают со стола) шарил вокруг, стирая следы чужого разнузданного пиршества, растянувшегося на долгие десятилетия, в своем хозяйственном рвении устремляясь все дальше, к горизонту, откуда вставала крепкая рука настоящего хозяина — растопыривала пальцы-лучи. Замирая сердцем, он ждал, что они захватят и сомнут испоганенную оккупантами скатерть, бросят ее комком в корзину истории, освобождая из плена озимые всходы. Но пальцы-лучи вдруг опали, точно сжались в кулак. Солнце — наш естественный природный союзник, которому вроде бы можно довериться (недаром оно всходит не на Западе, а на Востоке), — скрылось за облаками.

«Значит, еще не время...» Но когда-нибудь весна все равно наступит — так же ясно и непреложно, как этот поезд, размотав положенные тысячи километров, рано или поздно окажется в его родной столице. Нашей дорогой и любимой Москве.

Если не считать его самого и какой-то женщины (ее коротко стриженный затылок мелькал в просвете между дальних кресел), вагон был пустым. Ни тебе стариков с чемоданами, ни родителей с детьми. Видно, последние события, о которых вещал телевизор, все-таки напугали захребетников. «Вот и подавитесь своими подачками! — он вспомнил разговорчивого чиновника, который возит подарки своим советским родственникам: — Не очень-то и хотелось. Обходились. И впредь обойдемся...»

Словно давая пищу его патриотической уверенности, стеклянные двери тамбура разъехались, впустив двоих мужиков. Судя по уныло-озабоченным физиономиям, явно из наших. Но они разговаривали на чужом языке.

— Чо ссышь-то! Подумашь, мля, таможня.

— А эта, отымут?

— У нас в Ханты-Мансийске прикормлены. А чо? Тоже небось люди. Хавать всем охота...

«Хавать, прикормлены...» — этой связи между едой и советской таможней он не мог уловить.

Взгляд, провожающий мужиков, наткнулся на женский затылок, маячивший между кресел. «Скорей всего, тоже наша. Может, подойти, спросить?» — но понял, что никого ни о чем не спросит. Потому что устал. Руки-ноги наливались каменной тяжестью. Его хватало лишь на то, чтобы, продолжая наружное наблюдение, отчетливо и точно фиксировать происходящее.

Вот двое мужиков, любителей разговорного нем-русского, идут обратно, тащат огромные сумки, надо полагать, с едой — кормить советских таможенников. Вот проводницы, тоже блондинка и брюнетка, только на этот раз нем-русские, катят тележку с захребетной снедью:

— Чай, кофе, орешки?

Почуяв запах свежего кофе, он едва не допустил ошибку. По счастью, его внутренний вмешался.

Правило наружного наблюдения: оперативник обязан стать невидимкой; ни при каких обстоятельствах он не имеет права реагировать на внешние раздражители.

Не дождавшись ответа, проводницы покатили дальше.

Вот в дверях показался проводник. Направляется к женщине. Что-то ей говорит. Протягивает какой-то листок.

Самое упоительное заключается в том, что, строго говоря, он не видит ни женщины, ни проводника. Его шея, взяв пример с других окаменелых членов, не поворачивается. Не видит, но все равно примечает, что делается у него за спиной. Значит, тело разведчика — в те важные моменты, когда он находится при исполнении, — каменеет не случайно. Должно быть, это новая секретная технология, разработанная в недрах его родного ведомства: эдакая спецокаменелость, значительно увеличивающая обзор. В пределе, когда ученые доберутся до скрытых резервов человеческого организма, поле оперативного зрения имеет шанс расшириться до 360 градусов. «Как у насекомого. Не помню, кажется, у мухи...»

Его внутренний, нет чтобы подсказать, молчал. Видно, тоже запамятовал.

«Ладно. Технологам виднее. Это их зона ответственности». А у него — своя: разговор с Гансом. Который он, воспользовавшись профессиональными навыками, сумеет перевести в выгодную для себя плоскость. Точнее, колею. В том, что он справится, сомнений не было. Надо только собраться.

Однако остатков собранности и силы воли хватало лишь на то, чтобы держать все под наблюдением. Что он и делал, осторожно поводя глазами, скользя взглядом по багажной полке, на которой лежал его сверток. Если российские пограничники спросят: что у вас там, в сетке? — он ответит: старое зимнее пальто.

Тяжелый каменный сон, куда он мало-помалу погружался, отпустил его только к вечеру, когда все, что бежало за окном, подернулось сероватой мглой. Но сонное время даром не прошло. Он чувствовал себя отдохнувшим и бодрым, готовым к разговору. При этой мысли его обуяло беспричинное веселье: даже захотелось позвать Ганса, поторопить.

Впрочем, тот и сам не заставил себя ждать.

В первый миг, когда долговязый силуэт материализовался за стеклянной дверью, ему показалось: Ганс снова надел маску — таким он был бледным. Даже прыщи исчезли.

— Слышь, а гренца когда? — О том, что Ганс, в отличие от него, не в лучшей форме, свидетельствовали и глаза: красноватые, пронизанные воспаленными жилками.

— Граница? Утром, — не только голова, но и все остальные части тела ему опять послушны. Он закинул ногу на ногу. Специально. Если в вагоне присутствуют наблюдатели-невидимки, страхующие его эвакуацию из фашистского логова, дал им знать: свой пост он сдал, во всяком случае, на время разговора.

Ганс сел напротив, пристроив сбоку-припеку свой тощий портфель.

— Слышь, а на гренце шмонают?

— Тебе-то не все равно? Ты же сойдешь.

Готовясь к поездке, он, конечно, изучал схему, впрочем, не слишком внимательно. Запомнилось главное: на сверхскоростном маршруте остановки исключительно редки. С российской стороны их, кажется, всего три. Он навел внутреннее зрение, словно разложил перед собой воображаемую карту: «Нижний Новгород, Йошкар-Ола... Или Ижевск? Черт их разберет! То ли дело у нас. Никакой путаницы», — уж тут-то он был уверен: с советской стороны никаких остановок. «Беркут» летит как птица-тройка. Только успевай уворачиваться.

Кому там, блин, уворачиваться? В тайге. Медведя́м, што ли?

Между тем погасили верхний свет. Стало холодновато — как прошлой ночью в поезде Петербург–Москва. Хотя там нещадно дуло и сквозило. А здесь все заделано герметично. Он приложил руку к оконной раме, лишний раз убеждаясь в собственной правоте.

— Прав ты был, — казалось, Ганс ничего не замечает: ни холода, ни тьмы. — Веньямин... да, еврей. И надо с этим смириться. Но, понимашь, трудно. И баушка. И потом, в шуле. Все в одно слово: жиды, жиды. И революцию они затеяли. И войну развязали. И репрессии — ихних рук дело. Слушаешь и думаешь: может, и так... Не, я не говорю, што у вас рай. Тоже думать приходится, а как же?.. — Ганс бормотал и бормотал. В сущности, сплошные глупости. Радовало лишь то, что с его помощью Ганс осознал самое важное: понял наконец, что такое фашизм.

— Ну ладно, кто старое помянет, тому глаз вон, — держа в голове свои собственные задачи, он старался говорить искренне. Насколько позволяло служебное положение.

— Я... последние дни. По городу пока мотался, всё думал. Евреи — да. На определенном этапе они, конечно, критерий. Но теперь-то евреев нету. А фашизм остался. Значит, можа, дело не в них...

— А в ком? — Он знал, что обязан возразить достойно и по существу, но снова наваливался сон, только не тот, что прежде. Когда отказывают руки и ноги. Руки-ноги оставались мягкими (нарочно пошевелил пальцами), не слушалась только голова. Видимо, какой-то сбой. «Технология оперативного окаменения не отработана. Нужны дальнейшие испытания... Если Родина прикажет, я готов, — он примерил на себя профессию естествоиспытателя: — Изучать предельные возможности организма. Возможно, в этом мое настоящее призвание... Трудное, но почет... почетное...» — под лобной костью проворачивалась мысль — тяжелая, точно каменный жернов, — в средневековых мельницах так размалывали зерна в муку.

— Я, прикинь, над лозунгом ихним смеялся. Фольк и партай едины. А можа, и вправду. Как думашь, а?

— У нас в СССР народ и партия тоже едины.

— Да ты чо! Разе можно сравнивать! — Ганс замахал руками. — В СССР ни желтых, ни черных. Сам же говорил.

Не выводы — выводы Ганс делал правильные. Раздражала сама манера.

«Сравнивает, сравнивает... Нет бы просто признать, что российская жизнь — фарс».

— Эх! Скока ж я всего передумал. И про вас, и про нас. Три дня, а будто цельная жизнь. Башка пухнет.

Прикинь, с детства наросло, — Ганс постучал костяшкой пальца по лбу. — Тайга прям какая-то. Корчевать и корчевать.

— Тайгу не корчуют, а вырубают.

— А разница? — Ганс насторожился.

— Когда вырубают, остаются пни. Корчевать — значит вытаскивать с корнями.

— Ну дак и я про то. Взять, к примеру, войну...

— Войну? — он оживился. — Давай! Я не против. Даже интересно, до чего ты там докорчуешься. Была ваша победа, станет наша, так?

— Победа! — Ганс сморщился. — Гордятся. Дошли, мол, до Урала. Жирный кусище отхватили. Половину, считай, земли. И чо? Ваш советский народ как был благороднейший в мире, такой и остался... А мы? Полнейшая деградация. Не люди. Болванки. Как хошь обтесывай. Да чо далеко ходить? Вон, мои. И в голову не приходит, што я, их сын, которого они знают с детства, никакой не додик. Сказали им додик — значит додик! Ты, верно, думаешь, — Ганс все не мог остановиться, будто решил выговориться раз и навсегда, — болваны есть везде. Но у вас их учат, перевоспитывают. На концерты водят. Я в кино видел. После работы собирают. Построят и ведут.

Он опешил:

— Куда?

— Как — куда? В филармонию. Скажешь — нет?

Совершенно неожиданно для себя он кивнул.

— Не, черные не дураки. Всё понимают. Рано ли поздно правда-то откроется. Вот и клевещут. Делают вид, будто разница невелика. В СССР, мол, тоже фашизм, тока другой, хитрожопый. Усёк, куда кло-

нят? Вот я и подумал. Уж раз я историк, обязан пе-
релопатить. А потом, с фактами в руках...

— В смысле, переписать историю?

— Во-во! Именно, именно.

Он вспомнил рассказ про «настоящий Ленинград».

— Ну, дерзай! Фюрер, как говорится, в помощь. —
А про себя подумал:

«Фальсификатор. Вот он кто».

— Вопщем, ты меня понял. — Ганс ни с того ни
с сего обрадовался. — Потому што мы, эта... с тобой.
Как братья.

«Какой я ему брат!» — он не ожидал от себя такой
вспышки ярости. Казалось, оставившей пенный
след на губах.

— Вот бы мне у вас поработать, — Ганс положил
руки на подлокотники. — В ваших-то архивах...

Он хотел спросить: интересно — как? У тебя же
пасс синий.

— Вашим-то нечево скрывать. Чо скрывать-то,
все и так знают. Ну, перегибы на местах... Дак время
такое было. Наши угрожали. Вынуждали готовиться к войне. И Сталин. Заладили: тиран, тиран! Гитлер, што ли, демократ... Ну пусть даже и тиран. Но
ить заложил прочные основы. Берия в сравнении
с ним слабак. На готовенькое пришел. А все одно
просрал, не справился. Если бы не Сталин... С ним
хыть половина эсэсэра осталась, а без него — ваще
бы хана. В границах Жидовской автономной области. Со столицей в Биробиджане...

Он смотрел в окно. По обеим сторонам полотна
расстилалась степь, но не голая. А утыканная косы-
ми колышками.

«Сад, что ли, тут разбили? — Плотный воздух, взрезанный ножом сверхскоростного поезда, дрожал как студенистое желе: сколько ни вглядывался, так и не разглядел саженцев. Когда разбивают сад, их должны привязывать. Для этого и колышки. Он усмехнулся. — Значит, райский. Типа наш коммунизм. Ткни в землю палку — зацветет... Ну, ждите, ждите, когда рак на горе свистнет».

Все-таки поинтересовался:

— А это что?

Ганс вдруг осекся, будто внутри него что-то схлопнулось.

— Лагеря. Для перемещенных лиц. Могилы ихние.

От насыпи до горизонта, сколько хватало глаз, торчали пустые колышки — саженцы райского сада.

— Так много? — он переспросил недоверчиво.

— Ну да. У вас вроде бы тоже? — но как-то неуверенно. — По телику говорили.

Он вспомнил серые лица тех, кого каждый божий день выводят из леса — в колоннах, по пятеро, в затылок, под яростный собачий лай, — расставляют вдоль полотна железной дороги: провожать тоскливыми голодными глазами уносящиеся на Запад сверхскоростные поезда. «Тоскливые, но ведь не мертвые. У нас они все-таки живые». Три недели назад, когда ехал в Россию, думал: привиделось. Но теперь ответил уверенно, нисколько не греша против правды, до которой Ганс рассчитывает докопаться:

— У нас могил нет.

— Вот и я грю. Врут. Каки-таки могилы! Нету у вас могил. — Ганс радовался. — Тут могилы, у нас. Не! На северах, куда евреев свозили, там, конешно, покруче. Но и тут — не дай бог. А хошь, я тебе про них расскажу.

— Это еще зачем? — он встрепенулся, почуяв подвох.

— А потом ты мне. Про ваших. Как все было.

К нему пришло воодушевление. Захотелось рассказать о Великих стройках, когда не в переносном смысле, а на самом деле, по-настоящему: сперва вырубали, а потом раскорчевывали — километры и километры когда-то непроходимой тайги.

Но Ганс — «Вечно лезет поперек батьки в петлю. Тьфу ты! В пекло, конечно, в пекло», — уже начал свой рассказ.

— Прикинь. Эшелонами их свозили. Евреев, туда, на север. А сюда интелихенцию. В пути большинство мерли. Особенно дети. Но взрослые тоже. Трупы на ходу выбрасывали. Возьмут за руки, за ноги, раскачают... Пока зима — ништяк. А весной, када стаяло, короче, гнить стали. Веньямин грил — на сто кило́метров вонища. Власти бригады слали. А чо там хоронить?..

Он тихо злился. «Мало мне было старика. Хлебом их не корми, дай поговорить про покойников...»

— Мне парень один рассказывал. Папаша ево похоронником арбайтал. Возьмешь, грил, жмурика за ногу, а нога — хрясь!— и отвалилась. Кого смогли, земелькой присыпали. А все одно. Лет пять ищо воняло. Поезда пассажирские пошли, дак запрещали открывать окна. А кто спрашивал — туфту гнали.

— Кто гнал?

— Знамо кто. Проводники. Мол, газ болотный, метан. Болота вокруг — вот типа и подымается.

— Откуда болота? Тут же степь.

— Это ты знашь. В нормальной школе учился. А наши... Многие верили. Эх! Да чо многие — все... Потом, лет через пять, копатели понаехали. Чо тока не находили! Сережки, колечки всякие. Короче, бизнес. Многие на этом поднялись...

Он думал: ну все, хватит. Надоело. Теперь моя очередь рассказывать. Но Ганс все не мог остановиться.

— Знашь, как их узнавали? Ну, этих, копателей. По запаху. Мойся не мойся — все равно.

— А чем от них... пахло? — он принюхался осторожно.

— Гнильем. Я ить застал ищо. Идем, бывало, с баушкой. А мимо — мужик. Вроде приличный. Пальто, шапка-пирожок... Баушка на меня серчала. Не смей, грит, нюхать! А я ее не слушался... Вопщем, эти, кто выжил, сами землянки рыли. Это потом бараки им построили...

— Я, если хочешь знать, — он вставил наконец свое слово, — тоже в бараке вырос. И ничего. Все от людей зависит. Вот мы, например, дружно жили. Помогали друг другу. Последней коркой делились.

— Ты? В бараке?! — Ганс растерялся. — Но там жа грязь. Вши.

— Это у вас вши. А наши их вымораживали. — «Вот и пригодилось, спасибо старику, который приходил к матери». — Берешь рубаху, закапываешь в мерзлый грунт. Не всю. Рукав, к примеру, торчит.

К утру все вши повылазят, обсыпят, как белым инеем. Ногами раздавить их — и всё.

— Здорово! А главно, просто. Жаль, наши не додумались. Ослабли, видать, с голодухи. Прикинь, даже не маргарин. А этот, ком-би-жир. Небось, и слова такого-то не знаешь. Или кубики. Думашь — детские, которые с буквами? Не. Нормы выработки. Там ваще мрак. Я пытался разобраться. Куды там! Сильней тока запутался... — Ганс хлопнул себя по лбу. — Болтаю, болтаю. Главное чуть не забыл...

Он-то думал: вспомнил наконец про деньги, которые должен забрать и передать Эбнеру. Но Ганс порылся в портфеле:

— Вот. Гляди.

На него смотрели новобранцы из рамки. Двое, те самые, пропавшие со стены старика.

— Короче. Я научнику принес. А он: фотка как фотка, в архивах таких немерено. А на другой день бежит. Геннадий Лукич велел прислать. Типа, для диссертации. Тоже *Republik Lokot* копает. А в архивах с гулькин нос. Ну, в смысле, в ваших. А я: сфоткать, што ли? А научник: не, он подлинник просит. На конференцию приедут, вернут. Ладно, грю, тада по почте. А научник: по почте долго. Геннадий Лукич просил через тебя. Все равно, мол, едешь...

— А сразу чего же не отдал? — он напустил строгости. Так, для порядка.

— Отчислили ж меня. Вот я их и послал. А потом... Дело-то, думаю, опщее. Даже хорошо, если с двух сторон рыть. Типа тоннель. Под Хребтом.

«Где Геннадий Лукич, а где Локотьская республика?» Смешно, что наивный Ганс принял за чистую

монету. Сам-то он сразу понял: «Этот, второй, приятель старика, — у нас в разработке. Вот шефу и понадобился подлинник...»

— Молодые, как мы с тобой. А узнать можно.
Я ить как глянул — сразу: этот, слева, Матвей Фе-
дрыч. Черты, конешно, расплылись. Но костяк-то
остался. Лоб. Линия ушей. Зазор. Глянь, от носа до
верхней губы...

— Ну ты даешь! Прямо академик Гюнтер!

— Дак музей его. В универе. Материалов — выше
крыши. Сидит какой-нибудь поц. А другой цирку-
лем его мерит. Или черепушку щупает.

— Подозреваешь, что они евреи? — он кивнул на
фотографию, чувствуя смертельную скуку: неужели
Ганс поддерживает эту псевдоантропологию, разра-
ботанную идеологами нацизма? Просто стыдно за
него.

— Не, Гюнтер многих изучал. Сперва евреев
и большевиков. Потом психов разных. И ваще, преступников.

— И какие выводы? — он едва сдержался, чтобы
не зевнуть.

— Те чо, правда интересно? Айнс: преступниками
рождаются. Цвай: у них дегеранетивные признаки...

— Какие-какие? — он переспросил насмешливо.

— Извращенцы они, короче. Не рюхают, где добро, где зло.

— Ну да, — он кивнул. — А Гюнтер, значит, рюхает.
Гюнтер не извращенец? И в башке у него все нормально?

— Ты спросил — я ответил. Могу ваще не рассказывать. — Ганс уставился в окно. Хотел выдержать

характер. Но его хватило ненадолго. — Этот, — ткнул пальцем в парня, стоявшего рядом со стариком. — Убийца. Главный ихний признак — каинова печать.

— Это... который брата своего?.. — на лбу того, на кого Ганс указывал пальцем, и вправду лежала тень.

— Ваще-то не Гюнтер это открыл. До него ищо. Инквизиторы.

— Да... — он протянул насмешливо. — Воистину уважаемый и солидный источник знаний о современном человеке. Алхимию еще приплети.

Тот очевидный факт, что парень, стоящий справа от старика, военный преступник, не требовал доказательств. Кому нужны мракобесные теории Гюнтера и его средневековых предшественников, если этот тип и так одет в фашистскую полевую форму?..

— Зря смеешься. Морда узкая. Взгляд холодный. Губы тонкие, мочки ушей маленькие...

Он смотрел против воли. Под его внимательным взглядом черты лица расплывались, словно неизвестный фашистский прихвостень, приспешник, которого советское правосудие вот-вот выведет на чистую воду, решил состариться, точнее прикинуться глубоким старцем, надеясь избежать сурового, но справедливого наказания. Поперек лба прорезывались глубокие морщины; такие же, только косые, тянулись от крыльев носа к углам крепко сомкнутого рта.

«Но это же... Нет! Не может быть...» — он, машинист сверхскоростного времени, рвал на себя рукоять тормоза. Но проклятое время, которому он от всего сердца доверился, не слушалось тормозов. Под днищем заскрежетало. Он зажмурился, предчувствуя неизбежность крушения: всего, на что полагался в жизни.

Но ничего страшного не случилось. Внезапно возникнув, скрежет так же внезапно смолк. Серебристое тело поезда как ни в чем не бывало летело вперед, будто пружина времени, распрямившись на одно короткое мгновение, снова сжалась до отказа, вернувшись обратно, в год 1941-й, самый канун войны, где не было никаких морщинистых старцев. Только молодые парни: один — отец его сестер, бывший муж матери. А другой...

— Дак ты знаешь его, што ли? — Ганс смотрел внимательно.

— Я? Понятия не имею, — он ответил, не сморгнув.

— Устал, посплю малёха, — Ганс направился было к выходу. Но он окликнул.

— Погоди. Говоришь, Геннадий Лукич... А сам-то ты его видел?

— Не-а, — Ганс мотнул подбородком. — Грю же, научник с им контачит. А чо?

— Да так, — он улыбнулся. — Спросить, что ли, нельзя?

Но стоило Гансу скрыться — улыбка съежилась и сползла. Его кинуло в жар. Слава богу, теперь, а не во время разговора. «Наблюдательный, гад. Мог заподозрить...»

Молодец. Пресек ихнюю провокацию. Своих не сдаем, а?

В том, что это вражеская провокация, сомневаться не приходилось. Злосчастная фотография, которую Ганс предъявил ему для опознания, — звено все той же цепи. «Грёбаной!» — на губах, точно клок пены, вспухло нем-русское словцо.

Если что и вызывало сомнение — роль старика. Положим, Ганс и старик работают в связке. На данном этапе спецоперации важно не это, а то, другое, от чего до сих пор сводило пальцы. Он глубоко задумался, сопоставляя детали. С трудом, но вспомнил имя, которое назвал старик: Гешка. И ранило его не куда-нибудь, к примеру, в живот. А в ногу... Геннадий Лукич хромает. «Ну мало ли бывших фронтовиков, кого ранило в ногу, кто тоже хромает!»

И тут, будто сошлись концы разорванного провода (не сошлись, это он, советский связист, закусил, зажал их передними зубами), ему открылся замысел врага. В сердцевине лежала клевета. Огульно обвинив шефа в пособничестве, враги надеялись сбить его с толку. Подвести к мысли, будто он откомандирован в Россию с одной-единственной целью: добыть фотографию, компрометирующую его шефа.

Вот теперь он наконец осознал. Всю степень их подлого коварства. Враги тщились доказать, будто его ум и талант ни при чем. Если следовать их извращенной логике, выходит, Геннадий Лукич его *вел*. Давно, с самого детства. Потому что знал их семейную историю, вычислил по своим каналам. И комнаты на улице Братьев Васильевых им вернули не потому, что у матери сохранились жировки. А по прямому распоряжению шефа. Значит, и китайский интернат — не случайно? Не потому, что он жил неподалеку. И университет... «Выходит, не будь этой фотографии, которую шеф якобы надеется заполучить, чтобы уничтожить свое преступное прошлое, службу в фашистской армии, — никуда бы меня не приняли? — он едва не рассмеялся. Ладно диссертация. Тут Геннадий Лукич и вправду оказал ему помощь. — Но всего остального я достиг сам. Собственным усердием и талантом». Все остальное — пустые наговоры...

Блеф! Чистый блеф! — внутренняя наружка, и та фыркнула.

«Слава богу, у меня хватило ума разобраться».

Ну разобрался. А делать-то чо? С фоткой. Может, в помойку ее? И концы в воду.

Явись такая простая мысль ему самому, так бы и сделал. Но не идти же у этого на поводу. «Успеется. Пусть пока полежит. Каши, небось, не просит... — он вернулся мыслью к захребетникам. — На козе меня думали объехать, спецоперацию разработали. Все учли. Спланировали. А все равно прокололись. Потому что сами — предатели. И судят всех по себе».

Он сладко потянулся, предвкушая счастливый миг. Когда выложит на стол злосчастную фотографию (которую надо забрать у Ганса). В качестве иллюстрации к своему рапорту по командировке. Вот Геннадий Лукич посмеется. И он вместе с ним.

За победу (один против разветвленной вражеской агентуры — это вам не фунт изюму) полагается выпить. Тем более осталась початая бутылка, таможня все равно не пропустит.

Он оглянулся на женщину, работавшую с бумагами: «Может, пригласить... — Но не решился: во-первых, наверняка откажется. А не дай бог — захребетница, еще и обхамит. — Или его, дурака этого... — вдруг представил, как Ганс, который ни о чем не догадывается, поднимает тост за дружбу, а он, как ни в чем не бывало, поддерживает. — Рюмок-то нет. Придется из бутылки. Сперва Ганс. А после него — я...» — у него зашлось сердце — в предвкушении, но не горечи шнапса, а той, сонной сладости...

«Тетка скоро уснет. Погасит свет...»

С ума, что ли, сошел?

Он зажал уши, но нахальный голосок не унимался. *Думаешь, шеф не узнает? Не надейся. Донесут. Еще и отфоткают.*

«И пусть, — он думал отчаянно, как в ту ночь, когда било под ребрами: бух! — а следом: блям, блям, блям, — когда он мечтал стать свободным человеком. — Задание выполнено. Теперь я свободен. Хотят — пусть фотографируют. У меня найдется, чем ответить», — бросил взгляд на чемодан (будто в нем, как в мобильном сейфе, уже лежала фотография в рамке, которую Ганс пока что не отдал, но никуда не денется, отдаст) — взгляд короткий, но твердый. Не сулящий ничего хорошего. Любому, кто решится встать у него на пути.

Что значит — любому?

Сообразив, что и сам едва не прокололся, он прикусил нижнюю губу. «Вот оно, ложное чувство безопасности». На курсах предупреждали: пока задание не выполнено, разведчик держит все под контролем, включая собственные мысли. А потом расслабляется, отпускает вожжи. Пусть на мгновение. Но оно-то и может стать роковым.

К счастью, внутренняя наружка замолкла. Ушла в себя.

Восьмая

Ошибка, которой он решил воспользоваться. «Если что: иду за фотографией», — встал и направился в соседний вагон.

Но Ганса там не оказалось. Он двинулся дальше — вдруг пристроился где-нибудь и спит.

Некоторые пассажиры раскладывали полки. Другие опустошали свои коробочки, запивая кто шнапсом, кто пивом. А кто и просто чаем.

В вагоне-ресторане ужинала парочка. Официант, томившийся в углу, двинулся ему навстречу, наскоро напяливая гостеприимную улыбку.

— Мне — туда, — он указал на противоположный тамбур.

Улыбка лживого гостеприимства сменилась разочарованием. Официант встал в проходе, преграждая ему дорогу.

Он сделал попытку обойти:

— Там, — снова показал. — У меня друг. Фройнд.

— Сожалею, — официант нехорошо усмехнулся. — Кухня. Штренг ферботен. Ни-ни.

Он был вынужден подчиниться. Шел обратно, не глядя по сторонам: «Может, и к лучшему, — слабое утешение не спасало, наоборот — разжигало злость. — Я. Ради него. Пренебрег. Всем. А он. Трус! — бросал короткие яростные слова, точно щепки в костер. — Да гори оно синим огнем!» — будто отдал приказ. Как оказалось, запоздалый: всё грело и так — и в душе, и в теле — этих тайных складах горюче-смазочных материалов. Обнаруженных и подбитых с воздуха фашистскими штурмовиками. Уже не тлело, а именно заходилось в огненном дыму, готовясь вырваться наружу, хлестнуть красной тряпкой наотмашь —

по всем этим креслам, лампам, ночным полкам и металлическим столикам: дикарская огненная пляска, способная не только пожрать беззащитно-мягкую обивку, но расплавить металл. Красные отблески жадно шарили по стеклам. Окна оплывали — тягуче и вязко, поддаваясь призыву преступной страсти...

Еще мгновение, и будет поздно.

Он свернул в туалет на всем ходу. Отчаянным усилием раздернул неподатливую молнию и, выпростав наружу рукав пожарного шланга, пустил струю, гасящую жар.

Прежде, чем выйти в тамбур, убедился, что снова держит себя в руках.

«Итак. — Решительное слово, точно пожарный кран, регулирующий напор воды, вернуло мысли в сухое рабочее русло: — Одно из двух: либо уже сошел, либо прячется в кухне. Одному ферботен, а другому — всегда пожалуйста. Эбнер договорился. Ради начальника не то что спрячут — мать родную продадут».

С той стороны, где сидела женщина, его неизвестная попутчица, слышалось тихое шуршание. Однако звуки, долетающие до его оперативно-чутких ушей, не походили на хруст фольги.

Надеясь удовлетворить любопытство, он выглянул в проход.

Женщина сидела у окна. Судя по темному рукаву на крайнем левом подлокотнике, уже не одна. «Времени зря не теряет. Ни стыда ни совести. Полку разложат, и давай...»

Но, вопреки его нехорошим подозрениям, мужчина встал. Пока ее незадачливый кавалер шел мимо, он успел подумать: «Где-то я его видел...»

Эта мысль не давала покоя: в работе разведчика не бывает мелочей.

Лишь разорвав прозрачный целлофановый пакет с постельным бельем (проводник предложил помощь, но он, бывалый вояжер, отказался), вспомнил: тот самый, юркий, хозяин огромных чемоданов, которые вез по платформе угрюмый желтый носильщик, распугавший черных пассажиров. И довольный своей цепкой безотказной памятью, лег.

Струя сбила большой огонь, но где-то в перекрытиях или под крышей, между высохшими до звона в ушах стропилами, оставался очаг тления: фотография, на которой они с Гансом — плечом к плечу. Да, в фашистской полевой форме. Но какая разница, что на них надето. Главное: наконец вдвоем.

Он вспомнил прежний приказ — замереть и не шевелиться, спасая хрупкий предвоенный мир. И усмехнулся. Теперь, когда они остались одни, некому отдавать безумные приказы, мешающие их долгожданному единению. Он повернул голову, намереваясь это сказать. Но оказалось, Ганс понимает его без слов. Пальцы Ганса подбирались к уху — по телу бежала мелкая дрожь: то, что сейчас должно случиться, сделает их властителями вселенной, свободными в своих желаниях и поступках, никому, даже самим себе, не отдающими в них отчета.

Ганс гладил, перебирал, разминал хлопчатую ткань воротника, видимо, искал в ее складках вшей, которых тоже не стоит бояться, — утром, когда поезд пересечет границу, он зароет гимнастерку в мерзлую советскую землю. А ближе к вечеру...

«Я растопчу... их всех... растопчу... — застонал, чувствуя, как пальцы Ганса, спускаясь все ниже, перебирают мелкие, неподатливые, еще не оплывшие в фронтовых вошебойках пуговицы. — Не бойся... Они не узнают...» — Ганс, ведущий военные действия на территории его тела, наступал все настойчивей. Раньше он и понятия не имел, до чего же сладостной бывает война.

Когда пришел черед ременной пряжки, последней линии обороны, он выгнул спину. Ганс дернул и, вытянув ремень, отбросил подальше — в траву. Точно ватным стеганым одеялом их накрыл жаркий одуряющий полог — шевеля чуткими ноздрями, он впитывал медвяный дух разнотравья. Вывернувшись юркой степной ящеркой, распластался животом. Ганс — как и подобает победителю в этой войне, где не бывает побежденных, — сверху. Он ощутил распухшую, напряженную сладость — тяжелый плод налитой соками земли. «Давай, давай...» Низ живота тянуло, свиваясь пронзительно.

Но Ганс отчего-то медлил. Он догадался: мучает меня, мучает.

Раздвинулся, открывая передовому отряду противника свою самую тайную прореху, ожидая, что плод, набухший на конце плодоножки, наконец ворвется в расположение его части, пронзит жестким танковым клином, — но пособничество, до которого он, поддавшись безудержной страсти, докатился, ни к чему не привело. К его жестокому разочарованию, яростный напор противника ни с того ни с сего опал. Ноздри поймали тонкий гнилостный запах падалицы. Он понял, что напугало Ганса: вонь.

«Это снаружи. Из окон. Проводники забыли закрыть. Когда едешь по России, всегда несет трупами... Ты сам говорил, интеллигенция... там, гниет...»

Танковая бригада противника остановилась.

«Опасается. Ждет провокации с моей стороны», — он выпростал правую руку и, заведя за спину, поймал опавший складчатый плод.

— Нет-нет, не надо бояться, — гладил нежно и осторожно. — Все будет хорошо, ты напишешь новую историю, твой учитель-еврей будет тобой гордиться. Но одному тебе не справиться. Без меня и моего пестуна. Тебя не пустят в архивы. А я его попрошу. Шефу ничего не стоит, уж я-то знаю, поверь, — тут ему почудилось, будто сморщенный плод начал оживать. — Это я ему вру, этому, который внутри. А тебе все расскажу, открою правду. Там, в наших бараках... тоже комбижир... — Под его рукой медленно, но неотступно наливались соком Гансовы узелки и жилки, набухая под складками кожи. — На фотографии — это он, Геннадий Лукич. Мы ему предъявим. Сперва начнет отрицать, дескать, это не они. Это — мы. Ты и я. Но мы на это ответим: может, и так, но первыми начали вы. Оделись в фашистскую форму. Он умный, сразу поймет. Деваться ему некуда. Придется с нами считаться. Тем более у него останется копия. Подлинник-то мы спрячем, зароем в землю. А ему дадим гарантию: пока будет работать на нас, никто не узнает... Ни одна живая душа... Вместе мы сила, мы всегда будем вместе... Сперва я тебе помогу, — он поелозил, направляя передовую часть Ганса в нужное русло, веря, что Ганс все поймет и откликнется, — а потом... ты сам... сам...

От тела, давящего на него сверху, исходил холод. Хуже того, жаркий южный плод, прозябавший в его руке, в который он желал и надеялся впиться, обратился в колючую мерзлую шишку — вопьешься, зубы обломаешь. К тому же пустую. Если и были семена, их выклевали таежные птицы. Жадные твари. Клесты. Он разжал пальцы и обернулся — сколько позволили хрустнувшие позвонки. «А вдруг умер? Да жив он, жив...»

Значит, не о чем раздумывать: со сне, наяву — какая, к черту, разница. Если с самого детства ему известна первая обязанность советского солдата: взвалить на себя и вынести из окружения. Но Ганс, будто отроду не читал книг о раненых в боях товарищах, смотрел в другую сторону. Он понял: «Просит пристрелить».

— Я сильный. Не сомневайся, я тебя вынесу.

Взгляд Ганса терялся в густой траве. В травяных зарослях что-то извивалось — длинное и ужасно верткое. «Это же мой ремень». Который Ганс, допуская очередную тактическую ошибку, принял за змею. Он хотел объяснить, исправить — однако темная полоска ожившей кожи вдруг поднялась на хвост и, покачавшись из стороны в сторону, словно выбирая постоянное надежное место, замерла косым деревянным колышком...

— Ауфштейн! Подъем, подъем! — голос, раздавшийся над ухом, казалось, шел из-под земли.

И в то же мгновение могильный колышек исчез — не то сгнил, не то канул в жухлой траве. Не осталось даже холмика. Одна голая проплешина.

Над его одинокой ночной полкой, точно лунный диск, уходящий за горизонт, склонялось лицо проводника.

— Госграница. Штатсгренце. Через час, — диск объявил строгим официальным тоном.

Он чувствовал себя раздавленным. Но не как передовое соединение, павшее под вражеским ударом. А как какое-нибудь штатское тело, по которому, не заметив в предрассветной тьме, проехалось колесо военного грузовика.

Ощущая боль во всех поверженных членах, через силу, но все-таки поднялся. Действуя автоматически, оделся, сунул в ящик постельное белье, сложил разложенную на ночь полку и, нашарив умывальные принадлежности, направился в туалет.

Там стоял холод. Такой же мертвенно ледяной лилась вода. Будто ее подают не из специального резервуара, скрытого во внутренних полостях вагона, а непосредственно из скважины, которую пробурили в вечной сибирской мерзлоте. Стуча зубами, завершил туалет и двинулся обратно на свое законное место.

Но ему преградили дорогу.

— Эй! Ты чо, едрен батон! Не узнаешь?

Даже простое движение глазными яблоками казалось непосильным.

— Ева... ты... — вчера он бы изумился. Но теперь только зябко повел плечами.

— Вечером-то. Жду. Думаю, сам признается.

— Так это ты... там, с бумагами?

— Не там, а тут, — Ева раскрыла кожаную папку, в каких захребетники носят важные документы, и выложила бумаги на стол. — Кроче, давай. Подписывай.

— Я? — он смотрел слепыми, ничего не различающими глазами, понимая: вот оно. Началось.

Не бумаги. Договор о сотрудничестве с российскими спецслужбами.

На этот раз, надо отдать им должное, враги застали его врасплох.

Подписывать, понятно, нельзя. Даже с Эбнером не подписывал: обсудили — и точка. «А если в туалет... В поездах двери прочные. Ей не выломать. — Но, глянув по сторонам, понял: — Поздно».

В правом тамбуре маячил проводник. В левом — тот самый юркий мужичок, владелец чемоданов, с которым она сговаривалась прошлым вечером.

На ходу выкинут. Это уж как пить дать, — его внутренний продрал наконец глаза и теперь ежился, косясь на табло: 180 км/час — бегущая строка, в меру своих возможностей пособничала оккупантам.

Чтобы выиграть время — а вдруг уже скоро станция? — он глянул в окно.

Там, скатываясь по шершавой, как крупная терка, железнодорожной насыпи, расшибалось в кровь его тело. Пока еще живое, беззащитное. Он вспомнил о мерзлых трупах, о которых рассказывал Ганс. Теперь он понял, к чему были эти пустые россказни: Ганс предупредил, что из этой переделки ему не выйти живым.

«А вдруг я все-таки выживу... И дальше — что?» Километры и километры подконтрольной врагам территории. Даже если удастся выйти на дорогу, все нем-русские дороги перерезаны фашистской полицией — как вены, по которым полоснули бритвой. Он представил, как идет по бездорожью, месяц за месяцем, стиснув выбитые об землю зубы, — лишь бы дойти к своим.

«Дойду. Я обязан дойти». Тут сомнений не возникало. Хотя бы для того, чтобы все разъяснить, раскрыть вражеские козни. Чтобы никто из наших не подумал, будто он остался, перебежал на российскую сторону. В свете этих соображений категорический отказ от сотрудничества — неоправданный риск. Эту дорогу в тысячу *ли*, которая ему выпала, следует начать прямо сейчас.

Как и всякая другая, она начинается с первого шага. Впрочем, переводы всегда приблизительны. Цепкой, напряженной памятью он вернулся к языку оригинала: 千里之行，始于足下 — и, подтянув поближе бумагу, поставил свою подпись, предпослав этому действию глубокий мысленный поклон великому Мо-Цзы.

Самое удивительное, китайский философ ему ответил: брызнул из-за туч ярким рассветным лучом. Будто отправил короткую шифровку. В отсутствие одноразового блокнота он прочел ее так: «На всякую изощренную провокацию врага великий человек отвечает еще более изощренной провокацией», — и в очередной раз восхитился велеречивой тонкостью своего любимого китайского языка, который трудно, почти невозможно перевести на русский без ущерба для подлинного смысла.

Да чо невозможно-то! На нашем все возможно, — где-то в мозжечке раздался довольный голос. — *На хитрую жопу и хер с винтом.*

Он отмахнулся, не желая вступать в полемику с необразованным вульгарным толкователем, какую бы роль в текущей спецоперации тот ни исполнял.

— Чо, не проснулся ищо? В трех экземплярах. Кроче, тут и тут, — Ева тыкала пальцем в пустые графы.

«Неужели Ганс тоже три раза подписывал?.. Бюрократы, фашистская канцелярия. Нашим и одной подписи хватает», — он взял шариковую ручку. Холодную и скользкую будто ледышка — того и гляди растает. Но растаяла не ручка, а глаза. Ожили, заскользив по строкам: не обязательство сотрудничать с их спецслужбами, а какой-то список.

— Проверять бушь? Ну хошь — проверяй. — Ева поджала губы. — Зибен позиций. Натуральные. По цене малёха приврали. Для ваших. Госпошлина и всякое такое.

— Что значит — натуральные? — он глянул на сверток с Любиной искусственной шубой.

— Чо, не предупредили? Не, ну козлы ваще! Как рус-марки получать — тут они первые, а как дело делать... Кроче, ввозишь в СССР. Типа под своим именем. Дальше я не в курсе. Приедешь, звони Лукичу.

— Ка...како...му, — он выдохнул, одолев препятствие в три приема: как учили на уроках начальной военной подготовки, — Лукичу?

— Не, ну точно с катушек съехал. У тя чо, Лукичей — как грязи? Геннадию. Евонное поручение. Купить и погрузить.

От бляди, а! Мало им твоей подписи. Ищо и впаривают. Типа ты ваще не агент. И проку с тебя никакого.

Кроме как шубы на тя оформить. А главно, и купить не доверили.

Его растерянность Ева расшифровала по-своему:

— Не бойсь. Не впервой. У Лукича таможня ваша схвачена. Кроче, три чумадана. В багажном отделении, — она вынула маленькие карточки с номерами. — Бирки. Подписывай и получай.

Подписав, он решил: «Теперь моя очередь. Делать следующий ход».

— А ты — до Ленинграда? — поинтересовался небрежно.

— Не, — она тряхнула крашеной челкой. — Урал тока перееду. В гастхаусе вашем перекантуюсь. Тараканов покормлю — и назад.

— А Ганс? — Раз эта банда заодно, должна знать.

— Ганс? Он же синий... — она вдруг осеклась.

— Ну синий. А какая разница? — он спросил строго, глаза в глаза.

— Да не, — она дернула плечиком. — Что ему у вас? Ни жратвы, ни шмоток. И ваще. Это ваши перебегают.

— А ваши, — он обиделся, — нет?

— Ну... тоже случается.

— Желтые?

— Им-то с какого перепугу? Синие. Книжек ваших начитаются. Дескать, великая культура. Ну великая — и чо?

— И... получается? — он спросил осторожно.

— Первое время получалось. Теперь — не. Обратно выдают. Ну, в смысле, живых. А уж если... — Ева развела руками. — Сам понимашь.

В том-то и дело, что он ни черта не понимал.

— Ты хочешь сказать... могут пристрелить? — даже попривыкнув к местным нравам и обычаям, в это верилось с трудом.

— Зачем? — Ева удивилась. — Кнопка. Эти, которые бегут... Кроче, в вагон-ресторан. Там под днищем две емкости. Одна для воды. Другая пустая. В нее и залазят.

— Но их же вытащить можно.

— Можно, — Ева пожала плечами. — А потом чо? Головняк. А так — нажал. Днище раскрывается... — она сделала страшные глаза, будто рассказывала сказку. — Этот, который залег, — хлоп! Был и нету.

— Прости, но это бред! Сама посуди: если ты знаешь, другие-то тоже знают.

— Мало ли, чо я знаю... Я — не другие. Дак ты же... — она наморщила лоб. — Когда в Россию ехали. Пристал ищо. Гляди, мол, мешок! А чо на него глядеть! Гляди не гляди, он уж там, — указала пальцем в небо.

У него перехватило дыхание, будто он снова видел останки человека, который катится по насыпи вниз, по белому склону.

— Да ладно! Брось! — мотнул головой, отгоняя неприятное видение. — Сама же сказала: мусор. Обрезки.

— Я? — она вскинула брови. — Не помню.

«Но я-то отлично помню». То, что он — по дороге в Россию — принял за свежие человеческие останки, выпало не здесь, где орудуют фашисты, от которых всего можно ожидать, — а там, за Хребтом, на нашей советской стороне.

«Вот сволочи! Нем-русская пропаганда. Это ж надо, какие слухи про нас распускают!»

Клевещут. — Внутренняя наружка взяла строгий солидный тон.

«Ну что ж, — он усмехнулся тонко. — Пусть думают, что я им, тварям, поверил».

Мандариновая тонкость обращения предназначалась не этому, внутреннему — свой, что с ним церемониться! — а новому великому собеседнику: даже в отсутствие одноразового блокнота между ними установилась прямая связь. Выражая свое полное одобрение, великий Мо-Цзы, небесное воплощение Моисея Цзиновича (от которого он отказался, но не предал), кивал, прикрывая ладошками сморщенный рот. Однако для него смысл шифровки был очевиден: всякой неправде великий человек противопоставляет достойное молчание. В переводе с древнекитайского: хрен с ними, пускай клевещут, на чужой роток не накинешь платок.

— Я, эта, в обменник почапала, — Ева встала, по-кошачьи выгнув спину, будто собралась потянуться. — У тя-то остались?

— Какие утята? — он переспросил, не разобрав на слух.

— Рус-марки, грю.

Остались — не остались. Ей знать незачем. Не ее это дело.

Тем более явился Ганс.

Он ждал, что Ева проявит элементарную вежливость. Уйдет. Оставит их с Гансом наедине. При ней прощаться не хотелось. А тем более передавать деньги.

Даже поторопил:

— Граница вот-вот. Обменник закроют.

— На обратном поменяю, — Ева протянула руку.

Он понял так: просит вернуть документы. Видно, одумались. Сообразили, с кем имеют дело.

— Деньги, грю, давай. Эбнер приказал.

«И это знает», — он немного расстроился, но разведчик на то и разведчик, чтобы сохранять лицо.

— Не приказал, а попросил. Передать через Ганса.

— Да-а? — она протянула удивленно. — Ну как знашь. Хотя я на твоем бы месте...

Ганс, до этого момента хранивший молчание, открыл наконец рот.

— Ты эта... Вопщем... Лучше через нее.

— Ладно, — он достал конверт. — Мне-то какая разница.

Взяла и ушла. И расписки не оставила. «Надо было сказать, потребовать...» — он смотрел на фотографию в рамке, которую протягивал ему Ганс.

— Вопщем, на. Передай. А то мало ли што... — Ганс глотал торопливые слова. — И еще... Так, на всякий случай. Штоб знал. Не братья. Братьев не выбирают. А мы с тобой... Сами. Я тебя, а ты — меня. Это ить глубже, правда?

«Да-да, я согласен, я с тобой согласен», — если бы не внутренняя наружка, навострившая глаза и уши, он бы кивнул.

— Только бы получилось... Тьфу-тьфу-тьфу! — Ганс постучал костяшками по серебристому пластику и, втянув голову в плечи, двинулся в сторону вагона-ресторана.

«Ну и пусть идет. Куда хочет, — он думал обиженно. — Сам сказал: я ему не брат».

Но язык его большого любящего сердца раскачивался в пустой емкости грудного колокола: бух! — пока ни садануло под ребра, и опять, и еще, и снова, гулко и страшно: бух! — разбухая под грудной клеткой, на которую всей своей бессмысленной и беспощадной тяжестью наезжал, навалился поезд, наматывая на воняющие тавотом шпалы кишки перебежчика, и сейчас же, ему в ответ, завизжали рельсы: блядь! блядь! блядь! — зашлись на самой высокой ноте отчаянным зазвонным подголоском.

— Стой! Да стой же ты! Куда! — он выкрикнул в Гансову спину, будто рванул стоп-кран на себя.

Ганс обернулся.

Из стены, где только что был стоп-кран, торчала красная кнопка.

Он хотел сказать: не надо, не делай этого, а вдруг она, Ева, сказала правду, — но снова наваливалось это каменное, похожее на сон. Не тот, в котором они с Гансом ближе и глубже. А другой, одинокий. В котором он, разведчик, несущий госслужбу, не имеет права вмешиваться в течение событий.

Особенно теперь, когда его внутренний бдит.

«Плевать я на него хотел. Я — свободный человек...»

— Скажи. Только *честно*... Признайся. Ты — додик?

— Да ты чо? — Ганс покрутил пальцем у виска. — Крыша, што ли, поехала?!

Стало больно: «Зачем он со мной — так? Я же всё ему простил. И клевету на Ленинград, и то, что он двойной агент, завербованный фашистскими спецслужбами».

— А бабушка твоя. Как тебя называла?

— Ганя, — Ганс моргнул.

Он смотрел вперед, в лживую пустоту, в которой нет ни друзей, ни братьев, чувствуя, как глаза подергиваются стальной поволокой. Хотел сказать: «Я буду называть тебя Иоганн», — но стеклянные створки уже сомкнулись, сглотнув высокую тощую фигуру, и превратились в зеркало. В котором он видел себя, свободного человека, оскорбленного беззастенчивым враньем. «Говоришь, внутри меня охранник? — он усмехнулся вслед ушедшему Иоганну. — Выходит, это я сбежал. А ты не-ет...»

Убогая реальность распадалась на отдельные части. И каждая не несла в себе свойств единого целого.

Вот поезд, заблаговременно сбросив безумную скорость, поравнялся с платформой; вот, безо всякой связи с происходящим, поплыли черные овчинные тулупы со шмайсерами, — но не было никаких солдат; вот распахнулась дверь серого приземистого здания; вот пустые долгополые шинели, запахивая сами себя, направились к составу.

На мгновение, будто коротким промельком, проступили их лица — заколыхались над воротниками в плотном, точно говяжий студень, приграничном воздухе: эту последнюю провокацию поверженной и посрамленной реальности он преодолел с легкостью, окончательно переместившись в разряд сторонних наблюдателей, которые, ни в чем не принимая участия, внимательно и без устали следят.

Так и он. Выполняя долг перед своим народом, запоминал все без исключения детали: сдвоенные серебристые молнии на уголках, металлическая тесьма — каймой по воротнику. Черный кожаный рукав подносит электрическую тяпку к его раскрытому на лицевой странице паспорту, откладывает в сторону, равнодушно шелестит документами, которые кто-то оставил на столе.

Загодя запасшись терпением, он ждал, что рука пограничника предастся ловле мух, но ничуть не бывало. Видно, оценив, с кем имеет дело (его солнцеликий вожатый оказал в этом посильное содействие, коротко блеснув из-за туч) — кожаный рукав взмыл, распрямляясь в торжественном фашистском приветствии.

Исключительно из вежливости он вяло махнул в ответ.

Долгополые шинели скрылись в соседнем вагоне.

От непрестанного наблюдения его тело затекло. Но служба есть служба. Он смотрел в окно. Зная, что мимо его окна, теперь уже вскорости, должны проследовать безголовые пограничники — обратно в серое помещение. Но они отчего-то задерживались. Чтобы как-нибудь скоротать неподконтрольное ему нем-русское время, он перевел взгляд, пытаясь дотянуться до гигантской фигуры фашистского солдата, — по пути в Россию так и не удалось рассмотреть.

Как назло, слепило солнце. Он догадался: Мо-Цзы, его великий собеседник, настоятельно не советует ему возвращаться в неверную, иллюзорную маяту жизни, состоящую из фактов, в высшей степени сомнительных: сегодня торчат, точно кнопка из стены (или тот же Иоганн — меж двумя стеклянными створками), а завтра — стоит нашей советской армии перейти в наступление — развалятся на отдельные части, чтобы, раскинувшись поперек Хребта поверженными сапогами, тыкать в небо кусками лживой, насквозь прогнившей арматуры: вот тебе и каменный идол! Колосс на глиняных ногах.

Все-таки он дождался: шинели шли. В прошлый раз, когда таможенный конвой вел перебежчика, тот парень терялся между их высоких фигур. И углядел-то в последний миг, когда крайние офицеры расступились. Нынче все было по-иному. Безголовые шинели, подметая длинными полами платформу (ни дать ни взять ожившие манекены с витрины мола), шагали группой, спаянной единым приказом. Среди них, точнее не среди, а выше — уж своим-то глазам он верил, — торчала живая голова.

«Значит, передумал». Не полез под днище вагона. Отказался от своего намерения. Оценив неоправданные бессмысленные риски, сдался местным властям. Теперь Иоганну грозило разве что «намерение» — по советским законам максимум лет пять, а сколько по нем-русским? В любом случае меньше, чем за настоящее «незаконное пересечение границы».

Теперь он снова ждал: зная номер его вагона, Иоганн должен оглянуться, поблагодарить его взглядом: «Как — за что? Он же мне соврал. Но я не держу на него зла».

Высоко неся буйную голову, Иоганн скрылся в серых дверях.

«Да что с них взять! — мельком, словно подавая милостыню убогой реальности, он вспомнил здешнюю сестру: вернула отощавший конверт с рус-марками — нет чтобы отблагодарить по-настоящему. Поделиться стариковским наследством. — Тогда бы не двадцать. А все шестьдесят... Эбнер твердо обещал».

Ишь, губу раскатал. Хитер, брат!

Замечание неприятно покоробило: этот, сидящий в мозжечке, посмел назвать его братом.

То — вранье, фашистская провокация! А как до денежек: чистая правда. Ты уж, эта. Определись.

Китайская мудрость гласит: даже самый ограниченный чиновник, ляпнув несусветную глупость, может дать верную подсказку умному властителю. В переводе на русский: дурак врет-врет, да и правду соврет.

«Да, — он признал милостиво. — Пора определяться».

Это в каких же, интересно, масштабах? — сидящий в мозжечке переспросил неожиданно пытливо.

Топтун, рассуждающий о высоких материях — оксюморон.

«Ты бы уж, — снисходя к природной убогости вопрошающего, он заговорил ворчливо, — ну, право слово! Молчи — за умного сойдешь. Твое дело маленькое, топчись себе помаленьку. Может, и выслужишься. Переведут, поставят на внешнюю наружку. Какая-никакая, а карьера».

Ах, вон оно как! Меня, значит, во внешнюю. А тебя — кем? Великим мандарином? Типа царь, бог и воинский начальник. Ха!

Вот и мечи после этого интеллектуальный бисер!

«Да что с ним вообще разговаривать. Я — интеллигентный человек, а этот кто? Фельдфебель».

Осознавая непреходящую важность текущего момента, он смотрел в небо, где пребывал единственный достойный собеседник, кто в состоянии разделить с ним ответственность за судьбы прогрессивного человечества — в преддверии последней и решительной схватки с оголтелым фашизмом: не на жизнь, а на смерть.

Туда, в эти трудные, но одновременно прекрасные времена, и трогался сверхскоростной поезд — главное техническое достижение современности. Эйнштейн, в каком-то смысле его предшественник, сказал бы: сверхзвуковой.

Но на этом, начальном, этапе движения скорость казалась обыкновенной.

Сидя в эргономичном кресле, сконструированном нем-русскими инженерами, он провожал отсутствующим взглядом невзрачную серую постройку, черные тулупы оцепления, жилой дом с башенкой, напоминающей сторожевую вышку, а может статься, и средневековую мельницу; заполошную немецкую овчарку с надорванным ухом (чьи предки следили за стадами, чтобы ни одна овца не отбилась: шаг вправо, шаг влево — песья охрана впивается без предупреждения). Ишь, кинулась вдогонку за набирающим ход составом. Боится опоздать.

Легко и бесшумно преодолевая силу трения сопротивляющегося пока еще времени, колеса отрезáли последний ломоть степи, коричневый, точно сухая корка. Раньше степь виделась ему бескрайней. Но на поверку, как говорится, въяве и вживе, оказалась маленькой. Точно хлебный паек. Вот-вот скукожится, уткнется в предгорья Урала, чтобы рассыпаться мелким крошевом, расшибаясь со всего маху о подножье Хребта.

Но пока еще длилась степь.

Сохраняя величавое спокойствие духа, он старался не отвлекаться на частности, передоверив их своей внутренней наружке, чье дело — не думать, а фиксировать: вот заскрежетало под днищем, будто что-то раздалось во всю ширь... Или ниже, в глубинах Вселенной? Но не успел подумать, как все уже смолкло, опало хожалым тестом, так и не ставши хлебом.

Из этих хлебных пайковых мыслей проклюнулось чувство голода. Даже желудок подвело — так хотелось чего-нибудь сжевать, размять на зубах: хотя бы пустую корку, не говоря о вкусной мясной похлебке. Но разве догадаются, принесут?

«Мяса очень хочется», — пожаловался, рассчитывая на внутреннее сочувствие.

Мало ли чо тебе хочется! Терпи. Ты ж советский человек. Видали мы и не такие трудности! Врéменные.

«Пусть не куском». В отличие от захребетников, он не избалован — ему хватит и обрезков.

Не ты один. Все не избалованы. Всем хватит и обрезков, — внутренняя наружка заворчала, обидевшись за всех советских людей. — *Хрен мы от них дождемся! Завернут и выбросят. Типа, мусорный мешок.*

Он хотел сказать: не дождемся и не надо. Скоро граница, там и поедим. Но невольно отвлекся. По вагону, торопясь и прихрамывая на левую ногу, бежал нем-русский проводник.

Он вспомнил другого проводника: тогда, по дороге в Россию, когда на рельсы упал мешок с красными прорехами, который он принял за останки человека. Тот проводник не хромал, но тоже торопился. Ева сказала: бежит к машинисту.

«А этот-то что? Вот дурак старый». Ни с того ни с сего рванул докладываться. По инструкции машинист обязан вызвать дрезину — но ведь *не абы зачем*. А в особых, экстренных случаях. Если кто-то упал на рельсы. Кому там падать, если Иоганна сняли с поезда?

Провожая глазами синюю форму колченогого, он думал: как же хорошо возвращаться назад. Домой. В СССР. «Не потому, что наедимся вволю. — В отличие от своего внутреннего спарринг-партнера, он — не какой-нибудь циник, не голый материалист. — А под защиту той самой силы, которая — как там говорил Вернер? — вечно хочет добра...» — конец цитаты размылся, как фигура на старой еврейской фотографии.

А впрочем, он думал, какая разница, чего эта сила хочет. «Главное, она есть. И я — ее неотъемлемая часть...»

Из России — как со дна обезумевшей жизни, изо всех сил оттолкнувшись обеими ногами: когда водолаз всплывает из глубоководной впадины (над скафандром — тысячетонная колонна воды, массивная, куда там ангельскому столпу), он испытывает перегрузки, сопоставимые с космическими. Шеф предупреждал: может поехать крыша. Но его-то крыша на месте. Если что ему и грозит — кессонная болезнь. Симптомы могут проявиться немедленно: недомогание, усталость, головная боль. Или боль в суставах, спине, мышцах. Или пятнистость кожного покрова. Зуд. Сыпь. Самый тяжкий симптом — удушье, которое служит редким, но грозным предупреждением: все может закончиться развитием сосудистого коллапса. Или даже...

Внимательно прислушавшись к своему организму, он не нашел ничего похожего на смерть. Разве что шум в ушах — но, скорей всего, так постукивают колеса, легко, едва уловимо...

На этот раз его отвлекла муха. Жужжала, перелетая со стены на спинку кресла, с кресла на багажную полку, с полки на потолок. «Ишь, не сидится ей!» Он свернул шубные документы в трубочку и, дождавшись, пока мохнатое тельце опустится на стол (сложив переливчатые синие крылышки, навозная муха сучила задними лапками, перетирала плотный воздух в порошок) — примерился и уже было прихлопнул ее одним метким ударом. Но отчего-то сжалился: «Черт с тобой! Летай».

Неожиданное великодушие, которое он проявил, пощадив беспечное, а в сущности, попросту глупое насекомое, будто примирило его с действительностью. Даже заметил, что за окном опять темно.

Только что, буквально минуту назад, там тянулись, выбиваясь из последних сил, предгорья. И вот уже сплошные стены туннеля. Точно замысловатая разноцветная паутина, их облепляли силовые кабели и провода. Гудели на разные голоса.

Нервно потирая задние лапки, муха прислушивалась к напряженному гуду. Таращила сетчатые глаза.

Но ему было не до мухи. Словно во всю ширину экрана перед ним явилось гранитное лицо. Нечеловечески пустые глаза, лишенные зрачка и радужной оболочки: мертвенный взгляд снайпера, наведенный на живую мишень. Серые, широко поставленные ноздри раскрошились по контурам — точно жерла каменных пещер. Ему даже помстилось, будто внутри копошатся люди. Суетятся, пытаясь высечь огонь. Казалось, еще мгновение, и захребетный Солдат шарахнет из обеих ноздрей.

Он задрожал противной мелкой дрожью — неужели эти слабые искры, порожденные первобытно-каменными кресалами, способны запалить бикфордов шнур грядущей войны.

Но огромное лицо начало уменьшаться, отъезжая назад. Каменные черты микшировались, становясь едва различимыми. Только теперь, когда на фоне Уральских гор вырос обоюдоострый меч, вознесся до небес неодолимо-властной вертикалью, он осознал свою ошибку: не фашистский идол грядущей войны, цинично обращенный к Востоку.

«Это же наш Солдат».

Точно серое солнце, встающее из-за отрогов Урала, ему навстречу подымалась бессонная каменная фигура, нерушимо стерегущая наши западные рубежи. Как и положено символу непобедимости и мощи, повергающей в прах все зло, скопившееся в человечестве, Советский Солдат держал наизготовку орудие защиты от посягательств внешних врагов.

Достали со своими мультиками! Нет бы интересное показать. А? Бриллиантовую руку. Типа аристократы и дегенераты! — его внутренний захохотал, предвкушая непреходящее наслаждение от просмотра комедии, любимой всем советским народом.

В иных обстоятельствах он и сам бы охотно присоединился, но теперь, чуя недоброе, дал строгий окорот:

«Заткнись. Ты! Сам гопник, дегенерат!»

Вот щас обидел, — тот буркнул, но ржать перестал. — *Куда уж нам! Супротив вас, аристократов.*

Между тем сорокаметровая статуя оторвала от земли неподъемный гранитный сапожище (будто дерево с комлем) — и, ломая складки горных пород, легко и без особых усилий, словно складчатые полы своей шинели, шагнула через Хребет. С Запада, ей навстречу, высоко задрав каменное голенище, выступил российский враг — со шмайсером поперек живота.

Памятуя, чье тут все-таки авторство, он ждал короткой автоматной очереди: *Тра-та-та-та-та-та,* — от которой грозный советский символ огрузнет, выронит из бессонных рук обоюдоострый меч, орудие защиты от вероломного нападения, и с грохотом распадется на части, куски, обломки, растопырится ржавой арматурой. Прямо у него на глазах.

«А вдруг... — вся его внутренняя дрожала безумной надеждой. — А вдруг все-таки не спасует, даст достойный отпор...»

Былинное орудие хрустнуло, точно ножка кузнечика. Он содрогнулся, прозревая то, что неминуемо за этим последует: крах в самом прямом и окончательном смысле, однако — о чудо! — каменные пальцы советского колосса уже сжимали гранитный макет калашникова (магазин, полностью снаряженный) — надежнейший в мире автомат.

Боевые шансы противников сравнялись. Но паче его чаяния, гигантские идолы не спешили вступать в последний и решительный бой.

Высоко задрав сапоги, будто зависнув над горным кряжем (выше плоских вершин, забеленных простоквашей густых русских метелей), фигуры медлили, слепо озираясь, будто выбирали надежное место — куда бы потверже стать. Наконец, обнаружив каждый для себя глубокую удобную пропасть — одновременно, на ать-два! — точно по единому приказу из Центра: уперлись в землю сапогами, замерев поперек Хребта.

Зажатый между двух пар каменных голенищ, Урал лежал под небом, не в силах шевельнуть горными складками: так тяжко и недвижно они стояли, оборотясь друг к другу, но не высеченными из жесткой породы подбородками, а широкими спинами: как солдаты-десантники, попавшие во вражеское окружение. Спина к спине. Российский контролирует Север — в направлении Арктики; советский держит под прицелом Юг — до самой Антарктиды.

Ноги на ширине плеч. Взведенные автоматы — от живота.

Это на што они, суки, намекают. Мы, што ли, с ними заодно?

Он не слушал. Смотрел на муху. Теперь она устроилась на багажной полке — аккурат на свертке с его зимним пальто.

Огромная, под стать гранитным колоссам, как на плакате из детской поликлиники: «Мухи — разносчицы заразы!»

Пуча бесстыжие сетчатые глазенапы, муха потирала передними лапами. С таким наглым видом, словно что-то замышляла.

Теперь он наконец догадался. Лживый навет под видом мультфильма: «Вот, оказывается, чье тут грязное дело», — ее волосатых помойных лап.

Мух вербуют, падлы. Так пойдет, до вшей докатятся.

Ярость, вскипавшая в пустом желудке, подпирала горло изнутри. Не теряя времени даром, он взобрался на кресло обеими ногами. Воспользовавшись фактором неожиданности (муха ведь как думала — не полезет, будет ждать, пока я сама спущусь пониже), коротко и прицельно шарахнул полым тубусом, по-солдатски выдохнув: «Ха!» — плотный ком ярости выбило, точно пробку из «Советского шампанского».

Синяя тушка прикипела к оберточной бумаге: неаппетитные мушиные внутренности пополам с кровью. Прицелившись, на этот раз лениво (ни дать ни взять — десантник на зачищенной территории: походя пристреливший зазевавшуюся курицу, — а не суетись, падла, не лезь под ноги), он сбил ее наземь одним брезгливым щелчком. На свертке осталось красновато-коричневое пятно.

Ништяк. Высохнет — пожелтеет, — судя по ернической интонации, внутренний недооценил масштабов его сокрушительной победы: дескать, подумаешь, муха.

Он хотел ответить: не муха. А захребетный агент. Такие-то — самые опасные: плодятся в несметном количестве, разносят заразу.

Но передумал: недоучка, все равно не поймет. Небось, и слыхом не слыхал о кампании «четырех вредителей», разработанной Компартией дружественного нам Китая. Крысы, комары, мухи, воробьи. Из них из всех воробей — самое слабое звено, воробью не продержаться в воздухе дольше четверти часа. Если громко кричать, бить в тазы и барабаны, гудеть в гонги, размахивать шестами и тряпками — падает замертво. Эти фотографии он запомнил с детства, когда, запершись в коммунальной кладовке, листал журнал «Огонек»: горы мертвых воробьев. Через год заметно увеличились урожаи риса, что оказало существенное влияние на рост китайской экономики.

А потом-то? Даже у нас писали. Гусеницы всякие расплодились и прочая тупая саранча. Все как есть обожрали, подчистую.

Он отмахнулся от горе-критика: на то и политические первопроходцы, чтобы время от времени допускать ошибки. Разве он этого не учел, переключившись на мух? Тут существенно другое: мух истребить труднее.

Это — да. Мухи — не воробьи. Куды пожелают, туды и летят. И в воздухе держатся. Плевать они хотели на барабаны. А тем более на тазы.

— Однако есть и преимущества, — он подмигнул своей внутренней наружке. — И стараться не надо. Мухи сами. Мрут как мухи.

Пошутил, надеясь, что внутренний оценит хорошую шутку. Но тот сощурился:

Типа как этот? Ганс.

— И-о-ганн.

Этими минутами страха (а может, смертного ужаса), проведенными в пустой емкости под днищем: от того ненадежного момента, когда тело замирает в вытянутом положении, до другого, когда рука фашистского офицера выволокла его наружу, — человек, чье имя он отчеканил, полностью искупил свои прежние ошибки.

Дак он чо, жив? А я думал — всё. Был, как грится, и нету.

— Что значит — нету! — даже озлился. — Отсидит и выйдет. Не помрет.

На мгновение представив, как Иоганн, томясь в фашистской одиночной камере, мечтает об СССР, он порадовался за бывшего друга. То, что Иоганн имеет самые смутные представления о настоящей советской жизни, станет для него поддержкой. Подспорьем.

Дак его што, арестова-али? — внутренний голос протянул недоверчиво.

— Ну да. Ты же сам видел.

Я? Где?

— Как — где? На платформе. — Он чувствовал смертную тоску. Приходится объяснять элементарные вещи: когда действительность противоречит воображению, мудрый человек принимает сторону воображения.

Не, ну ваще-то видел конешно… Тока забыл. Прям из головы вон.

— Собранней надо. Не в отпуске. На службе, — пользуясь смущением своего внутреннего сотрудника (выходит, не зря он обращался к шефу: не охранник и даже не сторож — теперь их связывают куда более справедливые отношения), аккуратно подпихнул мушиный трупик под кресло. Носком зимнего сапога.

«Жалко мне его, твоего Ганю. Впечатлительный мальчик, — перед ним, в кресле напротив, сидела мать. Теребила ситцевый передник, разглаживала на коленях. Прошлая война унесла ее маленькую Надежду. — Это я уж так — Надю... А, может, Любу или Веру». Для матери все ленинградские дети на одно лицо.

За ее спиной — как на старой еврейской фотографии — встали, ожидая своей участи, три сестры. Сперва ему показалось, будто обликом они соответствуют своему нынешнему женскому возрасту. Черты, однако, расплывались, превращаясь в девические, шестнадцатилетние — но уже через мгновение, будто время и впрямь покатилось вспять, размылись, сравнявшись окончательно: Вера-Любовь-Надежда — блокадные младенцы, родная мать не различит.

— Ой-ёй-ёй-ёй-ёй-ёй-ёй! — неизвестно откуда донеслось, заплакало горестным еврейским припевом. — Ой-ёй-ёй-ёй...

Мать, только что сидевшая перед ним, исчезла. Стерлась, будто и не бывало. А вместе с нею Любовь и Надежда — пропали со старой русской фотографии.

Осталась только Вера, жена комсомольца.

Подмигивала ему, указывая на багажную полку, где шевелился бумажный сверток: сын Юльгизы. Будто подсказывала встречный вопрос:

— А желтых мальчиков не жалко?

Маленький желтый мальчик (которого не кто-нибудь, а он, словно новый Моисей, вывел из российского плена) каким-то чудом ослабил бечевки и, цепляясь за спинки вагонных кресел, неожиданно ловко спустился вниз. Сидел, болтая резиновыми ботами, поглядывая на человека, чья бездетная сестра Вера должна стать ему, безымянному сироте, то ли приемной теткой, то ли двоюродной муторшей. А, значит, сам этот человек — приемным дядей или двоюродным отцом. По природной малости он еще не мог в этом разобраться, тем более теперь, когда птенец его сердца трепетал ожиданием встречи со своим светлым советским будущим, о котором он, по стечению исторических обстоятельств родившись в России, не имел ни малейшего понятия.

Но знал: спасителю надо угождать. Так его научила мать, всю жизнь угождавшая черным. Его муторшей гордится вся семья. Его, теперь уже бывшие, родичи. Поют на разные голоса: ах, наша Юльгиза! Кто бы мог подумать! Поступила! Да не куда-нибудь, а в Санкт-Петербургский университет!

Одна тока баушка молчит.

Дура старая. Учит его старшего брата. Хотела и его научить. Будто он не знает — сам слышал по телевизору — дома ферботен. Читать и писать учат в школе.

Вглядываясь в черты лица того, кто теперь, отныне и до веку, будет о нем печься, мальчик пытается угадать: он-то чем ответит на такую заботу? Была бы маленькая лопатка, можно чистить его двор. От снега или от мусора. Или от чего прикажет. Главное — уж в этом он уверен: двор огромный, больше самой-пресамой-пресамой площади, куда мать водила их с братом, чтобы стоять с другими желтыми: смирно! лопаты на-пле-чо! — он вертел головой, разглядывая портреты и буквы, хотя и не понимал слов. Но разве дело в словах? Даже баушка в них путается, ворчит: ишь, шайтаны! Навыдумывают, а мы разбирай...

В СССР он всему научится. Закончит школу и немедленно поступит. Страшно сказать, в настоящий Ленинградский университет.

Будто получив от доброго хозяина твердое, точно завет, обещание, желтый мальчик сложил на коленках руки и приготовился ждать, еще не догадываясь, что хитрые гномы, вечные хозяева уральских недр, — да что там недр, всего сказочного края, — уже перемигнулись меж собой разноцветными огоньками, сговорившись перевести стрелки.

И теперь с растущим интересом наблюдали, как поезд — хи-хи-хи, кто бы мог подумать! ах-ах-ах, с багажом, с багажом! нам-нам-нам, достанутся дорогие шубы! — не снижая набранной сверхзвуковой скорости, идет прямиком в тупик.

Где-то в отдалении, еще невнятный, проникающий сквозь толщи горной породы, слышался яростный рев.

«Что там? Что?» — он воззвал к своему небесному контрагенту, который — в отличие от него, загнанного в тоннель, — смотрел на все происходящее с тысячелетней высоты.

Но великий Мо-Цзы молчал. Может статься, не слышал его отчаянного призыва. Или, наскучив всеведущим бессмертием, невольно увлекся открывшейся его глазам картиной: с Запада, со стороны России, в направлении Урала, двигались колонны пехоты, поддержанные нем-русскими танками.

«Они. Фашистские орды».

Его внутренний, серевший невидимым во тьме лицом, оцепенел.

Всей душой презирая тех, кто в минуту смертельной опасности празднует труса, — «Не за Родину. За себя, собака, боится», — он осознал всю меру своей одинокой ответственности. И понял: пришла пора. Брать дело в свои руки.

Что оказалось проще, чем можно было вообразить. Всего-то: раздвинуть земные пласты усилием воли, мысленно вознесясь над Хребтом.

И вот перед ним уже необозримая штабная карта, до странности похожая на физическую. Куда ни глянь, все имеет свой особенный цвет: горы — коричневые, предгорья — тоже коричневые, но значительно светлее. А там, в далекой перспективе, расстилается раскрашенная зеленой краской степь.

Яростный рев, однако, не стихал, переходя в тягучий и какой-то горестный вой.

Заложников, што ли, гонят? Бабами с дитями прикрываются. Суки, мля-я-я... — над его ухом заныло ошарашенно.

Он, командир передового подразделения, не отрывал окуляра подзорной трубы от просторов нем-русской степи. Его худшие опасения рассеялись: никаких пехотных колонн, форсированным маршем идущих нах Остен, а тем более боевых машин с ломаными фашистскими крестами на бортах. Впереди сколько хватало глаз — степью, не разбирая дороги, — двигались плотные народные массы: шли в направлении нынешней советской границы. Необозримой, но исключительно мирной толпой.

И чо теперъ? По народу шмалять?

— Погодим. Это-то всегда успеется, — он бросил через плечо своему внутреннему комиссару.

Потому что, в отличие от Иоганна, верил в народ — пусть и такой, изломанный десятилетиями оккупации. И оказался прав. Не для него одного, но и для них, безоружных, кого черные батьки пустили поперед себя в пекло, уготовив судьбу покорного пушечного мяса, наступил звездный час «Ч».

Желтые — точно рыба на нерест, иначе и не скажешь, — обманув ожидания своих ожиревших от безнаказанности хозяев, устремились обратно в СССР.

Шли, вскинув на плечо свои постылые лопаты — орудия подневольного труда. Единственное, что они могли поставить на службу своей исторической Родине. А значит, память о ней — он едва сдерживался, чтобы не заплакать, но одна скупая слеза все-таки выкатилась — все еще живет в их маленьких, но верных, измученных долгой разлукой, сердцах.

Будто очищая свою историческую память от схватившихся намертво ледяных торосов, желтые, одетые в одинаковые пластиковые куртки, успели сорвать с оборотной стороны лопат портреты видных фашистских деятелей, оскорбительные для их немудрящего чувства человеческого достоинства. И заменить на правильные лозунги — отвечающие текущему моменту:

МИРУ — МИР!
ОТВЕТИМ НА ПРОИСКИ ВРАГА УДАРНЫМ ТРУДОМ!
ФАШИЗМ НЕ ПРОЙДЕТ!
НАША СИЛА: ЕДИНСТВО И ДУХОВНОСТЬ!
ПАТРИОТ ТОТ, КТО ЗА ЧЕРНЫХ!

Новые лозунги читались ясно — как в полевой бинокль.

Эта чо у них там в головах, а? — его внутренний, успевший прийти в себя, моргал обескураженно.

Все-таки ему достался туповатый комиссар.

Пришлось объяснять: сознание, сформированное многолетней оккупационной практикой, опирается на привычные понятия. Человек, какая бы решимость порвать с собственным прошлым его ни обуревала, не в состоянии выйти за границы своего жизненного опыта. Дав философское обоснование проблемы, он надеялся, что комиссар заткнется, впечатлившись ее глубиной.

Но тот, похоже, не впечатлился:

Дак мы с тобой — тоже, што ли?

Он сказал, как отрезал:

— Говори за себя.

Его внутренний глубоко задумался. Видно, ждал реакции от собственной внутренней наружки. А уж когда она поступит, этого не знает никто. Даже он, не сводящий глаз с желтой головной колонны, успевшей дошагать до предгорий западного Урала. Вдали, за авангардом, уже просматривался арьергард. Торопясь и подбадривая друг друга (будто ошалев от долгожданной и безнаказанной воли), подымались, ложась на крепкие трудовые плечи, древки все новых и новых лопат. Народное ополчение, истинных масштабов которого не оценил бы даже Иоганн, который привык копаться в архивах, где одни покойники.

«А здесь — живые люди...» Не успел он это подумать, как заметил: все плывет перед глазами — дро-

жит, словно сам воздух разогрелся жарким дыханием миллионов, шагающих в СССР. Но как ни вертел,
ни подкручивал подзорную трубу, добиваясь прежней неоспоримой зоркости, расплывалось только
сильнее, пока не встало плотным непроницаемым
облаком, застящим обзор.

*Эти, сзади-то, глянь. С дрекольем, што ли, пристрои-
лись?* — Комиссар, необъяснимым образом, в обход
него, своего непосредственного командира, успевший обзавестись цейсовским (читай, фашистским)
биноклем, смотрел далеко вперед.

В смысле — далеко назад.

— Ну-ка, — отодвинув выскочку локтем, он перехватил оптическое орудие наведения. И понял, что
имеется в виду.

На плечах тех, кто сбивался в арьергардные отряды, не просматривалось широких дворницких
лопат.

Чо там, чо? — комиссар подпрыгивал от нетерпения.

Там, в далекой перспективе, покачивались короткие, будто обломанные, древки.

«Но это же, это...»

Он вглядывался напряженно, боясь высказать
вслух догадку, абсолютно безумную, можно сказать,
космическую, из разряда тех, над которыми поте-
шаются средние умы, в подметки не годные ему
и Эйнштейну.

Вскинув — на-пле-чо! — не лопаты и даже не винтовки Мосина, а косые могильные колышки, из
земли подымались мертвые. Вставали в затылок
живым.

Он почувствовал мурашки на коже.

«Неужели я оказался дальновиднее великого китайского Учителя...» — шепнул, будто на ухо Иоганну. Забыв, что Иоганна нет.

А есть только *этот*, на кого теперь, отныне и до веку, ему придется полагаться.

— Ну, мертвые, — его комиссар что-то катал во рту. — *Дык а чо. Нормально*, — сплюнул и как-то криво усмехнулся.

Ощущая в своей руке приятную тяжесть цейсовского бинокля (уже не фашистского, а нашего, отбитого у врага), он переживал исторический триумф. Еще немного, и его страна одержит окончательную победу...

Но тут откуда ни возьмись в гармоничную картину мироздания вторгся голос проводника:

— Подъезжаем, подъезжаем. Пассажиров просят занять свои места.

Прервал восхитительное течение событий, нарушив границы воображаемого, но абсолютно достоверного пространства — откуда не хотелось возвращаться, как в детстве, когда играли в войнушку...

С трудом, но разлепил все-таки глаза.

Убогая действительность собиралась медленно: вот, будто крупицы масла в натуральном молоке высокой жирности, сбились из густого воздуха ряды кресел. Между ними — точно проволока венчика, все еще взбивавшего сонное сознание, блеснули плотные металлические столы.

Стараясь не отвлекаться на частности, он всматривался в бегущую строку. Хотелось запомнить точное время. Однако на ней, сиявшей над раздвижной дверью в тамбур, не было ни числа, ни месяца, ни года. Только название: «Беркут». И номер вагона. В котором он, триумфатор, поддержанный всеми, и живыми и мертвыми, пересекает границу СССР...

Между тем, знаменуя приближение к рубежам великой Родины, из невидимых динамиков, закрепленных под потолком вагона, полились звуки. Родина встречала его песней — подлинной, времен минувшей войны.

— «Мне кажется порою, что солдаты, с кровавых не пришедшие полей, — отцовский голос, полный фронтового достоинства, обращался к мертвым и живым: — Не в землю нашу полегли когда-то, а превратились в белых журавлей...»

Повинуясь этому голосу, разошлись каменные створы тоннеля, открывая просвет в мертвенно-сизой мгле. Там, в небесной тишине, собирались солдаты, павшие в боях с фашизмом. Строились бесконечным клином.

Сквозь просвет виднелся не весь солдатский клин. Только самый край.

Последним, точно птенец-новобранец, неумело, но старательно взмахивая ломкими, как архивные листочки, крыльями, плыл...

Но не он, не он, не он.

А Иоганн.

Его радость померкла.

Сидел, прислушиваясь к тишине, давящей барабанные перепонки. Абсолютной, сродни кессонной болезни, откуда — как из песни, — уже ничего не выкинешь, потому что выкидывай не выкидывай...

Вдруг ему вспомнилась корноухая овчарка, опоздавшая за поездом. Он хотел спросить: не знаешь, что с ней стало?

Но его внутренний ангел-хранитель, как назло, отлетел.

2013–2016

Литературно-художественное издание

Чижова Елена Семеновна

КИТАИСТ

Роман

18+

Содержит нецензурную брань

Главный редактор *Елена Шубина*
Редактор *Алла Шлыкова*
Литературный редактор *Дана Сергеева*
Младший редактор *Вероника Дмитриева*
Технический редактор *Надежда Духанина*
Корректоры *Ольга Грецова, Валерия Масленикова*
Компьютерная верстка *Елены Илюшиной*

http://facebook.com/shubinabooks
http://vk.com/shubinabooks

Подписано в печать 17.03.2017. Формат 84x108/32.
Печать офсетная. Усл. печ. л. 31,92.
Доп. тираж 3000 экз. Заказ 2879

Отпечатано с готовых файлов заказчика
в АО «Первая Образцовая типография»,
филиал «УЛЬЯНОВСКИЙ ДОМ ПЕЧАТИ»
432980, г. Ульяновск, ул. Гончарова, 14